ANGE OU DIABLESSE

La représentation de la femme au XVIe siècle

Sara F. MATTHEWS GRIECO

ANGE OU DIABLESSE

La représentation de la femme au XVIe siècle

*Ouvrage publié avec le concours du
Centre National des Lettres*

Flammarion

© Flammarion 1991
ISBN 2-08-211187-3
Imprimé en France

REMERCIEMENTS

Le travail de recherche et de rédaction qui a abouti à ce livre eût été sensiblement ralenti sans le soutien institutionnel et financier du musée des Arts et Traditions Populaires (bourse du Ministère des Affaires étrangères, 1978-1979), du Collège de France (Allocation de Recherche postdoctorale, 1983-1984) et de l'Institut Universitaire Européen (bourse Jean-Monnet, 1987-1988).

Je tiens particulièrement à remercier parmi les amis et les collègues qui m'ont fait généreusement participer de leur savoir, de leur temps et de leur encouragement :

Jean ADHEMAR
Louis AUDIBERT
Gisela BOCK
Suzanne BONE
Giordana CHARUTY
Natalie Zemon DAVIS
Jean DELUMEAU
Leila DENIA
Marie-Elisabeth DUCREUX
Lesley FINLAYSON
Jean-Louis FLANDRIN
Allen GRIECO
Andrée GRIVEL
Marianne GRIVEL
Christiane KLAPISCH ZUBER
Daniela LAMBERINI
Esteban et Maria Pia MAGANNON

Anne MARCOVICH ELBAZ
Jean-Claude MARGOLIN
Sabine MASSON
Michel MELOT
Karolina MICHEL
Patrick MICHEL
Alain MONESTIER
Jean-Pierre OUVRARD
Isabella PALUMBO-FOSSATI
Jean-Pierre PETER
Marie-Christine POUCHELLE
Maxime et Tamara PREAUD
Odile REDON
Daniel ROCHE
Martine SEGALEN

Et à mes étudiants, exemplaires pour leur enthousiasme et leur patience, et, surtout, aux chers habitants de Campitello, Maria et Alfredo (Palle) FANTONI et Rosa CASTELLUCCI (†), ma gratitude et mon amitié.

A ma mère
Helen Storms Parker Matthews
(1923-1973),
et à ma grand-mère
Helen Parsons Parker
(1899-1985).

« Lorsqu'on a voulu entreprendre des études de caractère sociologique sur l'art, on a généralement commis une double erreur. On a, en premier lieu, toujours admis que l'on connaissait les structures réelles de la société. On a prétendu expliquer l'art par la société, tandis que c'est l'art qui explique en partie les véritables ressorts de la société. On a toujours considéré l'art comme un ornement, un accessoire, une superstructure sociale, au lieu de l'interroger et de l'analyser comme une fonction fondamentale. En second lieu, on a grandement négligé, dans l'étude des sociétés récentes, le côté mythique des systèmes d'explication de l'univers dont l'art est un des principaux interprètes. »

(P. Francastel, *Peinture et société,*
Paris, 1965).

AVANT-PROPOS

L'IMAGE E(S)T L'HISTOIRE

> « Partir de l'image, des images. Ne pas chercher seulement en elles illustration, confirmation, ou démenti à un autre savoir... Considérer les images telles quelles, quitte à faire appel à d'autres savoirs pour mieux saisir. »
>
> (M. Ferro, « Le film, une contre-analyse de la société », dans *Faire de l'Histoire,* Paris, 1974.)

La valeur de l'image pour l'étude des sociétés du passé est désormais un lieu commun de l'actualité historiographique. L'historien qui manifeste de l'enthousiasme pour le document iconographique hésite cependant devant le choix des outils analytiques. L'informatique, la sémiologie et la sociologie de l'art ont développé chacune, dans le cadre de leurs besoins et de leurs préoccupations respectives, des méthodes d'analyse dont l'histoire peut profiter [1], mais l'arsenal critique des disciples de Clio est encore au stade expérimental en ce qui concerne l'exploitation des sources visuelles [2].

Séduit par la beauté et les difficultés du terrain — une aire si vaste qu'en dépit des premières avancées elle demeure pratiquement vierge —, l'auteur présente ici un étude qui constitue un modeste apport aux travaux de défrichement [3]. Équipée d'outils analytiques divers, telles la théorie des communications et l'anthropologie structurale, cette exploration du pays des images s'attaque à une période précise — le XVIᵉ siècle —, à une documentation peu exploitée — l'estampe — et à un sujet qui fut alors, et qui est toujours, d'actualité — les femmes [4].

Mais c'est surtout une double constatation qui a déterminé le choix du terrain d'enquête. Tout d'abord, c'est au cours du XVIe siècle que l'estampe, *mass media* de l'Ancien Régime, est devenue un moyen de communication social comparable au texte imprimé. Ensuite, c'est également à cette époque que l'iconographie a élaboré un code visuel relatif au corps et à l'identité féminine, un catalogue de représentations qui a subsisté, avec les mêmes stéréotypes et les mêmes genres fixes, jusqu'en plein milieu du XIXe siècle et, dans certains cas, jusqu'à nos jours.

A partir de ces deux observations, la question qui se pose est comment l'image des femmes, telle qu'elle était diffusée par l'estampe, a-t-elle participé à la vie quotidienne ? Quelles étaient les fonctions — idéologiques et sociales — de la gravure et, surtout, quels étaient les enjeux réels des représentations ? Enfin, dans quelle mesure l'iconographie a-t-elle fléchi, informé ou consolidé l'identité féminine au siècle de la Renaissance ?

Les femmes et la Renaissance

Contrairement au défi méthodologique que représente l'analyse historique du document visuel, l'étude des femmes au XVIe siècle est loin d'être handicapée par la nouveauté du sujet. Les publications sur ce thème sont légion et n'importe quel ouvrage général sur la civilisation de la Renaissance consacre au moins quelques pages à la question féminine. Cependant, on a eu, jusqu'à présent, plus tendance à parler des innovations de la Renaissance et de la Réforme à son sujet qu'à évoquer la méfiance qu'elle continue de susciter.

Le XVIe siècle est une période où le « deuxième sexe » connaît une valorisation nouvelle. Les historiens « positivistes » citent volontiers les penseurs protestants et les humanistes qui, influencés par le néo-platonisme italien, ont lancé une promotion de la femme dans les sphères de la famille et de l'amour [5]. Ces historiens concluent que le siècle lui a reconnu une importance et une humanité jusqu'alors niées par la tradition médiévale, qui voyait en elle un être essentiellement animal et diabolique. Cette interprétation optimiste du « féminisme » de la Renaissance est ancienne et difficile à extirper. Elle se fonde surtout sur la vie et l'œuvre de « femmes alibis » : membres de l'aristocratie — reines, princesses, poétesses et abbesses — cités par des observateurs superficiels qui affirment ensuite de nets progrès dans le domaine de l'égalité des sexes [6]. La célébrité de certaines femmes n'indique cependant pas leur degré d'émancipation, ni celui du sexe entier. Il faut faire une distinction entre les louanges d'une idéologie optimiste ou précieuse, limitée aux milieux savants et à la cour, les accomplissements de certaines personnalités politiques ou littéraires, et les conditions réelles dans lesquelles vivait la grande majorité des femmes [7].

Au cours des derniers dix ans, les historiens ont révélé le revers de cette médaille : Le XVIᵉ siècle était également une époque où les femmes ont subit une marginalisation progressive. De plus en plus exclues de la vie économique en faveur d'une existence cantonnée aux sphères domestiques et couventines, la plupart de la population féminine vit une période de rétrécissement de ses propres options sociales. En fait, le triomphe de la politique patriarcale a été accompagné par une réduction proportionnelle des aires d'autorité féminines. Lente et inexorable, cette diminution d'identité sociale et économique n'allait cependant pas sans être contestée. Tant les « femmes alibis » et les quelques « féministes » de l'époque que certaines des artisanes, ouvrières et ménagères refusaient, avec plus ou moins de succès, leur manque de pouvoir et leur exclusion de la vie publique [8].

Entre la promotion et la dégradation, quelles sont les images de la femme portées par la gravure ? Dans quelle mesure l'estampe a-t-elle appuyé — ou non — le devenir social ? Comme tout moyen d'expression culturelle à large diffusion, ce nouveau média a non seulement exprimé les contradictions vécues par son époque mais il a également proposé à ses consommateurs des solutions — visuelles et idéologiques — à ces mêmes dilemmes.

L'image de la femme : miroir d'une société

Dans la mesure où l'art constitue toujours une sorte d'enquête sur le monde, une analyse visuelle et sémantique de la position de l'humanité par rapport à l'univers qui l'entoure, il renvoie, comme un miroir, l'image qu'une société se fait d'elle-même. Les informations transmises par le document iconographique comportent toujours une mise en scène ou une interprétation de la « réalité » telle qu'elle est conçue par une civilisation donnée. L'art traduit également, au-delà de ses fonctions représentatives, les ressorts conceptuels sur lesquels reposent la culture et la société. Il trahit les présupposés responsables des comportements

individuels et collectifs et témoigne de l'imaginaire collectif d'une
époque[9].

Or, dans la représentation que l'homme du XVIe siècle se fait
du monde qui l'entoure, la femme occupe une position centrale.
Elle constitue une figure clef dans la schématisation mythique de
l'univers où elle fournit un lien entre la nature et la culture.
L'image qu'on s'en fait explique, au moins en partie, l'organisation de la société humaine et confirme la place de celle-ci dans
l'ordre cosmologique. Cependant, sa représentation plastique dit
plus sur les idées détenues par la société à son égard que sur sa
condition concrète. Cerner le discours tenu sur la féminité signifie donc interroger l'époque (surtout les hommes, mais les
femmes aussi dans la mesure où ils appartiennent à la même
culture[10]) sur son interprétation de l'univers et de la vie sociale.
Cela signifie dévoiler ses rêves et ses fantasmes collectifs, chercher les structures et les catégories de pensée qui informent sa vie
mentale... découvrir, enfin, les signes selon lesquels une civilisation construit et comprend son propre univers.

Dans quels termes pense-t-on la femme du XVIe siècle ? Quelle
est l'étendue et quels sont les contours de son identité dans
l'imaginaire de l'époque ? L'interrogation d'un corpus iconographique composé de quelque six mille estampes a permis d'établir
l'inventaire des représentations du deuxième sexe ainsi que des
croyances et des symboles qui l'entourent. Elle a également permis de mettre au jour les discours « cachés » tenus sur la féminité, de découvrir les systèmes de valeurs qui règlent son image
et d'atteindre leur logique interne.

La gravure : médiateur culturel et révélateur social

Le premier objectif de cette étude consiste à pénétrer les pro-
fondeurs du discours iconographique et à comprendre ses implications, tant pour l'histoire des idéologies que pour celle des
mentalités ; le deuxième vise à reconstruire le trajet de ce même
discours au sein du monde qui l'a produit et à saisir ses implications pour la dynamique des sociétés.

Tout document iconographique est fabriqué dans un but spécifique et s'adresse à un public déterminé. Chaque image comporte toujours un message du producteur à l'intention (ou à la
demande) du consommateur[11]. Or la gravure du XVIe siècle,
devenue moyen de communication de « masse », joue un rôle de

messager ou de médiateur culturel entre la cour, les milieux dirigeants des villes et l'ensemble des populations urbaines. Loin d'être une création secondaire ou superflue, l'estampe se révèle une arme puissante dans l'acculturation progressive d'un public de plus en plus vaste, un « grand public » dont l'effectif ne cesse de croître pendant tout l'Ancien Régime. Organe privilégié de la culture dominante, l'image imprimée reproduit et répand, à l'intention d'une population souvent peu lettrée, une vision de la féminité consacrée par la théologie, la médecine, la loi, la morale. En même temps, elle entend susciter, de la part du spectateur, une complicité. L'image joue toujours sur deux registres : celui d'une popularisation de l'idéologie au pouvoir et celui des préjugés courants. De ce fait, elle utilise, mêlé aux préoccupations venues d' « en haut », un certain pourcentage d'idées reçues propres aux couches inférieures du tissu social. Cette multiplicité de sources d'inspiration assure aux images sortant des ateliers urbains une meilleure réception auprès du grand public. L'estampe fonctionne ainsi comme une sorte de « dénominateur commun » de la société française au XVIᵉ siècle.

Au-delà de l'inventaire des représentations de la femme et de la vision de l'univers qu'il véhicule s'impose donc l'analyse des articulations synchroniques et diachroniques du discours iconographique, de ses modifications sociales et géographiques. Il faut suivre le trajet du message entre l'émetteur et le destinataire : quels milieux de production privilégient quelles images de la féminité, et à qui ces représentations sont-elles destinées ? Quelles fonctions remplissent-elles auprès de leur public ?

Dans cette optique, les représentations sociales et mythiques du deuxième sexe constituent à la fois un prisme et un véhicule à l'aide desquels peuvent être distinguées aussi bien les structures de base de la psychologie de l'époque que les concordances (ou les conflits) des idéologies dominantes et dominées. A travers l'image, on peut donc espérer atteindre l'intangible — c'est-à-dire les constantes et les mutations de l'imaginaire collectif d'un monde désormais lointain, mais toujours à l'origine du nôtre.

Mercatale Valdarno,
février 1988.

INTRODUCTION

L'IMAGE IMPRIMÉE AU XVIᵉ SIÈCLE : NAISSANCE ET AFFIRMATION D'UN MOYEN DE COMMUNICATION DE MASSE

> « Il ne faut qu'avoir des yeux pour saisir ce que
> le petit peuple, en regardant des images, apprend
> convenablement à sa capacité ce que les gens de
> lettres, en lisant les livres, apprennent convenable-
> ment à la leur. »
>
> (R.P. Richomme, *Discours des images*,
> Paris, 1597.)

Afin de comprendre la complexité du phénomène de la gravure et de saisir les implications socioculturelles des discours
qu'elle véhicule, il faut tenir compte des conditions dans lesquelles les estampes ont été fabriquées. Il faut faire le lien entre
les techniques de production, les réseaux de distribution et les
différents milieux consommateurs. Encore faut-il garder pré-
sentes à l'esprit les multiples fonctions remplies par l'image
imprimée au cours du XVIᵉ siècle.

Comme le livre, l'estampe était à la fois objet culturel et marchandise. Elle était sujette aux lois du marché ainsi qu'aux limi-
tations imposées par ses modes de fabrication. Sa manufacture
était autant conditionnée par le public qu'elle devait rencontrer
que par le message qu'elle était censée communiquer. De ce fait,
des connaissances sur les conditions de production d'une image
peuvent déjà donner une idée de sa zone d'influence potentielle.
De même, le style et le sujet du dessin apportent des indications

précieuses : ils indiquent l'école à laquelle appartenait le graveur ainsi que le rôle que devait remplir cette estampe dans la vie quotidienne.

C'est pour toutes ces raisons que s'impose ici un rapide survol de l'histoire et de l'évolution de la gravure au XVIe siècle. Phénomène complexe aux fonctions multiples, médiateur culturel aux nombreux publics, la gravure diffusait des représentations de la femme dont les variations ne peuvent s'expliquer que par des considérations de nature technique, culturelle, sociale et historique.

● **Nouveau média, nouveau langage**

> « Les messages visuels, pour être réellement compris, requièrent un apprentissage et une culture. La communication visuelle ne va pas de soi, elle n'est ni naturelle, ni spontanée. »
>
> (A.-M. Thibault-Laulan,
> *Le Langage de l'image,* Paris, 1971.)

La particularité technique de l'estampe — permettre de nombreux tirages d'une même image à partir d'une seule planche gravée — a assuré à cet art une distribution sociale et géographique beaucoup plus importante que celle connue par les autres traditions iconographiques comme la peinture, la sculpture ou la tapisserie, dont les œuvres étaient généralement produites en un seul exemplaire. Avant l'invention des procédés permettant l'édition en grande série, c'était le public qui allait aux images. Depuis, ce sont les images qui ont été offertes, en foule de plus en plus dense, à tous les milieux sociaux[1]. La gravure a créé ainsi de nouveaux rapports entre l'image et le public. Comme l'a remarqué David Kunzle :

> ... un moyen de communication de masse est mobile : il se déplace vers l'homme, l'homme ne doit plus se déplacer vers lui. Bien qu'il puisse s'adresser au grand public, il invite l'individu à le posséder. Une feuille volante épinglée sur le mur d'une taverne permet au spectateur de s'identifier à son contenu d'une façon tout à fait différente d'une peinture officielle en exposition permanente dans une église. Par ailleurs, si un homme peut posséder une estampe, la tenir dans les mains et la passer à un ami, sa participation au contenu croît à proportion de ces manipulations[2].

En tant que nouveau média, la gravure a eu un impact social aussi important que celui du texte imprimé, et peut-être même plus étendu dans la mesure où il était accessible aux illettrés au sein d'une société majoritairement orale. L'estampe touchait non seulement celui qui la possédait, mais également celui qui jetait un coup d'œil aux images accrochées dans la boutique du graveur, aux étalages des marchés, au panier du colporteur. Grâce à cette omniprésence dans l'espace des villes, l'iconographie — langue sans paroles — est rapidement devenue un idiome accessible à la quasi-totalité de la population citadine dont la maîtrise en matière de communication visuelle est restée, pendant tout l'Ancien Régime, largement en avance sur celle des milieux ruraux. Et c'est au cours du XVIe siècle que cet apprentissage s'est effectué : l'impact de la gravure s'est propagé du haut en bas de l'échelle sociale et ses fonctions, dans la vie quotidienne, se sont multipliées.

Acteur dont l'importance réelle reste encore à mesurer, l'estampe a été un véhicule de valeurs culturelles, de modes artistiques, de messages politiques et de propagande religieuse. Son langage chiffré, objet d'un apprentissage ralenti par rapport au livre, a cependant fini par être à la portée du grand public des villes. En 1520, l'homme de la rue était exposé à un vocabulaire visuel beaucoup moins complexe qu'il ne l'était vers 1580. Qu'est-ce que cela veut dire ? L'évolution du langage iconographique, comme les utilisations multipliées de la gravure, montrent qu'en un court demi-siècle la population des principales villes françaises (et, d'ailleurs, la population citadine de l'Europe entière) avait appris à « lire » l'image, à déchiffrer une iconographie riche et complexe, à consommer un vaste éventail de représentations. Arme dans la formation de l'opinion publique, avocat culturel de la classe des dirigeants et porte-voix du peuple des villes, l'estampe avait assumé, bien avant la fin du XVIe siècle, le rôle d'informateur social qu'elle devait remplir pendant les trois siècles à venir.

DEUX CORPUS COMPLÉMENTAIRES :
L'EMBLÈME ET L'ESTAMPE SUR FEUILLE

Au XVIᵉ siècle, l'image imprimée est autant utilisée pour l'illustration du livre que seule, sous forme de feuille volante. C'est pour cette raison que deux corpus de gravures ont été retenus pour cette étude. Le premier est le livre d'emblèmes, dont l'immense popularité a donné aux XVIᵉ et XVIIᵉ siècles le surnom d' « âge emblématique ». Le second corpus, plus vaste et plus hétérogène, est l'ensemble d'estampes sur feuille — gravées ou vendues sur le territoire français entre 1490 et 1620 environ — qui a survécu jusqu'à nos jours.

1. LE LIVRE D'EMBLÈMES OU L'APPRENTISSAGE D'UN LANGAGE ICONOGRAPHIQUE

On a beaucoup écrit sur la vogue des *emblemata* au début de l'époque moderne mais rares encore sont les études qui reconnaissent dans ces recueils d'images commentées l'édification délibérée et didactique d'une imagerie décrivant une société et l'univers moral qui lui était propre [3]. Pourtant, la vogue de l'emblématique, qui a tant enthousiasmé le XVIᵉ siècle, constitue une source remarquable pour l'histoire des idées. Elle témoigne à la fois de la *Weltanschauung* d'une civilisation et des systèmes de valeurs structurant sa pensée. Francis Salet a très justement observé que « parmi les sciences auxiliaires de l'histoire, l'emblématique est une science méconnue. Il est rare de voir les historiens lui donner quelque place dans leurs préoccupations... Pourtant l'emblématique du Moyen Age et de la Renaissance était un langage plus strict et plus rigoureux que la langue parlée ou écrite. C'était un système de symboles chargé de significations, riche d'affirmations... Rien n'y était laissé au hasard [4] ».

Outre leur valeur sémiotique, les livres d'emblèmes ont une valeur inestimable pour l'histoire de la culture visuelle dans la mesure où ils constituent autant de « dictionnaires » iconologiques. Ils assurent ainsi à l'historien une lecture contemporaine du langage symbolique, une interprétation du document visuel en fonction des systèmes signifiants de l'époque. Cela est d'autant plus précieux que l'art de la Renaissance accorde une place importante à l'allégorie et au symbole. Mais si le message chiffré d'une image donnée était censé être relativement accessible au public du XVIᵉ siècle, il peut poser au « lecteur » du XXᵉ siècle des problèmes d'interprétation considérables. Parmi les dangers qui guettent celui qui s'aventure aujourd'hui parmi les images du passé, l'anachronisme est, évidemment, l'un des plus redoutables. C'est pourquoi cette étude se fonde, en partie, sur l'analyse et la quantification de l'image de la femme à partir des sources emblématiques. « Traducteur » idéologique d'une imagerie parfois hermétique, le livre d'emblèmes fournit une vision de la féminité propre à la culture de ses producteurs.

● Qu'est-ce qu'un emblème ?

L'emblématique est née au XVI⁰ siècle et constitue, pendant les cinquante premières années de sa vie, un phénomène essentiellement français [5]. Située au confluent d'une tradition allégorique médiévale et d'une sagesse épigrammique chère à la Renaissance, elle répond à une demande croissante, de la part du public citadin, d'une littérature illustrée en langue vulgaire dont la lecture serait à la fois amusante et édifiante.

L'emblème en soi est une construction sémiologique consciente. Il se présente généralement sous la forme d'une image allégorique accompagnée de vers qui expliquent l'iconographie et en éclaircissent le sens moral. A la fois catalogue iconographique raisonné et anthologie littéraire illustré, le recueil ou livre d'emblèmes enseigne un langage symbolique tout en poursuivant un but d'instruction éthique et/ou religieuse. Il marque d'ailleurs un moment unique dans l'histoire de l'image dans la mesure où il constitue à la fois le lieu de codification d'un langage visuel et le moyen de diffusion d'un lexique idéologique.

Les emblématistes ne s'accordent pas entièrement sur les rôles respectifs de l'image et du texte, chaque auteur exprimant un avis légèrement différent des autres. Cependant, malgré les divergences théoriques des auteurs, les livres d'emblèmes se caractérisent par une certaine uniformité de structure. Le recueil type se présente sous la forme d'un petit livre de format « portatif » comportant une série de cent vignettes. Chaque emblème est composé de trois parties principales pour lesquelles les noms latins sont peut-être les plus utiles : ce sont l'*inscriptio,* la *pictura,* et la *subscriptio.* L'*inscriptio* figure généralement en haut ou en bas de l'image et consiste en une courte citation, un dicton ou un proverbe. La *pictura* représente des objets, des animaux, des plantes ou des personnes [6]. Située au-dessous ou en face de la *pictura,* la *subscriptio* est une composition versifiée de longueur variable qui provient généralement de la plume de l'auteur. Chacun de ces éléments renvoie ensuite aux deux autres, car la signification iconographique et morale des éléments picturaux est résumée par l'*inscriptio* et expliquée par les vers de la *subscriptio*.

Les poètes-emblématistes appartiennent à plusieurs catégories socioprofessionnelles : ce sont des clercs, des médecins, des humanistes, des aristocrates cultivés et des hommes de lettres. Andrea Alciati, par exemple, est jurisconsulte, Gilles Corrozet, libraire, Adrien Le Jeune, médecin, et Barthélemy Aneau, poète et professeur de rhétorique.

Les noms des graveurs, en revanche, ne sont pas aussi facilement repérables car le plus humble « tailleur d'histoires », comme le plus célèbre graveur d'images, pouvait prêter son burin à l'illustration du livre emblématique. Certains sont des artistes bien connus (tels Pierre Woeiriot, illustrateur des *Emblemes chrestiens* de Georgette de Montenay, Philippe Galle, graveur-éditeur de la *Prosopographia* de Cornelis Van Kiel, et Bernard Salomon, graveur sur bois lyonnais, à qui sont attribuées certaines éditions des *Emblèmes* d'Alciati) mais pour la plupart les noms des graveurs des planches emblématiques ont disparu, ensevelis dans l'anonymat d'un art méprisé, considéré comme inférieur à l'art de la parole [7].

Toutefois, si les illustrateurs des recueils sont jugés inférieurs aux auteurs des vers accompagnant leurs planches, le rôle que joue l'image dans la communication du message emblématique est généralement considéré comme supérieur à celui du texte. L'image n'a pas besoin d'une légende pour « parler ». Elle domine la lecture de l'emblème, c'est elle qui communique tout, ou presque tout, du message. Comme l'observe Pierre L'Anglois dans la préface de ses *Discours des hieroglyphes aegyptiens, devises et armoiries* (Paris, 1583) :

> ... la grace de l'emblème consiste en la peinture, qui doit estre si ingenieusement inventée, qu'elle nous semble parler... en l'emblème, on se découvre... ouvertement, on y voit à jour, & à travers le corps ainsi industrieusement imagé par le subtil & ingénieux ouvrier, qui nous représente par sa peinture quasi la chose qu'il nous veut dire, garni puis après de devises & épigrammes, comme de beaux ornemens, & enrichissemens attachez à tel ouvrage [8].

Les graveurs des emblèmes puisent leur vocabulaire visuel dans un fonds commun, dans une culture iconographique à la fois ancienne et moderne, qui dérive aussi facilement de l'allégorie biblique et du symbolisme animal que de la « science » hiéroglyphique et la culture humaniste. Située entre une tradition médiévale d'exégèse allégorique (où toute chose a une signification inhérente) et une tradition de réflexion morale nourrie par le proverbe et le dicton, l'interprétation emblématique de la réalité est profondément enracinée dans une pensée symbolique qui ne se limite pas aux milieux cultivés.

● **L'emblématique, langage du monde** [9]

Si l'emblème est un enfant de la Renaissance, la mentalité qu'il traduit est beaucoup plus ancienne. Mario Praz a été l'un des premiers à signaler la mentalité « emblématique... du Moyen Age, avec ses bestiaires, ses lapidaires et ses allégories [10] », et Albrecht Schöne a démontré la validité de cette observation en soulignant le rapport entre l'emblème et la symbolique de la nature au Moyen Age [11]. Cette tradition d'exégèse typologique présuppose un univers ordonné et signifiant, créé par Dieu afin de révéler à l'homme son dessein pour le salut de l'humanité. Les animaux et les fleurs, les arbres et les insectes, tout est investi d'une ou de plusieurs significations selon ses qualités inhérentes et ses aspects formels.

Fidèle à ses précurseurs, l'emblématiste de la Renaissance attribue à tout ce qui existe un sens inhérent. Ainsi, le tournesol, qui tourne sur sa tige pour suivre le soleil, est un emblème de constance et de fidélité qui peut être interprété, selon le contexte, comme l'amour humain, l'amour pour Dieu, la foi chrétienne, ou la loyauté due au Prince. De même, un animal comme le lion peut revêtir un grand nombre de significations — soit positives, soit négatives — selon les bonnes et mauvaises qualités qu'on lui attribue. Il peut représenter le Christ, puisqu'il est censé dormir les yeux ouverts, ou le Diable à cause de sa soif de sang ; il peut également signifier le droit chrétien à cause de son courage, ou l'hérétique blasphème à cause de sa bouche malodorante [12]. Pour le XVIᵉ siècle, le langage de l'emblème n'est autre que celui du monde.

La vogue emblématique renforce donc une attitude figurative envers l'univers qui date du sermon médiéval. Tributaire d'une tradition essentiellement catholique, cette traduction symbolique de la réalité est également pratiquée par les réformateurs protestants ainsi que par les humanistes imbus de néo-platonisme qui

continuent à interpréter le monde selon un système allégorique
codifié. Pour les néo-platoniciens de la Renaissance, comme
pour les prédicateurs du Moyen Age, l'univers est toujours une
« écriture chiffrée, un ensemble de signes magiques et sympathi-
ques, un langage de Dieu » [13].

A la fois catalogue de signes de la volonté céleste et recueil de
réflexions philosophiques et morales, le livre d'emblèmes fournit
à son époque un « lexique » pour interpréter le langage codifié
du cosmos. L'emblématique explique ou plutôt confirme le sens
inhérent des choses et le fonctionnement du monde. Cette vision
du monde n'est cependant pas à sens unique. Produit d'une
société urbaine en voie d'expansion, l'emblème est composé
d'éléments à la fois savants et populaires, de lieux communs traditionnels et de nouveautés humanistes. Il rassure les esprits
conservateurs tout en introduisant des nouveautés. De cette
façon, le livre d'emblèmes constitue un forum où se cristallise
une vision statique d'un monde mobile, une interprétation codi-
fiée et donc sécurisante d'un univers qui continue à échapper à
l'entendement humain.

● **Historique du livre d'emblèmes en France (1534-1600)**

Ce n'est pas sans raison qu'on a donné au XVIᵉ et au XVIIᵉ siècle européens le surnom d'« âge emblématique » dans la mesure
où des modes d'expression et des façons de penser emblématiques ont conditionné la plupart des activités culturelles. Les
bibliographies les plus récentes recensent plus de deux milles
livres d'emblèmes différents à partir du début du XVIᵉ siècle,
dont la majorité ont vu le jour avant 1700 [14]. Leur diversité est
étonnante ; il y a des livres d'emblèmes humanistes, religieux,
militaires et amoureux ; il y a des collections morales, politiques
et didactiques ; il y a également des recueils éclectiques, populaires et décoratifs. Dans leur ensemble, ils constituent un pano-
rama presque complet de la pensée de leur époque. Et comme
tout genre littéraire ou artistique, le livret emblématique a eu son
propre développement, sa propre histoire.

Le premier livre d'emblèmes

La naissance du premier livre d'emblèmes est due à un hasard, à un
malentendu entre l'auteur italien, Andrea Alciati, et l'imprimeur augs-
bourgeois, Heinrich Steyner.

En 1521 ou 1522, alors qu'il séjourne à Milan, le célèbre jurisconsulte compose pour se distraire un recueil de sentences et d'épigrammes, tirées pour la plupart d'œuvres de l'Antiquité qu'il connaît bien. C'est un passe-temps assez fréquent à l'époque et un exercice habituellement pratiqué dans les écoles[15]. Le recueil d'Alciati ne contient que cent quatre épigrammes d'une huitaine de lignes chacun, juste de quoi composer un livret de dimensions modestes pour servir de manuel édifiant.

Alciati envoie ensuite son manuscrit à un ami d'Augsbourg afin de le faire publier en Allemagne. C'est alors que Heinrich Steyner, sensible au rôle joué par la gravure dans la commercialisation du livre, prend l'initiative de rendre ces épigrammes plus accessibles et plus attirantes[16]. Sans demander l'accord de l'auteur, il fait graver cent planches sur bois pour illustrer les sentences et baptise le livret, paru en 1531, du nom d'*Emblematum liber*. Bien qu'Alciati eût certainement une autre conception des *emblemata,* la trouvaille de Steyner fournira à la postérité le modèle type du livre d'emblèmes, modèle dont la descendance peuplera les librairies jusqu'au milieu du XVIIIᵉ siècle.

La réussite initiale de Steyner s'arrête cependant avec une troisième édition parue en 1534. Étant donné le mécontentement de l'auteur (qui essaie de retirer de la circulation tous les exemplaires imprimés à Augsbourg)[17], l'histoire du livret serait probablement close à ce moment-là sans l'intervention d'un imprimeur parisien, Chrestien Wechel.

Wechel se met en contact avec Alciati pendant une visite du jurisconsulte à l'université de Bourges. Il réussit à le convaincre de faire une édition corrigée et améliorée des *emblemata,* accompagnée d'une nouvelle série de planches (cent douze gravures de mains diverses, dont celle de Mercure Jollat). L'édition latine approuvée par l'auteur sort en 1534 et déclenche la mode emblématique en France : en l'espace de dix ans Wechel en publie dix éditions latines, la première traduction française (1536), cinq réimpressions de cette dernière, et la première traduction allemande (1542).

Le livret des emblesmes de maistre André Alciat continue à connaître des éditions nombreuses qui charment rapidement l'Europe. L'époque accorde à cet ouvrage une importance fondamentale : son succès est unique, c'est le livre le plus demandé (après la Bible, des ouvrages théologiques et des livres de piété) pendant tout le XVIᵉ siècle. Traduit et retraduit dans toutes les langues européennes il est imprimé dans toutes les grandes villes productrices de livres : Paris, Lyon, Venise, Milan, Anvers[18]. Les illustrations sont copiées et renouvelées d'édition en édition (en conservant cependant toujours une certaine fidélité à l'iconographie originelle), et le nombre d'emblèmes, remaniés et augmentés par Alciati lui-même, passe de cent à deux cent douze au moment de sa mort.

La formule emblématique devient genre : Paris (1534-1540) et Lyon (1540-1560)

Impressionnés par le succès des *Emblèmes* d'Alciati, des imitateurs n'hésitent pas à suivre son exemple. L'imprimeur-libraire parisien Denys Janot est le premier à reprendre la formule, et il publie, en 1539 et 1540, les deux premiers livres d'emblèmes français : le *Théâtre des bons engins* du prieur toulousain Guillaume de La Perrière et l'*Hecatomgraphie* du libraire parisien Gilles Corrozet [19].

Comme leur prédécesseur, La Perrière et Corrozet puisent leurs emblèmes dans un fonds hétérogène d'histoires, d'allégories, de proverbes, de devinettes et de symboles. Fidèles également au modèle matériel établi par le jurisconsulte italien, ces deux premiers recueils français sont composés de cent images, commentées chacune par des vers descriptifs et moralisants [20].

Denys Janot connaît bien ses lecteurs. Le *Théâtre des bons engins* a une réussite instantanée, rivalisant même avec le livre d'Alciati. Régulièrement réédité au cours du XVIe siècle (on compte dix éditions françaises entre 1539 et 1583), il est également traduit en anglais et en flamand. L'*Hecatomgraphie,* en revanche, a une réussite plus rapide mais plus modeste (sept éditions françaises entre 1540 et 1548). En l'espace de dix ans, ces premiers recueils emblématiques créent un genre et les règles de sa présentation. Et, une fois bien établi sur le marché parisien, ce nouveau genre ne tarde pas à faire l'objet d'une mode éditoriale.

Ayant atteint un succès de « best-seller », le livret emblématique attire naturellement l'attention de nombreux libraires français et étrangers, surtout à Lyon et à Anvers. Rivaux des maisons d'édition parisiennes, ils n'hésitent guère à solliciter des auteurs connus afin d'obtenir des recueils semblables. Ils demandent des textes aux traducteurs, poètes et commentateurs des auteurs classiques pour disposer d'anthologies de morceaux choisis qu'ils n'ont plus qu'à illustrer. Sûrs de la rentabilité commerciale des emblèmes, les imprimeurs investissent des sommes parfois considérables dans l'illustration de ces livres — tel Macé Bonhomme, éditeur du *Pegme* de Pierre Cousteau (Lyon, 1555), qui appuie sa demande de privilège en évoquant les frais supplémentaires engagés par lui pour la gravure de planches illustrant cet ouvrage [21].

La composition du livret emblématique ne va cependant pas toujours à sens unique, du texte à l'image. Les éditeurs possèdent souvent un fonds de planches gravées polyvalentes qui sert à illustrer des publications diverses [22]. Ainsi, ce même Bonhomme, trois ans avant la composition du *Pegme,* donne-t-il une série de planches sans texte à son ami, le poète Barthélemy Aneau, afin qu'il les rende « parlantes et vives » en composant des commentaires versifiés pour éclairer leur sens. De cette façon naît la « *Picta poesis* » ou *Imagination poétique,* où « la poésie est comme la pincture [23] ».

Les auteurs des nouvelles collections d'emblèmes s'inspirent invariablement des volumes qui les précèdent et puisent librement dans l'œuvre de leurs prédécesseurs. Mario Praz a très justement remarqué que « les créateurs, ou plutôt, les pourvoyeurs de ce genre de littérature se copient les uns les autres [24] ». Il ne faut pourtant pas, comme le fait Praz, reprocher aux emblématistes leur manque d'originalité. C'est précisément à cause de cette tradition de citations et d'emprunts que le lexique iconographique de l'emblème — le *corpus emblematicum* — réussit à se constituer en l'espace d'une décennie. Par ailleurs, une partie du charme qu'exerce l'emblématique à l'époque repose, très simplement, sur la répétition de thèmes connus et d'images familières.

Ainsi, dès 1539/1540, de nouveaux titres apparaissent régulièrement chez les libraires français à côté de recueils des plus réussis [25]. Mais ce sont surtout les libraires lyonnais qui exercent une action personnelle sur le développement de l' « emblémomanie ». Alimentée par la culture franco-italienne de cette ville marchande, une deuxième étape dans l'évolution de genre emblématique se déroule à Lyon où une avalanche de livres d'emblèmes se succèdent, avec une rapidité croissante, à la suite des premières publications parisiennes. Parmi les nouveautés figurent la *Délie, object de plus hault vertu* de Maurice Scève (1544), suivie par le *Premier livre des emblèmes* de Guillaume Gueroult (1550), l'*Imagination poétique* de Barthélemy Aneau (1552), le *Pegme* de Pierre Cousteau (1555), et une prolifération de rééditions de recueils antérieurs [26].

Capitale de l'emblématique dès le milieu du siècle, Lyon donne également naissance à une diversification du genre. Deux courants principaux s'y affirment — l'emblème humaniste et l'emblème religieux —, tandis que des notes originales apparaissent de temps en temps sous la forme d'emblèmes « spécialisés » sur les animaux, les saisons, la vanité du monde.

Le livre d'emblèmes religieux

Le premier recueil d'emblèmes religieux est l'œuvre de la poétesse réformée Georgette de Montenay, dame d'honneur de Jeanne d'Albret, alors reine de Navarre [27]. Convaincue que l'image puisse servir la cause de l'évangélisation, elle transforme l'emblème humaniste de la tradition alciatienne en une emblématique religieuse d'inspiration protestante [28]. Les *Emblemes ou devises chrestiennes* (Lyon, 1571) sont toutefois fidèles à la présentation des recueils antécédents : s'y trouvent cent poèmes (en langue française) illustrés de planches gravées au burin du jeune orfèvre lorrain, Pierre Woeiriot.

Ce livre a un grand impact, sans doute parce qu'il présente la doctrine essentielle de Calvin sous la forme d'une collection d'emblèmes ornementaux (c'est une sorte de « Calvin de poche » en bande dessinée). La carrière française des *Emblemes ou devises chrestiennes* est pourtant destinée à être interrompue. De nombreux exemplaires du livre

sont détruits après les événements de la Saint-Barthélemy, et l'imprimeur lyonnais du recueil, Jean Marcorelle, doit se réfugier à Genève.
Cela ne signifie pas pour autant la fin de l'œuvre, car des rééditions
apparaissent aussitôt en Suisse, en Allemagne et aux Pays-Bas. Les
Emblemes chrestiens sont destinés à atteindre leur apogée pendant le
premier quart du XVIIe siècle lorsque des éditions bilingues (et même
polyglottes) se succèdent rapidement en 1602, 1614, 1619, 1620.

Se fondant sur le principe *pictura laicorum litteratura* (l'expression
est de Grégoire le Grand), Georgette de Montenay reprend et réélabore
une tradition de réflexion religieuse par l'image datant des sermonnaires
médiévaux dont la réussite immédiate témoigne des résonances pro-
fondes qu'il suscite [29]. En effet, à la fin du XVIe siècle, le recueil d'emblèmes religieux, comme ses ancêtres la *Bible des pauvres* et les *Figures
de la Bible*, devient une sorte de catéchèse illustrée visant l'enseignement de la doctrine par l'amorce de l'image commentée.

L'emblématique religieuse est destinée à avoir un retentissement
notable en milieu protestant et les imitateurs du recueil lyonnais sont
nombreux. Théodore de Bèze compose quarante emblèmes en annexe à
ses *Icones* (Genève, 1580, traduction française en 1581) et Jean-Jacques
Boissard le suit avec une collection bilingue (latin/français), à la fois
humaniste et religieuse, publiée à Metz en 1584. Au début du XVIIe siècle, la production d'emblèmes religieux augmente. La Contre-Réforme
s'éprend à son tour de la formule emblématique et le livret illustré
devient une arme dans le grand débat entre catholiques et protestants [30]. Cependant, si chaque recueil prône les vertus de la religion
qu'il représente tout en accusant l'autre des crimes les plus horribles,
les buts édifiants et pédagogiques de chaque recueil, comme le lexique
iconographique dont il s'inspire, sont toujours identiques.

L'expansion géographique et la spécialisation du livre emblématique

Vers 1560, le livre d'emblèmes éclectique d'inspiration humaniste et
moralisante disparaît en faveur de nouveaux titres — surtout des
ouvrages militants à but d'évangélisation, et des collections construites
autour d'une seule thématique telle que les saisons, les animaux ou les
plantes. A côté des recueils religieux apparaissent une quantité d'ouvrages à thème unique : les *Hymnes du temps et de ses parties* de Guillaume Gueroult (1560), les *Emblèmes sur la Fortune* de Jean Cousin fils
(1568), l'*Esbatement moral des animaux* de Pierre Heyns (1578), les
Octonaires sur la vanité et l'inconstance du monde d'Étienne Delaune
(vers 1580), la *Prosopographia* de Cornelis Van Kiel (vers 1590), les
Hymnes des vertus représentés au vif par belles et délicates figures de
Jean de Tournes fils (1605). Ces recueils « spécialisés » exploitent le
vocabulaire, désormais familier, du *corpus emblematicum*, sans jamais
atteindre pour autant le succès de librairie des premiers emblématistes [31].

C'est à cette époque également que la crise du livre se manifeste en France. Les milieux de l'imprimerie parisienne et lyonnaise sont sérieusement atteints par les désordres religieux. Placés devant le choix de la prison, de l'exil ou de l'orthodoxie, de nombreux libraires, imprimeurs et graveurs se réfugient à l'étranger. Disparaissent alors bien des noms célèbres de l'imprimerie humaniste dont les successeurs transfèrent leurs établissements au-delà des frontières ou liquident carrément l'entreprise familiale [32]. A la suite des troubles touchant le milieu du livre français, le centre de production de l'emblématique se déplace. Metz, Francfort et Genève assurent désormais l'impression de recueils protestants dans toutes les langues, alors qu'à Anvers Christophe Plantin imprime des traductions des grands classiques emblématiques (Alciati, La Perrière, etc.) et édite des ouvrages plus récents — tels les *Emblèmes* du médecin hollandais Adrien Le Jeune (1567) et ceux du savant hongrois Sambuc (1567).

Après avoir contribué plus qu'aucun autre pays à la codification et à la prolifération du genre emblématique, la France cède dorénavant l'arène à ses voisins et le livre d'emblèmes change de nationalité. A partir du milieu du XVIᵉ siècle, ce sont l'Italie, les Pays-Bas et l'Allemagne qui impriment des traductions des collections les plus célèbres et produisent leurs propres recueils [33].

*
* *

Le recueil d'emblèmes éclectique d'inspiration humaniste disparaît au crépuscule du XVIᵉ siècle en même temps qu'une tradition de pensée allégorique, héritée du Moyen Age et réélaborée par la Renaissance [34]. Il ne faut cependant pas en conclure que le *corpus emblematicum* meurt avec les recueils auxquels il doit la vie. Si le XVIIᵉ siècle accable l'emblématique de règles de plus en plus ésotériques [35], l'image sur feuille ne partage pas le même destin. A partir des années 1560-1570, la gravure urbaine — l'imagerie, la feuille volante et l'estampe de propagande — accorde une place de plus en plus importante au lexique symbolique des emblématistes. Le public de l'estampe semble avoir appris à déchiffrer et même à apprécier cet idiome visuel qui continuera à évoluer, indépendamment du milieu du livre, à partir des bases acquises au XVIᵉ siècle.

Mais si l'évolution du langage iconographique témoigne de la pénétration sociale et géographique de « l'emblémomanie », il nous informe fort peu de la façon dont s'est effectué l'apprentissage de ce même langage. On a peu d'indications sur le public réel de l'emblème et sur les fonctions ou besoins auxquels il répondait. Riche d'informations sur les emblématistes et sur les nombreuses impressions de leurs œuvres, le XXᵉ siècle reste relativement démuni pour identifier des lecteurs ou auditeurs anonymes qui ont assuré le succès du genre. Ce n'est qu'en interrogeant l'histoire du livre, de l'édition et de la distribution, en prêtant l'oreille aux auteurs et aux traducteurs des recueils, qu'on peut former une idée, aussi approximative soit-elle, de la dynamique de ce phénomène dans la société du XVIᵉ siècle français.

● Tirage, commerce et distribution du livre d'emblèmes

Livre « de poche » dès ses origines, le recueil d'emblèmes se révèle, par son format même, une publication dirigée vers le grand public [36]. Mais même cette formule à succès est circonscrite par le mode de production artisanal caractéristique de l'imprimerie pendant les deux premiers siècles de son existence [37]. A l'exception des Livres d'Heures, tirés à 7 000 et même à 10 000 exemplaires [38], le tirage moyen d'un livre oscille, au XVIᵉ siècle, entre 1 000 et 1 500 exemplaires pour les livres d'intérêt général et entre 600 et 800 exemplaires pour les œuvres d'érudition [39]. Même les ouvrages à recette sûre ne font pas l'objet de tirages beaucoup plus élevés que la moyenne, et la diffusion d'un livre très demandé s'effectue plutôt par des tirages fréquemment répétés, souvent par des éditeurs différents [40].

En dépit donc du chiffre restreint de tirage par édition, certains ouvrages peuvent rencontrer une très large audience grâce aux multiples rééditions. Trente-neuf éditions des *Emblèmes* d'Alciati ont été dénombrées entre 1531 et 1550, suivies par cinquante-quatre éditions entre 1551 et 1600. Ainsi, quoique la production demeure artisanale, les exigences du marché du livre peuvent stimuler l'impression de plusieurs dizaines de milliers d'exemplaires en l'espace de quelques années [41]. Ce sont des chiffres impressionnants pour un pays de quelque vingt millions d'habitants, un pays beaucoup moins peuplé, beaucoup moins lettré qu'aujourd'hui.

Qui vend les livres d'emblèmes ? D'abord les grands imprimeurs-libraires de Paris et de Lyon, leurs filiales en France et à l'étranger, leurs représentants qui voyagent de ville en ville annonçant leur séjour et les titres des livres disponibles par des placards affichés préalablement à tous les carrefours du quartier des écoles. Ensuite, des foires de livres (dont les plus importantes sont les grandes foires internationales de Lyon et de Francfort-sur-le-Main) stimulent l'échange et la circulation d'ouvrages en toutes langues et pour tous les publics [42].

Le XVIᵉ siècle voit en fait l'éclosion du livre imprimé en tant que moyen de communication de « masse ». La multiplication du nombre d'exemplaires, l'abaissement du prix de vente, la rapidité de diffusion des livres nouveaux, la circulation plus facile de livres plus maniables bouleversent les rapports entre le livre et le lecteur et attirent un public toujours plus vaste. Le livre, objet de culture, devient une marchandise qui circule, qui se vend, qui se prête. Pour qu'il passe les frontières culturelles et sociales, aussi bien que nationales, on le traduit, on l'embellit, on l'adapte aux besoins de divers publics. Dès le début du XVIᵉ siècle, la distribution du livre devient aussi importante que sa fabrication. Un réseau commercial se crée « de Venise à Anvers, en passant par l'Espagne et Bâle, par les marchands qui, libraires, merciers ou colporteurs, s'en vont par les chemins avec leurs ballots de livres [43] ». Et, dans chaque ville, tout un monde d'imprimeurs et de libraires plus modestes s'adonne à un trafic purement local. Petits commerçants, ils montent une boutique à la porte de quelque collège et vendent quelques livres d'assortiment à côté d'un commerce d'occasion de livrets destinés aux professeurs et aux étudiants. Parallèlement à ces boutiques de quartier se créent des réseaux de colportage pour assurer aux imprimeurs moins importants la pénétration d'une littérature plus « populaire » dans les rues et entre les étalages des marchés, où se trouve un public amateur d'abécédaires et de Livres d'Heures comme de romans de chevalerie, de farces, de récits merveilleux grossièrement illustrés [44].

C'est sur cette toile de fond du commerce international et local qu'il faut situer le livre d'emblèmes sans pour autant pouvoir tracer son itinéraire exact. Une étude plus approfondie des catalogues de vente des grands marchands du livre et une recherche parmi les inventaires après décès des libraires, grands et petits, apporteraient certainement beaucoup plus de lumière sur la distribution du livret emblématique, neuf et d'occasion, et sur l'étendue de son public, mais, pour ce travail, il faut solliciter l'intérêt des historiens du livre [45].

● **Emblématistes pédagogues : publics-cibles et buts affichés**

Dès le début du XVIᵉ siècle les clercs, les gens d'études et les grands seigneurs ne sont plus les seuls à s'intéresser aux livres. Le public des librairies devient de plus en plus un public laïc : « souvent de femmes et de bourgeois, parmi lesquels beaucoup ne sont guère familiarisés avec la langue latine. C'est pour cela que les Réformateurs emploient systématiquement les langues vulgaires modernes. Les humanistes eux-mêmes n'hésitent pas alors à recourir à ces langues afin d'obtenir une plus vaste audience [46] ».

A partir des années 1520-1530, une illustration du livre de plus en plus abondante, jointe au nombre croissant de publications en français, assure aux libraires une ample clientèle qui dévore, avec un appétit apparemment insatiable, des éditions fréquemment renouvelées des *Fables* d'Esope, des *Métamorphoses* d'Ovide, des *Simulacres de la Mort* et, bien sûr, des *Emblèmes* d'Alciat, de La Perrière, de Corrozet et de leurs émules. Pour répondre aux goûts de ce public, les éditeurs sollicitent régulièrement des recueils emblématiques en langue française et font traduire les nouvelles collections dès qu'elles paraissent [47]. En fait le XVIᵉ siècle, époque du renouveau de la culture antique, est également celle où le latin commence à perdre du terrain : environ 70 % des publications en 1500-1520, le latin tombe à 26 % en 1580-1600 [48].

Période de grande effervescence religieuse et intellectuelle, les années 1530-1560 voient ensuite la prolifération de l'imprimerie et l'affirmation du livre comme « moyen de communication et d'expression, comme instrument de culture et de propagande [49] ». Dans les villes bien fournies en librairies, telles que Paris et Lyon, Toulouse et Anvers, les négociants aisés, les bourgeois et même les artisans et gens de métier aiment à se constituer une petite bibliothèque. La production accélérée des imprimeurs et la baisse des prix sont si remarquables que le livre devient accessible à tous ceux qui savent lire. De même des ouvrages plus modestes (calendriers, almanachs, vies de saints, livres de piété et romans) se répandent à profusion [50]. L'alphabétisation lente mais sensible du peuple urbain assure ainsi à l'imprimerie une audience croissante, un public-cible friand d'histoires et d'images, aussi passionné par les questions religieuses que par les événements merveilleux, un public ouvert à la culture de l'écrit [51].

C'est à cette population que s'adressent les auteurs et les traducteurs des livres d'emblèmes, une population hétérogène qui inclut le bourgeois instruit comme le petit commerçant et l'homme de métier, les femmes et les enfants. Les emblématistes ont, en fait, coutume de nommer dans les préfaces de leurs recueils ceux à qui ils destinent leur œuvre ainsi que toutes les applications pratiques auxquelles se prête cette littérature édifiante. Cette préface (ou introduction théorique ou épître dédicatoire) permet à l'auteur ou au traducteur d'expliquer la genèse de l'œuvre, de proposer des applications « pratiques » de l'emblématique dans la vie quotidienne et de préciser le but de son travail, tout en identifiant le public qu'il espère atteindre. Les dédicaces de l'emblématiste ou de l'imprimeur en l'honneur d'une personnalité de l'époque donnent, en revanche, une idée assez claire de l'entourage d'amis, de collègues et de mécènes pour qui ils travaillent. Tout en dédiant leurs œuvres aux membres d'une élite lettrée, les emblématistes s'adressent à un public bien plus large, un public composé de « bons espritz et amateurs de lettres », de « lecteurs et auditeurs de l'aage presente » [52], c'est-à-dire un public double : une population livresque (mais pas nécessairement érudite) aussi bien qu'un auditoire habitué à s'instruire par l'oreille, un auditoire auquel on lit plutôt qu'il ne lit [53].

Les buts affichés par les emblématistes sont surtout moraux. L'emblème est censé enseigner la « vertu » tout en amusant le lecteur. Véhicule conscient d'un système de valeurs, le recueil d'emblèmes se présente comme un passe-temps agréable et utile, comme un manuel de comportement qui enseignerait comment vivre en société. Quant aux illettrés, ils peuvent y apprendre les bonnes mœurs seulement en regardant les images, car :

Chascune histoire est d'image illustrée
....
... affin que l'œil choississe
Vertu tant belle & delaisse le vice [54].

Le principe de « plaisir et utilité » (l'*utile dulci* Horatien) étant le *sine qua non* de l'emblématique, chaque auteur étoffe l'introduction de son œuvre d'une variation personnelle sur ce thème [55]. Gilles Corrozet présente ainsi son *Hecatomgraphie* (Paris, 1540) sous la forme d'une lecture légère pour les heures de loisir, agrémenté de propos moraux et philosophiques :

> Quand vous serez à vostre bon loisir
> Et que n'aurez pas grandement affaire,
> Quant vous vouldrez prendre quelque plaisir
> Et à l'esprit par lecture complaire,
> Quand vous vouldrez scavoir quelque exemplaire
> Propos moraulx de la philosophie
> Et ce qui est maintesfois necessaire
> Lisez dedans cest Hecatomgraphie.

Comme les anthologies d'épigrammes classiques dont ils s'inspirent, les recueils d'emblèmes sont également censés servir de manuel de comportement qui enseignerait les règles de conduite face aux vicissitudes de la vie humaine. D'où le poème en hommage à l'auteur qui préface la *Morosophie* de Guillaume de La Perrière (Lyon, 1553), où l'œuvre est décrite comme un guide pour la connaissance et le contrôle de la nature humaine :

> Tu nous apprens par ta plume & savoir
> Comme pourrons la cognoissance avoir
> De bien regir nostre nature humaine.

De même, les « propositions » du médecin-emblématiste hollandais, Adrien Le Jeune, « concernent volontiers les mœurs, & declairent les moyens de bien vivre [56] ». Enfin, tout emblème, selon Claude Mignault, commentateur-traducteur d'Alciati, appartient au domaine éthique : « toutesfois peuvent tous estre rapportez aux mœurs [57] ».

Au-delà de ses fonctions didactiques et socialisantes, la connaissance de l'emblématique fournit un moyen de briller en société. Le traducteur des *Emblèmes* de Jean-Jacques Boissard, Pierre Joly Messin, avertit le lecteur que « soubs un voile aggreable » (l'image) il découvrira « je ne sçay quoi de doctrine, & d'enseignement utile, & proffitable à la civile conversation, & commune société des hommes [58] ».

Il arrive parfois que les préoccupations pédagogiques des emblématistes visent explicitement les enfants et le peuple « vulgaire ». Ainsi Claude Paradin, auteur des *Devises heroiques et emblemes* (Lyon, 1551), cite les sources antiques et modernes de son recueil pour ensuite suggérer que :

> ... comme l'Egyptien s'aidoit à exprimer son intention par des lettres hieroglifiques : quasi par mesme moyen, se pourra aider le vulgaire à connoitre & aimer la vertu, joint que davantage y pourra voir certeines petites scholies sus icelles : selon la capacité de leur conjecture.

L'idée d'utiliser des recueils d'emblèmes pour l'enseignement des jeunes n'est guère surprenante dans la mesure où l'étude d'anthologies d'épigrammes tirées des auteurs de l'Antiquité était toujours courante dans les écoles de l'époque. Ce qui frappe plutôt, c'est l'accent que met Paradin sur l'édification du « vulgaire » (il faudrait toutefois déterminer ce qu'il entend par ce mot) en la comparant à l'instruction des écoliers. De toute façon, et l'enfant écolier et l'adulte-enfant (l'illettré) sont considérés comme des récepteurs potentiels de la culture emblématique, d'une culture imprégnée de morale humaniste propre aux classes dirigeantes urbaines et diffusée par une nouvelle technique d'enseignement : l'enseignement par l'image [59].

Si le livre d'emblèmes d'inspiration humaniste aspire à transmettre un système de valeurs, les auteurs des recueils religieux professent un but beaucoup plus militant. S'adressant aux « paresseux » et aux « luxurieux », Georgette de Montenay propose de séduire ses lecteurs par l'amorce de l'image commentée afin de les amener ensuite sur le droit chemin de la piété réformée :

> Ces cent pourtraitz serviront d'aguillons
> Pour reveiller la dure lascheté
> Des endormis en leur lasciveté
> ....
> Il est besoin chercher de tous costés
> De l'appetit pour ces gens degoustés :
> L'un attiré sera par la peinture,
> L'autre y joindra poësie, & escriture

Ayant réussi à attirer l'attention du lecteur-spectateur — soit par les beautés de l'illustration, soit par les agréments des vers — l'auteur des *Emblemes ou devises chrestiennes* entame aussitôt ses instructions spirituelles :

> Or tout le but & fin ou j'ai pensé
> C'est le desir seul de veoir avancé
> Du fils de Dieu le regne florissant,
> Et veoir tout peuple à lui obeissant :
> Que Dieu soit tout en tous seul adoré
> Et l'Antechrist des enfers devoré.

Pionnière dans l'adaptation de l'*emblema* aux besoins de l'évangélisation, Georgette de Montenay est tout à fait consciente de la valeur des illustrations dans sa campagne pour une religion réformée. Plus qu'une simple amorce pour les « lâches » et les « endormis », l'image parle à qui ne sait lire, car *picturae sunt libri laicorum.*

Le public-cible des emblématistes est large et leurs buts pédagogiques sont ambitieux. Parviennent-ils à leurs fins ? Touchent-ils les illettrés autant que les gens cultivés ? Il est difficile d'évaluer l'importance réelle du public du livre d'emblèmes ou de connaître la profondeur de sa pénétration sociale. Cependant, les aspirations des emblématistes ont dû se réaliser, dans certaines limites, car l'imagerie urbaine de la seconde moitié du XVIᵉ siècle témoigne des bonnes connaissances des citadins en la matière. Les graveurs de feuilles volantes, de « canards », d'affiches politiques et satiriques imprimés à l'intention du peuple urbain, puisent librement dans le *corpus emblematicum* pour faire parler leurs images. L'estampe sur feuille démontre ainsi la vulgarisation effective de ce vocabulaire visuel et sa pertinence pour la population urbaine.

Une partie importante de l'apprentissage iconographique du peuple des villes provient certainement de la vogue de l'emblème, mais le livre n'est pas le seul moyen de propagation de ce langage. Au-delà du public de lecteurs-spectateurs visé par les auteurs des recueils, le livre d'emblèmes a également un public d' « utilisateurs », car il sert de recueil de modèles pour les arts décoratifs.

● **L'emblématique, art décoratif**

Le livre d'emblèmes, comme tout livre illustré du XVIᵉ siècle, a toujours une double vocation. Les gravures, qui font l'attrait principal de ce genre de publication, servent non seulement de « texte » pour les lecteurs peu lettrés, mais également de collection de modèles pour les ateliers artisanaux et pour les individus soucieux de la décoration de leur maison ou de leur personne.

Les planches des plus importants recueils emblématiques ont un succès particulièrement étendu. Elles sont copiées d'atelier en atelier où elles sont interprétées par des artisans de métiers différents : peintres verriers, ciseleurs, émailleurs, faïenciers, etc.[60]. Parallèlement, les dames des classes aisées y puisent des motifs de broderie, tandis que les dandys de la cour portent sur leurs vêtements des ornements peints ou émaillés avec des sujets symboliques à la mode[61]. Par un phénomène de retour, les plus

grands artistes et orfèvres de l'époque (tels Jean Cousin, Jean
Goujon, Étienne Delaune et Pierre Woeiriot) s'inspirent autant
des arts décoratifs que de l'art savant lorsqu'ils consacrent les
fruits de leur talent à l'illustration du livre, élargissant ainsi le
réseau d'échanges iconographiques. Cette circulation continuelle
d'emprunts et d'échanges contribue ensuite à fixer les nouvelles
formules décoratives et à familiariser le public avec un langage
visuel, composé d'éléments à la fois modernes et traditionnels.

Tout à fait conscients des fins pratiques auxquelles leur œuvre
peut servir, les emblématistes omettent rarement de donner,
dans l'introduction, une liste des artisans susceptibles de s'y intéresser. Gilles Corrozet dédie son *Hecatomgraphie* non seulement
aux « bons espritz & amateurs de lettres », mais également aux
« imagers & tailleurs, painctres, brodeurs, orfevres, esmailleurs »
afin qu'ils prennent « en ce livre aulcune fantasie/Comme ils
feroient d'une tapisserie ». De même, Philippe Galle, graveur-
éditeur de la *Prosopographia* de Cornelis Van Kiel, propose son
œuvre comme livre de référence ou dictionnaire iconologique :

> Tu as ici, ami lecteur, les images de Patience, Penitence, Expe-
> rience, Humilité, Pieté & autres semblables Vertus, comme pareil-
> lement les images des Vices, & d'autres choses, lesquelles tu voiras
> ornees & embellies de leurs symboles & appertenances peculieres ;
> fort necessaires à tous peintres, engraveurs, entailleurs, orfevres,
> statuaires & mesmes aux Poëtes rimeurs & rhetoriciens vulgaires,
> pour eux conseiller à ce livre, qui leur fornira des moyens pour
> pouvoir imiter toutes sortes deffigies : affin que lors qu'il leur
> prendra fantasie de peindre ou feindre quelque chose, ils n'aient
> besoing d'avoir tousjours leurs recours, à ceux qui sont es arts les
> plus practiqués & experimentés [62].

En tant que recueil iconographique, le livre d'emblèmes continue donc une tradition, déjà ancienne, de collections de dessins-
modèles (pour orfèvres, peintres, émailleurs, etc.) et de livres de
patrons (pour dentelles, broderies et toute sorte de travail
domestique et vestimentaire) [63]. Les emblématistes encouragent
cette utilisation de leur œuvre et composent même des recueils
spéciaux à cette fin : tels les *Blasons domestiques contenantz la
decoration d'une maison honneste* de Gilles Corrozet (Paris,
1539), ou les *Tetrastiques faicts sur les Devises du Seigneur Paulo
Giovio et de Messire Gabriel Simeon. Pour servir en Verrieres,
Chassis, Galeries, et Tableaux, ainsi qu'il plaira au lecteur de les
accomoder* (Lyon, 1560) [64].

Dès ses origines, donc, l'emblème est destiné à remplir un rôle
ornemental. Les préfaces des livrets témoignent effectivement de
l'utilisation fréquente de l'image symbolique dans l'environnement domestique, de l'omniprésence d'un discours iconographique sur la vie quotidienne. La décoration allégorique de l'habitation est censée stimuler une réflexion morale ou religieuse à
partir de la symbolique des objets. Peints sur les murs, reproduits en marqueterie, sculptés aux plafonds, les emblèmes font
partie du catalogue ornemental des artisans de la demeure[65].

Au-delà du travail des professionnels de l'art décoratif, l'emblème apparaît même sur les tissus et les vêtements brodés par
des femmes industrieuses dont l'aiguille diligente s'inspire aussi
facilement de l'emblématique que de n'importe quel autre recueil
illustré de « patrons » (on brode, par exemple, des emblèmes
représentant l'amour conjugal sur les draps du lit nuptial)[66]. En
fait, Georgette de Montenay, l'unique emblématiste-femme en
France au XVIᵉ siècle, s'adresse spécifiquement aux personnes de
son sexe quand elle propose ses *Emblemes ou devises chrestiennes*
comme une collection de patrons à broder. Elle suggère à
« mainte honneste & dame & damoiselle » de s'en servir dans la
décoration édifiante de leur espace domestique afin de glorifier le
Seigneur et d'instruire les membres de la maisonnée :

> ... il sera bien propice
> Amainte honneste & dame & damoiselle
> Touchees au cœur d'amour saint & de zele ;
> Qui le voyans [cet œuvre] voudront faire de mesmes,
> Ou quelqu'autre œuvre à leur gré plus qu'Emblemes :
> Que toutesfois pourront accomoder
> A leurs maisons, aux meubles s'en aider
> Rememorans tousjours quelque passage
> Du saint escrit bien propre à leur usage,
> Dont le Seigneur sera glorifié
> Et cependant quelqun edifié.

Art décoratif et imagerie édifiante, l'emblématique s'adresse
donc à un public beaucoup plus grand que celui du livre. Parlant
par l'image autant que par l'écrit, il devient un moyen d'expression courant, un « para-langage » qu'affectionnent les couches
supérieures de la société urbaine aussi bien que les artisans des
différents métiers. Or, en tant que véhicule du système éthique
des dirigeants, l'emblème est également censé vulgariser auprès
du peuple citadin, les idéaux des élites et des classes moyennes.

Comme le fera la plus « populaire » Bibliothèque bleue au XVIIᵉ siècle, cette littérature illustrée constitue, à sa propre façon et à une autre échelle, un véritable discours sur la validité des idéologies dominantes [67].

• Un apprentissage accompli : témoignages de la pénétration sociale de l'iconographie emblématique

Dépassant de loin le monde des emblématistes érudits et le public du livre, le vocabulaire emblématique subit un processus de filtration culturelle au cours du XVIᵉ siècle. En fait, l'apprentissage des codes iconographiques par la population citadine atteint un tel raffinement que, pendant les luttes entre catholiques et protestants, des gravures et des affiches de propagande, partiellement sinon complètement composées d'éléments symboliques, sont colportées, criées et collées dans les rues des principales villes françaises pour dresser la population pour ou contre la Ligue et le roi.

Une pièce de la collection d'affiches faite par Pierre de l'Estoile, en 1589, montre bien l'utilisation du vocabulaire emblématique par les imagiers parisiens [68]. Il s'agit d'un placard intitulé « Le pourtraict et description du politique de ce temps », qui figure une gravure sur bois et trois colonnes de texte. L'image est composée de plusieurs éléments : la Politique, sous forme de sirène, est attachée par le milieu du corps à un tronc d'arbre. Elle tient d'une main une bouteille (de vin) et de l'autre une trompette (pour se moquer du souverain). Autour d'elle sont disposés divers scènes et personnages : deux pourceaux (gloutons), deux « idoles » païennes (Mars et Vénus ?), un roi assis devant une table où l'on voit trois crapauds. Le texte explique et commente l'image par des questions et réponses versifiées, une formule didactique typique du livre d'emblèmes [69].

Le *Journal* de Pierre de l'Estoile fournit encore un exemple de l'incorporation du langage emblématique dans la caricature politique parisienne. Le « Véritable pourtraict de Henri III le Monstrueux », paru peu après la mort du roi, représente le souverain français sous les traits d'un monstre composé d'éléments symboliques hétérogènes dont l'Estoile explique, avec force détails, la signification allégorique :

Les Ligeurs voulans rendre le Roi odieux à tous ses peuples, firent de lui ce portrait infamant, par lequel ils ont prétendu représenter sa vie honteuse, et ses inclinations criminelles. Ils lui ont fait la teste d'un lion furieux couverte d'une grande perruque relevée par derrière, pour montrer qu'il joint au luxe, et à l'amour propre, l'audace et l'arrogance du lion, et qu'estant d'un naturel féroce, ainsi que cet animal cruel, il ne respire que sang et que carnage... Les mamelles de femme qui sont au-dessous marquent que ce prince efféminé a confondu la nature mesme estant pour ainsi dire hermaphrodite dans ses excès... Le petit portrait qu'il tient de la main droite est celui du perfide Machiavel sur lequel il s'est reglé depuis qu'il est sur le throsne où il a pratiqué toutes ses pernicieuses maximes pour tyranniser ses peuples. Ils lui ont mis en l'autre main un chapelet pendant au bas de son ventre pour montrer que ce prince hypocrite s'est tousjours servi du voile de la religion pour couvrir son impudicité, à quoi tendent tous ses désirs... Les ailes et la queue de dragon font voir qu'ayant fait pacte avec le Diable par ses sorcelleries et pratiques de magie, il en a pris la forme dès le moment qu'il s'est donné à lui. Le couteau marque enfin qu'ayant fait tant de massacres, il ne devait périr que par le fer [70].

Selon Pierre de l'Estoile, cette caricature diffamatoire était censée toucher la sensibilité de « tous ses peuples ». En effet, à la seule exception du portrait de Machiavel, tous les éléments symboliques du placard sont habituels dans l'imagerie de l'époque et probablement bien connus du lecteur-spectateur moyen.

Si ces estampes-affiches sont d'un symbolisme hermétique pour le spectateur du XXᵉ siècle, elles ne sont point obscures pour l'homme du XVIᵉ. Par sa nature même, l'image de propagande est obligée de se servir d'un code iconographique accessible afin d'influencer ou d'informer « l'homme de la rue ». Soucieux de l'intelligibilité du message, le graveur doit s'assurer de la transparence du langage visuel. Il est obligé de puiser dans un patrimoine culturel, dans un répertoire d'images commun à tous les groupes sociaux visés et ne peut guère se permettre le luxe d'une symbolique recherchée [71]. Si le livre d'emblèmes fournit, aujourd'hui, une sorte de dictionnaire iconologique pour déchiffrer des images dont nous ne comprenons plus (ou mal) le langage, la gravure de propagande témoigne, en revanche, de la facilité avec laquelle la population urbaine de la fin du XVIᵉ siècle « lisait » ce même langage [72].

Bien que l'utilisation de l'idiome emblématique soit plus évidente dans la gravure de propagande politique et religieuse, même l'imagerie « populaire » de la rue Montorgueil et de la rue Saint-Jacques à Paris exploite ce même langage symbolique, où il remplit un rôle moralisant semblable à celui affiché par les recueils d'*emblemata*. A partir de 1570 environ, de nombreuses gravures sur bois reprennent les allégories et les sujets mythologiques chers aux emblématistes. Ainsi Jean III Le Clerc imprime-t-il en 1585 une série hétérogène d'allégories morales où l'on retrouve, parmi d'autres, la « Prompte Occasion » (Fortune), la Fraude, la « Grande Temerité » (Icare), l'« Amour de Vertu bravant Cupidon », et un «fol » qui « tasche à blanchir un more » (emblème d'Alciati sur l'entreprise impossible)[73].

L'offensive des emblématistes pédagogues a donc porté ses fruits : désormais les imagiers des villes assurent la diffusion d'une vision emblématique du monde et d'un système de valeurs touchant, par le moyen de l'estampe, un public étendu « lecteur » de l'image. Cependant, si le livre d'emblèmes a joué un rôle important dans la formation iconologique du peuple, c'est l'estampe sur feuille et la feuille volante qui assumeront le plus le rôle de médiateur culturel, de véhicule de communications sociales qui caractérisera le phénomène de la gravure jusqu'à l'aube du XXᵉ siècle. Précieuse pour toute analyse du langage iconographique de l'époque, l'emblématique n'a qu'une représentativité sociale limitée. D'ailleurs, la place importante accordée à la femme par le livre d'emblèmes et les valeurs attribuées à sa représentation sont surtout tributaires d'une éthique sociale prônée par les milieux dirigeants urbains. C'est à l'estampe sur feuille qu'il faut s'adresser pour démêler les conceptions de la femme propres aux autres milieux socioculturels et pour en connaître l'extension tant géographique que temporelle.

2. LES TROIS MONDES DE L'ÉSTAMPE SUR FEUILLE [74]

Le second corpus sur lequel se base cette étude est le résultat des hasards de la survie. Il est composé de plusieurs collections d'estampes assemblées par des amateurs des XVIIᵉ, XVIIIᵉ, et XIXᵉ siècles, ainsi que du fonds français du Cabinet des Estampes de la Bibliothèque Nationale — six mille estampes environ qui ne représentent qu'une partie infime de la production du XVIᵉ siècle français[75]. Les inventaires après décès des graveurs parisiens — tel celui de Jean II Gourmont, imagier de la rue Montorgueil (actif entre 1562 et 1598) — confirment l'ampleur des pertes subies : de quelques centaines de planches gravées restées dans la boutique de l'artisan à sa mort (dont chacune avait imprimé des centaines, voire des milliers d'images), il ne reste que deux impressions : « Le péché originel » et « La farce des Grecs descendus »[76].

Fragiles, souvent de peu de valeur artistique, destinées à amuser, à informer, à décorer et ensuite à allumer le feu ou à servir d'emballage, la grande majorité des gravures ont disparu à tout jamais. Encore devons-nous nous estimer heureux de connaître, grâce aux inventaires, les titres ou les sujets d'une partie de ces images englouties par le temps.

Des millions d'estampes ont circulé sur le territoire français au XVIe siècle : il n'en reste qu'un échantillon réduit et hétérogène. Et, plus navrant encore, la conservation des images n'a pas été proportionnelle à leur production. Bien que le monde de l'estampe comprît des artistes et des artisans issus de toutes les classes sociales, la production quantitativement supérieure des milieux « populaires » a souffert du sort réservé aux objets de peu de valeur monétaire. Si l'humble planche de bois taillé au couteau pouvait tirer des milliers d'exemplaires d'une même image, la plupart de ces gravures connurent la mort par le mépris. En revanche, les estampes élégantes tirées sur des planches de cuivre taillées au burin ou gravées à l'eau-forte ont fait l'objet d'un traitement beaucoup moins rude. Imprimées à un maximum de mille ou mille cinq cents exemplaires, elles ont tiré profit de leur finesse technique et artistique. Semblables donc aux Archives de cette même période, les estampes sont plus éloquentes à l'égard du monde des élites qu'envers celui des couches sociales inférieures[77].

● **Les aires de production graphiques : perspectives historiques, sociales et culturelles**[78]

Malgré les disparités du corpus d'estampes qui a survécu au temps, les images dont on dispose aujourd'hui offrent une variété impressionnante de documents provenant de tous les milieux de production de l'époque. Dans son ensemble, ce corpus montre clairement la façon dont l'estampe a fourni un terrain de rencontre — et même de rejet — de trois cultures différentes mais coexistantes. Au XVIe siècle le monde de la gravure englobait l'imagerie — tant élitiste que « populaire » — des grandes villes, telles que Paris et Lyon, ainsi que l'estampe d'illustration et la gravure de reproduction qui répandaient, dans l'Europe entière, les formes de l'art savant. Partagé entre les villes et les graveurs attachés à la Cour, cet art-artisanat constituait un espace de conjoncture et de confrontation de trois aires socioculturelles : l'une aristocratique et humaniste, l'autre « bourgeoise » et citadine, la troisième artisanale et « populaire ».

L'estampe savante

En haut de l'échelle sociale une élite artistique pratique la gravure en taille-douce.

Les précurseurs

Au début du siècle les graveurs en taille — pour la plupart orfèvres ou artistes-peintres — font figure d'isolés. S'inspirant surtout des estampes sur cuivre en provenance de l'Italie ou de l'Allemagne, ils diffusent des créations originales dans un milieu d'amateurs d'art. C'est d'ailleurs pour cette raison que leurs noms nous sont connus. Appartenant à une élite artistique et travaillant pour un public restreint, ces innovateurs signent leurs œuvres. Noël Garnier, par exemple, graveur au burin travaillant jusqu'en 1544, est surtout connu pour ses alphabets ornementaux influencés par l'estampe du Nord, notamment par Dürer et Hans Sebald Beham. En revanche, Jean Duvet, orfèvre du roi François Ier, s'inspire autant des estampes gravées d'après Mantegna et Michel-Ange que des eaux-fortes de Dürer. Il travaille près de dix ans à son chef-d'œuvre, *L'Apocalypse figurée,* qu'il ne termine qu'en 1555. Auteur d'une suite de gravures allégoriques sur les amours de Henri II et de Diane de Poitiers, il est également connu sous le nom du « maître à la licorne ». D'autres graveurs en taille douce, tels Jean de Gourmont, Corneille de Lyon et Georges Reverdy, exercent principalement en milieu lyonnais. Les quelques estampes qu'ils ont laissées (pour la plupart à sujets religieux, antiques et allégoriques) traduisent, elles aussi, le mélange d'influences italiennes et allemandes qui caractérise l'estampe française à cette époque.

L'œuvre gravée de ces artistes ne représente cependant qu'une partie de leur production artistique, car l'estampe n'est qu'un des moyens d'expression qu'ils pratiquent. Il faut attendre les innovations artistiques de l'École de Fontainebleau pour que la technique de la taille-douce devienne une forme d'expression spécialisée et autonome, véhicule d'un nouveau style né sur les chantiers du château royal.

L'Ecole de Fontainebleau [79]

L'école de gravure connue sous le nom de l'école de Fontainebleau se développe en deux étapes. Entre 1540 et 1547, des graveurs — burinistes et aquafortistes — travaillent au château en même temps que les peintres et les sculpteurs. Ensuite, à partir de 1550 environ, à Paris, un groupe de burinistes et d'orfèvres se met à commercialiser une multitude d'œuvres dans le style maniériste de Fontainebleau.

Au cours des années 1540, le projet de décoration de la demeure royale est dirigé par des Italiens : Rosso Fiorentino jusqu'à sa mort en 1540, et ensuite le Primatice. Mais si la direction des travaux est italienne, les autres artistes sont de nationalités variées : on y trouve des Flamands, des Hollandais, des Italiens et des Français. Cette confluence de talents engendre un style nouveau, une véritable école. Et, vers 1542, lorsque les premiers grands ensembles décoratifs sont achevés (notamment la galerie François-Ier), des estampes commencent à sortir des ateliers de Fontainebleau, un flot de gravures destinées à répandre le style bellifontain dans toute l'Europe.

Le recours systématique à l'estampe est un des aspects les plus originaux de l'école de Fontainebleau. Presque la totalité des tableaux, un grand nombre des stucs ornementaux et une quantité de dessins d'artistes italiens sont reproduits par un petit groupe de peintres qui avaient collaboré à la décoration du château : Léon Davent, travaillant à l'eau-forte et au burin, produit une centaine de pièces entre 1540 et 1548 ; Jean Mignon, peintre et aquafortiste, travaille à l'atelier d'estampes entre 1543 et 1545 avec son élève, Jean Vaquet, dont on retrouve les traces dans les comptes jusqu'en 1550. Des Italiens s'adonnent également à la reproduction des nouveautés bellifontaines : le peintre Fantuzzi et Domenico del Barbiere gravent de nombreuses pièces d'après le Rosso, le Primatice, Luca Penni et Jules Romain.

L'estampe de Fontainebleau a pour but principal la diffusion du nouveau style. Gravure de reproduction, elle s'adresse surtout aux peintres, sculpteurs, architectes et amateurs d'art. L'usure des feuilles — tachées, froissées et déchirées — témoigne de leur utilisation et de leur influence réelle dans les ateliers. Vendues dans les principales villes d'Europe, elles sont envoyées pour une bonne partie en Italie où elles ont un grand succès : Antoine Lafréry, éditeur français établi à Rome, y fait parvenir des cuivres bellifontains en 1565 afin d'en tirer de nouvelles épreuves.

D'inspiration surtout antique, ces estampes exploitent les grands thèmes de la mythologie et de l'histoire gréco-romaines. Vénus et Diane sont les reines indisputées du nouveau style, tandis que des représentations de la guerre de Troie ou des exploits d'Alexandre font une allusion flatteuse aux événements du règne de François Ier. L'allégorie néoplatonicienne tient également une grande place dans la production de l'atelier des graveurs ainsi que des sujets emblématiques dédiés à la gloire du mécène. Même les raffinements de la vie de cour y trouvent une expression, surtout dans l'illustration des Amours des Dieux, autant de scènes galantes auxquelles l'Antiquité sert d'alibi. Quant à l'art religieux il n'y apparaît que comme thématique secondaire, la Nativité, la Vierge à l'Enfant et la Sainte Famille fournissant les sujets préférés.

L'éclosion de la première école de Fontainebleau est brusquement interrompue par la mort du souverain. Le manque d'intérêt d'Henri II et les guerres de la seconde moitié du siècle entraînent ensuite le quasi-abandon du château jusqu'au règne d'Henri IV. Ce n'est pourtant pas la fin de l'école de gravure. Plusieurs peintres-graveurs se transportent à Paris où, après des débuts difficiles (Pierre Milan meurt dans la misère en 1551), naît un mouvement académique continuant à puiser ses sujets, ses ornements et son esthétique à la source bellifontaine.

Les ornemanistes

A partir des années 1550, un groupe de burinistes commence donc à exploiter l'art bellifontain de façon commerciale. Les planches du peintre Pierre Milan sont tirées à plus de mille exemplaires et coloriées par l'artiste lui-même. Invendues au moment de sa mort, elles connaissent un sort meilleur entre les mains de son élève, René Boyvin, qui en fait de multiples copies et retirages au début des années 1560.

L'interprète le plus célèbre de la seconde école de Fontainebleau est l'orfèvre Étienne Delaune. De religion protestante, il est contraint de fuir Paris pour Strasbourg en 1572, d'où il continue à transmettre à la France et à l'Europe le répertoire décoratif qu'il tient des maîtres bellifontains : près de quatre cents planches d'une facture méticuleuse sont signées de sa main entre 1560 et 1583. Maître du Liégeois Théodore de Bry, il influence ensuite — par l'intermédiaire de son élève — l'école de gravure de Francfort. Jacques Androuet Ducerceau (actif de 1540 à 1585) est également responsable de la diffusion des thèmes et des motifs du maniérisme français. Il édite plusieurs livres d'architecture (où apparaissent les motifs ornementaux, les meubles et les statues des châteaux royaux) et quelques recueils de modèles pour les arts décoratifs. Quant à Pierre Woeiriot, orfèvre lyonnais, il se spécialise dans l'illustration du livre. Connu surtout comme l'artiste graveur des *Emblemes* de Georgette de Montenay, il publie également plusieurs recueils d'ornements : *Anneaux d'orfèvrerie, Pendants d'oreilles, Pommeaux d'épée*, etc.

Tirées sur des feuilles simples ou en petits albums à l'intention des ateliers d'arts décoratifs, ces gravures de propagande artistique sont imprimées soigneusement et en grand nombre. Outre leur rôle dans la diffusion du nouveau style, les graveurs « ornemanistes » contribuent également à populariser la technique de la taille douce, technique qui est celle de l'avenir. En fait, l'influence de l'école de Fontainebleau se prolonge jusqu'au règne de Louis XIII. Art savant aux thèmes nobles et à la technique raffinée, il exerce une fascination qui s'étend à tous les milieux artistiques, y compris ceux de l'illustration du livre et de l'imagerie urbaine.

L'illustration du livre et la vulgarisation
de la gravure en taille-douce

En descendant l'échelle sociale du monde de l'estampe, on trouve un deuxième groupe de graveurs qui s'adresse surtout aux milieux dirigeants urbains. D'abord graveurs sur bois et illustrateurs de livres, ils adoptent, aux alentours de 1570, la technique de la taille douce grâce à laquelle ils maintiennent leur clientèle et se distinguent des humbles « tailleurs d'histoires » qui continuent à pratiquer la gravure sur bois.

Le livre à figures [80]

Cette « bourgeoisie » du monde de l'estampe travaille dans les grandes villes — comme Paris et Lyon — où, de 1480 à 1560 environ, se développe l'art de l'illustration du livre. En fait, dans la mesure où graveurs et marchands d'estampes collaborent étroitement avec les imprimeurs, les libraires et les cartiers pendant la première moitié du XVIᵉ siècle, l'histoire de la gravure à cette époque est essentiellement celle de l'illustration du livre.

En vogue dès la fin du XVᵉ siècle, le livre à « figures » gravées sur bois remporte un succès qui touche tous les milieux sociaux. Le public du livre est devenu amateur d'images et exige des illustrations en quantité, exigence à laquelle les imprimeurs s'empressent de répondre afin d'assurer la rentabilité de leurs éditions. Les publications de luxe sont enluminées par des artistes qui se servent des planches comme autant d'esquisses à peindre, tandis que se développe le commerce du livret « populaire », plus grossièrement illustré, qui fournit aux imprimeurs une importante source de revenus. Les titres classiques sont toujours religieux, tels l'*Art de bien vivre et de bien mourir* et la *Danse macabre,* qui rivalisent en nombre d'éditions avec les *Vies des saints* et les *Histoires de la Vierge.* Apparaissent à cette époque également les premiers livres illustrés à sujet profane : la *Mer des histoires,* les *Cent histoires de Troyes,* des traductions d'ouvrages étrangers telles que *La Nef des fous* ainsi que les premiers almanachs et calendriers à images. Cependant, le plus grand succès de librairie à l'époque est celui du Livre d'Heures.

Le Livre d'Heures est l'ouvrage de piété le plus répandu dans le contexte urbain. Il y a peu de familles, même de condition modeste, qui n'en possèdent pas au moins un exemplaire puisqu'il est courant d'en offrir en cadeau de mariage. Livres de dévotion, de référence et d'informations diverses, les Heures contiennent généralement, en plus des prières et oraisons, le Calendrier, les Suffrages des Saints et un Alphabet. Comme le texte, les sujets des illustrations (qui ont le même but d'édification que les tableaux et les sculptures des cathédrales) dépassent largement des préoccupations uniquement religieuses. A côté des représentations des principaux saints et des épisodes de l'histoire biblique se trouvent des mises en scène de proverbes et de dictons, des suites sur les travaux des champs, des références à la médecine et à l'astrologie. S'inspirant, à l'origine, du manuscrit enluminé, les pages des Livres d'Heures comportent des encadrements ornementaux où des personnages et des motifs secondaires rivalisaient avec les grandes planches distribuées régulièrement au cours des chapitres. Cette tradition d'ornementation continuera pendant tout le XVIᵉ siècle, influençant la décoration du livre comme les grands bois parisiens de la seconde moitié du siècle.

Le livre à figures reste fidèle au style gothique jusqu'à la fin des années 1520, et, dans certains cas, bien au-delà. Les plus grands libraires de ce temps — Philippe Le Noir, Jean Petit, Antoine Vérard — accumulent, pendant les dernières années du XVᵉ siècle, des jeux très complets de lettres ornées, de bois gravés, de vignettes en tout genre qui suffisent largement à leurs besoins. A leur mort, ce matériel désormais démodé passe soit à leurs héritiers, soit à des ateliers secondaires, où il sert pendant tout le XVIᵉ siècle à l'illustration de livrets bon marché et à la publication de bulletins d'actualité.

Les premiers motifs annonçant la Renaissance apparaissent aux alentours de 1530 chez des libraires moins importants qui se spécialisent dans le commerce relativement stable du Livre d'Heures. Comme cette littérature connaît un débit certain, des éditeurs comme Simon Vostre et Thielman Kerver peuvent se permettre des innovations alléchantes dans l'illustration d'éditions se succédant à des intervalles rapprochés. Concurrents de libraires plus importants, ils cherchent à attirer, grâce à une iconographie renouvelée, une clientèle moins conservatrice. L'heureux mélange d'une tradition d'ornementation gothique avec des motifs de la Renaissance italienne, joint à une nette influence allemande, a un grand succès. Les éditeurs du style « moderne » fournissent bientôt la quasi-totalité du nord de la France et même quelques villes et monastères de l'Angleterre et de l'Allemagne.

Ayant donné le ton, le Livre d'Heures de type parisien continue à se reproduire, sans grands changements, jusqu'à la fin du siècle. Le livre d'inspiration profane prend désormais le relais en entamant la deuxième étape dans l'évolution de la gravure d'illustration. Vers 1530, en fait, le caractère typographique romain et les figures mythologiques de l'Antiquité constituent le dernier cri dans le monde de l'édition parisienne. Le style Renaissance commence à s'imposer dans l'illustration des *best-sellers* de l'Antiquité (les *Métamorphoses* d'Ovide et les *Fables* d'Ésope) et dans l'édition d'ouvrages humanistes au débit assuré (les *Triomphes* de Pétrarque et les livres d'*Emblèmes*). Quelques éditeurs tels Geoffroy Tory, Denis Janot, Gilles Corrozet et Jacques Kerver commencent à se spécialiser dans la publication de volumes illustrés presque à chaque page, car le nombre de gravures, le petit format, la diminution du prix des volumes et l'alphabétisation croissante du public urbain leur garantissent une clientèle toujours plus étendue.

Capitale de la gravure d'illustration depuis la fin du XVe siècle, Paris est éclipsé par Lyon — son plus grand rival dans le monde de l'édition — à partir des années 1540. Ville marchande de culture franco-italienne, Lyon réussit même à concurrencer Venise dans la production du livre à figures.

Au lieu de faire travailler n'importe quel graveur pour l'illustration d'un livre, ou de puiser dans leurs fonds de boutique pour des planches ayant déjà servi à d'autres ouvrages, les éditeurs lyonnais ont l'heureuse idée d'attacher à leur service des graveurs de mérite. Jean de Tournes, par exemple, se sert du meilleur graveur lyonnais de l'époque — Bernard Salomon (dit le Petit Bernard) —, tandis que Guillaume Rouillé emploie régulièrement Pierre Vase (Pierre Eskrich) et Georges Reverdy.

S'inspirant surtout de la décoration italienne et antique mise à l'honneur par l'école de Fontainebleau, les graveurs lyonnais investissent beaucoup dans l'illustration des titres habituels du livre à figures. C'est ainsi que sortent des ateliers de Lyon les plus belles éditions des *Emblèmes* d'Alciati et des *Métamorphoses* d'Ovide. Outre la publication régulière des grands classiques de la gravure d'illustration, les libraires lyonnais excellent également dans l'édition de genres « littéraires » qui s'appuient fortement (sinon entièrement) sur l'image. D'où les *Quadrins historiques de la Bible* illustrés par Bernard Salomon (1553) qui, comme leur aïeule la *Bible des Pauvres,* consistent en un recueil de planches illustrant des épisodes bibliques dont le texte se limite généralement à quelques vers en langue vulgaire.

Dès les années 1550, Lyon diffuse dans l'Europe entière des petits ouvrages ornés d'une multitude de gravures de haute qualité. Sa carrière brillante est cependant brusquement suspendue. Les troubles religieux qui bouleversent la ville vers 1560 brisent les milieux de la gravure et de l'imprimerie. Pierre Vase fuit à Genève, où il reste entre 1552 et 1564, Bernard Salomon quitte Lyon en 1561, et Jean de Tournes est emprisonné pour fait de religion en 1567. Fuyant à Genève, pour la plupart, les graveurs et les imprimeurs lyonnais s'y établissent avec leur matériel. Dans la ville calviniste, ils continuent à se servir des bois gravés à Lyon, prolongeant ainsi la tradition de la belle illustration lyonnaise sur un terrain d'exil.

Les guerres de Religion entraînent le dépérissement de la gravure d'illustration à Paris comme à Lyon, et l'estampe sur bois perd désormais sa place prédominante au sein du livre. Dès que le règne pacificateur de Henri IV permet la réapparition du livre illustré, c'est la gravure sur cuivre qui y figurera. La gravure sur bois se trouvera alors, littéralement, à la rue, où elle connaîtra un autre public et des autres fonctions, sans oublier pour autant ni la richesse ni la beauté de ses antécédents livresques.

Les graveurs sur cuivre [81]

Jusqu'en 1570 la technique dominante de l'estampe française reste celle de la gravure sur bois. Rares sont les graveurs qui ont travaillé en taille douce avant 1542, date à laquelle l'école bellifontaine commence à se servir du cuivre pour propager le nouveau style de décoration parmi un cercle restreint d'artistes et d'amateurs d'art. Même les ornemanistes de la seconde école de Fontainebleau sont, comme leurs prédécesseurs, des artistes — peintres, orfèvres, sculpteurs — qui pratiquent la gravure à côté de leur premier métier. Ce ne sera qu'au cours du dernier quart du XVIe siècle qu'apparaîtront à Paris des graveurs professionnels, des spécialistes de formation étrangère qui vont éblouir le public de l'estampe par la beauté de leur art et séduire les imprimeurs par les avantages techniques de leur métier.

Malgré la fascination exercée par l'Italie maniériste, la France n'avait jamais délaissé les rapports artistiques étroits qu'elle entretenait avec la Flandre et l'Allemagne depuis la fin du XIVe siècle. D'où le fait que, à partir de 1550-1560, lorsque se développe dans le Nord le commerce de la gravure d'exportation, se vendent en France de nombreuses estampes allemandes et flamandes dont les légendes sont imprimées en plusieurs langues. Les grands imprimeurs d'Anvers et de Francfort, de Metz et de Strasbourg profitent de la crise du livre français pour tirer des livrets illustrés en langue française qu'ils débitent aux foires internationales et dans les principales villes de France. Christophe Plantin ne cesse d'être en relation avec son pays d'origine et envoie régulièrement d'Anvers des livres et des gravures (dont celles de Jérôme Cock d'après Bruegel) à des représentants parisiens. L'arrivée constante d'images en provenance de l'Allemagne et des Pays-Bas accoutume le public à un certain style et crée un goût, un besoin, une envie. Le marché français accueille avec un enthousiasme croissant les belles estampes du Nord dont les thèmes religieux, moraux et facétieux sont proches de ceux qu'affectionnent les imagiers parisiens. Remplissant en quelque sorte le vide entre l'estampe d'inspiration savante et l'imagerie sur bois alors à son apogée, cette gravure en taille-douce s'adresse surtout aux classes moyennes des villes françaises.

Les estampes de Philippe Galle, des Sadeler, des frères Wierix et des Goltzius remportent un grand succès et, bientôt, les pièces importées ne suffisent plus. Alors les artistes se déplacent pour répondre à la demande du marché français, au moment même où les conflits religieux et la répression espagnole commencent à secouer la population anversoise. En 1566, les mouvements iconoclastes entraînent l'expulsion de beaucoup d'étrangers. Ensuite, en 1573-1576, la « furie espagnole » cause le départ supplémentaire de nombreux graveurs, catholiques aussi bien que protestants, vers les villes plus accueillantes de Paris, Strasbourg et Francfort où leurs œuvres sont déjà bien connues.

Paris offre aux réfugiés une certaine sécurité d'emploi et une vie relativement plus calme qu'aux Pays-Bas. Les étrangers chassés de Brabant — tels les Allemands Jacques Granthomme et Léonard Gaultier — sont immédiatement suivis par leurs collègues d'Anvers : Thomas de Leu, qui va épouser une des filles du peintre Antoine Caron, et Jacques de Weert, élève de Jérôme Wierix, s'établissent à Paris où ils se spécialisent aussitôt dans le portrait surtout de notables et de ligueurs. Paul de la Houve et Pierre Firens, devenus Parisiens, fournissent ensuite au marché français les œuvres gravées des grands maîtres restés à Anvers ou enfuis en Allemagne.

C'est alors que le public et les imprimeurs commencent à dédaigner la gravure sur bois. Auparavant limitée aux milieux amateurs de l'art savant, la taille-douce devient, avec les graveurs professionnels du Nord, l'interprète de tous les genres. S'adaptant à la feuille volante (où, par sa rapidité d'exécution, elle se prête admirablement à la diffusion des nouvelles) comme au livre illustré, elle est surtout appréciée dans le genre du portrait mis à la mode par les nouveaux arrivés.

Vers 1580, le vent souffle déjà en faveur de la nouvelle technique et, vers 1590, le tournant est définitivement pris. La communauté de graveurs en taille-douce s'installe près de l'Université, rue Saint-Jacques, où se trouvent déjà les imprimeurs et les libraires avec qui ils collaborent. Tous ne sont cependant pas d'origine étrangère. Avec le retour de la paix sous Henri IV, beaucoup de provinciaux montent à Paris afin d'y exercer le nouvel art, créant un style et un répertoire de sujets qui puise son inspiration tant dans l'œuvre élitiste des ornemanistes que dans la tradition plus « populaire » des imagiers sur bois dont l'œuvre est désormais passée de mode.

Quant à la gravure d'illustration, la technique précieuse et coûteuse du cuivre devient désormais le privilège des éditions de luxe et des ouvrages scientifiques, tandis que le bois est relégué dans des publications bon marché, destinées surtout au colportage. De plus, les belles éditions ornées d'illustrations en taille douce, qui apparaissent sous Henri IV ont un tirage relativement limité par rapport aux livres à figures gravées sur bois, et leur prix est beaucoup plus cher. De ce fait, le livre illustré reflète une diversification croissante des milieux du livre ainsi que l'expansion sociale et géographique du public consommateur d'images. Le beau livre devient, plus que jamais, un objet produit et consommé par les classes dirigeantes, reflet du gouffre qui sépare de plus en plus la culture des riches de celle des pauvres.

L'imagerie sur bois

En bas de la hiérarchie du monde de l'estampe prend place un corps hétérogène de graveurs sur bois travaillant, à l'origine, à l'intention d'une clientèle sans frontières. Certains d'entre eux opèrent une ascension sociale en se mêlant au milieu du livre, mais, pour la plupart, ils se spécialisent dans la production d'une imagerie destinée au grand public urbain.

Humbles débuts : la gravure xylographique [82]

C'est au milieu du XIVe siècle que la fabrication en quantité de papier de chiffon permet la diffusion des premières images imprimées. Produites en masse par les monastères de Bourgogne et d'Allemagne, ces xylographies (gravures sur bois) aux sujets pieux, embellis de tons vifs, remportent un succès immédiat. Diffusées grâce aux pèlerinages, échangées entre abbayes, vendues à la porte des églises et colportées pendant foires et fêtes, ces anciennes estampes ne connaissent point de frontières et circulent librement entre la France, l'Italie et l'Allemagne. Inspirées des sculptures, des vitraux et des peintures des églises, elles fournissent aux fidèles le souvenir (et la puissance prophylactique) des peintures ou des statues vénérées dans les sanctuaires. Elles ornent les maisons des humbles et leur servent de sauvegarde : saint Sébastien protège des blessures, saint Roch de la peste et sainte Apolline du mal de dents. Preuve tangible des fautes rachetées, la xylographie sert également au développement du commerce des indulgences, exploitant pendant plus d'un siècle et demi la dévotion du peuple et l'attrait de l'illettré pour l'image.

Entre 1380 et 1450, avec la recrudescence de la guerre de Cent Ans, la gravure disparaît presque totalement en France. Quand elle réapparaît, la pratique de l'estampe s'exerce non seulement dans les couvents et les monastères, mais également chez les laïcs : artistes, imagiers et orfèvres des villes. Des progrès techniques, tels que le développement de la gravure sur métal et l'invention de la presse à caractères mobiles, sont accompagnés par une diversification des publics et des sujets de l'estampe. Toujours à dominante religieuse, l'éventail des sujets inclut désormais des thèmes édifiants (les *Neuf Preux*), des sujets ornementaux (des *Alphabets*), des hommages à la culture courtoise (le *Jardin d'Amour*, saint Georges délivrant la pucelle), et des facéties ou critiques sociales (la *Ballade des Hauts Bonnets*). La proportion des sujets se maintient toutefois aux alentours de vingt images de dévotion pour une à thème profane.

C'est à cette même époque que surgissent les premiers livrets xylographiques. A l'origine, ce sont essentiellement des gravures sur bois reliées ensemble, des images commentées par quelques lignes de texte, généralement en langue vulgaire. Les sujets sont invariablement religieux et moraux : L'*Apocalypse*, la *Bible des pauvres*, l'*Histoire de la Vierge* et la *Légende dorée* sont les thèmes religieux préférés tandis que l'*Art de bien mourir* et le *Miroir de la Rédemption* enseignent la morale chrétienne. Destinée à un public vaste mais peu lettré, cette littérature doit son succès aux illustrations qui, à l'origine, expliquent le texte plutôt que le contraire. C'est une « lecture » qui a pour cible les « pauvres gens » et les « pauvres clercs isolés » qui y puisent des exemples pour la préparation du sermon dominical et pour l'enseignement de la doctrine. Malgré la découverte de l'imprimerie aux lettres mobiles et de la vogue du livre illustré, le succès du livre xylographique durera jusqu'à la fin du XVIe siècle, faisant la fortune des petits libraires et des imprimeurs de province. Seule l'importance croissante (mais jamais prédominante) du texte marque l'évolution d'une clientèle qui sait toujours un peu mieux lire.

Affiches, bulletins d'actualité et feuilles volantes [83]

Lorsque le milieu des libraires et des imprimeurs à la mode se spécialise, à la fin des années 1520, dans l'illustration « moderne » du livre, se développe une paralittérature qui hérite des vieux bois délaissés des imprimeurs et qui les recycle dans une prolifération d'affiches et de placards, de bulletins d'actualité, de récits de faits divers : autant de nouveaux genres littéraires, destinés à l'information des populations urbaines. Collées aux murs ou criées par les rues, ces publications éphémères finissent par diffuser une imagerie démodée mais toujours livresque à un public souvent peu habitué aux livres.

C'est le succès de la gravure d'illustration et l'association étroite entre les milieux de l'imprimerie et de la gravure qui donne naissance à ces nouvelles formes littéraires illustrées, destinées à l'information du peuple des villes. L'affiche, la feuille volante et le bulletin d'information se servent toujours plus de l'image pour attirer l'œil du public et transmettre un message. En effet, depuis la fin du XVe siècle, aucun imprimé destiné au grand public ne peut se passer de « figures » sans risquer des répercussions sur son chiffre d'affaires. L'image fait désormais partie du paysage urbain quotidien. Ainsi le placard affiché à Paris vers 1495 qui annonce aux fidèles les cérémonies organisées le 16 août pour la fête de Saint-Roch à l'église des Carmes, près de la place Maubert : la partie supérieure de la feuille représente le saint avec son chien, la partie inférieure comporte un texte précisant la date et le lieu de la fête [84].

De même, un bois gravé d'Amiens, datant de 1527, proclame les fiançailles du roi François Ier et d'Éléonore d'Autriche. Le roi et sa fiancée sont représentés en train d'échanger un cœur et des fleurs tandis que la Vierge à l'Enfant et des angelots assurent à l'événement l'approbation divine. Placardée sur les murs de la ville à l'occasion d'une visite royale, cette gravure constitue un des premiers exemples de la propagande politique dans l'imagerie [85].

Les premières pièces d'actualité françaises naissent vers cette même époque. Hâtivement tiré afin d'assurer la nouveauté des informations, le bulletin ou « occasionnel » — un pamphlet de petit format comportant un nombre limité de feuilles — est distribué par crieur de rues dans les grandes villes telles que Paris, Lyon et Rouen. Tout fait important ou paraissant tel, tout événement sortant de l'ordinaire est porté à la connaissance du public par la voie du bulletin d'information.

Le crime « espouvantable », l'apparition céleste, la naissance d'un monstre... tout sujet relevant du fait divers ou de l'événement merveilleux est bon pour alimenter les presses de l'occasionnel.

Presque tous ces pamphlets sont illustrés, pour la plupart avec des gravures sur bois ayant déjà servi à l'illustration de livres. En fait, les bois embellissant les bulletins proviennent généralement d'incunables de la fin du XVe siècle ou des livres à figures de la première moitié du XVIe siècle. Trop abîmées ou démodées pour continuer à illustrer des livres, ces planches restent dans les fonds des imprimeurs qui s'en servent pour agrémenter leurs publications ponctuelles. Le plus souvent, elles sont revendues à des libraires plus modestes qui les recyclent dans des livrets bon marché. Retouchées jusqu'à ce que l'usure les entraîne au rebut, ces planches servent parfois pendant plus d'un demi-siècle, ou bien, reléguées chez quelque imprimeur de province, resurgissent encore plusieurs siècles plus tard[86]. Des copies des planches irrémédiablement usées doublent les réemplois, faisant circuler continuellement les mêmes sujets au style vieilli et créant un véritable corpus d'imagerie « populaire ». A côté de l'évolution rapide de la gravure d'illustration, inspirée de formes de l'art savant, prospère donc une imagerie « immobile » qui descend lentement l'échelle de la littérature illustrée jusqu'à se retrouver, à l'aube du XVIIe siècle, dans les livrets de colportage destinés au petit peuple des villes et des campagnes.

Pendant que les bulletins d'information à gravures passe-partout fournissent aux imprimeurs un moyen de réaliser de bonnes affaires en vendant rapidement, à une large clientèle, une marchandise produite à peu de frais, la feuille volante commence à s'affirmer en tant qu'agent de propagande politique et religieuse. Pièce d'actualité souvent caricaturale, la feuille volante est composée d'une gravure et d'un texte assortis, imprimés au recto d'une grande feuille de papier. Répandue dans l'Allemagne de Luther dès les débuts du XVIe siècle[87], la feuille volante-placard fait son début en France pendant les guerres de Religion. Bien qu'elle se prête souvent aux mêmes sujets que le bulletin d'information (les faits sensationnels ou les événements politiques), la feuille volante s'en différencie du fait que la gravure soit exécutée expressément pour accompagner le texte. Elle constitue une sorte de « double » du texte puisque l'iconographie « raconte » la même histoire. Ainsi le récit d'un exorcisme collectif à Laon (Paris, rue Saint-Jacques, 1578) est illustré d'une image à plusieurs épisodes, dont chaque scène numérotée renvoie à un paragraphe spécifique du texte[88]. Communiquant, donc, autant par l'image que par l'écrit, la feuille volante s'adresse à la totalité de la population des villes, aux lettrés comme aux illettrés. Collée au mur ou distribuée surtout à la criée, elle assure également, et dans un minimum de temps, la diffusion des idées et des actualités à tous les niveaux du tissu urbain.

Élément indispensable de la littérature périodique, des affiches et des feuilles d'actualité, apanage sine qua non du livre destiné au grand public et support traditionnel d'une imagerie religieuse toujours florissante, la gravure sur bois domine l'étage inférieur de l'estampe française pendant tout le XVIe siècle.

La rue Montorgueil et l'imagerie parisienne [81]

Les années 1550-1560 marquent un tournant important dans l'histoire de la gravure sur bois. La crise du monde de l'édition interrompt la collaboration des graveurs et des imprimeurs qui, afin de remédier à leurs difficultés, ont recours à des publications au débit rapide et certain, aux ouvrages imprimés en langue moderne, aux rééditions de livres illustrés aux planches déjà usées, aux livres de piété et, surtout, aux plaquettes et pamphlets traduisant le mécontentement du public sous les derniers Valois. Les malheurs du milieu de l'imprimerie font pourtant le bonheur des graveurs sur bois parisiens. Désormais séparée du livre, la gravure dite d'épargne (car en taillant le bois on « épargne » le dessin à imprimer) connaîtra un succès explosif jusqu'en 1590 environ avant d'être détrônée à tout jamais par l'estampe en taille-douce.

C'est vers 1550 que s'installent aux alentours de la rue Montorgueil, près de l'église Saint-Eustache, six jeunes « imagiers en papier » destinés à renouveler la tradition du bois gravé. Déjà camarades, Germain Hoyau, Guillaume Saulce, Alain de Mathonière, Jean Bonemère, Pierre Boussy et François de Gourmont vont resserrer encore leur amitié par des liens de mariage. Ils sont tous « imagiers » ou « peintres en bois », dessinateurs qui tracent sur le bois l'image qui sera découpée par le graveur, « tailleur d'histoires ». La réussite de leur production ne tarde pas à attirer autour d'eux des confrères et des émules qui peuplent bientôt tout le quartier. En 1570-1580, il y a environ soixante-dix imagiers, graveurs et marchands d'estampes travaillant aux alentours de la rue Montorgueil. Les créateurs de cette imagerie à la mode sont alors décédés et ce sont leurs enfants qui assurent la continuité du métier. Dominée par la famille Boussy et par une tradition d'alliance par mariage, cette « deuxième génération » comporte des personnalités importantes : François Desprez, Denis Fontenoy, et autres encore.

Qui sont les membres de cette petite communauté, cimentée par des liens de parenté ? Interrogeant les actes d'état civil, Jean Adhémar a découvert que ce sont des gens simples qui ne fréquentent, en dehors de leur groupe, que les petits commerçants du quartier. Les tailleurs, fripiers, rubaniers et brodeurs, marchands de poisson ou de sel, savetiers et maçons du voisinage qui sont présents aux baptêmes et aux mariages du quartier. Les peintres, en revanche, paraissent être trop distants pour se mêler aux cérémonies familiales des imagiers. Par ailleurs, et contrairement à beaucoup d'artistes-peintres, architectes et sculpteurs de l'époque, aucun des soixante-dix imagiers et graveurs travaillant dans le groupe de la rue Montorgueil n'appartient à la religion réformée. Ils vont régulièrement à la messe à Saint-Eustache et y font baptiser leurs enfants [90].

La grande majorité des bois de la rue Montorgueil sont consacrés à des épisodes de l'Ancien et du Nouveau Testament. Par leur présentation narrative et par la place mineure du texte, ces suites bibliques sont des descendants directs de la *Bible des pauvres*. En fait, l'imagerie parisienne de la seconde moitié du XVIe siècle doit beaucoup à ses ancêtres xylographiques et ses thèmes sont souvent très conservateurs : ce sont des *memento mori,* des suites allégoriques, des sujets moraux, des images pieuses.

Néanmoins, toute la production de la rue Montorgueil n'est pas traditionnelle. Outre les thèmes et les modèles hérités du début du siècle, les imagiers s'inspirent également de l'art savant. Les vitraux et les tapisseries, la gravure de reproduction italienne et bellifontaine, l'estampe en taille-douce flamande et allemande, les œuvres et les dessins de peintres comme Jean Cousin ou Antoine Caron ont tous laissé des traces explicites dans l'imagerie parisienne. Ainsi apparaissent des récits tirés de la mythologie et de l'histoire gréco-romaines, des scènes de mœurs et des caricatures, des suites copiées des ornemanistes et des sujets allégoriques inspirés des livres d'emblèmes[91].

Vendues en noir et blanc ou coloriées au « patron » (pochoir), ces grandes planches sont destinées à être accrochées au mur[92]. Leur vogue dépasse Paris et même la France. Imprimées en grand nombre avec des cartouches blancs qu'on devait remplir avec des légendes en langues différentes, elles sont envoyées à l'étranger (surtout en Flandre et en Espagne) où on les copie aussitôt.

Experts dans la commercialisation de la gravure sur bois et vulgarisateurs efficaces de l'art savant, les imagiers de la rue Montorgueil excellent également dans l'exploitation de la feuille volante à sujet politique. Dans le recueil des *Belles figures et drolleries de la Ligue,* collectionnées par Pierre de l'Estoile, un grand nombre de documents provient des ateliers de ces « peintres en bois ».

Vers 1585-1590, les rangs de ces imagiers commencent à diminuer. Denis et Alain de Mathonière poursuivent leur travail, ainsi que Simon Graffart et les Gourmont, mais les boutiques de la rue Montorgueil sont presque dépeuplées. Quelques éditeurs, comme Jean II Le Clerc, transférés au quartier des Écoles, continuent à tirer des feuilles volantes et des placards dans le style Montorgueil jusqu'en 1600 environ, mais, pour l'essentiel, cette imagerie parisienne disparaît en même temps que le dernier roi Valois. Éclipsés par les gravures sur cuivre en petit format provenant de la rue Saint-Jacques, les grands bois sont désormais démodés. Les graveurs et les imagiers sont obligés d'apprendre une nouvelle technique, ou d'épouser un nouveau métier. Quelques-uns partent même en province, où leur art est encore apprécié[93], mais, pour la plupart, la gravure sur bois passe dans les mains des libraires qui se spécialisent dans la production de petits livrets de colportage comme ceux de la « Bibliothèque bleue[94] ».

Une imagerie « populaire » ?

L'imagerie sur bois est le produit d'une fabrication artisanale, dans l'ensemble anonyme. Etre « peintre-tailleur d'images, sculpteur sur bois » est, dans le vocabulaire de l'époque, un « métier médiocre[95] ». Les dynasties d'imagiers qui se succèdent, rue Montorgueil, de génération en génération, comme les quelques illustrateurs du livre à figures qui ont atteint la célébrité, sont autant d'exceptions à la règle car le rang d'imagier dans l'échelle sociale et artisanale est extrêmement modeste. Il ne jouit pas de la considération qui est consentie à l'artiste, il n'est qu'un « gagne-petit[96] ».

Humbles artisans travaillant pour le compte d'un imagier-éditeur ou d'un libraire-imprimeur, les graveurs sur bois sont, sans doute, tributaires de la culture « populaire » des villes. Leur origine modeste n'offre cependant aucune garantie quant à l'appartenance culturelle de leur art et leur œuvre n'est souvent « populaire » que par le public auquel elle s'adresse. Si les grands bois coloriés de la rue Montorgueil sont surtout destinés à une partie de la population qui ne peut se permettre le luxe de la peinture, leurs producteurs ne sont guère imperméables aux formes de l'art savant. Tout en rééditant les grands classiques de l'imagerie religieuse et de l'allégorie moralisante, ils introduisent dans leur œuvre des nouveautés du style bellifontain et des sujets antiques ou mythologiques[97].

L'imagerie de la rue Montorgueil forme, en effet, un des anneaux d'une chaîne d'œuvres de vulgarisation artistique qui remonte, par l'intermédiaire des peintres et des ornemanistes, aux graveurs bellifontains et à leur source d'inspiration originale, les décorations princières du château de Fontainebleau. Un tel filtrage vertical de l'art savant n'a, en soi, rien de surprenant, excepté sa rapidité. On sait qu'à l'origine des folklores se trouve souvent l'imitation des élites, que la dynamique de la culture part souvent des créations d'un « micromilieu » pour se diffuser ensuite dans la masse sociale, le « macromilieu »[98]. Conçue, gravée, imprimée et distribuée dans un but avant tout lucratif, l'imagerie urbaine est toutefois formée, influencée et dirigée par les exigences du public auquel elle s'adresse autant qu'elle le forme, l'influence et le dirige elle-même. Agent d'acculturation, elle assure en même temps la permanence d'une iconographie traditionnelle. Transmetteur — partiel et atténué — de la culture des dominants auprès des couches inférieures de la population citadine, elle définit également sa propre vision de l'univers social. Un phénomène culturel aussi important que l'estampe ne peut jamais être à sens unique[99].

*
* *

Cette brève esquisse de l'histoire de la gravure en territoire français n'en trace que les grandes lignes. L'estampe de l'école de Fontainebleau, l'essor du livre illustré, les grands bois de la rue Montorgueil, chaque genre se caractérise par une technique, un style, un catalogue de sujets types. Chaque type de gravure appartient à un certain milieu, véhicule certaines idées, remplit des fonctions différentes.

Valable pour les estampes anonymes comme pour l'œuvre des graveurs connus, cette « typologie » de la gravure, aussi schématique qu'elle soit, permet de saisir les variations socioculturelles de l'iconographie de la femme au XVIᵉ siècle et de les situer dans une chronologie relative aux grands événements de l'époque. Mais encore faut-il examiner l'autre côté de la médaille. Si on connaît les milieux d'origine des estampes, il faut toujours se rendre compte de ce qu'elles deviennent une fois imprimées en quelques centaines ou milliers d'exemplaires. Comment sont-elles distribuées, et à quels publics ? Qui vend et qui achète les gravures, et pour quelles raisons ? On ne peut pas prétendre appréhender l'impact d'une image sans connaître à la fois son émetteur, son destinataire et son message.

● **Commerce et diffusion de la gravure au XVIᵉ siècle** [100]

Dès ses origines, l'estampe est un art voyageur. L'imagerie religieuse des XIVᵉ et XVᵉ siècles connaît une circulation à l'échelle européenne. Les monastères producteurs d'indulgences, les moines itinérants colporteurs d'images pieuses et les nombreux pèlerinages assurent à cette imagerie un retentissement international. A la fin de la guerre de Cent Ans, le commerce de la gravure passe dans les mains de laïcs sans abandonner pour autant les filières de distribution de l'Église. Un réseau de diffusion au niveau local se développe à partir des villes productrices d'estampes tandis qu'apparaissent, vers 1520, les premiers éditeurs de gravures assurant la circulation dans tous les pays de l'Europe.

Étroitement associées à l'imprimerie dès ses débuts, les voies commerciales de l'estampe sont également celles du livre illustré. Les libraires vendent des images imprimées en plus de leur marchandise habituelle et des lots d'estampes partent régulièrement en province ou à l'étranger avec des envois de livres. En même temps, les colporteurs de livrets « populaires » ajoutent toujours quelques images à leur stock pour contenter leurs clients. A côté des réseaux de distribution propres à l'imprimerie, l'estampe emprunte d'autres circuits commerciaux. Le graveur vend sa production au détail et en gros dans une boutique attachée à son atelier, et aux jours de marché un membre de sa maisonnée tient un banc où s'étalent, devant les yeux de la foule, les nouvelles images de la semaine. En outre, tout un réseau de petits commerçants, comme les merciers, prennent l'habitude d'inclure quelques gravures parmi leurs articles courants. Parallèle à cette distribution « immobile » de l'estampe sur des points de vente, il existe une diffusion mobile qui assure à l'image une pénétration sociale et géographique dépassant même celle du livre. Marchandise peu encombrante et facilement transportable, la gravure se vend beaucoup à la criée par les soins des « porte-paniers » ou colporteurs. Circulant dans les rues et, surtout, tournant dans les foires, les marchés et aux fêtes qui assurent la présence de la foule, ceux-ci vendent des almanachs et des calendriers, des feuilles volantes et des bulletins d'information, des images saintes, satiriques et amusantes [101]. Non seulement le colporteur est d'une importance inestimable pour la diffusion de la gravure, mais il joue également un rôle non négligeable dans le choix des sujets à graver, car c'est lui qui, en revenant de ses tournées, indique au graveur ou imprimeur les articles les plus demandés.

Vers le milieu du XVIᵉ siècle, une meilleure organisation commerciale de l'estampe stimule l'échange d'images au niveau international [102]. Des éditeurs d'estampes établis dans les principales villes d'Europe vendent les œuvres des grands maîtres (tels Dürer et Lucas de Leyde, très en vogue à l'époque), répandent des gravures de reproduction qui font connaître tant les chefs-d'œuvre de la Renaissance que les monuments de l'Antiquité et répondent à une demande croissante pour une imagerie à la fois moins chère et moins savante, telles les grandes planches coloriées de la rue Montorgueil. Au-delà des échanges entre éditeurs, les foires internationales du livre fournissent au diffuseur d'estampes l'occasion d'acquérir des nouveautés tout en écoulant son stock. Lyon pendant la première moitié du siècle, Francfort ensuite offrent aux marchands de gravures les mêmes avantages qu'aux imprimeurs de livres.

L'estampe participe ainsi à tous les échanges artistiques et intellectuels caractéristiques de la Renaissance. On trouve partout des graveurs de tous les pays : des Italiens, des Allemands et des Flamands en France ; des Français en Italie, en Allemagne, aux Pays-Bas, en Suisse, et même en Espagne et en Angleterre [103]. On importe et exporte les gravures. On copie, imite et adapte tous les styles, toutes les écoles. La vaste circulation d'images qui en résulte crée un lexique iconographique européen. On retrouve partout les mêmes sujets, la même symbolique, les mêmes images exécutées dans des styles ou des techniques différents, selon les préférences locales. L'estampe « internationale » du XVIᵉ siècle fait cependant partie d'une culture qui est destinée à la fragmentation. L'essor des langues modernes et le développement des littératures nationales briseront, au XVIIᵉ siècle, l'unité culturelle de l'Europe latine et apporteront, en contrepartie, la rupture de l'unité iconographique du monde de la gravure [104].

● **Publics et fonctions de l'estampe** [105]

Si la gravure connaît une diffusion à la fois internationale et locale, elle touche en même temps divers publics et remplit auprès de ceux-ci une pluralité de fonctions. S'adressant, dès ses débuts, aux humbles fidèles sous la forme de l'imagerie sainte, la gravure étend progressivement sa base sociale jusqu'à toucher la totalité de la population urbaine. De médiateur religieux auprès des gens pieux, l'estampe se transforme rapidement en véhicule d'informations artistiques et sociales jusqu'à devenir, lors des troubles de la seconde moitié du siècle, un moyen d'information et de pression politique.

Les trois quarts des images conservées traitent de sujets religieux. Images de piété, supports de la foi, elles constituent à peu près la seule décoration des intérieurs des paysans, des artisans, du petit peuple des villes [106]. Les quelques tableaux qui représentent des estampes dans les intérieurs de l'époque accordent à la gravure pieuse une position prééminente. Généralement clouée sur la cheminée, cœur du foyer, elle est illuminée le soir par une bougie [107]. Cette imagerie de « préservation » a une valeur prophylactique, gardant de tout malheur la maison qu'elle orne ou les objets auxquels elle est accrochée, d'où les représentations de saints aux pouvoirs thérapeutiques ou protecteurs qui prolongent, tout au long du XVIᵉ siècle, le vieux culte populaire des innombrables saints intercesseurs. Talisman magique, l'image religieuse est également collée dans les coffrets de voyage, à l'intérieur des coffres à linge ou à habits, dans les boîtes en métal

qui servaient à garder l'argent ou des objets précieux, dans les
Bibles de famille et les « livres de raison ». Protégeant, par sa
présence, le contenu de l'objet auquel elle est fixée, l'image de la
Vierge ou de la Crucifixion peut se transformer, lors d'un
voyage, en une sorte d'autel portatif pour les exercices de dévotion quotidienne [108]. La gravure de piété peut également sortir
dans la rue. Portée au chapeau ou cousue aux vêtements, « l'enseigne » de pèlerinage fait la preuve du voyage accompli et parti-
cipe à la puissance des images sculptées ou peintes vénérées dans
les sanctuaires. Image de confrérie, on la porte en procession
avant de l'accrocher dans la boutique de chaque membre. Représentation du saint patron d'une ville, elle est fixée aux portes des
maisons le jour de la fête patronale.

Omniprésence donc de l'estampe religieuse : dans les coffres
des riches comme dans les foyers des pauvres, dans la rue comme
dans les boutiques des artisans. A ses fonctions de décoration et
de protection s'ajoutent un rôle d'édification religieuse, d'enseignement de la doctrine et de la morale chrétienne. L'Église s'est
très tôt rendu compte de la valeur de la gravure, tant pour
répandre sa doctrine que pour accroître ses revenus. L'image
constitue un support important de l'indulgence [109] et, comme
« livre des illettrés », assure les recettes d'œuvres didactiques
depuis la *Bible des pauvres* jusqu'à ses émules plus modernes —
les *Quadrins historiques de la Bible* et les suites gravées de la rue
Montorgueil.

Technique d'élection de l'imagerie religieuse, la gravure sur
bois l'est aussi pour le livre illustré dont le public augmente tout
le long du XVIᵉ siècle. Consacrée par le succès commercial, l'illustration du livre fonctionne à la fois comme un moyen de divertissement et un outil pédagogique : elle prétend amuser un auditoire de « spectateurs » incultes tout en leur enseignant les
préceptes de l'auteur et, le plus souvent, une vision du monde
propre aux milieux cultivés. Dans la seconde moitié du siècle,
cette imagerie livresque connaît une extension importante dans
la gravure urbaine comme dans l'estampe savante. Des suites
allégoriques représentant les *Sept Vices* et les *Sept Vertus*, les
Triomphes de Pétrarque ou des *Emblèmes Moraux* remportent
autant de succès rue Montorgueil que chez les ornemanistes de
l'école bellifontaine. Triomphe du système éthique de la culture
dominante ? En tout cas vulgarisation des valeurs des classes
dirigeantes et apprentissage progressif du langage iconographique.

Au-delà de son rôle d'agent de diffusion des mœurs de l'élite, la gravure d'illustration remplit une fonction importante d'informateur culturel. Reprenant les thèmes et les motifs de la Renaissance italienne tout en s'inspirant librement des maîtres allemands et flamands, ces livres à figures fournissent — comme le font les livres d'emblèmes — des recueils de modèles aux arts décoratifs, répandant le nouveau langage iconographique dans l'environnement quotidien. Les bois illustrant les *Métamorphoses d'Ovide,* les *Amours de Cupido et Psyché,* les *Figures de l'Apocalypse,* la *Tapisserie de l'Église Chrétienne* sont copiés par des verriers, des émailleurs, des menuisiers, des potiers [110].

A partir des années 1540, l'estampe se spécialise en tant qu'outil de travail. Si la gravure sur bois continue de servir surtout à la propagation de références iconographiques et éthiques propre à l'Église et aux dirigeants urbains, l'estampe en taille-douce s'épanouit dans la diffusion d'une culture artistique, aristocratique et savante. Cette gravure de reproduction est pratiquée surtout par des artistes à qui elle permet de garder le souvenir de leurs œuvres et de fournir des modèles à leurs élèves et apprentis. Les peintres à succès autorisent la reproduction de leurs tableaux et dessins par des graveurs spécialisés et conservent même des droits sur la vente de ces documents. Diffusés par les artistes migrants et par les éditeurs d'estampes, ces supports d'informations culturelles jouent un rôle de plus en plus important pour la connaissance de l'art « moderne » et antique, rôle analogue à celui que remplit, depuis un siècle environ, le livre imprimé pour la diffusion des textes. Grâce à la gravure, chacun peut connaître les œuvres et les styles de tous les pays d'Europe. Ainsi Philippe II, au moment de la décoration de l'Escorial, fait réunir une collection d'environ 5 000 estampes choisies en vue de fournir aux artistes des idées pour la décoration du palais [111].

Avec les deux écoles de Fontainebleau la gravure de reproduction se lance dans une campagne concertée de propagande artistique et de vulgarisation stylistique destinée à une grande fortune. Tandis que les premiers graveurs bellifontains se contentent, le plus souvent, de travailler sur une planche à la fois, les ornemanistes de la deuxième moitié du siècle se spécialisent dans la publication de recueils ou de séries d'images destinés à servir d'instruments de travail. Ainsi le *Livre des grotesques* de Jacques Androuet Ducerceau (Orléans, 1566) s'adresse-t-il aux « orfèvres, peintres, tailleurs de pierre, menuisiers et autres artisans pour éveiller leurs esprits ». Semblable au livre illustré par

son application pratique, la gravure en taille-douce s'en différencie par le fait qu'elle ne s'adresse pas au grand public. Les
formes de l'art savant qu'elle traduit n'accèdent qu'indirectement, à travers l'imagerie et les arts décoratifs, au public des
villes. Souvent trop petite pour être accrochée au mur, trop chère
pour être à la portée de tous, l'estampe sur cuivre reste surtout
un phénomène d'élite jusqu'à la fin du XVIᵉ siècle.

Agent de diffusion d'idées, d'informations culturelles, de propagande artistique, véhicule d'idéologies religieuses, « populaires », humanistes et aristocratiques, l'estampe ne cesse d'élabo-
rer sa propre identité et d'affirmer son autonomie en tant que
moyen de communication sociale. Devenue un phénomène
urbain, la gravure s'adapte progressivement à son environnement, exploitant des facteurs aussi variés que la densité de population, le degré relativement haut d'alphabétisation, la familiarité
quotidienne avec l'image. Et c'est précisément cette prolifération
de l'estampe en milieu urbain qui permet son évolution finale,
son affirmation vis-à-vis de l'imprimerie en tant que langage
visuel accessible à un public de plus en plus grand et de plus en
plus diversifié.

Si le livre imprimé possède un double public composé de lecteurs et d'auditeurs, l'estampe a, elle aussi, un public mixte composé d'acheteurs et de spectateurs. Le grand avantage qu'a
l'image sur le livre est le fait que son public dépasse encore plus
ses réseaux de distribution commerciale. Les gravures poly-
chromes étalées sur les bancs des marchés, les belles estampes
exposées chez le marchand de gravures, chez le libraire ou chez
l'imagier lui-même, les placards criés dans les rues par les colporteurs s'offrent aux yeux avides d'une foule qui peut au moins
regarder si elle ne peut pas acheter. L'iconographie est-elle hermétique ? Il y a toujours, parmi les curieux, quelqu'un d'assez
cultivé pour interpréter les symboles, quelqu'un d'assez lettré
pour déchiffrer la légende. Et même les chanteurs de carrefour
peuvent à l'occasion « raconter » un placard aux badauds fasci-
nés, expliquant, à l'aide d'une baguette, les figures représentées
sur l'estampe et renchérissant sur l'action afin de mieux ouvrir
les bourses de leur auditoire [112].

Plusieurs estampes du début du XVIIᵉ siècle attestent également la présence de gravures licencieuses, de facéties et de caricatures affichées sur les murs des tavernes et des cabarets à côté
de l'inévitable almanach et de l'image de confrérie. Condamnées
par Érasme selon qui les images affichées publiquement au mar-

ché et à l'hôtellerie représentent « ce qu'on aurait honte à
décrire [113] », les « drôleries » parisiennes sont cependant très
appréciées par le grand public urbain et même par la cour. François Ier en a acheté « pour son plaisir » [114]. Que représentent ces
gravures ? Les thèmes éternels de la querelle du ménage, du
monde à l'envers, du couple mal assorti... autant de thèmes
humoristiques — et souvent scabreux — dont le message moral
renforce généralement des valeurs sociales inébranlables en critiquant toute déviation.

L'omniprésence de la gravure religieuse et profane et la densité
d'une population hétérogène « lectrice » de l'image sont les deux
facteurs qui permettent à l'estampe d'assumer, enfin, dans la
feuille volante de propagande politique, une activité actualisée et
contestataire au sein du tissu urbain. Exploitant la puissance
incomparable de l'image dans la diffusion des idées, la feuille
volante de propagande ajoute, aux autres fonctions de la gravure, celles de l'expression de l'opinion publique et du condi-
tionnement politique des populations [115]. D'où le fait que, à partir de 1551, les édits royaux de censure visent les imagiers aussi
bien que les imprimeurs de placards et de feuilles volantes.
Témoins répressifs du rôle joué par la gravure dans la formation
de l'opinion publique, ces édits confirment également son autonomie en tant que véhicule de communications sociales [116].

Le public de l'estampe au XVIe siècle va donc du connaisseur,
collectionneur de planches des grands maîtres de la gravure, à
l'artiste curieux des nouveautés stylistiques des pays étrangers, à
l'artisan ou boutiquier qui orne les murs de son espace domestique de grands bois à sujets pieux, à l'humble membre du peuple
qui, à la taverne, au marché ou dans la rue, s'arrête devant une
image pour déchiffrer son message religieux, politique ou social.
Qu'il « lise » une estampe d'un coup d'œil ou l'interprète péni-
blement à l'aide du savoir d'un voisin reste le fait qu'il aura
enregistré, accepté ou refusé des informations transmises à son
intention.

*
* *

Phénomène culturel dont la complexité se mesure à l'échelle de
sa présence croissante, l'estampe du XVIe siècle français connaît
un développement rythmé selon l'activité des lieux, l'état de
l'économie, le climat politique. L'appartenance sociale des diffé-

rents milieux de la gravure, les influences culturelles qui les traversent, le public-cible de leurs images varient au cours du siècle, élargissant, pour la plupart, leur zone d'attraction et l'étendue de leur base sociale. Moteur et transformateur de l'univers visuel, la gravure devient, en l'espace d'un siècle, un moyen efficace de communication sociale et partie intégrante du paysage urbain.

Souvent dédaignée mais toujours présente, l'estampe ne joue pourtant jamais un rôle gratuit. Elle reste signifiante y compris dans ses manifestations les plus insignifiantes. Témoin d'une époque qui n'en a guère compris la valeur, la gravure nous informe aujourd'hui sur l'univers mental de ses créateurs ainsi que sur celui de ses consommateurs. Elle livre les mythes alimentant leurs attitudes vis-à-vis de la femme et dessinent la chronologie d'une interrogation — constante et collective — sur les bénéfices et les menaces que celle-ci fait peser sur le monde des hommes.

CHAPITRE I

LA POLARISATION ASYMÉTRIQUE
DE L'IDENTITÉ FÉMININE

L'image de la femme que véhicule l'estampe se fonde sur un système de représentations antagonistes où les qualités positives reconnues au beau sexe sont systématiquement contrebalancées par des traits fortement négatifs : aux vertus qui lui sont attribuées s'opposent autant de vices, sinon plus. L'analyse du discours iconographique révèle une idéalisation véritable de la femme — bien souvent élitiste, il est vrai — que vient corriger une méfiance critique, voire une répugnance viscérale, manifeste à tous les étages de l'édifice social.

L'idée d'une féminité simultanément bénéfique et menaçante n'est guère novatrice au XVIᵉ siècle. Tributaire d'une longue tradition ecclésiastique et d'une abondante production littéraire, son image se calque sur des stéréotypes séculaires. De cet héritage ancien est né, plus ou moins spontanément, un catalogue iconographique de vertus et de défauts féminins, lexique à « double entrée » où chaque élément fait face à son contraire, mais où le poids des représentations négatives pèse plus lourd dans la balance. La symétrie théorique des vices et des vertus est donc démentie par la plus grande fréquence d'images réprobatrices et l'estampe se révèle partisane d'une représentation surtout critique à l'égard du deuxième sexe.

1. ANTÉCÉDENTS LITTÉRAIRES :
LITANIES MISOGYNES ET QUERELLES FÉMINISTES

Au-delà des précédents et des modèles fournis par la tradition iconographique, les imagiers de l'ancienne France puisaient librement dans un corpus littéraire qui avait pour objet la femme, un ensemble vaste et hétéroclite d'ouvrages aussi dissemblables que des fabliaux en langue vulgaire et des dissertations théologiques savamment composées en latin. Ces différences de genre n'affectaient pourtant guère les présupposés communs quant à la nature du « sexe faible », dont le portrait psychologique et moral constituait un véritable topo littéraire.

Ceux qui écrivaient sur le beau sexe se divisaient généralement en deux camps inégaux, les « féministes » se détachant comme autant de voix solitaires dans une foule largement composée de misogynes. Des querelles littéraires aussi virulentes que formelles étaient donc de règle. Mais si les champions de la femme pouvaient triompher à l'occasion parmi les poètes et les gens de lettres, ses détracteurs avaient plutôt tendance à renforcer les préjugés courants en faisant circuler, du haut en bas de l'échelle sociale, le catalogue des idées reçues. Depuis l'Antiquité jusqu'à la Renaissance, le consensus littéraire sur le mauvais caractère du deuxième sexe ne fut jamais ébranlé par ses quelques défenseurs convaincus.

La France du XVIᵉ siècle hérita simultanément de trois courants littéraires et philosophiques de la fin du Moyen Age : la dispute dite « de la Rose », le discours misogyne clérical, auquel faisaient écho farces et fabliaux, et le néo-platonisme en provenance de l'Italie humaniste qui prenait le relais de la tradition courtoise [1]. La première conséquence fut la célèbre « Querelle des femmes », bataille littéraire qui passionna les beaux esprits tout au long du siècle [2]. Les auteurs participant à ce débat puisaient leur inspiration dans le répertoire de leurs prédécesseurs, tout en l'agrémentant d'exemples tirés de l'Antiquité classique ou de l'histoire biblique. A la cour et au sein des cercles humanistes était en vogue le panégyrique néo-platonicien, auquel s'opposaient un courant satirique gaulois et, du côté des dirigeants urbains, une campagne d'édification morale qui s'appuyait sur le discours ecclésiastique traditionnel. D'un côté, cette querelle avait un aspect sérieux, reflet du nouveau statut de la femme dans les échelons supérieurs de la société et conséquence de la réhabilitation du mariage par les humanistes et les réformateurs. De l'autre, le sempiternel débat sur la nature satanique ou angélique de la femme revêtait bien souvent un aspect ludique. Un pamphlet anonyme imprimé à Paris aux environs de 1530 — *Monologue fort joyeux. Auquel sont introduictz deux advocatz et ung juge. Devant lequel est plaidoye le bien & le mal des dames* [3] — contre-fait la rhétorique des débats savants. De même, les *Controverses des sexes masculin et féminin* de Gratien du Pont (Toulouse, 1534) transforment les éléments d'une dispute stéréotypée en un jeu de société, répertoire de divertissements et d'acrostiches dans le style de l'école des Grands Rhétoriqueurs [4].

Alors que l'abondante production littéraire sur la bonté et la méchanceté des femmes était capable de rire d'elle-même, le dis-cours « officiel » sur la nature du deuxième sexe avait tendance, au contraire, à se prendre très au sérieux. Théologiens, légistes, moralistes et médecins répandaient une vision soupçonneuse de la féminité, affirmant à l'unanimité la rareté des femmes de vertu face à la malice de la majorité.

La diffusion la plus étendue du dogme de l'infériorité foncière des femmes était toujours assurée par l'Église. Le discours des théologiens constituait, dans l'ensemble, « un lourd dossier, qui, le plus souvent, accablait la branche féminine de l'humanité représentée comme coupable face à une branche masculine répu-tée victime [5] ». A la mentalité obsidionale caractérisant les traités des démonologues, dont les œuvres renchérissaient sur l'antifé-minisme du célèbre *Malleus maleficarum* [6], faisaient écho les omniprésents manuels de confession. Obligatoire depuis le XIIIᵉ siècle et consulté jusque dans les paroisses les plus reculées du royaume [7], le manuel du confesseur eut un impact médiatisé, mais toujours considérable, sur l'évolution des mentalités collectives.

Du côté du droit, les innovations de la législation tendaient de plus en plus à faire de la femme une incapable. La restriction de l'autonomie de l'épouse et la réduction de l'activité profession-nelle féminine, amendements caractéristiques de la législation sociale à son égard, se fondaient sur l'affirmation de sa nature puérile et « imbécile » [8]. Plus faible d'esprit que l'homme, celle-ci était toujours censée le devancer en méchanceté, d'où le nombre impressionnant de sorcières comparaissant devant les tribunaux : parfois dix femmes pour un seul homme [9].

Autre bastion de la pensée « officielle » : le discours biologi-que. La « nature » des femmes fournissait, en effet, un des grands thèmes de la littérature médicale du XVIᵉ siècle. A la suite de la tradition aristotélicienne selon laquelle elle n'était qu'un mâle imparfait, une œuvre incomplète de la nature, la science médicale de la Renaissance a cependant fini par lui reconnaître une pathologie spécifique dérivant de ses fonctions biologiques. Malgré son caractère innovateur, cette découverte fut vite récupérée dans la mesure où l'identité physique de la femme était réduite à la seule fonction reproductrice [10].

Les autorités finissaient donc par faire de la féminité un portrait peu flatteur. Définie à la fois comme avocat du diable, comme mineur à surveiller et comme matrice fertile à exploiter, la femme était la cible d'un discours gynophobe [11], paternaliste et réducteur. Et si les légistes et les médecins affichaient des mobiles sociaux en prétendant qu'il fallait protéger la femme contre elle-même, les théologiens, en revanche, avaient tendance à dévoiler les enjeux réels en affirmant qu'il fallait plutôt protéger l'homme, la société et la morale du sexe féminin [12].

*

* *

Une riche et longue tradition de débats littéraires et d'accusations misogynes colorait donc le portrait de la féminité au XVIᵉ siècle. Mais si l'imagerie s'est librement inspirée du catalogue livresque des fautes et des vertus féminines, elle a cependant sélectionné et adapté à ses propres fins le répertoire des représentations. A la fois « livre des illettrés » et miroir de l'art savant, la gravure a diffusé ses propres interprétations des discours contemporains en fonction des divers rôles qu'elle jouait auprès du public.

Malgré les liens profonds entre l'estampe et l'écrit, il ne s'agit cependant pas d'établir ici l'originalité du récit iconique par rapport à la tradition littéraire, d'autant plus que les innovations de la gravure étaient davantage liées à sa vocation récente de médiateur culturel qu'à la nouveauté des informations communiquées. Il s'agit, au contraire, de déterminer les stéréotypes sélectionnés par la gravure, de déchiffrer les messages transmis par ces images, de cataloguer les bonheurs et les dangers auxquels les différents milieux producteurs associaient la femme.

2. SYSTÈMES DE CONTRAIRES

Fidèle à ses antécédents du monde littéraire, l'estampe représente la femme comme un être double. Bonne ou mauvaise, sainte ou démone, elle peut être, comme la Vierge Marie, d'une supériorité indiscutable ou, comme la malheureuse Ève, une source de tout péché, « le mal des maux ». A chaque qualité positive représentée par la féminité correspond un vice particulier, de telle façon que l'iconographe se fait l'interprète de valeurs sociales strictement définies. Exploitant au maximum les implications morales et les possibilités graphiques d'une infinité de contraires appariés, les graveurs du XVIᵉ siècle s'amusent à réunir le bien au mal, la vertu au vice, la bonté à la méchanceté, l' « idéal » à la « réalité ». Mais, si ces représentations féminines s'articulent selon une logique manichéenne, les images qui juxtaposent l'homme à la femme assignent, pour la plupart, le mauvais rôle au beau sexe. L'humanité, comme la féminité, se divise en bons et en méchants. L'homme est tout ce que la femme n'est pas et, surtout, il est bienfaisant là où elle est néfaste. Cependant, comme tout élément relevant d'un système de pensée polarisé, le deuxième sexe détient la moitié de la réalité : de là le pouvoir réel dont il dispose et la méfiance que l'on manifeste à son égard.

● **Femmes sages, femmes folles**

> « Si la femme est sage elle vaut un empire
> Si elle est autre, au monde n'y a beste pire »
>
> (G. Meurier, *Thresor de sentences
> dorées,* Anvers, 1568.)

La féminité est l'essence même de la contradiction. Extrême en toute chose, on la représente soit sous les traits d'un ange, soit sous ceux d'un diable, mais rarement comme un être humain. Or, cette schizophrénie tire son origine de l'instabilité de sa « nature » qui la gouverne entièrement. L'ensemble des autorités lui reconnaissent, en effet, une double personnalité qui serait directement imputable à :

> une condition naturelle, qui les meut [les femmes] à outrepasser les bornes de mediocrité, & estre tousjours excessives plus que les hommes, en leurs affections & œuvres. Car si elles aiment, c'est en perfection, comme elles haissent mortellement. Si elles adonnent à

l'avarice, elle est extreme : si à folle despence, c'est la mesme pro-
digalité. En douceur, mansuetude, & bonne grace, si elles veulent
sont excellentes : tout ainsi en colere & en despit, monstrer une
grand rage [13].

La diffusion de la philosophie néo-platonicienne a contribué à
renforcer ce portrait dualiste du sexe « faible » en attribuant à la
beauté toutes les vertus et à la laideur tous les vices. Ainsi les
femmes belles étaient reconnues...

> les meilleures [car elles] ressemblent aux Anges, qui sont beaux :
> les laides au contraire sont diablesses [14].

L'archétype de l'opposition entre la femme-ange et la
« démone » est fourni par l'histoire sainte. Si Ève a privé l'humanité du paradis terrestre, la Vierge Marie a mis au monde le Fils de
Dieu, ouvrant aux hommes la porte du royaume céleste. Toutes les
deux sont, de ce fait, étroitement associées dans l'esprit des chrétiens, l'une fournissant aux misogynes la preuve de la méchanceté
fondamentale du sexe et l'autre constituant, pour ses défenseurs, le
summum de la perfection incarnée par toute femme de vertu. Ainsi
la plupart des traités sur la bonté et la « mauvaisté » des femmes
commencent-ils par une confrontation des deux. *Le Débat de
l'homme et de la femme* du frère Guillaume Alexis (Paris, début du
XVIᵉ siècle) en fournit un exemple tout à fait caractéristique.
L'homme ouvre le débat en rappelant à ses auditeurs que :

> Adam jadis, le premier père,
> Par femme encourut mort amère,
> Qui très mal le consilia :
> Bien eureux est qui rien n'y a.

Mais la femme réplique aussitôt :

> Jhesus de femme vierge et mère
> Fut fait homme, c'est chose clère ;
> Aussi nous reconsilia :
> Malheureux est qui rien n'y a [15].

Dans la mesure où la fonction de l'une consiste à remédier aux
malheurs créés par l'autre, l'identité de la Vierge est indissociable
de celle d'Ève. C'est pourquoi la gravure d'ornementation les
évoque ensemble. Une planche sur cuivre gravée par René Boyvin (Paris, 1550-1580) propose ainsi deux modèles de bijouterie,
deux pendentifs dont les motifs ornementaux renvoient l'un à
l'autre. Le pendentif de gauche figure Ève en compagnie d'Adam
alors que le médaillon de droite représente l'Annonciation : à

gauche se trouve la perte de l'humanité, à droite son salut, deux drames « historiques » où la femme joue le rôle déterminant [16]. Systématique dans la théologie officielle depuis le XIIᵉ siècle, l'antithèse Ève/Marie revêt des formes consacrées par la tradition iconologique. La Vierge est représentée en train de fouler au pied un serpent (symbole du Mal et agent du Diable lors de la première faute) ou trône en majesté alors que sa contrepartie négative occupe une place d'importance moindre, mais tout aussi signifiante, dans la géographie picturale [17].

Calquée sur le prototype biblique, l'opposition entre la femme céleste et la femme terrestre, ou infernale, est un lieu commun de l'estampe, où elle se prête à la juxtaposition allégorique d'abstractions ou de conceptions contraires. Une allégorie de la Sagesse par exemple, estampe en taille-douce gravée par l'orfèvre-ornemaniste Étienne Delaune (Paris, 1569), incarne cette qualité par une femme habillée à l'antique, un livre ouvert à la main. Celle-ci se trouve à l'orée d'une ville, la tête dans les nuages et les yeux dirigés vers le soleil, lumière divine où rayonne le nom de Dieu (fig. 1). A ses pieds gît son contraire — l'Ignorance —, une femme enfoncée à demi dans le sol, à l'orée d'un bois. Les yeux bandés, cette dernière presse son sein d'où jaillit du lait : c'est un être charnel, une mère-nature souterraine, nymphe des forêts et des eaux. L'Ignorance incarne ainsi la nature physiologique, terrestre et humide de la féminité qui l'exclut du domaine de l'intellect et du royaume céleste. La Sagesse, en revanche, est une femme spirituelle. Douée du privilège de la Connaissance, elle est inspirée par la lumière divine à laquelle elle se réfère. Située, côté ville et civilisation, entre la terre et le soleil, la femme savante aspire au règne des cieux alors que son contraire se partage entre l'univers équivoque de la nature et les mystères du monde souterrain.

Double par « nature », la femme se prête aussi facilement aux allégories des Vices qu'à celles des Vertus, d'où l'accolement iconographique des Sept Vertus et des Sept Vices (ou Péchés capitaux) qui emprunte, par tradition, les expressions polarisées de sa personnalité [18]. L' « Effigie des Sept Peches Mortelz », estampe flamande d'exportation gravée d'après Martin de Vos (Anvers ? fin XVIᵉ siècle), personnifie les Sept Péchés par autant de demoiselles mondaines, habillées à la dernière mode et tenant chacune à la main l'attribut qui l'identifie : la Vanité brandit des plumes de paon, l'Envie serre un cœur, la Gourmandise tend une coupe de vin... (fig. 2). Elles se promènent dans un char de forme carnavalesque qui représente la gueule de l'enfer. Attelés au char des vices, deux chevaux diaboliques à la queue reptilienne sont conduits par un dieu de l'Antiquité (Pluton ?). Trois démons complètent l'escorte, effrayant les pécheresses par un avant-goût des supplices qui les attendent aux enfers. Le pendant de cette image, l'« Effigie des Sept Vertus », se calque sur l'archétype inverse : la femme angélique. Sept pucelles drapées à l'antique ornent un char triomphal de style Renaissance tiré par deux vrais

Figure 1

Étienne Delaune, « La Sagesse », Paris, 1569.

Figure 2

Pierre Cool, d'après Martin de Vos, « Effigie des Sept Peches Mortelz »,
Anvers ?, fin du XVIᵉ siècle.

Figure 3

Pierre Cool, d'après Martin de Vos, « Effigie des Sept Vertus », Anvers ?, fin
du XVIᵉ siècle.

anges ailés (fig. 3). Calmes et dignes, elles sont affublées elles
aussi des attributs qui les identifient : la Justice d'une balance, la
Prudence d'un miroir, la Force d'une colonne, etc. Vertueuses de
par leur habillement qui les distingue des femmes adonnées au
vice, elles sont également exemplaires par leur attitude corporelle. Les yeux pudiquement baissés ou pieusement levés vers le
ciel, elles sont assises, contrairement à leurs sœurs débauchées,
de façon ordonnée : les trois vertus théologales dominent les
quatre vertus cardinales, manifestant ainsi la hiérarchie de l'ordre moral. Un dernier détail souligne la différence entre les deux
véhicules : le char des péchés qui se dirige à gauche vers le gouffre infernal s'oppose, tant par sa destination que par sa direction, à la voiture des vertus qui s'achemine vers la droite où
brille un soleil marqué du nom divin. Droite et gauche, ciel et
enfer, l'univers entier parle le langage de l'image.

Appuyées par le lexique symbolique de l'estampe, les métaphores selon lesquelles s'exprime la polarisation de l'identité
féminine déploient les structures fondamentales d'un système
éthique auquel correspond un modèle cosmologique moralisé.
Selon cette vision du monde, l'univers entier s'ordonne autour
d'un axe unique par rapport auquel chaque élément trouve sa
place face à son contraire. La vertu y existe donc en fonction du
vice, l'ange affronte le démon et l'esprit se sépare du corps :

+ Vertu	Vierge	Ange	Ciel	Lumière	Esprit	Culture	Droite
— Vice	Eve	Démon	Terre Enfer	Obscurité	Corps	Nature	Gauche

A chaque valorisation s'oppose une vision symétrique d'une
féminité malveillante, à chaque qualité positive correspond une
tare, car la femme est son propre miroir moral. Face à la Paix et
à l'Abondance, personnifications fondées sur la glorification de la
fertilité féminine, se dressent la Guerre et la Famine, évocations
alarmantes de la violence et de la carestie [19]. De même, à la Dili-
gence et à l'Industrie, allégories valorisant la bonne ménagère,
répondent la Paresse et la Pauvreté, paysannes oisives ou vaga-
bondes en haillons [20]. La liste des paires de contraires incarnées
par la femme se prolonge de cette façon quasiment à l'infini : la
Vanité luxurieuse se juxtapose à la Chasteté pudique, la Fraude
masquée se déclare ennemie de la Vérité nue, la Gloutonnerie
ivrogne se pose en antithèse de la sobre Tempérance. S'y ajoutent également les Vierges sages et les Vierges folles de l'Évangile
« par lesquelles sont entendus les cinq sens parfaicts & lumineux

des hommes sages, & iceux mesmes tenebreux & offusquez es fols & insensez[21] ». Thème en grande faveur depuis le début du XVIᵉ siècle, surtout dans l'illustration des Livres d'Heures, les Vierges sages et folles sont honorées par la gravure d'importation à partir des années 1570[22].

Selon la logique d'un tel catalogue, la psychologie féminine devrait être transparente : les bonnes s'aligneraient d'un côté et les méchantes de l'autre, les belles seraient vertueuses et les laides vicieuses. Mais, à la grande confusion et pour le malheur des hommes, les choses ne sont jamais aussi simples. Le sexe « faible » est spécialiste de la contradiction et peut même intégrer en une seule personnalité les deux pôles d'une nature schizophrène.

Proche du proverbe par l'utilisation qu'elle fait des comparaisons et des métaphores visuelles, l'estampe insiste sur une vision vacillante de la féminité, laissant transparaître un sentiment d'exaspération masculine face à une créature qui semble refuser de choisir définitivement entre le Bien et le Mal. Changeante, inconstante et imprévisible, celle-ci cache derrière une façade d'ange un caractère diabolique :

> Femmes sont à l'Église sainctes
> ès rue anges, en la maison diablesses[23].

La « vraye femme » est un être antinomique et caméléon (fig. 4). A la fois sainte et mégère, elle change de nature selon l'endroit où elle se trouve. Une estampe anonyme, gravée à Paris pendant la première moitié du XVIIᵉ siècle, visualise sous la forme d'un « Monstre horrible » à « double teste » ce dédoublement pervers du beau sexe. Moitié dévote, moitié démon, la voici « Ange en l'Église et diable en la maison ». A gauche (côté diabolique), elle triomphe devant la porte de sa demeure. Les poings sur les hanches, des verges à la main, elle gronde son mari pendant qu'il se prosterne, les mains jointes dans un geste de supplication. Aussi violente qu'autoritaire, cette mégère domine son conjoint tant par le bâton que par la parole. A droite cependant (côté humain), elle se trouve à l'église où son comportement change radicalement. Douce et soumise, elle s'agenouille devant l'autel, une bougie allumée à la main. Si la femme ne reconnaît point l'autorité maritale, elle paraît au moins respecter la suprématie divine.

L'emblématique fournit un autre exemple de l'identité contradictoire de la femme, cette fois semeuse de discorde et garante de

Ce Monstre horrible a double teste,   Considere ce Monstre infame
    Passant ne teffraye il point :   Qui n'entend aucune raison
    Et toutesfois ô grosse beste   Tu verras que c'est vne femme,
    Tu l'as a tes costes asses souuent conioint. Qui est Ange en l'Eglise et diable en la maison

Figure 4

Anonyme, « La vraye femme », Paris ? avant 1640.

paix. « Complexion de femme », bois anonyme de l'*Hecatomgra-phie* de Gilles Corrozet (Paris, 1540), montre une figure allégorique dans un paysage, tenant dans la main droite une branche d'olivier et dans la gauche une épée (fig. 5). La *subscriptio* donne la parole à la protagoniste afin d'éclairer la signification des attributs :

> Je tiens l'olive à la main dextre,
> Et une espée à la senestre,
> En noise & guerre me repaix,
> Puis quand je veulx je fais la paix.

Capricieuse et violente par nature, la femme dispose d'un arsenal redoutable d'armes peu catholiques mais tout à fait efficaces. Bien qu'on l'ait rarement vue manier l'épée, elle réussit à mener — et à gagner — maintes « batailles » grâce à son esprit tordu, à ses « pleurs & larmes » et, surtout, à l'aide de sa langue. Comme le précise Corrozet :

> On ne void poinct une femme occupée
> A batailler, n'y a tenir espée
> Au moins bien peu, si est ce qu'en la terre
> Elle a este cause de mainte guerre,
> Car son esprit conduict par liberté
> Est aguisé d'une subtilité
> Qui peult tant faire avecq les pleurs & larmes
> Qu'esmouvers la force des gendarmes.
> Elle a l'esprit elle a la langue prompte,
> Dont les plus fortz & puissantz elle dompte,
> S'elle ne faict guerre & occision
> Elle en sera au moins occasion,
> Car son parler a une telle force
> Qu'à batailler les hommes elle efforce.

Toutes les femmes ne sont pourtant pas aussi belliqueuses. Selon le poète, il y en a qui, au contraire de leurs sœurs « guerrières », ont un caractère plus « humain ». Celles-ci apportent la paix, chassent la discorde et exercent une influence pacificatrice sur les hommes « furieux » :

> Mais quand la femme a l'esprit bien humain
> Elle tient lors toute paix en la main,
> Sa volunté à sa beaulté accorde,
> Tant que les deux ne quierent que concorde,
> Elle fera les hommes furieux
> Estres courtois, simples & gracieux,
> Elle sera en diverses provinces
> Mettre la paix entre courroucez princes,

Figure 5
Anonyme, « Complexion de femme » dans Gilles Corrozet, *Hecatomgraphie*,
Paris, 1540.

> Comme on a veu & void bien souvent
> Quand pour tel cas on la mect en avant.

En la femme se rencontrent donc la guerre et la paix, la force et la faiblesse, l'angélique, l'humain et le démoniaque. Sa mine est d'ailleurs souvent décevante : sous sa belle apparence, la « vraye femme » cache un vrai diable. L'imagerie explicite ainsi une énigme qui ne cesse de tourmenter les hommes de l'époque : la femme appartient-elle tout à fait à l'humanité ou serait-elle autre chose [24] ? Renforcée par la rhétorique manichéenne du langage iconographique, l'estampe tend à privilégier une représentation duelle du deuxième sexe : soit déesse, soit « démone », la femme n'est que rarement elle-même.

● **Femmes de nuit et hommes de jour**

> « Un homme de paille vaut une femme d'or »
> (G. Meunier, *Thresor de sentences dorées,*
> Anvers, 1568.)

La polarisation qui caractérise l'iconographie féminine s'applique également à l'humanité en général. La femme est le contraire de l'homme, et ceci depuis l'origine du monde :

> Nous pouvons remarquer en la creation de la Femme, qu'elle seroit à l'homme un esprit de contradiction. Car Dieu forma son corps d'une sienne côte pectorale, toute torduë & de travers, c'êtoit une augure, que la Femme lui seroit fatale & contraire en toutes ses actions [25].

En fait, non seulement l'humanité mais l'univers entier se divise en paires : en mâle et femelle comme en jour et nuit. Au cœur du système binaire qui ordonne le monde persiste un principe d'organisation par genre — masculin/féminin — tributaire à son tour d'une perception mythique de la nature. L'ordre cosmologique qui en résulte explique et justifie à son tour les rôles respectifs de l'homme et de la femme, tout en fournissant la clef des structures sous-jacentes à l'organisation sociale. L'homme est ainsi fils du jour et du soleil tandis que la femme est fille de la nuit et de la lune. C'est pourquoi les commères des *Évangiles des quenouilles* affirment que « qui veult faire un filz, il le convient faire au matin, de jour, et une fille au vespre, de nuit [26] ». De même Jan Müller, buriniste hollandais établi à Amsterdam vers la fin du XVIᵉ siècle, représente le premier jour de la Création du Monde par un cercle divisé en jour et nuit, en lumière et ombre, en masculin et féminin : la clarté du jour est personnifiée par un jeune homme nu en compagnie d'un ange et la nuit ténébreuse

Figure 6
Antonio Fantuzzi, Cartouche ornemental, Fontainebleau, 1544-1545.

par une femme enveloppée de draperies flottantes[27]. L'homme-jour et la femme-nuit partagent également les caractéristiques respectives des astres du firmament. Jean de Marconville compare « l'homme au soleil pour sa stabilité & constance, & la femme à la lune pour sa mutabilité[28] », alors que le médecin Rondibilis, au *Tiers Livre* de Rabelais, élargit sur ce principe d'identification :

> ... le naturel des femmes nous est figuré par la lune, et en aultres choses et en ceste qu'elles se mussent, elles se constraignent et dissimulent en la veue et praesence de leurs mariz. Iceulx absens, elles prenent leur adventaige, se donnent du bon temps, vaguent, trotent, deposent leur hypocrisie et se declairent : comme la lune en conjunction du soleil n'apparoist en ciel ne en terre, mais en son opposition, estant au plus du soleil esloignée, reluist en sa plenitude et apparoist toute, notamment en temps de nuict (chap. XXXII).

Les défauts de la femme sont ainsi tributaires de l'ordre cosmologique. Créature « lunatique », celle-ci est éclipsée par l'homme solaire. Créature ténébreuse, elle appartient à l'aire négative d'un univers où l'homme tient la place lumineuse et positive. Le XVIe siècle a cru, comme Pythagore, à un principe « bon » qui a créé l'ordre, la lumière et l'homme, et un principe « mauvais » qui a créé le chaos, les ténèbres et la féminité[29].

La polarisation manichéenne qui assigne aux deux sexes des valeurs opposées structure de nombreuses compositions iconographiques. La gravure d'ornementation, par exemple, emprunte à la dialectique chrétienne l'opposition entre le corps et l'esprit, identifiant la femme à la chair et l'homme à la spiritualité. Un cartouche bellifontain gravé par Antonio Fantuzzi (Fontainebleau, 1544-1545) représente, parmi quantité de motifs décoratifs, une femme nue qui se presse les seins (est-ce *Ops mater,* mère universelle ?). En face d'elle, un homme barbu et pudiquement drapé (Jupiter ?) adopte une attitude pensive. Les sourcils froncés, la main au menton, celui-ci semble absorbé par sa vie intérieure, alors que l'autre figure attire l'attention du spectateur sur son corps et sur son identité biologique (fig. 6). En fait, la nature féminine est indissociable des fonctions corporelles, alors que l'identité masculine dépasse le physique pour atteindre une dimension intellectuelle et spirituelle. La femme-corps dépend de la nature, l'homme-esprit appartient à la culture et à la spiritualité. Un autre exemple est fourni par une page de titre ornementale, gravée par Léonard Gaultier pour les *Œuvres de Ronsard* publiées à Paris en 1610[30]. Au pied d'une construction architec-

turale se trouvent un homme et une femme. La femme est nue,
les cheveux dénoués. Elle tient à la main une petite urne d'où se
déverse de l'eau : c'est une nymphe, génie de la nature sauvage et
esprit des fontaines. L'homme, au contraire, porte une armure
antique. En adoptant une attitude contemplative, la tête appuyée
sur la main, il se proclame à la fois homme d'armes et gentilhomme poète. En haut de l'encadrement architectonique, deux
hommes de lettres couronnent de laurier un buste de Ronsard. A
l'homme savant et à l'homme d'armes se joint donc la femme-
nature, tous les trois sources d'inspiration du poète. A la guerre,
à l'histoire et aux arts littéraires, sciences « masculines », s'associe la muse ou l'éternel féminin — à la culture, la nature.

La distinction entre la femme-corps et l'homme-esprit a ses
origines dans la « saincte escriture » où « la figure de la femme
est prinse... pour le sens, & celle de l'homme, pour l'esprit [31] ».
C'est d'ailleurs dans l'Épître aux Éphésiens, texte important
pour la légitimation de l'antiféminisme chrétien, que saint Paul
fait la distinction entre l'homme-tête (ou « chef ») et la femme-
corps. Il y établit une dialectique de dépendance du corps envers
la tête, symbole d'autorité et de pouvoir, qui légitimise la hiérarchie conjugale et la soumission de l'épouse à son mari [32]. « En
union de mariage l'homme est l'ame & la femme le corps : l'ung
commande, l'autre sert. Et, comme dit sainct Paul, l'homme est
la teste de la femme [33]. » Renforcée ensuite par le néo-platonisme
qui opposait l'âme au corps, la juxtaposition de la femme corporelle à l'homme spirituel se prêtait à des métaphores tant morales
que sociales. Ainsi Jean Bodin interprète-t-il le Massacre des
Innocents en termes de lutte contre l'intellect (masculin) et
triomphe de la sensualité (féminin) :

> ... quand nous lisons en la loi de Dieu, que Pharaon faisoit tuer
> les masles, & gardoit les filles, les Sages docteurs outre le sens
> literal, qui demeure veritable, ont aussi entendu que le Diable
> figuré par Pharaon, s'efforce de tuer l'intellect, qui est la partie
> masculine en l'homme, pour faire vivre la concupiscence [34].

En fait, lorsqu'il s'agit de confronter la Vertu au Vice, les
hommes, les anges et Dieu le Père se rangent toujours du bon côté
tandis que la femme s'associe plus facilement au diable pour soutenir le mauvais. Une allégorie du choix entre le Vice et la Vertu
gravée par Jacques de Fornazeris (Paris, v. 1600) juxtapose ainsi la
femme et le démon à l'homme et à l'ange, c'est-à-dire le piège des
vanités éphémères du monde aux joies du paradis céleste (fig. 7). Le
Vice est personnifié par une courtisane habillée de façon élégante.
Elle chevauche un paon — symbole de la vanité [35] — et présente à

Figure 7
Jacques de Fornazeris, « *Non coronabitur nisi qui legitime certaverit* »,
Paris, v. 1600.

un jeune homme une coupe précieusement ouvragée : c'est la
fatale boîte des plaisirs, attribut de la Grande Prostituée de Baby-
lone [36]. Les fleurs qui parsèment le sol renchérissent sur les

Figure 8
Ganière (éd.), « Tableau de la femme pecheresse et obstinee en son vice »,
Paris, début du XVIIᵉ siècle.

agréments de sa personne et évoquent les plaisirs des sens, la jeunesse et l'amour. De l'autre côté de l'image se trouve la Vertu, un ange. Théoriquement asexué, les bras musclés et le profil viril de cet être divin démentent sa neutralité et font de lui un personnage masculin. Entre les deux apparaît l'objet de leurs attentions, un jouvenceau d'allure distinguée qui hésite entre les attraits de ces personnalités opposées. Il regarde l'homme-ange, mais fait en même temps un geste dans la direction de la femme-paon pour souligner son indécision. Derrière lui, une petite créature diabolique étend ses griffes pour l'attraper, mais il n'aura pas sa proie. L'aboutissement du dilemme se devine, malgré l'incertitude du protagoniste, par le fait que Dieu le Père surgit dans le ciel en compagnie d'une multitude d'anges. Le Seigneur fait un geste de bénédiction pendant qu'un rayon de lumière portant l'inscription « Veni Coronaberis » descend des nues pour s'arrêter juste au-dessus de notre héros indécis. Ici, la femme, l'animal et le démon s'allient face à Dieu, à l'ange et à l'homme, le chemin de la perdition s'oppose à celui du salut, l'enfer au ciel. S'y rencontre également le thème de la femme-piège qui attrape les naïfs pour les livrer au diable. Le corps féminin est un mirage dont la beauté n'est qu'illusion, car sa véritable nature est satanique. Pour sauver l'homme des charmes alléchants de la femme-vice il n'y a qu'un seul remède : une alliance masculine, baignée de lumière divine [37].

Lorsque le cas contraire se produit, c'est-à-dire lorsqu'un graveur accorde à une femme la place du protagoniste sollicité par des émissaires des deux mondes, celle-ci n'hésite guère et choisit inévitablement le chemin de l'inconduite. Un fragment de planche de style Montorgueil (Paris, v. 1560) figure une femme coiffée d'un grand chapeau, assise entre un ange et un diable. Élégante et vaniteuse, elle reste insensible aux remontrances de l'envoyé céleste, et n'écoute que le démon qui travaille sa tête à coups de marteau [38]. Une estampe en taille douce parisienne, éditée par Ganière au cours de la première moitié du XVIIᵉ siècle, permet de compléter le message ébauché par la gravure précédente : le « Tableau de la femme pecheresse et obstinée en son vice » figure, comme le bois de style Montorgueil, une femme assise entre un monstre diabolique et un messager divin, le Christ (fig. 8). Tandis que le démon s'applique à marteler la tête de la pécheresse, le Sauveur tâche de raisonner avec elle. Ingrate et entêtée, celle-ci se bouche l'oreille d'un doigt impertinent : quand la femme se trouve entre le Diable et le Bon Dieu, c'est le premier qu'elle écoute. Sa surdité volontaire lui coûtera cependant très cher car, derrière le démon, s'avance la Mort sous forme de squelette. Une faux à la main, la fatalité osseuse se prépare à abattre cette folle entêtée au milieu de sa vie peu recommandable [39] :

> Une meschante Femme, en son vice obstinée,
> Na dans ce qu'elle fait ny regle, ny milieu :
> Aux folles passions elle est abandonnée,
> Et ne daigne escoutter la parolle de Dieu.
>
> Au lieu que le peché luy devroit faire horreur
> Apres les voluptez elle est tousjours en queste ;
> Et se plaist a cherir le mensonge et l'Erreur,
> Que le malin esprit lui fourre dans la teste.
> . . . .
> Mais cependant la Mort ne fait que la guetter,
> Affin de la surprendre au milieu des delices
> Et de son trait fatal quon ne peut eviter,
> Labat, et labandonne a deternels supplices.

Les couples d'oppositions qui apparaissent dans les images juxtaposant l'homme à la femme sont presque identiques à ceux qui opposent la femme « sage » à la femme « folle ». Lorsque l'homme se trouve au pôle positif, la femme se trouve au pôle négatif :

+	Homme	Ange	Ciel	Soleil	Jour	Esprit	Culture	Droite
—	Femme	Démon	Enfer	Lune	Nuit	Corps	Nature	Gauche

Or si, dans ce schéma, le personnage positif initial peut varier — lorsque, par exemple, on remplace l'homme par la Vierge Marie ou par la « femme de vertu » —, l'élément négatif correspondant sera (à quelques exceptions près) toujours le même. Qu'il désigne Ève ou la femme-vice, c'est au sexe féminin que revient, le plus souvent, le côté suspect de l'univers [40].

3. LE VERDICT DES CHIFFRES

> « Femme est une beste qui n'est pas ferme ni estable, elle est hayneuse à la confusion de son mari, elle est nourissante de mauvaiseté, et si est commencement de tous plaids et de toutes tensions et si trouve chemin et voye de toutes iniquités. Je ne dis pas toutefois qu'il ne soit aucun bonne femme, mais elles sont claires semées. »
>
> (Anonyme, *Le Songe du Vergier,* éd. Paris, 1516.)

L'idéologie dualiste qui divise la féminité en créatures bonnes et méchantes oppose également l'homme à la femme mais elle ne traduit point l'importance quantitative des éléments. Bien qu'é-quilibré dans ses structures, ce schéma bipolarisé est nettement déséquilibré quant à la distribution numérique des représenta-tions. Dès que l'on commence à faire des comptes, l'estampe du XVIe siècle montre une conception plutôt pessimiste de l'univers, liée à une méfiance radicale à l'égard du sexe féminin. L'analyse chiffrée des représentations positives et négatives — d'hommes et de femmes — révèle le consensus, entre l'emblématique et l'es-tampe sur feuille, sur le mauvais train que mène le monde ainsi que le poids écrasant de la responsabilité qui incombe au deuxième sexe [41].

● L'emblématique

L'allégorie moralisante caractéristique de l'emblématique se prête admirablement à l'analyse quantitative et qualitative des représentations. Tout d'abord, l'inscription explicative qui accompagne chaque image identifie les acteurs et les qualifie comme « bons » ou « mauvais ». Ensuite, dans la mesure où le graveur se sert d'un code gestuel et vestimentaire pour repro-duire ce même message, les signes iconiques confirment la nature — bénéfique ou nocive — des personnages représentés. Enfin, un des grands avantages du livre d'emblèmes réside dans le fait que chaque recueil constitue en lui-même un minicorpus complet car, contrairement aux séries d'estampes sur feuille, la reliure assure généralement la survie de la totalité des planches [42].

Au cours de cette investigation chiffrée n'ont cependant été prises en considération que les principales figures signifiantes de chaque emblème : personnages, animaux, plantes ou objets qui véhiculent le message. De même, les attributs habituels de certaines personnifications (le voile de la Fortune, la balance de la Justice, etc.) font intégralement partie de l'identité du person-nage et ne sont donc pas retenus comme éléments chargés d'une signification autonome. Quant aux groupes de figurants qui apparaissent de temps en temps dans des rôles secondaires, ils sont considérés comme une seule entité : ainsi un groupe de trois ou quatre hommes d'armes censé représenter la cruauté de la guerre ne forme, selon les critères de cette analyse, qu'un seul acteur masculin négatif. Il y a d'autre part des représentations qui ne sont ni positives ni négatives. Elles servent de support à des réflexions éthiques ou philosophiques dans lesquelles les éléments signifiants ont une valeur « neutre » — telle la célèbre devise antique adoptée par l'imprimeur vénitien Aldus. Présent dans la plupart des livres d'emblèmes, le dauphin enroulé autour d'une ancre est généralement interprété comme symbole de la juste mesure entre la vitesse et la lenteur, c'est-à-dire de l'équilibre et de la modération en toute chose.

Programme illustré de la comédie morale qui se joue tous les jours sur le théâtre du monde, l'imagerie emblématique fournit au lecteur-spectateur une liste raisonnée des personnages avec l'interprétation de leur rôle. Que les acteurs soient des hommes, des femmes ou des éléments non humains, le *corpus emblematicum* assigne à chacun un costume, un décor et un texte adaptés à la personnalité qu'ils sont censés représenter. Ainsi sont identifiés, par les signes codifiés d'une iconographie stéréotypée, tous les modèles possibles et imaginables du héros, du scélérat ou du simple comparse.

Hommes et femmes

> « De mille hommes j'en ay trouvé un bon,
> & de toutes les femmes pas une. »
> (Ecclésiastique 9 : 28.)

Dans le scénario emblématique, le grand rôle est détenu par l'homme : le nombre d'emblèmes mettant en scène le sexe masculin dépasse largement l'ensemble des représentations féminines, et cela sans exception dans tous les recueils consultés [43]. Moins présente que l'homme dans l'interprétation emblématique du monde, la femme n'en est pas pour autant moins offensive. En fait, lorsqu'elle apparaît sur la scène elle compense son statut minoritaire par une méchanceté qui surpasse de loin celle des acteurs masculins, comme on le voit dans le tableau suivant où sont affichés les pourcentages respectifs des représentations positives, négatives ou neutres pour l'ensemble des livres d'emblèmes étudiés :

TABLEAU I

	Femmes	Hommes	Animaux/Plantes/Objets	Moyenne
Représentations positives +	36 %	40 %	36 %	37 %
Représentations négatives —	56 %	39 %	38 %	45 %
Représentations neutres 0	8 %	21 %	26 %	18 %
TOTAL	100 %	100 %	100 %	100 %

Héros, traîtres et comparses du scénario emblématique. Représentations de femmes, d'hommes ou d'animaux/plantes/objets selon la valeur qui leur est attribuée. Moyennes pour tout le XVIe siècle.

Alors que le pourcentage de représentations positives ne varie pas énormément entre les personnages emblématiques, les femmes se distinguent toutefois par le fait qu'elles sont nettement plus négatives que les hommes et les animaux/plantes/objets [44] : 56 % des emblèmes figurant une femme lui assignent un rôle répréhensible pour seulement 39 % des acteurs masculins et 38 % des éléments non humains. Notons également que les hommes, tout comme les animaux/plantes/objets, sont *grosso modo* tout aussi positifs que négatifs tandis que le sexe féminin se distingue par un décalage considérable entre ses qualités bénéfiques et celles jugées nuisibles. Si la bonté des femmes les classe dans une position légèrement inférieure à celle des hommes, leur méchanceté les situe, en revanche, au tout premier rang.

Les représentations « neutres » des personnages emblématiques indiquent encore une différence fondamentale entre les femmes et le reste du monde. Seulement 8 % des représentations féminines illustrent des réflexions philosophiques ou morales sans leur attribuer de valeur, tandis que la neutralité des hommes se fixe à 21 % et celle des autres emblèmes à 26 %. Jugeant de la distribution des chiffres, il semblerait donc que le monde, les animaux et les hommes peuvent être tout aussi facilement bons, mauvais ou indifférents — ce sont les femmes qui ne jouissent guère du privilège de la neutralité. Soit bonnes soit mauvaises, elles restent fidèles à leur nature duelle, étant excessives en toute chose et modérées en aucune.

Une dernière observation importante découle de ces données : la moyenne de l'ensemble des représentations positives (37 %) est inférieure à celle des emblèmes négatifs (45 %), les images neutres arrivant loin derrière (18 %). Or, cette image pessimiste de l'univers n'est due ni aux péchés des hommes, ni au caractère vicieux des animaux, des plantes et des objets. C'est la femme, et la femme seule, qui fait pencher la balance du mauvais côté. Si les choses vont mal, c'est elle qui en est la première responsable.

Le code vestimentaire

Fort explicite quant aux valeurs attribuées à l'humanité et au monde, l'emblématique est tout aussi catégorique lorsqu'il s'agit des valeurs traduites par le code vestimentaire. Dans l'ambiance humaniste du milieu du livre, le costume antique assure généralement la rectitude morale du personnage alors que l'habit moderne est plus facilement attribué à une figure négative. Ainsi l'analyse quantitative des vêtements portés par les acteurs emblématiques — selon l'époque représentée et les valeurs affichées — donne-t-elle des résultats tout à fait intéressants :

TABLEAU II

COSTUMES	SEXE	XVIe	Antiquité	Nues	Monstres & créatures mythiques	TOTAL
Représentations positives +	% Femmes	6	26	2,5	1,5	36
	% Hommes	13	22	4	1	40
Représentations négatives —	% Femmes	19	22	5	10	56
	% Hommes	20	12	3	4	39
Représentations neutres 0	% Femmes	3	5	0	0	8
	% Hommes	10	8	3	0	21
TOTAL :	% Femmes	28	53	7,5	11,5	100
	% Hommes	43	42	10	5	100

Les présupposés vestimentaires du corpus emblematicum. *Pourcentages comparatifs des costumes féminins et masculins sur l'ensemble des recueils analysés.*

Du côté des femmes, le déséquilibre au sein des représentations positives est plutôt déconcertant : seulement 6 % sont mises à la mode du XVIe siècle pour 26 % à l'antique, ce qui donne à penser que, pour le livre d'emblèmes, la quasi-totalité des membres exemplaires du sexe féminin ont vécu à l'époque classique..., les femmes vertueuses contemporaines étant, du même coup, fort rares [45]. Au pôle négatif, en fait, les figures féminines en costume moderne sont trois fois plus nombreuses (19 % sont mal considérées par rapport à 6 % bien vues). La population féminine du monde gréco-romain, en revanche, est beaucoup mieux équilibrée (22 % de représentations négatives pour 26 % positives). L'Antiquité a donc connu, autant que l'époque contemporaine, le malheur *muliebris,* mais elle a toutefois eu le privilège d'un nombre supérieur de femmes de vertu, privilège que lui envie l'époque de la Renaissance qui ne considère plus comme bonne qu'une femme sur quatre. Quant aux personnages nus, la balance penche décidément du mauvais côté (5 % des femmes dévêtues sont négatives alors que 2,5 % seulement sont positives). Verdict surprenant pour un siècle où l'art de cour avait assigné une place d'honneur au nu féminin. Il semble bien que l'art bourgeois de l'emblématique ait gardé une distance prudente vis-à-vis du « corps mignon » de la femme et que le culte esthétique de la féminité, tant célébré par la Renaissance, n'ait eu qu'un retentissement limité au sein de la culture urbaine. La valeur presque exclusivement négative des créatures monstrueuses ou mythiques (sirènes, harpies, etc.) reflète, par ailleurs, le rôle malveillant attribué à ces créations légendaires (10 % sont négatives et seulement 1,5 % positives). A mi-chemin entre l'humanité et l'animalité, elles jouent le plus souvent un rôle d'intermédiaire entre l'homme et le Mal.

Du côté des hommes les choses se présentent autrement. Bien qu'ils soient soumis, eux aussi, à la convention vestimentaire qui tend à habiller les « bons » à l'antique et les « mauvais » à la mode du XVIᵉ siècle, la distribution des représentations masculines comporte des différences significatives par rapport à celles des femmes. Pour commencer, il y a deux fois plus d'hommes exemplaires en costume moderne que de femmes (soit 13 % par rapport à 6 %). En revanche, en ce qui concerne les « bons » de l'Antiquité, ils sont légèrement inférieurs aux représentations féminines correspondantes (22 % d'hommes pour 26 % de femmes). Les conventions iconographiques de l'emblématique révèlent ici les préjugés types de l'époque : si les femmes de l'ère classique sont considérées comme un tout petit peu plus vertueuses que les hommes de la même époque, au XVIᵉ siècle l'ordre des choses se renverse de façon radicale et le sexe masculin devient nettement supérieur à sa contrepartie féminine. Quant aux emblèmes négatifs, ils racontent une autre histoire encore. Les hommes de la Renaissance sont aussi méchants que les femmes (20 % par rapport à 19 %), mais ceux de l'époque gréco-romaine sont indiscutablement moins nocifs : seulement 12 % des allégories masculines assignent à l'homme antique le mauvais rôle, alors que la femme classique le dépasse de presque le double avec 22 % des représentations. Les polarités de l'identité masculine reflètent donc, beaucoup plus que celles de la femme, l'opposition fondamentale entre l'Antiquité « positive » et le XVIᵉ siècle « négatif », la majorité des hommes « mauvais » étant habillés à la mode contemporaine et la plus grande partie des « bons » à l'antique.

La distinction entre nudité acceptable et nudité répréhensible qui caractérise l'emblématique féminine ne se reproduit pas dans l'emblème masculin où 4 % des hommes sont nus et positifs, 3 % négatifs, et 3 % neutres. Légère supériorité, donc, du nu masculin positif sur les autres, et distribution plus ou moins égale selon les trois catégories. Contrairement au corps féminin, le corps de l'homme ne provoque (au moins chez les emblématistes) aucun jugement de valeur absolu. Également moindre chez l'homme que chez la femme est le nombre de créatures mythiques : seulement 5 % des emblèmes masculins représentent des monstres par rapport à 11,5 % des personnalités féminines. Déjà inférieurs en nombre, les hommes monstrueux sont également inférieurs en méchanceté : au 10 % des emblèmes négatifs qui mettent en scène des monstresses répondent seulement 4 % de représentations masculines. Ce déséquilibre frappant s'explique en grande partie par l'inquiétude que provoque le corps féminin. Comme nous le verrons plus loin, celui-ci est jugé plus proche de la nature que celui de l'homme. Tout en appartenant à l'humanité, il est également proche parent du règne animal et sœur fertile de l'univers végétal. Le corps masculin, en revanche, est largement exclu des mystères naturels et il reste plus ou moins à l'abri des soupçons soulevés par les mécanismes obscurs de la *natura* et de sa « féminité ».

*
* *

L'analyse quantitative du livre d'emblèmes et l'examen des codes de signification appliqués au corps et au vêtement fournissent un portrait, somme toute, désobligeant de la femme, un être plus « méchant » et plus « monstrueux » que l'homme. La vision foncièrement négative de l'univers que véhicule l'emblématique est, en outre, directement imputable au sexe féminin : si les hommes, comme les animaux, les plantes et les objets, sont aussi positifs que négatifs, c'est la femme qui est responsable du déséquilibre. Aux yeux du milieu dirigeant urbain dont les emblématistes se font les porte-parole, ce sont surtout les femmes modernes, descendantes ignobles d'un sexe qui a connu son âge d'or dans l'Antiquité lointaine, qui se rendent coupables de décadence du monde. Tributaire à la fois du nouveau « féminisme » des élites, de la gynophobie du discours clérical et de l'idéologie normative de la « bourgeoisie » citadine, le recueil d'emblèmes a opté, tout compte fait, pour une culpabilisation croissante du deuxième sexe [46].

● **L'estampe sur feuille**

A la différence du livre d'emblèmes, l'estampe sur feuille pose beaucoup de problèmes à l'approche quantitative. Tout d'abord, le corpus est plus étendu du point de vue social et géographique, et la thématique, loin de se limiter à l'interprétation moralisante de l'univers, traite de tous les sujets imaginables. La gravure volante présente également le désavantage d'une survie irrégulière, contrairement au livret emblématique dont chaque recueil constitue un minicorpus complet et relié. L'idéal serait évidemment de pouvoir comparer des « catalogues » de stock des ateliers artisanaux ou des listes de planches en possession des éditeurs et des artistes. De tels catalogues seraient fournis par des inventaires après décès, par exemple, qui restent encore nombreux à découvrir [47]. Les quelques listes déjà publiées témoignent cependant, et de façon éloquente, de l'intérêt que représenterait une étude de ce genre d'archives. Ainsi trouve-t-on trace, rue Montorgueil, d'un bois unique intitulé la « Bonté des femmes », loué par Mallot à l'imagier Boussy, alors que l'inventaire après décès des fonds de Denis de Mathonière mentionne une série de six planches sur la « Malice des femmes », sans contrepartie positive [48].

Malgré les lacunes matérielles de la gravure seiziémiste, le poids brut du nombre d'estampes existantes est toujours impressionnant : plus de 5 500 gravures françaises ont survécu aux péripéties du temps. Pour faciliter donc les nombreuses manipulations nécessaires à la tâche analytique, l'étude chiffrée des documents a été fondée en grande partie sur les informations fournies par l'*Inventaire du fonds français. Graveurs du XVIe siècle* d'André Linzeler et de Jean Adhémar (Paris, 1932-1939). Cet ouvrage présente un avantage précieux dans la mesure où il comprend la description sommaire de toute estampe (de main française ou gravée sur le territoire « français » au cours du XVIe siècle) qui était connue au moment de l'établissement du catalogue, même si celle-ci ne figurait pas parmi les fonds du Cabinet des Estampes de la Bibliothèque Nationale [49].

Face à l'impossibilité d'établir, malgré la multitude de gravures existantes, les dimensions réelles de la production graphique du XVIe siècle [50], une solution intermédiaire a été choisie, basée sur la répétition de certains sujets à l'intérieur du corpus que nous connaissons aujourd'hui. Il existe en fait un nombre de thèmes ou de catégories iconographiques qui se reproduisent généralement à tous les échelons du monde de l'estampe [51].

L'allégorie moralisante y occupe toujours une place importante, mais tout aussi imposante est la quantité d'images inspirées de sujets « historiques » (classiques ou bibliques) et le nombre de scènes tirées de la vie quotidienne. Parmi ces catégories, grand nombre de représentations véhiculent une communication morale ou proposent des modèles de comportement. De ce fait, elles attribuent aux acteurs masculins et féminins une valeur, positive ou négative, selon le message qu'ils sont censés communiquer au spectateur, ce qui permet enfin d'opérer à une analyse (à la fois quantitative et qualitative) sur le modèle emblématique [52].

Une estampe allégorique « féministe »

Contrairement au livre d'emblèmes, l'estampe sur feuille privilégie les femmes dans l'allégorie, et cela surtout à partir de 1540, quand l'influence de la Renaissance italienne et la mode de la philosophie néo-platonicienne encouragent l'emprunt de la forme féminine, considérée comme plus plastique et plus décorative pour la personnification de toute abstraction [53].

Sur les 410 estampes allégoriques, symboliques et emblématiques citées par l'*Inventaire du fonds français,* 254 représentent des femmes, 118 des hommes et 38 des animaux, plantes ou objets divers :

TABLEAU III

	Représentations positives +		Représentations négatives —		Représentations neutres 0		TOTAL	
	N°	%	N°	%	N°	%	N°	%
Femmes	156	62	67	26	31	12	254	100
Hommes	24	20,5	37	31,5	57	48	118	100
Animaux Plantes Objets	8	21	4	11	26	68	38	100
TOTAL	188	46	108	26	114	28	410	100

Estampes sur feuille : pourcentages comparatifs des représentations positives, négatives et neutres des sujets allégoriques et emblématiques. Moyennes pour tout le XVI⁰ siècle.

Sur l'ensemble du XVI⁰ siècle, donc, environ deux tiers des gravures allégoriques (62 %) sont dédiés au sexe féminin, et moins d'un tiers à l'homme (29 %), ce qui est l'inverse de l'emblématique, où l'homme figure dans 62 % des planches et la femme dans 26 %. Le même renversement se remarque dans la distribution

des personnages et des éléments selon leur valeur positive, négative ou neutre : ici les femmes l'emportent au pôle positif et les
hommes au pôle négatif. Les graveurs sur feuille s'accordent
cependant avec les emblématistes pour affirmer la dualité de la
personnalité féminine : soit bonne, soit mauvaise, elle est rarement neutre (62 % des représentations féminines sont positives,
26 % négatives et seulement 12 % sans valeur attribuée). Un peu
plus méchants que leurs compagnes, les hommes sont, en fin de
compte, majoritairement inoffensifs : 20,5 % des représentations
masculines s'alignent du côté des « bons », 31,5 % du côté des
« méchants », mais 48 % sont neutres ! Décalage surprenant, par
rapport au livre d'emblèmes, où les hommes sont aussi bien positifs que négatifs ou neutres.

En regardant de plus près les sujets incarnés par les allégories
féminines, on peut comprendre la raison pour l'inversion numérique des représentations par rapport aux recueils emblématiques. L'allégorie d'inspiration néo-platonicienne et les séries de
personnifications des Arts et des Sciences, très en vogue auprès
des graveurs ornemanistes, sont responsables d'un grand nombre
d'estampes, notamment à partir de 1560. D'une représentativité
culturelle et sociale beaucoup plus restreinte que l'emblématique,
le culte artistocratique de la muse et de la femme savante qui s'y
exprime présente des limites bien précises. Or, si on prend le
parti d'éliminer du compte les seules personnifications des Arts
et des Sciences, le nombre de représentations positives tombe
brutalement de 156 à 95 estampes. Sur les 95 images res-
tantes, 60 représentent les Sept Vertus cardinales, et les 35
autres, diverses allégories. Autrement dit, 39 % des gravures en
question sont consacrées au thème humaniste et décoratif des
Arts et Sciences, autant (38,5 %) aux Vertus cardinales, et un
cinquième environ (22,5 %) à d'autres sujets. La « bonté » des
femmes est donc largement assurée par les idéalisations diaphanes de la culture savante, en second lieu seulement par des
figures allégoriques communes à tous les niveaux de production
de l'estampe. Par ailleurs, si l'on compare ces chiffres avec les
taux de personnifications négatives (dont la plupart sont consacrées aux Sept Péchés capitaux et le reste à des sujets divers), la
vertu féminine en reçoit un nouveau choc. Les deux tiers (63 %)
des femmes méchantes commettent des péchés mortels par rapport à un peu plus d'un tiers (38,5 %) des femmes positives qui
se dédient aux vertus cardinales. Le Vice, semble-t-il, est plus
répandu chez les mauvaises femmes que la Vertu parmi les
bonnes.

Ces constatations stimulent la réflexion, mais il ne faut pas non plus confondre les perspectives linéaires de l'arithmétique avec le mirage des pourcentages. Sur le total de 162 allégories féminines qui restent après l'exclusion des Arts et des Sciences, 95 sont toujours positives et 67 négatives. La balance penche ainsi définitivement dans le sens d'une estampe allégorique favorable à la femme, même si ce verdict est surtout tributaire d'une mode iconographique caractéristique des élites.

Au-delà de l'allégorie

Comme on pourrait s'y attendre, l'image positive de la femme qui ressort de l'estampe allégorique ne s'étend pas à tous les domaines de la gravure. Les scènes de genre, par exemple, comme les facéties et les satires sociales qui jouissent d'une grande vogue en milieu urbain (surtout à partir de 1560), constituent une sorte d'antithèse « réaliste » aux sujets métaphoriques ou emblématiques dans la mesure où ils visent tout particulièrement les défauts propres au deuxième sexe et les malheurs de l'état conjugal. Oblitérées, comme la plupart des gravures « populaires », par le manque de soins réservé aux objets communs et de peu de valeur, ces images ont été pratiquement anéanties par leur énorme succès. Aujourd'hui il n'en reste pas plus de 39, presque toutes dans un état qui témoigne d'une durée d'affichage à la limite de la désintégration. Sur ces 39 gravures facétieuses, 25 prennent pour sujet les méfaits du sexe féminin, soit 64 % des sujets dont le but comique se double d'un message misogyne. Après la femme, c'est le paysan qui sert de cible à l'iconographie satirique et facétieuse. C'est que, comme le fermier, celle-ci se trouve au pied d'une hiérarchie sociale à deux étages : au sommet les hommes et la culture savante, en bas les dames et la culture du peuple.

Production dite « populaire », la facétie s'adressait surtout au passant, au public des tavernes, à l'amateur de bizarreries. Il serait facile de soupçonner cette imagerie — contrairement à l'estampe savante — d'être le lieu d'une campagne antiféministe moralisante comparable aux communications gynophobes du livre d'emblèmes, si la gravure d'élite inspirée de l'Antiquité classique n'attribuait pas également aux femmes le mauvais rôle. Plus on élargit l'exploration thématique du monde de l'estampe, plus on se rend compte que la misogynie iconographique n'est point limitée aux classes moyennes et inférieures.

L'Antiquité classique

Bien que la femme figure dans la plupart des évocations visuelles de l'ère gréco-romaine, elle n'y joue le plus souvent qu'un rôle de comparse. Les dramatisations de la continence de Scipion, du sacrifice d'Iphigénie, d'Apelle peignant le portrait d'Alexandre et de Campaspe véhiculent tantôt un modèle de comportement masculin, tantôt une illustration anecdotique ou descriptive de la vie d'un personnage célèbre, tantôt encore un événement dont le centre d'intérêt dépasse la femme pour dénoncer l'inhumanité de la guerre ou l'intransigeance de la raison d'État. Plus de la moitié des représentations féminines (65 %) n'affichent ainsi aucune valeur « éthique », ni explicite ni implicite, alors que le restant se prête plus facilement à une interprétation morale [54]. Les exploits de Lucrèce par exemple, ceux de Médée, de Xanthippe et de nombreuses autres personnalités légendaires fournissent aux imagiers des exemples absolus de la bonté ou de la méchanceté féminines, voire des modèles à suivre ou à éviter maintes fois cités par les auteurs de l'Antiquité et inlassablement ressassés au cours de la « Querelle des femmes ». Or, ces planches consacrées aux évocations « historiques » tranchent, le plus souvent, en faveur d'une féminité néfaste face à de rares modèles de vertu :

TABLEAU IV

	Représentations positives +	Représentations négatives —	Représentations neutres 0	TOTAL
1500-1540	0	0	1	1
1540-1560	4	5	26	35
1540-1600	1	17	16	34
1560-1600	1	3	14	18
TOTAL	6	25	57	88
%	7 %	28 %	65 %	100 %

Estampes sur feuille illustrant des épisodes « historiques » du monde gréco-romain. Ventilation chronologique des représentations féminines selon la valeur qui leur est attribuée [55].

Les personnalités de l'âge classique habituellement interprétées commes des prototypes féminins — soit édifiantes, soit détestables — appartiennent à une série de personnages célèbres. Les (rares) héroïnes sont des femmes chastes ou maternelles :

Lucrèce figure en tête avec 4 représentations, suivie par Célie, pucelle courageuse, et la « Charité romaine » ou l'histoire de Cimon et Pera. Les traîtresses, en revanche, ont des vocations beaucoup plus variées. Au premier rang apparaissent des sorcières-meurtrières : Médée, « superstar » de la perversité féminine, a droit à 14 représentations tandis que d'autres « sorcières » de l'Antiquité (Circé, la reine Inô et les filles de Pélias) inscrivent encore 3 mentions à l'antique catalogue du vice féminin. En second lieu viennent les femmes fatales, séductrices responsables de nombreux malheurs : Hélène et Cléopâtre, sirènes de l'ère classique, sont représentées 3 fois chacune. En fin de série apparaît la mégère la plus célèbre de l'histoire humaine : Xanthippe. Représentée 2 fois en train de gourmander Socrate, mari malheureux mais excellent philosophe, celle-ci rappelle aux hommes les dangers de la vie conjugale.

Les estampes représentant des personnages et des événements de l'Antiquité classique démentent donc la vision positive de la femme fournie par la gravure allégorique. Tout en équilibrant la production des élites, cette attitude négative fait écho aux préjugés d'autres catégories thématiques, tel le répertoire d'images représentant des acteurs ou des scènes de l'Ancien Testament, autre sujet central de la production iconographique au XVIᵉ siècle.

L'Ancien Testament

Privilégiées par l'estampe savante comme par l'imagerie urbaine, les représentations de l'Ancien Testament sont souvent accompagnées d'une inscription qui en tire la leçon. Qu'elles fournissent des prolongations visuelles du sermon dominical à l'intérieur de l'espace domestique, des modèles de conduite ou des métaphores mythiques pour expliquer et encadrer les événements du monde contemporain, les histoires de la chaste Suzanne ou de l'inique Jézabel tombent sans cesse sous les yeux des fidèles, reviennent constamment sous le regard du public des villes et des campagnes. Ce sont des lieux communs, des référents moraux de la vie quotidienne, universels au point que les prédicateurs parisiens, critiquant l'exécution de Marie Stuart, reine d'Écosse, ne trouvent rien de plus normal que de traiter Elisabeth I de « Jézabel anglaise [56] ». De même, les champions et les ennemis des femmes puisent, dans les récits « véridiques » de la Bible, des exemples irréfutables (et souvent redondants) de la corruption ou de la vertu du sexe tant querellé.

Présente dans la moitié environ des 274 estampes représentant des scènes ou des personnages de l'Ancien Testament, la femme s'y trouve rarement seule. Pourtant, et bien que le second sexe apparaisse généralement en compagnie du premier, cela ne l'empêche guère de nuire. Les images qui accordent à la femme un rôle explicitement positif sont toujours moins nombreuses que celles qui lui désignent un rôle négatif : seulement 23 % des représentations la valorisent, presque le double (40 %) l'accusent, et un tiers environ (37 %) n'attribuent à son portrait aucune valeur, ni didactique ni morale :

TABLEAU V

	Représentations positives +	Représentations négatives —	Représentations neutres 0	TOTAL
1500-1540	1	2	0	3
1540-1560	1	5	1	7
1540-1600	2	3	5	10
1560-1600	33	53	53	139
TOTAL	37	63	59	159
%	23 %	40 %	37 %	100 %

Estampes sur feuille évoquant des personnages ou des épisodes de l'Ancien Testament. Ventilation chronologique des représentations féminines selon la valeur qui leur est attribuée.

Semblables aux vedettes de l'Antiquité classique, les protagonistes féminines du monde biblique ont une réputation bien établie. En tête des femmes exemplaires de l'Ancien Testament vient la courageuse Judith (représentée dans 15 estampes), en seconde place la chaste Suzanne (9 représentations) et en troisième Sara, fidèle épouse d'Abraham (7 apparitions). Après l'exaltation de l'intrépidité et de l'héroïsme « presque viril », l'iconographie religieuse exalte la pudeur et prône les vertus conjugales — thèmes courants dans l'estampe de tous les milieux sociaux. Du côté des femmes méchantes, en revanche, les choses se présentent bien autrement. Sur un total de 63 représentations négatives, presque la moitié (29 estampes) mettent en scène soit le moment, soit les conséquences du péché originel. Ensuite, un grand nombre d'images illustrent les conséquences néfastes de l'amour et la nature perverse de la sexualité féminine : 7 gravures représentent David et Bethsabée, 5 Lot et ses filles, 3 Joseph et la femme de Putiphar, 2 Samson et Dalila, 1 Salomon et ses nombreuses concubines. Après les ravages causés par l'amour sont dénoncés les malheurs du mariage et les dangers inhérents à la maternité. Les dramatisations du jugement de Salomon (4 estampes) et de la bénédiction d'Isaac (3 estampes) véhiculent une condamnation de la mauvaise mère alors que les évocations de l'histoire de Job n'omettent jamais la scène où le saint homme, accablé d'infortune, est tancé par son épouse acariâtre (2 estampes). Quant aux représentations « neutres » des femmes de l'Ancien Testament, les dramatisations du Déluge, de la tour de Babel, de l'histoire du peuple d'Israël ne mettent pas en relief des vertus ou des défauts spécifiques aux femmes. Au contraire, ces gravures illustrent des moments précis de l'histoire biblique où la femme joue un rôle secondaire par rapport au sens profond de l'événement.

A la suite de l'estampe facétieuse (critique à l'égard de la femme contemporaine) et des évocations partagées de l'époque classique, les scènes inspirées de l'Ancien Testament dessinent un portrait plutôt défavorable du deuxième sexe tout en complétant l'image diachronique de sa personnalité. En tant que véhicules de « vérités » sociales et historiques, ces trois catégories de la gravure illustrent autant d'étapes de l'évolution humaine — l'Antiquité gréco-romaine, l'Antiquité chrétienne et le monde moderne — de façon que l'image du passé confirme le verdict du présent quant aux quelques bénéfices et au grand nombre de malheurs attribuables aux femmes. Le triptyque chronologique de l'univers iconographique énonce ainsi, d'une époque à l'autre, une même sentence sur la nature peu fiable de la féminité dont les vertus, comme les défauts, n'ont guère changé depuis l'origine du monde.

*
* *

L'analyse quantitative de l'emblématique et de l'estampe sur feuille dévoile les dimensions réelles du portrait schizophrène du deuxième sexe : à une méfiance qui s'avère universelle s'oppose une valorisation, secondaire mais tout aussi réelle, qui se manifeste dans tous les milieux de la gravure. La seule exception au consensus sur la méchanceté fondamentale du sexe « faible » apparaît dans les suites allégoriques de l'estampe savante. Produits d'une mode iconographique qui se limite aux échelons supérieurs de l'univers artistique, ces panégyriques graphiques possèdent une représentativité fort limitée. Ailleurs, la hiérarchie des vices attribués aux femmes varie selon la catégorie thématique ou la provenance sociale de l'estampe. La gravure d'élite s'acharne davantage contre la « sorcière-séductrice » de l'Antiquité, l'imagerie urbaine plutôt contre la mégère, cible préférée de la facétie.

Autre préjugé partagé par l'emblématique et l'estampe sur feuille : la conviction, assez répandue à l'époque, que les femmes « bonnes » appartiennent à un passé lointain — et qu'il ne reste que les « mauvaises » pour tourmenter les hommes du monde moderne. Cette idée reçue a même sa justification « historique » : la pénurie d'épouses modèles et de vierges chastes et pures est le résultat d'une épidémie sélective qui emporta, il y a fort longtemps, la quasi-totalité des femmes de vertu :

> Au temps [de l'empereur Marc Aurèle]... il y eut une grande pestilence à Rome, durant laquelle mourut un grand nombre de peuple que l'Empereur fist nombrer, ou il trouva que de cent quarante mille femmes bien vivantes, il en mourut quatre vingts mille, & de cent mille mauvaises, presque toutes eschapperent. De laquelle pestilence le monde se sent encores ; car c'est ce qui nous faict maintenant la faulte & penuie de bonnes femmes, pour-ce qu'elles se moururent toutes durant ceste grande pestilence, & les malicieuses eschapperent, qui en ont copieusement repeuplé la terre[57].

L'histoire est bien trouvée, et elle n'est pas unique en son genre. Cependant, quelles que soient les raisons évoquées pour expliquer la perfidie supérieure du beau sexe, toutes les autorités (et même les plus « féministes » parmi elles) s'accordent sur le nombre écrasant de femmes répréhensibles vivant au XVIᵉ siècle. D'autant plus rares et précieuses sont donc celles qui ont réussi à surmonter les tares propres à leur profil « historique ».

II

FEMMES DE VERTU

« L'éloge inclut le mythe : il se propose de louer la femme idéale, mais en fait il prescrit la façon dont les femmes devraient se conduire, à l'avis des hommes. »

(M. Hodgart, *La Satire,* Paris, 1969.)

Exception à la règle générale de la méchanceté féminine, la femme vertueuse fait l'objet d'une idéalisation iconographique qui relève du mythe. Aux visions terrifiantes d'un « deuxième sexe » dangereux s'oppose ainsi le rêve d'une féminité parfaite, garante d'ordre social et porteuse de bonheur.

La promotion imagée du beau sexe passe surtout par trois rôles qui lui sont propres. Prisée pour sa virginité — valeur constante dont l'importance ne diminue en rien au cours du siècle —, la femme est également valorisée pour sa maternité et louée pour sa contribution à la vie domestique et familiale. En fait, la grande majorité des représentations positives se fondent sur les qualités qui lui sont reconnues en tant que vierge, mère ou bonne ménagère. En même temps l'estampe idéalise la beauté féminine, élevant sur un piédestal un corps qui se transforme aussitôt en symbole. Devenu véhicule de valeurs aristocratiques et humanistes, la figure féminine se trouve réifiée, transmutée en objet esthétique, en support à la rêverie savante.

1. « *VIRTUS* » OU L'HONNEUR AU FÉMININ

L'immense majorité des représentations positives de la femme se réfèrent — tant par leur sujet que par leur iconographie — à la première des vertus féminines : la chasteté. Dans la vie sociale, la réputation d'une femme tenait la place que l'on sait : son honneur reposait sur la pudeur comme celui des hommes sur le courage physique. Condition *sine qua non* de l'honnêteté féminine, cette qualité assurait à qui la possédait une supériorité morale inattaquable :

> Chasteté en la femme est princesse de toutes les autres vertus, car quant l'on osteroit de la femme beauté, sçavoir, eloquence, richesse, alliance & les autres faveurs... & qu'elle seroit chaste tout ce porteroit bien en elle, mais si ceste vertu lui défalloit & avoit toutes les autres perfections qu'on lui seroit attribuer, elle seroit toutesfois comme une fleur flestrie & sans estime & valeur, car chasteté perdue, toutes autres vertus sont estaintes en elle [1].

Valeur sociale dont le maintien assurait, entre autres bienfaits, l'ordre et le bon gouvernement des familles, la pudeur de la femme mariée était à la fois exigée et admirée. Quant à la jeune fille, l'éloge de son intégrité physique et morale dépassait des préoccupations d'ordre uniquement social pour revêtir des dimensions mystiques.

Entourée de prestige par une tradition chrétienne héritée des Pères de l'Église et prolongée par le clergé célibataire du Moyen Age, la virginité était toujours considérée (au moins par l'Église catholique) comme supérieure au mariage dans la mesure où elle incarnait la pureté de l'humanité avant la souillure du péché originel. Doublement mise à l'honneur par l'exemple de la Vierge Marie, la virginité faisait du corps féminin « le temple du Saint Esprit, & honneur de ses parents [2] ». Quant aux protestants, la pureté prénuptiale était tant affaire des Consistoires que des familles [3]. Même les écrits des autorités laïques (médecins, législateurs, littérateurs...) témoignent de l'importance accordée à la virginité féminine au sein de la vie sociale [4]. Les traités médicaux sur les signes corporels de la chasteté, par exemple, illustrent clairement les valeurs mythiques attribuées au pucelage : le corps virginal y apparaît comme un objet pur, fragile et précieux, situé à mi-chemin entre l'humanité et la divinité [5].

L'obligation de la chasteté féminine et la persistance de la mystique de la virginité, du corps sacré par sa pureté donnent ainsi lieu à une idéalisation de la femme dans l'iconographie.

L'estampe abonde, en fait, en figures drapées à l'antique dont la clôture physique est gage de leur perfection morale, en êtres féeriques qui personnifient toutes les Vertus, tous les Arts, toutes les Sciences. Cependant, qu'elles soient des créatures diaphanes ou des vierges militantes affublées d'armures classiques, elles trahissent, toutes à l'unanimité, le fond de la pensée masculine sur la féminité idéale dont la perfection repose principalement sur la négation et/ou l'abstraction de son identité sexuelle.

● Pucelles passives et vierges combattantes

Au cœur de l'exaltation iconographique de la chasteté — sujet à succès depuis le Moyen Age — l'estampe allégorique révèle une légère évolution dans la conception de la virginité et une quasi-révolution dans la « responsabilisation » de la femme vis-à-vis de son propre corps. Si, au début du XVIᵉ siècle, une représentation surtout passive de la pucelle est à l'honneur, le motif médiéval de la vierge à la licorne (image nostalgique d'une pureté mythique) se transforme, vers le milieu du siècle, en allégorie de l'amour néo-platonicien. Ailleurs, l'idée reçue selon laquelle la virginité ne pouvait s'assurer que par la vigilance masculine se métamorphose en une représentation plus dynamique de la pudeur où la femme revêt elle-même l'armure du combattant pour se garantir des assauts du monde.

La vierge à la licorne

A l'aube de la Renaissance, la représentation conventionnelle de la virginité est celle d'une pucelle en compagnie d'une licorne. Héritée d'une tradition iconographique qui avait atteint son apogée au cours du XVᵉ siècle, cette allégorie repose sur les pouvoirs légendaires attribués au pucelage féminin, qualité capable de dompter les bêtes les plus féroces [6]. Assise au milieu d'une nature accueillante, la vierge-amorce, piège vivant, attend la licorne sauvage. L'animal qu'aucun homme ne réussit à capturer se rend à la jeune femme, conquis par le je-ne-sais-quoi inéluctable de la pureté [7]. Caressée par les blanches mains de la pucelle, la licorne se couche sur ses genoux dans une attitude d'abandon total : cet animal à corne unique — symbolique mâle — jouit d'un privilège d'intimité dont les hommes sont exclus.

L'estampe française du XVIᵉ siècle s'est plu à jouer avec les composants de cette légende, partant du mythe médiéval pour construire des allégories précieuses sur l'amour et la vie de la cour. Un petit bois du livret emblématique de Maurice Scève, *Délie, object de plus haulte vertu* (un recueil de dizains inspiré de Pétrarque, Lyon, 1544), représente cette bête, le flanc percé par une flèche, couchée auprès d'une jeune femme assise à l'orée d'un bois (fig. 9). Selon l'inscription : « Je perds la vie pour le *(sic)* voir [8] », on comprend que l'auteur s'imagine en licorne et affirme préférer mourir auprès de sa dame plutôt que de vivre loin d'elle. Le poète-licorne blessé s'étend ainsi auprès de sa belle. Il pose une patte délicate sur sa hanche et la regarde fixement tandis qu'elle lui caresse le visage. Belle et désirable (les linéaments de son corps sont mis en valeur par les plis de sa robe), celle-ci renchérit sur la fascination qu'elle provoque en prodiguant des attentions équivoques à l'animal. Quelques détails vestimentaires et gestuels suffisent pour réviser la lecture orthodoxe de la légende. Pour appuyer ensuite les altérations du texte iconique (au cas où le lecteur n'aurait pas saisi la signification des innovations), deux satyres habillés en chasseur encadrent l'image. Ces figures explicitent l'érotisme sous-jacent du sujet car le satyre est symbole de la libido masculine [9]. Blessée par les archers, la licorne l'est également par l'Amour (la flèche qui perce son flanc est aussi l'arme d'Éros...). Hommage traditionnel à la chasteté, le thème de la vierge à la licorne sert ici de prétexte à une valorisation de l'amour profane.

Figure 9
Anonyme, « Je perds la vie pour le voir » dans Maurice Scève, *Délie, objet de plus haulte vertu*, Lyon, 1544.

Figure 10
Jean Duvet, « Le triomphe de la licorne », Langres ? v. 1560.

A partir du milieu du XVIᵉ siècle le motif de la pucelle à la licorne n'apparaît dans la gravure que sporadiquement. On le trouve par exemple — considérablement transformé — comme sujet d'une suite de six estampes en taille-douce, gravées par Jean Duvet aux alentours de 1560, qui fait allusion aux amours de Henri II et Diane de Poitiers [10]. Dans l'art de cour du milieu du XVIᵉ siècle, la maîtresse du roi était souvent assimilée à la Diane chasseresse de la mythologie antique, elle-même associée à la légende sylvestre de la vierge à la licorne [11]. La suite de Duvet fusionne donc trois femmes en une seule dans une série de tableaux allégoriques dont le but consiste à faire l'éloge des vertus de la protagoniste tout en consacrant les affections royales par une assimilation aux mythes de l'amour pur. La première gravure de la série représente un roi habillé d'une armure à l'antique (attribut des hommes nobles et vertueux selon le code vestimentaire de l'allégorie) qui reçoit des cadeaux d'un groupe de chasseurs. A sa droite est assise la déesse Diane, un croissant dans les cheveux et des petits chiens (symboles de la fidélité) à ses pieds. Patronne de la chasse, Diane est également une déesse célèbre pour sa virginité, et, lorsque les chasseurs du roi sont mis en déroute par la licorne, elle capture l'animal en jouant du luth (instrument préféré des dames et des anges) au cœur d'une forêt. La licorne apprivoisée, le roi et la femme chaste la conduisent en triomphe, accompagnés d'une multitude de personnages divers (fig. 10). Couronnée comme le roi, élevée au rang de reine, la vierge-chasseresse-musicienne se trouve au centre de la composition picturale. Son rang est d'ailleurs confirmé par l'escorte de jeunes filles armées et ceintes de laurier qui la suivent en brandissant les palmes de la victoire. A la fois nymphes, guerrières et personnifications de la vertu féminine, celles-ci confirment le triomphe de la femme dans l'amour. A l'extrême droite de l'image s'acheminent les chasseurs défaits, l'air abattu, alors qu'à l'extrême gauche des musiciens joyeux guident le cortège vers une destination inconnue. Tenue en laisse entre le roi et la nouvelle reine, la licorne captive reçoit d'un angelot une couronne de lierre, gage de l'amour éternel. De bête mythique, esclave de la virginité, la licorne de Duvet se transforme ici en emblème de l'amour fidèle et en symbole du triomphe de la femme sur le cœur de l'homme [12].

On se trouve bien loin, en 1560, des pucelles passives du XVᵉ siècle qui attendaient patiemment l'arrivée de la licorne au milieu d'une nature printanière. Rêve d'une pureté éthérée, d'une féminité diaphane et mystérieuse, puissante dans sa fragilité, le thème de la vierge à la licorne n'a eu finalement que peu de succès dans l'estampe française du XVIᵉ siècle. A l'exception de la prise en charge néo-platonicienne du mythe, l'iconographie de la virginité abandonne la métaphore de la licorne en faveur d'une représentation plus énergique de la chasteté féminine.

Vierges guerrières

La gravure emblématique illustre, encore plus clairement que l'estampe sur feuille, une innovation importante dans le concept

Figure 11
Mercure Jollat (?), « *Custodiendas virgines* » dans Andrea Alciati, *Livret des emblèmes*, Paris, 1536.

de la pudeur féminine. De la représentation passive du pucelage, courante au début du siècle, l'allégorie en vient, vers 1550, à un modèle plus « actif ». Deux éditions différentes des *Emblèmes* d'Andrea Alciati en fournissent un exemple saisissant. Dans la première édition française (édition bilingue, Paris, 1536), l'emblème « Vierges doit lon bien garder » est illustré d'un bois représentant une religieuse debout dans un paysage (fig. 11). Un livre (apanage de la piété) sous le bras, elle indique d'un geste un petit dragon qui, couché sur ses pieds, lui sert de gardien dans la mesure où il l'empêche de bouger :

C'est ici de Palas limaige
Que ung dragon garde par grande cure
Affin quon ny face dommaige.
Ce que nest pas fait sans figure :
Car il monstre que vierge pure
Se doibt garder soigneusement.

Malgré la référence explicite d'Alciati à Pallas, le graveur a substitué une vierge contemporaine — une religieuse — à la déesse antique, lui concédant un bâton de pèlerin en guise de lance. A cette époque, l'iconographie de la Renaissance italienne avait cependant déjà commencé à pénétrer le milieu des illustrateurs de livres, il est donc frappant que l'image s'éloigne aussi radicalement du texte. L'écart gravure-inscription est dû sans doute au fait qu'en 1536 l'idée dominante de la virginité était toujours celle d'une chasteté passive et cloîtrée, d'une féminité douce et flexible que l'on devait protéger contre les assauts du monde car elle ne pouvait s'en garder elle-même. Or, cette image de la femme allait vite changer.

L'édition lyonnaise d'Alciati publiée en 1549 transforme ce même emblème en évocation d'une virginité militante, d'une féminité vigoureuse qui se dispenserait (ou presque) de gardiens. Le petit bois attribué à Pierre Eskrich ainsi que la nouvelle traduction française de la *subscriptio* révisent l'interprétation du sujet (fig. 12). Le dragon n'est plus un gardien mais plutôt un symbole de la « sapience, par laquelle les filles doibvent estre vigilamment gardees ». Par ailleurs il ne se couche plus sur les pieds de la femme mais se tient à l'écart, contemplant le visage de « Pallas vierge », comme le ferait un chien fidèle. Armée des pieds à la tête, celle-ci assume une posture énergique, attitude corporelle qui implique qu'elle soit tout aussi responsable que le dragon dans la garde de sa propre honnêteté. Ce genre d'allégorie, où une femme militante assure la protection de son propre corps, était promise à un grand avenir à partir du milieu du siècle.

Chez l'emblématiste Adrien Le Jeune (Anvers, 1567), le dragon gardien de pucelles subit encore un déplacement spatial et sémantique pour devenir symbole de la volupté, vice conquis par

Figure 12
Pierre Eskrich (?), « Filles doibvent estre gardees » dans Andrea Alciati,
Emblèmes, Lyon, 1549.

la chaste guerrière. Le bois illustrant l'emblème XXIIII, « La Vierge se doibt soucier de sa pudicité, & la femme mariee de sa maison », représente une Minerve relativement féminine, vêtue d'une longue robe flottante (fig. 13). Son casque à plumes et ses armes confirment cependant sa nature combattante, tandis que

Figure 13
Anonyme, « La Vierge se doibt soucier de sa pudicité & la femme mariee de sa maison », dans Adrien Le Jeune, *Les Emblèmes*, Anvers, 1567.

le dragon qu'elle foule aux pieds l'associe tant aux représentations de sainte Marguerite qu'au thème iconographique de la
Vierge écrasant le serpent, symbole du triomphe de la chrétienté
sur le Mal[13]. Symbiose entre Pallas, sainte Marguerite et la
Vierge Marie, la femme belliqueuse écrasant une représentation
du mal et/ou de la volupté devient, au cours de la deuxième
moitié du siècle, un lieu commun de la gravure allégorique.

Ainsi « *Virtus* », estampe en taille-douce gravée par Philippe
Galle pour la *Prosopographia* de Cornelis Van Kiel (Anvers,
v. 1590), contribue-t-elle au thème de la chasteté féminine triomphant de la luxure en précisant l'opposition entre la femme vertueuse et l'homme sensuel — en ce cas, un satyre libidineux aux
traits diaboliques (fig. 14). La Vertu, femme robuste équipée

Figure 14
Philippe Galle, « Virtus » dans Cornelis Van Kiel, *Prosopographia*, Anvers,
v. 1590.

d'une lance, d'un heaume et d'une épée, piétine ici une créature qui, selon la traduction du graveur, symbolise « le désir pernicieux [14] ». D'une physionomie vigoureuse, cette vaillante guerrière porte des bottes ornées d'une tête de lion (attribut de la Force), tandis que ses cheveux dénoués (attribut des vierges) et son regard levé vers le ciel (attitude corporelle caractéristique de l'iconographie sainte) contrastent avec le dynamisme de son corps pour rappeler au spectateur que le but ultime du combat est la perfection morale et spirituelle. De même, l'accentuation des seins et du ventre de la Vertu soulignent les aspects positifs de la féminité (la beauté et la fertilité/maternité) tout en esquivant sa sexualité, car les jambes et le sexe de la jeune femme sont effectivement dissimulés par les plis de sa jupe.

Que signifient exactement pour le XVIᵉ siècle ces figures de femmes belliqueuses ? Leur message est assez explicite : la femme ne peut garder sa vertu, sa chasteté, qu'en s'armant elle-même contre les assauts de l'homme. Jacques Olivier (pseudonyme d'Alexis Trousset ?), auteur du célèbre *Alphabet de l'imperfection et malice des femmes* (Paris, 1617), confirme cette interprétation du thème :

> ... signifient les anciens, par le Hieroglyfique de Pallas, representant ceste déesse armée de toutes parts avec un dragon à ses pieds... qu'une fille chaste a besoin d'armes & de defenses pour resister aux assauts & suggestions du diable & aux badinages captieux des hommes brutaux [15].

Le thème de la stratégie « militaire » à employer dans les relations amoureuses et la métaphore de la femme-citadelle sont, en effet, des lieux communs de la littérature des XVᵉ et XVIᵉ siècles. L'acte d'amour y est souvent décrit comme une « bataille », une « joute », l'homme un « gallant cavallier », et le sexe masculin une « lance » ou une « épée » [16]. Séduire ou forcer la femme, c'est gagner la victoire sur une forteresse assiégée. L'amour se conduit selon une morale de guerriers : le seul but est de vaincre [17]. L'estampe témoigne cependant d'une évolution dans les mœurs à partir de 1550 environ. De frêle victime, la femme devient robuste guerrière, de proie passive, elle se transforme en combattante active. On finit effectivement par lui accorder toute responsabilité dans un conflit dont l'enjeu est son propre corps.

Emblème de la victoire de la Chasteté sur la Volupté, de la Vertu sur le Vice, le thème de la virginité militante se prête également aux combats mythiques, telle la vignette « Chasteté vainq

Cupido » de l'*Hecatomgraphie* de Gilles Corrozet (Paris, 1540)
où « Pallas déesse trespudique... [a] vaincu Cupido l'impudique ». Référence au dix-neuvième *Dialogue des Dieux* de Lucien,
où Cupidon se plaint à Vénus de ne pas réussir à blesser Minerve
de ses flèches [18], cette histoire est transformée par Corrozet en
modèle de comportement pour les lectrices-spectatrices de
l'emblématique :

> Suivez suivez mes dames ceste ci
> Qui scait tresbien à l'amour resister,
> C'est chasteté qui faict crier merci
> A folle amour, quand il veult persister,
> Soubz son guidon veuillez doncq assister,
> Contre la chair gaignerez la bataille.
> Si vous voyez que Venus vous assaille,
> Prenez pour vous l'escu de chasteté,
> Lors ne craindrez son pouvoir une paille
> Si vous avez armes d'honnesteté.

S'imaginer donc en Minerve, en guerrière vaillante plutôt
qu'en vierge accueillante entretenant des rapports douteux avec
une licorne, voici l'image que le XVI⁰ siècle présente aux femmes
comme idéal à suivre.

La lutte de la pureté contre la souillure ne se déroule cependant pas uniquement en termes de soldats et de citadelles. Alors
qu'elle se défend contre le mal qui la guette, pendant qu'elle
triomphe de l'homme, du satyre, du dragon, la femme chaste
doit également se protéger contre elle-même autant, sinon plus,
qu'elle ne doit combattre les agressions du monde extérieur. La
psychomachie (combat mythique de la Vertu contre le Vice) peut
aussi bien impliquer les faiblesses des femmes que celles des
hommes [19].

C'est dans ce sens qu'il faut comprendre la personnification de
la Vertu que présente une estampe allégorique d'Étienne
Delaune — « Les efforts du Monde ne peuvent faire périr la
Vertu » (Paris/Strasbourg, v. 1580) —, mélange d'éléments iconographiques hétérogènes dont le symbolisme complexe se lit à
plusieurs registres (fig. 15). Le Monde, un homme barbu armé à
l'antique (c'est un adversaire mûr et redoutable), tire des flèches
contre une femme gracieuse, armée à son tour d'un livre et d'un
bouclier ardent. Présentée sous la forme d'un viol symbolique
contrarié par la chasteté féminine, cette allégorie juxtapose les
flèches phalliques du Monde/Éros au feu purificateur (emblème

Figure 15
Étienne Delaune, « Les efforts du Monde ne peuvent faire périr la Vertu »,
Strasbourg ? v. 1580.

de l'ardeur religieuse) et au savoir livresque (la lecture portant à
la sagesse tant spirituelle que scientifique). Calme et imperturbable, l'héroïne dévisage son ennemi avec l'assurance de l'inviolabi-
lité.

Représentée debout sur un croissant de lune, le pied sur un
serpent enroulé, la Vertu de Delaune s'apparente également aux
représentations de vierges guerrières et à la Madone triomphant
du Diable, ainsi qu'à la femme-soleil de l'Apocalypse qui, la lune
aux pieds, dompte le dragon satanique. Cette dernière constella-
tion d'allusions conduit à une deuxième lecture de l'image en
considération des paysages sur lesquels se détachent les acteurs.
Au milieu et derrière le soldat « mondain », un paysage rural du
XVIᵉ siècle rappelle au spectateur que cette bataille mythique
n'est qu'une transposition de vérités actuelles en langage symbolique. Au contraire, la toile de fond du côté de la Vertu évoque
une nature tout à fait exotique. Les palmiers du bosquet d'où
sort la pucelle ainsi que le serpent et l'abondance des fruits font
allusion au jardin d'Éden, endroit sacré où l'humanité a perdu sa
pureté pour la retrouver ensuite dans la personne de la Sainte
Vierge. Le palmier, symbole chrétien, fait également référence au
triomphe du Christ sur le péché et la mort, le dattier aux bénédic-

tions divines qui accompagnent les justes. Face au militaire
gréco-romain et à la quotidienneté du monde contemporain, la
belle qui triomphe de la bête affirme la supériorité écrasante de
la chrétienté par rapport au « paganisme » de l'époque ainsi que
l'innocence d'une nature « biblique » vis-à-vis de la corruption de
la civilisation. Toujours situé du côté de la culture dans l'organisation binaire du cosmos, l'homme est ici représenté comme
inférieur (et même hostile) à la femme-nature, personnification
de la divinité. Qu'elle soit placée en haut ou en bas de son
« contraire » masculin, le rapport qu'entretient la femme avec
l'homme est, le plus souvent, décrit en termes antagonistes.

D'autres oppositions structurent cette image : que signifie la
présence d'un double ennemi, d'un serpent aussi bien que d'un
assaillant ? Selon les *Tableaux hiéroglyphiques* de Pierre L'Anglois (Paris, 1583), « le serpent a tousjours emporté signification
de volupté, & lubricité [20] », tandis que les *Commentaires hiéroglyphiques ou images des choses* de Valeriano Bolzani (Lyon,
1576) précisent que « le serpent se tient caché en lieu obscur, la
volupté en faict tout de mesme & volontiers se cache en terre,
c'est à dire, faict sa demeure en la sensualité [21] ». La femme vertueuse qui piétine un serpent écrase donc sa propre sensualité,
elle subjugue cette partie d'elle-même qui relève de l'animal, car,
on le verra à maintes reprises, la femme n'est pas considérée
comme tout à fait humaine ; elle est en partie animale, voire serpentine, et doit lutter contre sa propre nature reptilienne afin
d'accéder à la société des hommes. Rondibilis, dans le *Tiers Livre*
de Rabelais (1546), le dit explicitement : « petite ne est la louange
des preudes femmes, les quelles ont vescu pudicquement et sans
blames et ont eu la vertu de ranger cestui effrené animal à
l'obéissance de raison [22] ». L' « effrené animal » dont parle Rondibilis est, plus précisément, le siège de la sexualité féminine : la
matrice insatiable, bête autonome qui se promène à l'intérieur du
corps féminin, lui dictant ses appétits et ses humeurs. C'est un
lieu secret où se cachent, outre la volupté, divers mystères, voire
des créatures venimeuses [23].

Dans la mesure où le serpent écrasé (insigne de la sexualité
réprimée) représente également le sexe masculin rejeté, piétiné,
dédaigné, la transformation du thème de la vierge à la licorne en
allégorie de l'amour platonique ne devrait plus surprendre. L'estampe allégorique affirme que la femme chaste ne peut accueillir
l'homme, même en symbole. Elle doit plutôt revêtir l'armure du
combattant et livrer bataille contre ses ennemis, parmi lesquels

sa propre personne[24]. Cette illustration de la pudeur militante représente une prise en charge, par la femme, de son propre corps. Prise en charge à la fois agressive et répressive, elle traduit le sentiment, relativement récent à l'époque, que personne ne peut assurer la chasteté d'une femme si ce n'est elle-même[25].

● **Martyres de chasteté**

La valorisation de la pureté féminine dans l'estampe du XVIᵉ siècle ne se limite guère au thème de la chasteté militante car toute femme n'a pas le privilège de l'autodéfense. Si la gravure allégorique accorde beaucoup d'importance à une politique sociale d'autorépression à l'égard de la sexualité féminine, la gravure à sujet historique tend plutôt à glorifier le suicide en tant qu'acte cathartique, épuration extrême de l'honnêteté violée.

La représentation répressive de la pudeur est beaucoup plus ancienne que celle de la chaste combattante et son iconographie est bien différente. Depuis le milieu du XVᵉ siècle en France, l'allégorie de la Tempérance (sœur de la Chasteté) est évoquée par une femme tenant à la main une bride dont elle prend parfois le mors en bouche[26]. D'autres attributs secondaires viennent souvent s'ajouter à cette figure, telle la clef que tient la « *Temperantia* » de Jean Chartier (Orléans, 1558-1574), attestant d'une conception toujours restrictive de la vertu féminine. A l'inverse de la pucelle guerrière, l'iconographie de la Tempérance n'évoque point le fier refus de la vierge, c'est plutôt le mari geôlier et la prison du couvent qu'elle propose, c'est la bride et la clef.

Au XVIᵉ siècle, la symbolique des rênes s'étend aux personnifications voisines de la Chasteté et de la Tempérance, telle celle de la Raison. C'est pourquoi la « *Ratio* » de Philippe Galle (Anvers, v. 1590) se trouve équipée d'un harnais et de verges : « ... on domine le cheval par la bride, & les enfants par la verge ». A la fois enfant à châtier et animal à dompter, la femme ne devient « raisonnable » qu'en se réprimant. Mais c'est la chair qu'on flétrit, le corps sexué qu'on anéantit dans cette vision idéalisée d'une féminité conforme. Si elle ne peut assurer sa vertu par un comportement viril, par l'agressivité du guerrier, elle peut toujours adopter les outils du dompteur et tourner la force de sa vertu contre elle-même.

Cette dernière conception de la vertu féminine trouve son apothéose dans l'estampe de la seconde moitié du siècle. En effet, les armes de la chasteté ne sont pas toujours efficaces. Même si elle réussit à contrôler son corps, la femme ne parvient pas toujours à se soustraire à ses ennemis extérieurs. Dans ce cas, l'unique solution honorable, c'est de se faire violence, de se priver de vie. *Nec plus ultra* de la vertu féminine, le martyre, le choix de la mort plutôt que le déshonneur, suscite l'admiration générale.

Invariablement passionné par tout ce qui se prête à une interprétation dramatique, l'art, comme la littérature, s'enthousiasme pour des histoires de femmes suppliciées, pour des récits édifiants qui mettent en scène « la constance merveilleuse & superhumaine d'aucunes femmes... lesquelles combien que de leur naturel elles soient fragiles & fort infirmes toutesfois par la grace survenante & vertu d'enhaut ont esté rendues plus fortes & constantes que les plus magnanimes hommes du monde [27] ». Que la victime soit chrétienne ou païenne, catholique ou protestante, ni l'image ni le récit littéraire n'épargnent les détails les plus horripilants. Ils insistent tous sur la « mollesse » et la blancheur de la chair torturée, sur la résistance « presque virile » de la victime, sur les supplices cruels qu'elle subit ou qu'elle s'inflige, sur la « fortitude » avec laquelle elle embrasse la mort [28].

Alors que les auteurs contemporains citent un grand nombre de martyres de la chasteté, c'est Lucrèce, parangon de vertu et de courage féminin, qui fournit aux graveurs du XVIᵉ siècle l'exemple le plus célèbre de la constance dont pouvait faire preuve le sexe faible [29]. Ainsi « *Pertinacia* », estampe allégorique appartenant à une suite de quarante-deux « Moralités » gravées par Jacques Androuet Ducerceau (Paris/Genève, 1540-1585), s'inspire de l'aventure malheureuse de la belle matrone romaine (fig. 16). Renversée par terre, cette dernière résiste faiblement à un homme (Tarquin) qui la menace d'un poignard. Vêtue d'une robe à l'antique qui dissimule les charmes de son corps, les cheveux couverts d'un voile qu'arrache son ravisseur, la mise pudique de cette victime ne la garantit point de l'agression. Violée déjà en symbole — tant par le poignard qui menace son sein que par le pied masculin planté entre ses jambes —, elle tâche toujours de repousser son agresseur, les mains aux doigts crispés levées comme pour lui griffer le visage. La légende latine qui commente l'image approuve sa conduite exemplaire, surtout parce qu'elle essaie de préserver sa chasteté en face de la mort.

Toute représentation de l'histoire de Lucrèce véhicule un éloge de la fermeté féminine, mais certains graveurs s'en servent également comme prétexte à dévoiler une nudité « pudique » où se

Figure 16
Jacques Androuet Ducerceau, « *Pertinacia* », d'après Aeneas Vico,
Paris/Genève, 1540-1585.

révèlent des charmes d'autant plus alléchants qu'ils sont can-
dides et innocents. Ce genre d'équivoque apparaît surtout dans
la gravure de la cour, où la mise en scène du viol fait participer
le spectateur en tant que voyeur, complice externe du ravisseur

dont la brutalité contraste avec la faiblesse de sa victime. Une
gravure en taille-douce de Léon Davent (Fontainebleau, v. 1545)
fournit un bon exemple de ce genre de représentation à double
tranchant. Tarquin, furieux, le poignard au poing, se précipite
sur Lucrèce qu'il a surprise dans l'intimité de son lit (fig. 17).
L'érotisme latent du tableau est explicité davantage par la présence d'un troisième personnage, homme de la suite de Tarquin

Figure 17
Léon Davent, « Lucrèce surprise par Tarquin », Fontainebleau, v. 1545.

qui soulève un rideau pour assister au crime. D'une physionomie
difforme, ses traits grotesques font référence à la nature bestiale
des passions humaines.

A la fois édifiant, érotique et sadique, le moment du viol n'est
cependant pas la représentation la plus fréquente de l'histoire de
Lucrèce. Au contraire, l'épisode le plus souvent illustré est celui
où elle se donne la mort en enfonçant un poignard dans sa
blanche et chaste gorge. La gravure emblématique comme l'estampe des ornemanistes et l'imagerie urbaine préfèrent à la scène
de viol l'acte du suicide. Pudeur des villes face aux fantaisies
érotiques de la cour ? En tout cas, la vertu de cette femme ne se
consacre que par la mort.

L'imagerie de la rue Montorgueil place « Lucresse » au premier plan des prudes femmes de l'Antiquité où son identification
iconographique repose plus sur le couteau qu'elle plante dans
son sein que sur l'étiquette portant son nom qu'on voit affichée
entre ses pieds (voir fig. 20). Ailleurs, elle apparaît comme élément du *corpus emblematicum,* personnification de la Constance
ou de la Chasteté. Prenons en exemple un emblème de Jean-
Jacques Boissard gravé en taille-douce par Théodore de Bry
(Metz, 1584), où « *Amore perenni* », — « D'un saint amour la
durée éternelle » —, est représenté par les figures de Lucrèce et
d'Artémise (fig. 18). Pendant qu'Artémise avale les restes de son
bien-aimé incinéré, Lucrèce se perce la poitrine d'un air résolu,
regardant le ciel tandis qu'un flot de sang ajoute un élément de
réalisme au geste :

> Pour vanger contre soi son honneur offencé
> Et tesmoigner son cœur du forfaict incoulpable,
> Lucrèce se procure une fin memorable ;
> Entant en sa poictrine un estoc eslance.

Acte violent qui prouve l'innocence de la victime, le suicide
répare l'honneur maculé. Le geste de Lucrèce, présenté en idéal
de comportement féminin, s'inscrit dans un système éthique —
cher aux notables urbains — à travers une représentation symbolique du corps féminin. Outragée par un homme, Lucrèce ne
peut retrouver sa pureté qu'en répétant en quelque sorte l'offense, en se violant elle-même. Si le sexe masculin l'a brutalement privée de sa chasteté, la lame pointue efface, par la purification rituelle du sang, la tache de son déshonneur [30].

En tant qu'apologie du suicide, l'histoire de Lucrèce constitue
un modèle relativement novateur. Cependant, comme beaucoup

Figure 18
Théodore de Bry, « *Amore perenni* », dans Jean-Jacques Boissard,
Emblèmes latins, Metz, 1584.

de sujets iconographiques, il se greffe sur une tradition antérieure, modifiant les acteurs plutôt que le message. Dans le cas
des victimes vertueuses de la brutalité masculine, les représentations des femmes exemplaires de l'Antiquité constituent un pendant classique aux vierges martyres de la chrétienté. Les supplices de saintes, chères à la tradition hagiographique, sont
souvent — comme les suicides pudiques et les viols meurtriers —
chargées d'une sensualité sadique. Toute cette iconographie édifiante est marquée « d'une sorte de délectation à représenter et à
contempler (exhibition et voyeurisme) ces corps, jeunes en général, en proie aux supplices les plus affreux ou les plus raffinées [31] ». Il suffit en fait de comparer nos représentations de
Lucrèce à un supplice de sainte Agathe gravé par Cornelis Cort
(Anvers ? v. 1570) pour comprendre les liens de parenté qui
unissent ces deux martyres : amputée de ses seins, violée dans sa
féminité la plus intime, la sainte lève les yeux vers le ciel où
apparaît un ange brandissant la palme des martyres (fig. 19).
  Les similitudes entre l'Agathe de Cornelis Cort et la Lucrèce
de Théodore de Bry se manifestent surtout au niveau gestuel et

Figure 19
Cornelis Cort, « Supplice de sainte Agathe », Anvers ? v. 1570

vestimentaire. Les robes décolletées dont les plis gracieux mou-
lent les corps des jeunes femmes relèvent aussi facilement de
l'iconographie sainte que des reconstitutions de l'Antiquité. La
gorge découverte, le sang qui coule, la bouche entrouverte aussi

bien que le regard et la main levés vers le ciel sont communs aux
deux images. Il n'y a qu'une seule grande différence entre les
deux (mis à part la qualité d'exécution) : la sainte reçoit la mort
tandis que Lucrèce se l'inflige. L'une passive, l'autre active, elles
fournissent aux femmes, tant religieuses que séculières, un
modèle de comportement et une règle de vie... ou plutôt une
règle de mort [32].

Le succès foudroyant que rencontre l'histoire de Lucrèce dans
l'art du XVIᵉ siècle est dû, sans doute, au fait qu'elle représente
une alternative profane au modèle hagiographique. Valable pour
la majorité de la population adulte féminine, ce modèle laïc
s'applique à celles qui ont choisi le mariage plutôt que la virginité sacrée. Comme nous le confirme la deuxième nouvelle de
l'*Heptaméron* de Marguerite de Navarre (1558), le décès d'une
épouse en défense de sa vertu constitue un martyre équivalent à
celui des saintes. L'histoire de la muletière d'Amboise, qui meurt
plutôt que de céder aux empressements de son valet, insiste sur le
courage et la force physique de la victime (« elle estoit si forte
que, par deux fois, elle s'estoit defaicte de lui »). A la longue,
cependant, son assaillant réussit à l'immobiliser à coups d'épée.
La béatitude avec laquelle elle accueille la mort et le respect que
montre la communauté pour son atroce martyre font d'elle une
sorte de célébrité. Elle expire, en effet, « ... avecq un visaige
joyeulx, les œilz eslevez au ciel » et, par la suite, son tombeau
devient un lieu de pèlerinage pour l'ensemble de la population
féminine : « Fut enterrée ceste martyre de chasteté en l'eglise de
Seaint-Florentin, où toutes les femmes de bien de la ville ne fail-
lirent à faire leur debvoir de l'honorer... se tenans bien heureuses
d'estre de la ville où une femme si vertueuse avoit esté trouvée. »
La mort transforme donc un corps violé en corps pur, une
ménagère en sainte. Et, comme toute sainte, celle-ci opère quelques miracles : les femmes « folles et legieres, voyans l'honneur
que l'on faisoit à ce corps, se deliberent de changer leur vie en
mieulx [33] ». L'auréole de la sainteté oblitère les distinctions
sociales : n'importe quelle femme peut s'élever au-dessus de sa
condition en s'immolant sur l'autel de la vertu.

Telle la vaillante ménagère d'Amboise, l'antique Lucrèce sert
d'exemple à toute femme, de toute extraction sociale, car elle
apparaît dans tous les milieux de la gravure de l'époque, que ce
soit l'imagerie des artisans et des boutiquiers parisiens, les
emblèmes des dirigeants urbains ou les allégories recherchées de
la cour. Remarquons, d'ailleurs, que la légende de la matrone

romaine a connu autant de succès en milieu protestant qu'en milieu catholique — ce qui démontre assez clairement le mécanisme de transposition ou plutôt la permanence de certaines valeurs sociales à l'époque. A la différence cependant de la muletière martyre et des légions de saintes suppliciées, la violence subie par la chaste Lucrèce s'effectue en deux étapes. Au viol succède le suicide, une mort d'autant plus édifiante qu'elle est auto-infligée. Est-ce que cette histoire constitue une justification pour ce qui, aux yeux des chrétiens, équivaut à un crime contre Dieu ? En tout cas, le message est clair. L'apothéose de la pureté féminine ne se réalise que dans l'anéantissement du corps.

*
* *

Première de toutes les vertus, la chasteté ne concerne que la femme. Aucune représentation allégorique n'exalte la continence masculine, seule celle du deuxième sexe obsède les graveurs du XVIe siècle[34]. C'est que, comme le remarque Juan Luis Vives dans le *Livre de l'institution de la femme chrestienne* :

> Aux hommes sont nécessaires plusieurs vertus, Prudence, Eloquence, Memoire, Justice, Force, Libéralité, Magnanimité, Art pour vivre, Astuce a gouverner le bien publique... mais a la femme riens s'y est desiré ou necessaire que pudicité, & si elle deffault, c'est comme s'elles deffailloient toutes a l'homme[35].

Une suite d'estampes de la rue Montorgueil précise la valeur unique attribuée à cette qualité féminine par rapport aux multiples vertus propres aux hommes. Des six « Triomphes de Pétrarque » gravés par Charles Vigoureux (Paris, v. 1575) il n'y a que le char de la « Chasteté avec Temperance & Abstinence ses sœurs... » qui représente la femme de façon positive, alors que des hommes « saincts & vertueux » figurent dans quatre planches. Le « Triomphe de la Chasteté » ne comporte, en fait, que des êtres féminins. Résumé en quelque sorte des principales allégories de la pudeur favorisées par l'estampe, ce grand bois instruit, par ses présences comme par ses omissions, sur les limites de cette conception de la femme en milieu urbain (fig. 20). Le chariot triomphal est tiré par deux licornes et deux colombes, les unes et les autres symboles de la pureté. Sur ce char se trouve la Chasteté : femme d'un certain âge, celle-ci est habillée avec

Figure 20
Charles Vigoureulx, « Chasteté avec Temperance & Abstinence, ses sœurs,
dompte Cupido, accompagnée de ceux qui ont vescu pudiquement », Paris,
rue Montorgueil, v. 1575.

simplicité, la tête couverte d'un voile, sa mise sévère évoquant l'iconographie sainte comme les habits des religieuses et des veuves pieuses [36]. Une palme (symbole du triomphe et du martyre) à la main et le bras autour d'une colonne (attribut de la Force), elle tempère sa mise en scène imposante par un regard baissé (attitude propre aux vierges et aux femmes modestes) [37]. Des deux côtés du véhicule se trouvent la Tempérance et l'Abstinence, vêtues de la même façon que la Chasteté. Celles-ci tournent les roues du char afin d'y écraser Cupidon, son arc et ses flèches. L'escorte est complétée ensuite par six femmes exemplaires de l'Antiquité : Lucrèce, Claudia, Delphile, Pénélope, Hippolyte et une vierge vestale. La moitié d'entre elles sont habillées à l'antique et l'autre moitié portent des robes qui rappellent le costume du XVIe siècle, mais toutes sont coiffées de petits bonnets, car une femme honnête se couvre toujours la tête.

Presque tous les éléments caractérisant les représentations de la chasteté féminine se retrouvent ici ; il ne manque que la vierge-guerrière triomphant du serpent/dragon/satyre. Se peut-il que l'idée d'une femme militaire ait déplu au public de la rue Montorgueil au point qu'on ait évité toute référence à l'armure, si chère aux emblématistes et aux ornemanistes de l'école bellifontaine ? Il est également surprenant de voir des personnages de l'Antiquité toujours habillés à la mode du XVIe siècle, car cet anachronisme avait disparu dès 1520-1530 dans la gravure d'illustration [38]. Un tel mélange de sujets antiques et allégoriques autour du thème de la pudeur s'explique sans doute en partie par la nature conservatrice du public visé, dont les critères de vertu féminine excluaient les fantaisies belliqueuses de la cour et du milieu humaniste. Les réticences de la clientèle (sinon du graveur lui-même) auraient également imposé une légère traduction des figures, un habillement un peu moins exotique et la suppression d'un modèle de chasteté militante en faveur d'une représentation plus passive.

Les variantes picturales de la pudeur sont, en effet, loin d'être équivalentes. Chaque représentation type a sa propre chronologie et sa propre diffusion dans la géographie sociale de l'estampe. Le seul modèle passe-partout, valable pour tous les milieux touchés par la gravure, est celui de la femme martyre qui choisit la mort plutôt que le déshonneur :

TABLEAU VI

Thèmes iconographiques	Milieux de production	Dates
Vierge à la licorne	Milieux littéraires et la cour (influence du néo-platonisme)	avant 1560
Vierge-guerrière	Livres d'emblèmes Ornemanistes	1540-1600
Martyre de chasteté	Livres d'emblèmes École de Fontainebleau Ornemanistes Rue Montorgueil	1540-1600

Ce qu'il faut retenir, dans l'éventail iconographique de la chasteté féminine, c'est la transition d'une visualisation passive, où l'homme est accueilli en symbole dans un rêve bucolique de l'amour pur, à une conception militante de la vertu où l'homme est rejeté par une virginité non plus fragile mais vigoureuse, sinon carrément hommasse. La femme-homme n'est cependant pas le meilleur des modèles et la force qu'on reconnaît aux femmes est le plus souvent dirigée contre elles-mêmes : mourir est plus féminin.

Au-delà de l'étendue sociale et chronologique de ces différentes conceptions de la chasteté féminine, la gravure transmet un système symbolique d'oppositions — valable pour l'ensemble du monde de l'estampe — qui structure toute image de la vertu. Comme la chasteté s'oppose à la sexualité, la vierge-guerrière au serpent et le suicide purificateur à la souillure du viol, chaque représentation positive fait référence à son contraire, à l'élément négatif qui complète son sens et par rapport auquel elle se définit. De cette façon, le discours iconographique sur la pureté féminine s'inscrit dans un schéma, toujours polarisé, selon lequel la femme chaste occupe le pôle positif et l'homme lubrique ou l'animal le pôle négatif :

TABLEAU VII

+	—
Chasteté/Vertu/Honneur Vierge-guerrière Martyre de chasteté (Pureté dans) la Mort	Volupté/Vice/Déshonneur Serpent/Dragon/Satyre/Cupidon/Guerrier Homme (assassin) (Impureté dans) la Vie

Ce système binaire, qui juxtapose la chasteté à la concupiscence, le pur à l'impur, se retrouve un peu partout dans l'estampe où il sert à articuler de nombreuses représentations des
deux sexes. Régi et justifié par une doctrine chrétienne hostile à
la sexualité et par une pratique sociale qui voyait dans la virginité une qualité monnayable, c'est l'un des rares modèles qui
accordent à la femme une position supérieure à l'homme. Toutefois, cette inversion des habituelles valeurs assignées aux deux
sexes ne change en rien le principe d'opposition qui caractérise le
système. C'est que l'un comme l'autre se trouvent rarement du
même côté.

● Femmes diaphanes : personnifications idéalisées et allégories précieuses

La supériorité reconnue à la femme vertueuse, supériorité qui
dérive d'une perfection à la fois morale et physique, sert de prétexte à une foule d'allégories où la forme féminine personnifie les
valeurs sociales et culturelles les plus importantes. Les Vertus
théologales et cardinales, les Arts et les Sciences, la Foi et la
Vérité sont systématiquement représentés par des figures dont
l'habillement et l'attitude corporelle renvoient aux codes vestimentaires et gestuels déjà rencontrés dans les allégories de la
chasteté.
Le succès iconographique de ce genre de personnification est
dû surtout à la conjoncture d'une tradition iconologique et
littéraire chère au Moyen Age finissant et d'une idéalisation de la
femme stimulée autant par l'amour courtois que par le néo-
platonisme. A la fin du XVᵉ siècle, le thème littéraire des Neuf
Preuses, héroïnes illustres de l'histoire païenne, juive et chrétienne, a un retentissement dans tous les arts. Symboles du courage indomptable des femmes, elles sont brodées en tapisserie,
sculptées dans la pierre, peintes en vitrail [39]. De même, la *Cité
des Dames* et le *Roman de la Rose,* toujours en vogue à l'époque
de la Renaissance, fournissent un véritable catalogue de dames
exemplaires et d'allégories courtoises dont s'inspirent l'art et la
littérature jusqu'à la fin du XVIᵉ siècle [40]. A la liste déjà longue
des femmes idéalisées et symboliques du Moyen Age s'ajoutent
ensuite de nombreuses personnalités de la mythologie gréco-
romaine mises à la mode par la Renaissance italienne. Il en
résulte un répertoire éclectique de figures à la fois « historiques »

et symboliques, au point où des manifestations culturelles comme les tableaux vivants des entrées royales ne trouvent aucun inconvénient à mélanger thèmes anciens et nouveaux — les Neuf Preuses apparaissant en compagnie de Minerve et Judith, Cérès et Diane à côté de la Charité et de la Vertu [41].

La louange des femmes devient alors un thème littéraire et plastique à la mode et toutes les vertus sont attribuées au beau sexe. De par sa noblesse « naturelle », elle est censée avoir des sentiments plus délicats que l'homme et l'instinct de la chasteté. La beauté féminine devient miroir de la divinité, et l'amour d'une femme vertueuse, le moyen par lequel l'homme pouvait atteindre la perfection spirituelle. Cette idéalisation retentit à son tour sur l'iconographie, où le corps féminin prend de plus en plus d'importance.

A partir de 1540 environ, l'estampe sur feuille privilégie nettement la personnification, sous forme féminine, de la majorité des allégories, sujets emblématiques, et symboles, autant de transpositions en clef iconique des principales préoccupations de la Cour et des milieux lettrés urbains. Or, si l'habitude mentale et visuelle de l'interprétation allégorique, caractéristique du Moyen Age comme de la Renaissance, préfère désormais des actrices aux acteurs pour la représentation métaphorique de la réalité, il reste à découvrir les mobiles gouvernant la distribution des interprétations selon le sexe des figurants. On serait parfois tenté d'attribuer l'incarnation d'une idée ou d'une valeur sociale au genre du substantif désignant l'abstraction, mais il se trouve bien souvent que celui-ci n'est féminin ni en français ni en latin. Les représentations des cinq sens, par exemple, sont toujours féminines au XVIᵉ siècle, de même que celles des Arts Libéraux et des Quatre Saisons. Dans ces cas-là, le choix de la personnification repose surtout sur l'exploitation esthétique et décorative de la beauté reconnue aux femmes qui, à l'époque qui nous intéresse, sont considérées comme nettement supérieures aux hommes en ce domaine [42]. En revanche, la symbolique d'allégories telles la Chasteté, l'Abondance et la Vertu renvoie à un code de significations propre au corps féminin et à des qualités qui lui sont attachées, code qui reflète tant les présupposés sociaux de l'époque que le rôle que la femme était censée y jouer.

Beauté égale bonté

> « Femmes sont créatures plus ressemblantes à la divinité que nous autres [hommes], à cause de leur beauté ; car ce qui est tout beau est plus approchant de Dieu que le laid qui appartient au Diable. »
>
> (P. de Brantôme, *Des dames galantes*, v. 1584-1614.)

Au XVIe siècle c'est surtout la femelle qui est belle. Mis à l'honneur par l'art et la philosophie, chantée par les poètes, le « corps mignon » de la femme est un des thèmes les plus importants de la Renaissance française. Pendant que la mode littéraire des « Blasons » du corps féminin établit les canons de la beauté[43], l'École de Fontainebleau multiplie des représentations plus ou moins vêtues, même en tant que motif ornemental. Ensuite, sous l'influence de la philosophie néo-platonicienne, la beauté se fait garante de bonté et l'allégorie s'empare de la forme féminine comme personnification des abstractions les plus en vogue. Une fois admis le présupposé que le charme physique constitue un reflet de la beauté/bonté divine, tous les prétextes deviennent bons pour dévoiler le corps — dodu ou élancé selon les goûts — de la pucelle. Les Quatre Parties du Monde, la Renommée, la Majesté, la Sagesse, la Foi... une prolifération d'allégories étalent alors les attraits du beau sexe. Ainsi la Vérité, dont la beauté virginale et la nudité totale (gage de sa sincérité, puisqu'elle ne cache rien) fournissent aux graveurs un sujet de prédilection.

Une « *Veritas* » gravée par Philippe Galle, planche de la *Prosopographia* de Cornelis Van Kiel (Anvers, v. 1590) constitue un bon exemple de l'exploitation à la fois esthétique et symbolique de la féminité (fig. 21). « Toute nue : nullement fardee, claire & resplendissante comme le Soleil, gouvernee & conduicte par le S. Esprit », la Vérité est à la fois froide et voluptueuse, mais toujours tout à fait chaste. Loin d'être une invitation à l'amour, les attraits corporels de cette femme ne sont que figuratifs. Comme partout dans l'estampe, la frontière entre le nu pudique et le nu érotique ne dépend que de son interprétation iconographique. La femme dévêtue peut représenter tantôt la Vérité, tantôt la Luxure, ce sont les codes vestimentaires et gestuels qui distinguent la pudique de l'immodeste. Il suffit d'un léger chiffon, d'un regard baissé, d'un geste pieux pour affirmer la rectitude du sujet. La mèche de cheveux qui cache ici le sexe de la

Figure 21
Philippe Galle, « *Veritas* », dans Cornelis Van Kiel, *Prosographia*,
Anvers, v. 1590.

« *Veritas* » se porte donc garante de sa pureté. Ses gestes l'apparentent par ailleurs aux représentations traditionnelles des saintes : les yeux et la main levés vers le ciel, son attitude corporelle est bien celle d'une vertu irréprochable.

Allégorie parmi les plus communes, la Vérité est souvent associée à d'autres symboles ou personnages afin d'appuyer la rhétorique de la propagande religieuse ou politique. Ainsi la colombe du Saint-Esprit qui plane au-dessus de la « *Veritas* » de Philippe Galle renchérit sur le discours iconique : l'oiseau divin consacre cette figure d'une auréole de lumière, nuançant d'une teinte catholique une personnification qui sert pourtant à toutes les idéologies. L'orfèvre-graveur protestant Étienne Delaune s'en sert, par exemple, dans une vignette exécutée en l'honneur d'Henri II (Paris, v. 1557). Assis au pied d'un palmier et déguisé en soldat romain (référence anoblissante à l'Antiquité), le Roi offre une palme et une couronne de laurier à la Vérité qui se trouve debout devant lui (fig. 22). A la fois muse et génie, elle le domine de toute sa hauteur, reproduisant, dans cette gravure de propagande monarchique, le schéma de la femme inspiratrice qui se retrouve dans bon nombre d'estampes allégoriques. Supérieure à l'homme tant par sa beauté que par sa vertu, la femme atteint ici un statut de divinité qui l'éloigne du monde des hommes tout en lui donnant prise sur l'ensemble de ses sujets.

Variations sur la vertu

A partir de 1540 apparaissent dans l'estampe sur feuille de nombreuses suites de « Blasons des Vertus » et de « Moralités » construites autour d'une quantité de silhouettes féminines. Toutes belles, toutes également non individualisées, toutes esthétiquement nues ou drapées artistiquement à l'antique, ces personnifications s'identifient moins par leurs personnes que par leurs attributs [44]. Pour le fond, ce genre d'allégorie traduit plus un goût pour la beauté rationalisé par les mythes de la pureté qu'une promotion réelle de la femme.

Déjà fort en vogue dans l'art du Moyen Age, le thème iconographique des Sept Vertus rencontre un succès toujours énorme dans l'estampe du XVIe siècle. De 1470 à 1540 environ, les Vertus cardinales sont personnifiées par des figures féminines habillées à la mode de l'époque et affublées d'attributs : la Justice avec l'épée et la balance, la Prudence et son miroir, l'Espérance et son

Figure 22
Étienne Delaune, « Le Roi honore la Vérité » (allégorie en l'honneur de
Henri II), Paris, v. 1557.

navire, servent toutes de porte-manteaux aux objets qui les identifient [45]. A partir des années 1540, en revanche, l'influence de la
Renaissance italienne modifie la représentation des Vertus.
Désormais les codes gestuels et vestimentaires de l'allégorie
attribuent aux Sept Vertus Cardinales les qualités féminines les
plus prisées par l'époque, à savoir la beauté et la chasteté.

C'est pour cette raison que la « *Temperantia* » de Corneille de
Lyon (v. 1550), gravure en taille-douce inspirée de l'école bellifontaine, met particulièrement en valeur les linéaments à la fois
esthétiques et pudiques du corps (fig. 23). Assise au bord d'un
fleuve, une figure nue verse de l'eau dans un gobelet de vin.
Tout en contemplant le soleil (vérité divine) elle porte la main à
son cœur (geste de sincérité). La béatitude de son regard et la

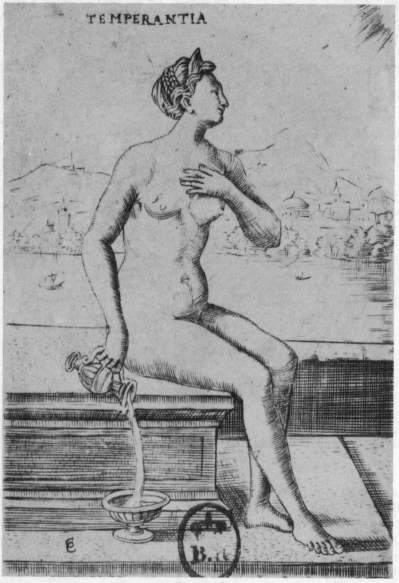

Figure 23
Corneille de Lyon, «*Temperantia* », Lyon, v. 1550.

modestie de sa pose (la position de ses jambes dissimule son
sexe) affirment la pureté de sa belle silhouette, dont la présence
plastique relègue à une position tout à fait secondaire la carafe

d'eau et la coupe de vin, attributs traditionnels de la Tempérance.

Si l'École de Fontainebleau est à l'origine de la transformation iconographique du thème des Sept Vertus en vertus spécifiques de la femme, cette transformation est suivie par tous les milieux de l'estampe au cours de la seconde moitié du siècle. On la trouve chez les emblématistes, dans l'œuvre des ornemanistes d'inspiration bellifontaine et même dans les productions plus « populaires » de la rue Montorgueil. Ainsi l'imagier Marin Bonnemer (Paris, v. 1575), fidèle à la nouvelle tradition iconique, représente chaque vertu par une figure féminine dotée de qualités spécifiques. La Tempérance et la Prudence sont habillées selon les canons de l'iconographie sainte et les autres figures sont vêtues à l'antique. Détail signifiant : aucune ne porte une robe à la mode du XVIᵉ siècle. Associée donc par le code vestimentaire à la virginité des religieuses et à la probité des saintes, la Prudence se contemple dans un miroir tandis que son autre attribut, le serpent de la sagesse, s'enroule autour du bâton qu'elle tient à la main. A ses pieds se trouve un petit hibou (symbole du savoir et attribut de Minerve), une palme (le triomphe et le martyre) et un livre (le savoir et la piété). Dans le cas de la Force, c'est plutôt l'iconographie des vierges « presque viriles » qui inspire la planche de Bonnemer (fig. 24). Une jeune femme habillée d'une robe à l'antique, qui accentue sa féminité tout en dévoilant sa musculature, emporte les deux tronçons d'une colonne brisée et écrase sous ses pieds un serpent. Or, si le physique robuste et le serpent piétiné sont des attributs communs à la Force et aux allégories de la chasteté guerrière, l'absence d'armures différencie ce bois des estampes contemporaines exécutées par les ornemanistes, car ceux-ci confèrent toujours quelques armes aux personnifications du même sujet. Ainsi « *Fortitudo* », une des quarante-deux « *Moralités* » de Jacques Androuet Ducerceau (Paris/Genève, 1540-1585), brandit une massue et un heaume, objets censés évoquer toute la panoplie de la guerre (fig. 25). D'aspect encore plus hommasse que sa sœur de la rue Montorgueil, celle-ci chevauche un lion apprivoisé qui se dirige en direction du soleil. En fait, si elle est femme par ses cheveux flottant au vent comme par le sein que découvre sa robe légère, elle est homme tout autant par son corps fortement musclé et par ses armes.

Semblables aux allégories de la virginité belliqueuse, les personnifications de la Force confirment le refus, de la part des imagiers urbains, de représenter la femme en tant que guerrière.

Figure 24
Marin Bonnemer, « Force », Paris, rue Montorgueil, v. 1575.

Figure 25
Jacques Androuet Ducerceau, « *Fortitudo* » d'après Aeneas Vico,
Paris/Genève, 1540-1585.

Pourtant, si le privilège symbolique des armes reste un phénomène d'élite, la valeur de la chasteté est omniprésente. L'iconographie de la femme vertueuse se fonde bien, partout et surtout,
sur le culte de la virginité, sur l'éloge de la pudeur et sur la fascination de la beauté féminine.

L'invitation au dépassement ou la femme-ange

> « Dames sont anges de visage
> En leur maintien celestiennes »
>
> (Anonyme, *La Louenge et Beauté
> des dames,* Paris, XVIᵉ siècle.)

Le mécanisme de l'idéalisation iconographique a tendance à élever la femme et à la placer littéralement sur un piédestal. Isolée sur son trône, elle s'éloigne de plus en plus de la vie sociale pour se transformer en muse inspiratrice ou en ange gardien. Une telle promotion valorise, sans l'ombre d'un doute, certains attributs de la féminité mais elle présente toutefois un gros inconvénient... à savoir que l'objet de cette idéalisation finit par perdre toute son humanité.

La gravure exploite le thème de la quasi-divinité féminine pour traduire divers sujets allégoriques, généralement d'inspiration néo-platonicienne. Ainsi l' « *Invia virtuti nulla est via* », estampe en taille-douce gravée par Pierre Woeiriot en illustration des *Emblemes ou devises chrestiennes* de Georgette de Montenay (Lyon, 1571), représente la Vertu sous les traits d'une femme vêtue à l'antique qui se trouve sur un rocher au milieu de la mer (fig. 26). Celle-ci soutient sans aucun effort une colonne corinthienne et un énorme pennon tout en se conformant, par ses habits, ses attributs et ses gestes (les yeux levés au ciel, etc.) aux canons de la chasteté féminine. Au pied de l'îlot où trône cette déesse travaille un homme habillé d'une armure à l'antique. Debout au fond d'une petite barque, il creuse la roche à coups de pioche dans l'espoir de rejoindre sa dame éthérée. La « vertu » qu'elle représente ne se limite donc pas à l'intégrité corporelle. Lorsqu'un homme aspire à une femme « divine », c'est plutôt la *virtù* qu'elle incarne, l'idéal humaniste de perfection physique et morale doublée de savoir et de bonnes manières, modèle de comportement cher à la Renaissance européenne [46].

Fidèle aux variantes chrétiennes du platonisme, selon lesquels l'amour pour une femme chaste et vertueuse peut constituer une première étape vers l'amour pour Dieu, cette allégorie de la poursuite de la Vertu s'applique également à la recherche du Christ :

> Cest homme ici, selon qu'il s'achemine
> Monstre qu'il veut à vertu parvenir,
> Marchant en mer, la roche brise, & mine

Figure 26
Pierre Wociriot, « *Invia virtuti nulla est via* », dans Georgette de Montenay,
Emblemes ou devises chrestiennes, Lyon, 1571.

> Pour son chemin aplanir & unir.
> Celui qui veut jusques à Christ venir,
> Doit tout ainsi par actes vertueux
> S'acheminer, & de foi se munir,
> Pour rendre aisé ce roc tant périlleux.

Élevée au-dessus de l'humanité, à mi-chemin entre l'homme et le ciel, cette femme si parfaite semble être sur le point de s'envoler. Comparée ensuite au Christ, elle appartient encore plus à la divinité qu'à l'humanité dont elle semble même ignorer la présence. Il est vrai, les déesses ne descendent que rarement (ou jamais) parmi les communs mortels.

Les Arts et les Sciences : la femme associée au savoir

Semblables aux suites de gravures illustrant les Vertus cardinales, les allégories des Arts et Sciences qu'affectionnent les ornemanistes et les graveurs bellifontains sont invariablement personnifiées par des silhouettes féminines. Le spécialiste de ce genre d'allégorie est l'orfèvre Étienne Delaune dont les nombreuses suites grouillent de femmes décoratives. Toujours belles et jeunes, drapées à l'antique d'étoffes flottantes qui révèlent leurs charmes, elles agrémentent des paysages parsemés de monuments antiques ou bien trônent dans des niches entourées de grotesques. Fidèles à leur rôle principalement ornemental, elles regardent intensément dans le vide, surtout s'il leur arrive de jouer de quelque instrument de musique. Détail signifiant : la présence de leurs attributs traditionnels (tel le globe céleste de l' « *Astrologia* » [47] n'est pas jugée suffisante à leur identification et elles sont toutes étiquetées. En effet, aucune de ces figures diaphanes ne se distingue de l'autre et la réification du corps féminin atteint ici son apogée.

Ce genre d'allégorie à fanfreluches n'empêche cependant pas à la protagoniste principale d'entretenir des rapports lointains avec le reste de l'humanité. En tant que personnification des Arts et/ou des Sciences, celle-ci peut toujours assumer un rôle de muse, divinité diaphane vénérée par tout homme de savoir. Comblée d'admiration masculine, la « Retorique » d'Étienne Delaune (Paris/Strasbourg, 1560-1580) fait ainsi des grâces : couronnée de laurier et habillée à l'antique, elle se trouve dans une niche d'où elle fournit un sujet de contemplation à deux hommes situés en bas de l'image, acolytes respectueux de l'idole (fig. 27).

Malgré la fréquence du motif de la muse inspiratrice, c'est seulement l'estampe des milieux cultivés qui exploite le thème de la sagesse féminine, thème qui fait écho au rôle important joué par la femme dans la vie de la cour où, dans le sillon de la tradition courtoise, la mode était de faire former les jeunes nobles par une « maistresse [48] ». Censée ouvrir l'adolescent aux sentiments délicats et à l'art de la conversation, cette dernière avait la tâche de transformer l'homme d'armes en courtisan raffiné [49].

En accordant ainsi au beau sexe un rôle de direction dans la vie mondaine, la Renaissance assurait également le triomphe des dames savantes et des salons littéraires. Une fille de bonne maison était encouragée à apprendre le latin, car « cela met le comble à ses charmes [50] ». Par ailleurs, les débuts littéraires de divers membres de l'aristocratie et de la haute bourgeoisie fournissaient aux partisans de l'éducation féminine des exemples « De l'excellence de savoir d'aucunes femmes, lesquelles ont devancé en la

Figure 27
Étienne Delaune, « Retorique », Paris/Strasbourg, 1560-1580.

cognoissance des lettres plusieurs hommes bien sçavans en Philosophie [51] ». Les œuvres de Marguerite de Navarre, de Louise Labbé, de Hélisenne de Crennes « prouvaient » le mérite du sexe « faible » [52], tandis que des salons — entre autres celui de la maréchale de Retz (Paris) et celui des dames des Roches (Poitiers) — réservaient aux érudites mondaines la direction de cercles humanistes gérés sur le modèle italien.

Phénomène culturel circonscrit à l'étage supérieur de la société [53], la femme cultivée était célébrée, idéalisée, transformée en muse, en ange, en divinité. Il n'est donc guère surprenant, étant donné les origines sociales de sa célébrité, que son triomphe dans l'allégorie plastique et poétique soit limité aux productions d'inspiration bellifontaine sans qu'il y ait aucun écho auprès des livres d'emblèmes ni auprès de l'imagerie urbaine. Seule la culture de l'élite se sentait à l'aise lorsqu'il s'agissait d'accorder au deuxième sexe l'accès au privilège du savoir.

*
* *

Restreinte aux couches sociales directement intéressées par la philosophie néo-platonicienne et par l'étiquette courtoise, la convention iconographique qui situe la femme au-dessus de l'homme dans la hiérarchie de la perfection ne vise donc qu'une partie infime du public de l'estampe. Fort en vogue chez les graveurs de Fontainebleau et auprès des ornemanistes parisiens, ce thème est catégoriquement repoussé par les emblématistes et les imagiers urbains. L'unique emblème reflétant cette tendance — exception qui confirme la règle — appartient au seul recueil rédigé par une femme (aristocratique, de surcroît) : l' « *Invia virtuti nulla est via* » de Georgette de Montenay. Tout en étant fascinée par les modes de la cour, la ville « bourgeoise » et « populaire » recule devant l'idée que la femme puisse surpasser ou dominer l'homme, même si c'est pour le bien de celui-ci. En revanche, les suites dédiées aux Vertus théologales et cardinales sont produites en grand nombre, et par tous les milieux de l'estampe :

TABLEAU VIII

Thèmes iconographiques	Milieux de production	Dates
Vertu/*Virtù* inspiratrice Arts et Sciences	École de Fontainebleau Ornemanistes	1540-1600
Vertus théologales Vertus cardinales	Livres d'emblèmes École de Fontainebleau Ornemanistes Rue Montorgueil	1540-1600

Malgré la prolifération et la diversification des abstractions personnifiées par la femme, le catalogue des mérites qui lui sont reconnus ne s'élargit donc pas beaucoup au cours du XVIᵉ siècle. L'iconographie de la vertu reconfirme à chaque reprise les valeurs sociales déjà rencontrées chez les allégories de la virginité et de là chasteté féminine, voire les qualités de la beauté et de la pudeur. Si le thème allégorique des Arts et des Sciences semble introduire des nouveautés en associant la femme au savoir, c'est en tant que créature féerique et pas du tout comme être humain. Dépourvu à la fois du contenu didactique et du but édifiant des allégories morales, ce genre de gravure décorative ne traduit finalement qu'un culte de pure forme, reflet d'une mode de Cour[54]. La bienséance du livre entre des mains féminines sera encore longtemps et vivement disputée par la majorité de la population urbaine[55] alors que l'obligation de la chasteté restera, pour l'ensemble de la société, l'*a priori* de toute vertu reconnue au beau sexe.

● **Femmes fortes**

Les trois thèmes qui structurent l'iconographie de la vertu féminine — le culte de la pureté, l'idéalisation de la beauté et la valorisation du nouveau rôle de la femme dans le monde des Arts et des Lettres — se rencontrent et se concrétisent dans les images de deux personnages qui fascinent le XVIᵉ siècle. Minerve, vierge guerrière de la mythologie antique, et Judith, sa contrepartie de l'histoire biblique, trônent parmi les héroïnes-vedettes de l'époque. L'une païenne, l'autre judéo-chrétienne, elles fournissent aux graveurs un prétexte pour vanter les mérites reconnus au deuxième sexe tout en jouant avec l'idée d'une féminité combattante, idée à la fois séduisante et répugnante pour la société de la Renaissance.

Pallas/Minerve

Tel qu'il apparaît dans l'estampe allégorique, le personnage de Minerve syncrétise la triade de qualités féminines considérées comme les plus précieuses. Renommée pour son inébranlable virginité, les graveurs lui empruntent volontiers sa panoplie belliqueuse pour toute représentation de la pudeur combattante. Par un éclectisme culturel tout à fait caractéristique de l'époque, les peintres de la Renaissance arrivent même à associer la chaste Minerve à la Vierge Marie, prolongeant dans l'art une tradition littéraire déjà courante au Moyen Age [56]. Or, si Pallas est pucelle et guerrière, elle est également belle et savante, d'où ses nombreuses personnifications de la Vertu/*Virtù* dans l'emblématique et l'estampe savante. Tantôt représentée en patronne des Arts et Sciences, tantôt déesse de la Sagesse, elle fait profiter les rois de son savoir, jouant auprès des souverains un rôle de conseillère.

Lorsqu'elle incarne la Vertu/*Virtù*, Minerve peut même réunir dans sa personne les aspects masculins et féminins du thème de la poursuite de la Vertu (déesse diaphane) par l'homme d'armes. Prenons comme exemple une vignette intitulée « *Invia virtuti nulla est via* » (fig. 28), gravée par Théodore de Bry en

Figure 28
Théodore de Bry, « *Invia virtuti nulla est via* », dans Jean-Jacques Boissard,
Emblèmes latins, Metz, 1584.

illustration des *Emblèmes latins* de Jean-Jacques Boissard (Metz, 1584). Cette figure s'inspire largement des *Emblemes chrestiens* de Georgette de Montenay (cf. fig. 26) sans reproduire pour autant le schéma de la femme inspiratrice : ici c'est Minerve elle-même qui, virile guerrière, se fraie un chemin dans un rocher à l'aide d'une épée. Masculine par l'armure et par l'allure vigou-reuse, les longs cheveux bouclés qui s'échappent de son casque à plumes confirment cependant son identité féminine. De même, sa robe entrouverte dévoile une musculature (d'homme) sans que sa pudeur (de femme) en soit affectée. Être androgyne, la Minerve-Vertu de Théodore de Bry est d'autant plus intéressante qu'elle refuse la métaphore néo-platonicienne de Georgette de Montenay. L'emblème évite de placer la femme sur un piédestal bien qu'il conserve l'idée de la force doublée de la vertu nécessaire pour parvenir à la divinité :

> « Aussi faut-il oser ; & généreusement
> Par le fer, & le feu, la peine, & le tourment
> S'acquerir vertueux une chose divine. »

Comme tous les graveurs emblématistes, de Bry n'hésite pas à idéaliser la femme, mais refuse de la situer au-dessus de l'homme. Si Pierre Woeiriot fait exception à cette règle, c'est sans doute à cause de l'influence — directe ou indirecte — de Georgette de Montenay, protestante fervente et aristocrate culti-vée, dont les tendances « féministes » ne font que confirmer la nature à la fois partiale et partisane du discours iconographique masculin.

En tant que personnification de la Sagesse plutôt que de la Vertu/*Virtù* Pallas apparaît dans l'allégorie d'inspiration belli-fontaine autant que dans les livres d'emblèmes. Dans les deux cas, elle se trouve généralement en compagnie de chefs d'État ou d'hommes de savoir, mais, ici comme ailleurs, les illustrateurs des livrets emblématiques diffèrent des ornemanistes quant aux limites imposées à l'idéalisation de la féminité. Une estampe d'Étienne Delaune représentant Henri II conseillé par la sage Minerve (Paris, v. 1557) attribue au roi une couronne de laurier et le situe à l'ombre d'un petit baldaquin (fig. 29). Le souverain écoute attentivement Minerve qui, debout en face de lui, s'ex-prime énergiquement par des gestes et par le mouvement de tout son corps. Dominant le roi par sa stature comme par son attitude dynamique — semblable de ce fait à la Vérité, qui anime une autre gravure de la même série (cf. fig. 22) —, Pallas lui assure

Figure 29
Étienne Delaune, « Le Roi écoute les conseils de Minerve » (allégorie en
l'honneur de Henri II), Paris, v. 1557.

la victoire sur les péripéties de la Fortune que l'on aperçoit assise
dans une pose mélancolique à l'extrême droite de l'image. A la
fois muse inspiratrice et déesse savante, Pallas assume auprès du
souverain français un rôle dirigeant et, vis-à-vis de l'homme, une
position de supériorité. Cependant, si la gravure d'ornementation
(comme toute estampe de style bellifontain) se plaît à idéaliser
l'érudition féminine, l'emblématique continue à lui refuser un rôle
dominant à l'égard de l'homme.

   Un emblème de Bernard Salomon (?), dont le message et la
mise en scène s'approchent de la gravure de Delaune, figure en
illustration de l'*Imagination poétique* de Barthélemy Aneau (Lyon,
1552). « De Charles d'Austriche Empereur V » associe effectivement Charles Quint à Pallas (fig. 30). Habillé à la mode du
XVIe siècle, le sceptre en main, l'empereur se trouve debout à
l'extrême gauche de l'image. Au centre, deux colonnes (sa devise)
marquent une séparation entre le monde des hommes et celui des

Figure 30
Bernard Salomon (?), « De Charles d'Austriche Empereur V », dans
Barthélemy Aneau, *Imagination poétique*, Lyon, 1552.

dieux. Du côté céleste se trouvent Pallas et Mars. Personnifications du bon conseil et de la force militaire, ces deux divinités
veillent sur le Saint Empire romain :

> ... Mars le fort, & Pallas la prudente,
> Donnent support, & aide à telles mains.
> Pour maintenir l'Empire des Rommains.
> Bien peu dehors force d'armes est bonne :
> Si par dedans le bon conseil n'ordonne.
> Charles le Quint magnanime, & prudent
> En tous les deux est tout autre excedent.
> Affin que soit soubstenu, par ces ars
> De Sapience, & Force, des Caesars.

A première vue, la déesse du savoir semble avoir le meilleur
rôle car elle est représentée debout et au premier plan, alors que
le dieu de la guerre n'est visible qu'à moitié — il se penche hors
d'un nuage situé dans l'angle supérieur droit de l'image. Cette
impression se modifie dès que l'on regarde de plus près le jeu de
gestes et de regards entre les trois personnages. Si Pallas pointe
un doigt impérieux en direction de l'empereur, elle ne cesse de
fixer Mars dont l'épée au poing renforce sa belle prestance. Situé
entre deux hommes, l'un céleste et l'autre terrestre, Pallas ne
joue en fin de compte qu'un rôle d'intermédiaire : sa position
centrale n'est due qu'à sa fonction de médiatrice. Protagoniste
principale lorsque les emblématistes, grands partisans de la vir-

ginité guerrière, font l'éloge de la chasteté, Minerve est revalorisée et reconditionnée dès qu'elle personnifie la sapience.

Les illustrateurs des livres d'emblèmes ont tendance, en fait, à insister sur une hiérarchie du savoir où Pallas serait enfin soumise à un personnage masculin d'une sagesse supérieure à la sienne. Ainsi l'estampe de Théodore de Bry illustrant « Du Jugement Divin le decret immuable », emblème de Jean-Jacques Boissard (Metz, 1584), oppose Minerve au Christ, le savoir antique à la doctrine chrétienne. Du haut de l'espace pictural une main — celle de Dieu — sort d'un nuage en tenant une balance. A droite, Minerve est assise par terre comme si elle venait de tomber et regarde bouche bée la pesette divine, le bras levé dans un geste de surprise. A gauche, se trouve un jeune homme barbu aux cheveux longs, vêtu d'une robe longue et chaussé de sandales : c'est le Christ. Calme et assuré, celui-ci tient un livre d'une main et indique de l'autre la balance céleste. Alors que l'inscription accompagnant l'image ne parle ni du Christ ni de Minerve, mais plutôt du « sage » et de la sapience divine, la gravure va plus loin que le texte en représentant le dieu chrétien (Jésus) en vainqueur de la déesse païenne (Minerve). Peut-on déceler dans cet emblème protestant un parallèle, aussi lointain soit-il, avec le refus du culte de la Vierge, « Minerve » chrétienne, par la religion réformée ? Quoi qu'il en soit, cette allégorie du triomphe de la sagesse des chrétiens sur celle des peuples antiques traduit également le triomphe de l'homme sur la femme, d'un savoir masculin et chrétien sur un savoir féminin et païen. On commence à se rendre compte que les représentions de la femme — positives et négatives — tendent à l'éloigner de la société masculine au point même de l'exclure de la civilisation chrétienne, deux mondes « à part » auxquels elle peut s'associer ou s'opposer, mais presque jamais appartenir.

Tantôt idéalisée, tantôt remise à sa place, Minerve ne cesse de fasciner les graveurs. En tant que représentante idéalisée de la féminité, elle apparaît fréquemment parmi les héroïnes du scénario emblématique où elle inspire plus d'un emblème sur cinq (21 des 96 emblèmes « positifs » à sujet féminin, soit 22 %). Dans l'estampe sur feuille, cependant, la célébrité de Pallas est légèrement diminuée car elle partage le rôle de chaste guerrière avec Diane, vierge chasseresse dont les emblématistes semblent vouloir ignorer (ou presque) l'existence. C'est seulement dans l'estampe savante que le succès de Minerve est sérieusement compromis par le renom de sa sœur antique : Pallas y fournit le sujet

principal de seulement 21 planches sur un total de 349 représentations féminines (soit 6 %), venant donc en deuxième place après la
déesse chasseresse (10 %) [57]. Toutefois, qu'elle partage sa gloire
avec d'autres figures d'allure « militaire » ou qu'elle propose le
prototype « historique » de l'excellence des femmes, Pallas/Mi-
nerve n'est surpassée, en définitive, que lorsque entre en scène
Judith, son pendant judéo-chrétien.

Judith

L'histoire de Judith et d'Holopherne a connu un succès durable dans la gravure du XVIe siècle français où les exploits de cette
héroïne fournissent près de 40,5 % des représentations féminines
positives inspirées de l'Ancien Testament. Présente tout au
long du siècle, elle apparaît régulièrement comme vedette de
l'antiquité biblique et, bien que sa popularité diminue de façon
perceptible avec l'essor de la gravure bellifontaine et l'entrée en
scène de Pallas, elle ne perdra jamais sa primauté parmi les personnalités de l'histoire judéo-chrétienne [58].
La représentation traditionnelle de Judith commémore la décapitation d'Holopherne. Elle apparaît souvent comme l'héroïne
d'une comédie dramatique, encadrée par les rideaux du lit où elle
vient d'assassiner son ennemi. Détournant la tête du spectacle
sanglant ou contemplant sa victime avec une expression de
dégoût, elle enfouit son trophée dans un sac ou bien l'expose à la
vue du spectateur en témoignage macabre de son courage « viril ».
Femme forte et femme d'armes, Judith est surtout une femme de
vertu dont la grandeur morale lui permet de manier (une seule
fois) une épée et d'accomplir ainsi un exploit normalement
réservé aux hommes [59].
Les graveurs oublient rarement d'évoquer les aspects « masculins » de cette femme et de souligner les ambiguïtés sexuelles sus-
citées par la violence de son acte. Ainsi l'allure féminine d'une
Judith de René Boyvin (Paris, 1550-1580) contraste sévèrement
avec l'épée affilée qu'elle tient à la main gauche (fig. 31). Debout
sur un petit balcon flanquée de rideaux, elle contemple la tête
d'Holopherne qu'elle tient aussi loin d'elle que possible. Une
expression d'horreur et de répulsion anime son beau visage,
rendu encore plus délicat et féminin par la coiffure recherchée
qui le surmonte. Son corps, en revanche, est plutôt robuste : sa

Figure 31
René Boyvin, « Judith », d'après le Rosso, Paris, 1550-1580.

silhouette énergique, moulée par une robe à l'antique, exprime la
force de caractère qui lui a permis de tuer un homme. Même
l'emplacement de l'épée dans la composition de l'image est
lourd de sens. Emblème de courage viril, attribut de la Justice
et de la Force, de Minerve, et de maintes martyres chrétiennes [60],
l'épée de Judith est tenue de façon que la pointe se situe directement au-dessous de son nombril. L'arme masculine se transforme ainsi en pseudo-phallus, en signe visible et extérieur de la
« virilité » de cette héroïne.

Judith est une autre femme-homme : « vierge *(sic)* hommasse
et pudique et vaillante » qui suscite l'admiration des graveurs,
inventeurs de variations infinies sur le mélange des sexes s'imposant chez la femme d'armes. Dans une série d' « Images de la
Bible » gravée en taille-douce (Nancy, 1580), Pierre Woeiriot
peint Judith en guerrière à la mode, son armure complétée par
une coiffe élégante et une longue jupe drapée à l'antique.
Debout à l'entrée d'une tente, celle-ci place la tête d'Holopherne
(répugnante, car énorme et poilue) dans un sac porté par sa
vieille servante. L'épée est tenue dans une position prééminente et
on aperçoit, à l'intérieur de la tente, le corps mutilé du tyran
d'où jaillissent encore des flots de sang [61]. En s'emparant de
l'épée d'Holopherne, Judith lui vole, avant la vie, le symbole
même de sa masculinité. De ce fait l'histoire de la décapitation
constitue également une allégorie de la castration par laquelle la
belle veuve venge et rétablit sa chasteté compromise. Semblable
à l'histoire de Lucrèce, où la pureté corporelle se reconstitue
également par le sang versé, la légende de Judith s'en différencie
surtout par le fait que le meurtre purificateur prend pour victime
le violeur plutôt que la violée.

La rue Montorgueil tire diverses leçons de l'histoire de Judith
dont la plus importante n'est pas la nature « masculine » de la
femme forte, mais plutôt le pouvoir dont disposent les femmes
pour manipuler l'homme à son désavantage. Un exemple : une
série de six estampes sur bois éditées par l'imagier Denis de
Mathonière (vers 1575), où l'histoire de Judith et d'Holopherne est
illustrée en autant d'épisodes. La seconde pièce comporte plusieurs scènes : la ville de Béthulie étant assiégée, les citoyens veulent se rendre, mais Judith s'y oppose, haranguant à ce propos les
prêtres et le peuple de la ville. Habillée d'un costume qui renvoie
à l'iconographie sainte et aux habits des religieuses contemporaines, elle se rapproche des représentations allégoriques de la
virginité et de la vertu. Son éloquence finit par convaincre ses

concitoyens et elle apparaît de nouveau à droite, richement
habillée et prête à partir en compagnie de sa fidèle servante :

> Judith en cœur construit ayant faict sa priere
> Ses vestements de dueil donne à sa chambriere
> Puis se farde & acoustre tressumptueusement
> Pria Dieu que son faict dressast heureusement.

La troisième planche de la série montre Judith faisant la révé-
rence à Holopherne qui, « espris de sa beauté veut apres avoir
bien soupé coucher avec elle » (fig. 32). Parée de bijoux et habillée d'une robe exotique, Judith évoque la coquetterie et la
séduction plutôt qu'une énergie virile et combattante. Et qui plus
est, elle assume ici un comportement provocateur, regardant
Holopherne droit dans les yeux au lieu de baisser son regard
selon les bienséances. A juger de la façon dont il s'incline dans sa
direction, celui-ci n'est guère insensible à tous ces charmes.
On les voit en effet « plus tard », assis à table comme deux
amants, Holopherne ayant échangé son heaume pour une couronne de laurier. Placé par terre à côté de lui, le casque guerrier,
délaissé en faveur d'un passe-temps amoureux, renchérit sur
l'érotisme latent de cette image dans la mesure où il renvoie aux
représentations iconographiques du thème « *Amor vincit omnia* »,
où Mars abandonne ses armes pour se livrer aux plaisirs offerts
par Vénus [62].

La quatrième image de la série de Mathonière met en scène le
moment de la décapitation (fig. 33). Debout à côté du lit, Judith
brandit une épée au-dessus de la tête d'Holopherne qui semble,
tout en dormant, se pencher obligeamment pour recevoir le
coup. Toujours habillée de sa robe extravagante, la meurtrière se
détourne pudiquement de sa victime, témoignant par ce geste de
sa fragilité « féminine » et amoindrissant, par ce même mouvement, la nature « masculine » de son acte. Par terre gisent toujours les armures du tyran, témoins inanimés mais irréfutables
du triomphe de l'amour où l'homme se trouve toujours en position de faiblesse vis-à-vis de la femme :

> Holoferne rempli de vin de malvoisie
> Pensant avoir Judith par bonne courtoisie
> Couchée avecques lui tout le long de la nuict
> Mais le chef lui osta environ la minuit [6] [3]

Figure 32
Denis de Mathonière, « Judith faict reverance à Holoferne qui espris de sa
beauté veut après avoir bien soupé coucher avec elle »,
Paris, rue Montorgueil, v. 1575.

Production typique de la rue Montorgueil, cette estampe esquive les attributs masculins de Judith et surtout les armures fantaisistes affectionnées par les ornemanistes parisiens et par l'école bellifontaine. Ce qui permet à Judith de vaincre son ennemi, c'est la manière dont elle étale ses propres charmes. Femme de vertu qui valorise son corps pour de « bonnes raisons », elle témoigne du double pouvoir de la beauté féminine, atout irrésistible pouvant servir, le cas échéant, à des fins funestes [64].

Femme d'armes, Judith tend à partager avec les personnifications féminines de l'estampe allégorique un habillement qui relève autant de l'Antiquité classique que de l'iconographie sainte. En dehors des planches de la rue Montorgueil qui lui attribuent une toilette « exotique », il n'existe qu'une seule exception à cette norme. Une estampe en taille-douce gravée par Alexandre Vallée d'après Giulio Clovio (Paris, 1583) représente Judith habillée à la mode du XVIe siècle [65]. Exception qui confirme la règle ? Image qui, en tout cas, démilitarise Judith, car l'épée est cachée par le corps de la jeune femme tandis que le casque et les armures placés par terre à côté du lit renvoient au thème du triomphe de l'amour. Peut-on conclure, d'après ces deux derniers exemples, que le Paris de la deuxième moitié du XVIe siècle n'était guère enthousiaste des mérites militaires du sexe « faible », même quand il s'agissait d'une femme « forte » et vertueuse ? Quoi qu'il en soit, l'estampe de cette époque semble attribuer autant d'importance sinon plus à la séduction, arme féminine par excellence, qu'aux prouesses belliqueuses.

La littérature édifiante destinée aux femmes fait écho aux réticences de l'iconographie quant à la vocation guerrière du sexe faible. Juan Luis Vives, par exemple, auteur du *Livre de l'institution de la femme chrestienne* (Paris, 1542), refuse catégoriquement de glorifier l'assassinat d'Holopherne en tant qu'exploit militaire. Il n'évoque l'héroïne de Béthulie que pour transformer son acte de courage en métaphore, en combat symbolique où l'épée représente l'Église et Holopherne le Diable. D'ailleurs, selon Vives, des femmes comme Judith n'existent plus, et même, il serait presque indécent si un membre du beau sexe se hasardait à l'imiter... la place des femmes étant à la maison :

> Judith & Delbora vainquirent par armes de l'Eglise & spirituelles leurs ennemis, qui sont jeusnes, oraisons, abstinences & saincteté. L'une trencha la teste du capitaine Holofernes, c'est du diable ; & l'autre comme roine, jugea le peuple d'Israel : mais telles sont de present esvanouies. Les armes de l'Eglise sont foi, oraison & vertu qui vainquent les adversaires. De la femme, en publicque, ne doit estre veu ne oui parolles, gestes ou allure... [66].

Figure 33
Denis de Mathonière, « Judith trancha la teste à Holoferne, & la porte aux
citoyens de Bethulie », Paris, rue Montorgueil, v. 1575.

Judith, comme Minerve, est une femme du passé. Modèle de vertu féminine elle confirme, aux yeux du XVIᵉ siècle, le peu de valeur des femmes contemporaines et renvoie aux individus de son sexe une image qui les diminue. En tant que guerrière « hommasse », elle confirme l'idée reçue selon laquelle une femme ne peut surmonter les faiblesses propres à son sexe que si elle reste vierge ou se transforme en androgyne. Séductrice assassine, Judith rappelle également aux hommes de l'ère moderne une vérité peu rassurante : la supériorité des femmes peut aussi facilement reposer sur l'exploitation des faiblesses d'autrui que sur la manipulation exhibitionniste de la seule « vraie » arme féminine — le corps.

*
* *

Malgré les réticences de l'estampe et de la littérature, la Renaissance ne cesse de jouer avec l'idée d'une féminité combattante. Jean de Marconville, auteur de *De la bonté et mauvaisté des femmes* (Paris, 1563), dédie douze chapitres aux femmes « bonnes », dont quatre font le récit d'héroïnes belliqueuses [67]. Selon les champions littéraires des hauts faits du beau sexe, chaque époque historique peut se vanter de plusieurs héroïnes militaires : les amazones sont les guerrières les plus célèbres de l'Antiquité, Judith est la reine des femmes fortes de l'histoire biblique, et Jeanne d'Arc l'exemple « moderne » le plus cité. Dans l'ensemble, la littérature du XVIᵉ siècle accorde une place importante à ce thème, exprimant une admiration sans bornes pour les faits d'armes féminins tout en élargissant sur les récits de batailles :

> Combien de fois ont esté les femmes cause de bien grandes & belles victoires ? Combien de fois ont elles courageusement & virilement resisté à l'encontre de trouppes & squadrons de la foible & pusillanime vertu des hommes lesquels elles ont renversez, rompus, & mis en routte [68] ?

Même les hommes de culture rivalisent d'éloquence dès qu'il s'agit de faire l'éloge du courage féminin : Castiglione s'enthousiasme pour les femmes de Pise qui avaient vaillamment défendu leur ville contre les Florentins, et Brantôme est prodigue de louanges lorsqu'il décrit les exploits des femmes de Sienne, de Pavie et de Saint-Riquier [69]. En fait, la prise d'armes de la part du sexe faible n'était pas tout à fait exceptionnelle à l'époque, surtout quand il s'agissait de défendre une ville assiégée. En

1536, les dames de Saint-Riquier en Picardie montèrent sur la muraille et repoussèrent bravement l'armée impériale « avec armes, eau et huile bouillante et pierres » tandis que le siège de La Rochelle en 1573 créa l'occasion pour une compagnie de volontaires huguenotes de paraître aux remparts, dont « les plus virilles et robustes menoient les armes [70] ».

Femmes militaires, femmes extraordinaires, pourquoi l'estampe néglige-t-elle ces guerrières contemporaines en faveur des héroïnes de l'Antiquité classique ou de l'histoire biblique ? Pourquoi n'y a-t-il aucune représentation de Jeanne d'Arc dans la gravure du XVIe siècle quand Jean de Marconville nous assure que « l'histoire de Jeanne la pucelle soit bien cogneue & familière à tous [71] » ? Pourquoi n'y a-t-il qu'une demi-douzaine d'estampes représentant les amazones alors que la littérature est plus que prolixe sur ce sujet ? Les silences de l'estampe traduisent plus que la seule habitude de l'époque de penser en termes allégoriques, de tout transposer en mythe. Pendant qu'elle célèbre les vertus de Minerve et de Judith, la gravure nie tacitement aux contemporaines l'accès à l'arsenal. Il suffit de noter que les rares estampes montrant en combattantes des femmes modernes ne les mettent en scène que pour les critiquer ou pour s'en moquer (cf. fig. 96 & 97).

L'ensemble des chastes combattantes affectionnées par l'art savant (personnifications allégoriques de la Vertu et de la Chasteté, représentations de Pallas/Minerve, hommages à la courageuse Judith) appartient donc à un passé mythique, à une époque idéalisée où les femmes étaient censées être plus vertueuses que celles du XVIe siècle. Les nouvelles « amazones » d'Amérique et d'Afrique, les reines belliqueuses « modernes » et les viragos ou tyrans domestiques (c'est-à-dire toute femme contemporaine qui allait à la guerre ou qui participait à un soulèvement « armé », ne fût-ce que contre leur mari à l'aide d'un balai), sont — nous le verrons plus loin — condamnées à l'unanimité [72]. Si les milieux d'élite rêvent d'une féminité militaire, c'est au niveau du fantasme. Et si Brantôme ou Castiglione s'extasient à l'évocation de ces ménagères courageuses de Saint-Riquier et de Pavie, les louanges les plus enthousiastes sont toujours réservées aux belles « soldates » de Sienne, dont le défilé — tel qu'il est décrit — rappelle l'exhibitionnisme clinquant des majorettes modernes [73].

Gage de leur supériorité physique et morale, les accoutrements martiaux de Pallas et de la veuve de Béthulie ne sont donc que l'apanage fantastique de personnages légendaires. Femmes fortes, femmes-hommes, Judith et Minerve sont représentées comme d'inaccessibles modèles de courage et de chasteté, s'opposant ainsi à la majorité du sexe féminin contemporain dont la nature pusillanime et la lubricité « naturelle » les excluent automatiquement du domaine de la vertu.

Le thème de la vierge guerrière armée d'un heaume, d'une épée et d'un bouclier s'évanouit au fur et à mesure qu'on descend l'échelle sociale de la production iconographique, victime d'un refus du port d'armes aux femmes. Or, ce refus de mettre des armements — même métaphoriques — dans les mains du beau sexe mérite une double explication. D'une part il était impensable pour le grand public des villes que n'importe quelle femme — même un parangon de vertu — puisse manier une épée, et encore moins s'affubler d'accoutrements guerriers. D'ailleurs, le port de l'épée était toujours censé être un privilège réservé à la noblesse, et même si les parvenus et les dandys exhibaient des lames à leurs ceintures, c'était une acquisition réservée au sexe « fort » qui ne pouvait guère profiter au sexe « faible » [74]. D'autre part, on accusait les femmes d'être naturellement portées à la violence. Pendant les émeutes frumentaires et les désordres religieux, elles réussissaient à causer des dégâts considérables à l'aide de leurs instruments domestiques — balais, trousseaux de clefs et quenouilles. Dieu sait de quoi elles eussent été capables en étant réellement armées ! Non, les villes connaissaient trop bien la menace que pouvait représenter un groupe de ménagères enragées. D'où l'importance de les éloigner, jusque dans l'art, des armures masculines.

En fin de compte, la signification profonde du thème de la vierge armée repose sur la nouvelle attitude des milieux dirigeants à l'égard de la chasteté féminine. Et les emblématistes et ornemanistes insistent sur une conception de la vertu où la femme serait responsable de la garde de son propre corps. « Armée » contre les assauts de l'homme-ennemi, la pucelle belliqueuse remplace sa sœur médiévale, la douce et languissante vierge à la licorne. A la différence de l'estampe savante, cependant, la gravure urbaine préfère à l'image de la guerrière une représentation plutôt répressive de la chasteté, la femme bridée, une clef ou des verges à la main, et la vieille religieuse étant les modèles les plus souvent représentés. Selon les imagiers conservateurs des grandes villes, l'unique façon de s'assurer de la vertu d'une femme était de l'enfermer. Il n'y avait que les milieux proches du pouvoir pour accorder au beau sexe une certaine responsabilité dans le maintien de son « honneur ».

● La vertu et l'aliénation sociale

Les qualités attribuées aux modèles de vertu féminine et les implications symboliques de leur iconographie esquissent un ensemble de conditions selon lesquelles la femme pouvait mériter l'approbation sociale.

La chasteté couplée avec la beauté inspire les personnifications des Arts et des Sciences, les allégories de la Vérité et les représentations de la Vertu/*Virtù*. Au-delà de leur pureté morale et de leur fonction esthétique, les figures féminines qui incarnent ces concepts ont d'autres traits en commun. Ce sont des créatures féeriques dont la perfection physique et morale les désignent pour jouer un rôle de muse inspiratrice auprès de l'homme. Situées, dans la hiérarchie éthique et sociale, entre le monde des hommes et le royaume céleste, ces femmes-anges constituent un trait d'union entre l'humanité et la divinité.

Quant aux vierges guerrières et aux allégories de la Force combattante, elles joignent aux qualités de la chasteté et de la virginité une vigueur « masculine » qui leur permet de manier les armes. Femmes hommasses, elles sont supérieures aux autres membres de leur sexe sans pour autant disposer de tous les mérites des hommes. A la fois masculines et féminines, ces belles militaires occupent une position intermédiaire dans la géographie imaginaire du tissu social.

Une autre variante sur le thème de la virginité/chasteté ajoute à l'éloge de la pudeur celui de l'autorépression et du suicide. Les évocations de la Tempérance et de la Continence insistent sur le besoin de surveiller, de cacher, de contrôler le corps féminin. La femme chaste s'habille en religieuse, serre une clef dans sa main, baisse les yeux avec modestie. Si jamais les barrières qui protègent son corps du monde extérieur viennent à être brisées, elle peut alors rétablir sa pureté originelle en s'immolant sur l'autel de la vertu, en lavant de son propre sang la tache de son déshonneur. Ces femmes, « enfermées » dans leurs corps ou éloignées par la mort, occupent une position marginale vis-à-vis du reste de l'humanité. Écartées de la vie sociale par la clôture ou par le trépas, elles affirment, par leur effacement même, l'incompatibilité de la vertu féminine avec la vie quoditienne :

TABLEAU IX

Qualités	Sujets ou thèmes iconographiques	Sous-thèmes	Position dans le hiérarchie morale, sociale et/ou cosmologique
Virginité Chasteté Beauté Savoir	Vérité Vertu/*Virtù* Arts et Sciences	Beauté = Bonté Femmes-anges inspiratrices	Angélique (entre l'homme et la divinité)
Virginité Chasteté Force Virilité	Vierges-guerrières La Force Minerve Judith	Femmes combattantes Femmes hommasses	Androgyne (entre l'homme et la femme)
Virginité Chasteté Autorépression Suicide	Virginité Chasteté Tempérance Constance Lucrèce	Femmes bridées ou « enfermées » Martyres de chasteté	Marginale (soit enfermées, soit mortes)

Les représentations positives de la femme valorisant la chasteté féminine, « princesse des vertus », aboutissent donc à une idéalisation abstraite du deuxième sexe, l'anéantissant en tant qu'être humain et l'éloignant de la société contemporaine. Le mécanisme de mythification qui place sur un piédestal la femme pudique lui impose en même temps une ségrégation sociale. Les déesses diaphanes enveloppées de draperies flottantes sortent carrément de la société humaine pour se transformer en êtres célestes, alors que la femme guerrière paie cher sa nature exemplaire car elle finit par ne plus appartenir ni au sexe féminin ni au sexe masculin. Quant aux modèles de chasteté, elles ne sont reconnues comme femmes de vertu que par la clôture ou par la mort, deux solutions qui poussent la marginalisation jusqu'à l'exclusion totale.

Angélique ou androgyne, asexuée ou hommasse, la femme vertueuse doit sa supériorité surtout à la négation de son corps, à la réification de sa beauté, à l'occultation de sa sexualité et de son identité sociale [75]. A l'exception des exhortations allégoriques à l'autodéfense et à la prise en charge (féminine) de la chasteté, l'iconographie de la vertu *muliebris* fournit des modèles d'évasion, autant d'idéaux abstraits qui finissent par condamner le beau sexe plus qu'ils ne le louent.

2. FERTILITÉ ET MATERNITÉ

« Dames sont le jardin fertile,
Racine d'humaine nature,
L'arbre convenable et utile
De terrienne nourriture.
Dames sont la doulce pasture
Où il convient tout homme paistre,
Et toute humaine creature
Loger, fructifier, et naistre »

(Anonyme, *La Louenge et Beauté
des dames,* Paris, XVIᵉ siècle.)

La vision abstraite et idéalisée de la vertu féminine n'est pas la seule à accorder à la femme un rôle positif. Après tout c'est cette dernière qui assure, par ses fonctions biologiques, la continuité de l'espèce humaine. Cette vérité fondamentale donne lieu à une représentation contradictoire du corps féminin. Vertueuse quand elle s'enferme dans l'armure de la chasteté, elle est tout aussi louable quand elle ouvre les portes de son corps aux fonctions de la maternité. Valorisée pour la négation de son identité sexuelle, elle est en même temps prisée pour l'exploitation de sa physiologie féconde, productrice d'enfants et source de leur nourriture.

Or, la femme du XVIᵉ siècle était, en tout cas, profondément marquée par sa biologie dans la mesure où elle passait une grande partie de sa vie adulte dans l'obligation de la reproduction — obligation qui, le plus souvent, rythmait son existence par des naissances tous les deux ou trois ans. Cette vocation maternelle trouve un reflet positif dans l'estampe, miroir d'une promotion de la maternité et du sentiment de l'enfance qui s'affirment à l'époque. L'image rend également hommage à la physiologie féminine, aux fonctions cycliques d'un corps qu'elle identifie au principe de la fertilité, aux saisons et aux cadences de l'agriculture. Étroitement associée au monde des plantes et des animaux, la femme est perçue comme étant plus proche de la nature que l'homme et, en conséquence, pas tout à fait intégrée à la société humaine.

● **Fécondité bénéfique et animalité inquiétante**

Il y avait une certaine promiscuité entre l'homme et la nature dans la vie quotidienne du XVIᵉ siècle, une interférence constante due à un voisinage que nous avons largement éliminé aujour-

d'hui. Les frontières entre la société humaine, le monde animal
et l'environnement végétal sont alors beaucoup plus floues et se
recoupent constamment. Les changements du temps, l'écoule-
ment des saisons, l'alternance du jour et de la nuit rythment la
vie quotidienne tandis que les cataclysmes sont interprétés
comme autant de présages, signes de l'intervention divine dans
les affaires terrestres [76]. Dans les campagnes les hommes vivent
des produits des champs et des bois, partagent leur vie et parfois
leurs maisons avec les bêtes de somme et les animaux domestiques [77]. Même les villes, parsemées de jardins potagers et d'espaces verts, comptent une population animale élevée dans leurs
cours et dans leurs rues grouillantes de chiens, de poules et de
porcs, alors que les transports sont assurés par des ânes, des
chevaux et des bovins [78].

A l'espace réel occupé par la nature correspond un espace mental, structuré par des mécanismes de compréhension mythique. La
nature sert souvent de métaphore, d'explication analogique aux
phénomènes biologiques et aux comportements humains. Les
médecins de l'époque parlent volontiers de la femme comme
d'une terre féconde que doit labourer l'homme pour y laisser sa
semence [79]. La matrice est « un champ très fertile pour la propagation du genre humain, dont les thrésors cachez en nature sont
tirez. Lequel seul a cest honneur de recevoir le baume naturel ou
semence prolifique, au moins dont on doive esperer fruit [80] ».
Métaphore partagée par de nombreuses cultures, l'assimilation de
la femme à la terre et de l'acte sexuel au travail des champs est un
lieu commun de l'époque [81].

« L'Abondance des choses »

L'estampe allégorique exploite l'identification courante du
corps féminin au terrain agricole en attribuant aux personnifications de la Nature et de l'Abondance une forme féminine. Un
exemple : une « Abondantia » d'Étienne Delaune gravée en 1575
représente une femme habillée à l'antique assise au pied d'un
arbre fruitier (fig. 34). Couronnée de fleurs, celle-ci possède une
corne d'abondance et une coupe de vin. Ses seins généreux, dont
la courbe est soulignée par les plis mouillés de sa robe, évoquent
la maternité et le lait nourricier des femmes alors que les produits de la terre sont disposés à ses pieds : des gerbes de blé, un
panier de raisin, des fruits et des fleurs. A l'arrière-plan gauche,

Figure 34
Étienne Delaune, « *Abondantia* », Strasbourg, 1575.

il y a une scène de moisson, et à l'arrière-plan droit des vendanges, moments forts de la vie rurale de l'époque. Contemporaine du thème littéraire de la nature généreuse et de la France
prospère, l'.« *Abondantia* » de Delaune est également tributaire
des évocations iconographiques de Cérès — déesse de la fertilité
et de l'agriculture généralement associée à la culture du blé [82].

Le thème de la « femme d'abondance » se trouve dans presque
tous les milieux de l'estampe à partir de 1540 environ où il se prête
à des allégories de significations voisines dont le symbolisme
repose toujours sur la valorisation de la biologie féminine. Ainsi
« l'Abondance des choses procède de la paix », gravure sur bois
anonyme illustrant les *Emblemes* d'Adrien Le Jeune (Anvers,
1567), met en scène une figure habillée à l'antique et couronnée
de blé, une *cornucopia* à la main. Elle donne l'autre main à
un petit garçon tout en baissant modestement les yeux, assumant
l'attitude corporelle propre à toute femme qui se respecte.

Comme beaucoup d'emblèmes, l'image de « l'Abondance des choses » contredit en partie le texte qui l'accompagne. Selon l'auteur, il s'agit de la « Paix attique » qui « en sa main droicte tient Plutus le riche ». Mais, au contraire, loin de représenter le dieu de la Richesse en compagnie de la Paix, le graveur a transformé le sujet en une image de la maternité qui correspondait mieux à la conception de la prospérité courante à cette époque. En fait, la représentation de la nature généreuse sous les traits d'une femme accompagnée d'un enfant (fruit de ses entrailles), et portant une corne d'abondance (fruits de la terre), apparaît souvent dans l'art de la Renaissance car, selon le lexique sémantique de l'allégorie, le corps féminin peut signifier la fertilité végétale aussi facilement que celle de sa propre espèce [83].

Comme l'agriculture ne peut prospérer qu'en temps de paix, c'est souvent la femme d'abondance qui personnifie cette condition nécessaire à la culture de la terre. Le thème de « *Pax/Abondantia* » apparaît un peu partout dans l'estampe. Un exemple précoce : l'un des tout premiers livres d'emblèmes — l'*Hecatomgraphie* de Gilles Corrozet (Paris, 1540) — représente la « Paix » en jeune femme drapée à l'antique et assise au milieu d'un paysage, l'inévitable cornet à la main. Des armures déposées à ses pieds annoncent l'abandon de la guerre et un champ de blé à l'arrière-plan affirme la reprise des activités agricoles. La protagoniste de cette scène, d'ailleurs, verse de l'eau sur un brasier — la paix éteint le feu du conflit et de la discorde.

A la fois déesse de la fertilité agricole et patronne de la tranquillité, la femme d'abondance ne cesse d'étendre le territoire de sa juridiction au cours du XVIᵉ siècle. Ainsi « *Pax* », estampe en taille-douce, gravée par Étienne Delaune en 1575 environ, assure la richesse du commerce, de l'agriculture et de l'élevage (fig. 35). Assise au pied d'un palmier, une branche d'olivier à la main, cette Paix met le feu à des armures empilées à ses pieds. Elle est flanquée d'un troupeau de brebis alors qu'à l'arrière-plan on perçoit une charrette chargée de foin et, dans le lointain, un bateau marchand. Les chaumières qui occupent le fond situent l'allégorie dans un contexte contemporain, tandis que la dense fumée qui sort d'une cheminée signale le confort des habitants.

Dans la mesure où elle peut servir de symbole polyvalent, évoquant toute profusion féconde, la femme peut également — par extension de métaphore — personnifier l'Église et la Grâce divine. D'où une planche gravée par Philippe Galle pour la *Prosopographia* de Cornelis Van Kiel (Anvers, v. 1590), qui repré-

Figure 35
Étienne Delaune, « *Pax* », Strasbourg, v. 1575.

sente la « *Gratia Dei* » comme une jolie femme nue, déversant à terre, d'une corne d'abondance, des vêtements ecclésiastiques, des croix et des objets nécessaires à la pratique du culte (fig. 36). Ce personnage est la « Grâce de Dieu qui ne cesse jamais de ⸱ corne d'abondance d'impartir aux fidèles ce qu'il leur est néc saire, nous peult faire riches & heureux ». Femme sainte au corps pur, les cheveux blonds illuminés par une auréole, elle préserve sa modestie par un artifice iconographique des plus communs — elle se cache pudiquement derrière son cornet. Cependant, et malgré son respect des bienséances, cette femme ne dissimule pas tout à fait la nature de ses parties intimes. La corne se transforme ici en prolongation symbolique de la matrice fertile, en attribut qui rappelle, par sa forme comme par son contenu, les richesses inépuisables des organes de reproduction féminins.
   Associée donc à la prospérité agricole en temps de paix et à la générosité d'une nature divine et bienveillante, la femme d'abondance évoque une vision de paradis terrestre où règnent la ferti-

Figure 36
Philippe Galle, « *Gratia Dei* », dans Cornelis Van Kiel, *Prosopographia*,
Anvers, v. 1590.

lité, le surplus de nourriture et la bonté divine. Idéal culturel d'une époque qui connaît trop bien la hantise de la famine et les ravages de la guerre, elle constitue un pendant au légendaire pays de Cocagne.

L'identification de la femme à la nature nourricière n'est cependant guère réservée à l'époque de la Renaissance, elle a des racines profondes en territoire français et fort éloignées dans le temps. D'anciens cultes gaulois associent la femme au blé et de vieux contes folkloriques, comme celui de Brigitte, parlent des belles récoltes qui accompagnent l'héroïne dans tous les pays où elle se rend. Brigitte est la transposition chrétienne d'une divinité celtique de la végétation — *Brigit* —, support de rites et de mythes préchrétiens. Certaines pratiques agricoles associent également la femme à l'agriculture, telles les rogations de printemps qui constituent très probablement une mutation chrétienne du culte de Cérès. Les rogations — de longues processions à travers les champs au cours desquelles le peuple suit le prêtre en entonnant des litanies (surtout à la Vierge Marie) — ont eu pour fonction jusqu'à nos jours d'assurer l'abondance des récoltes et l'éloignement des fléaux climatiques [84].

« *Natura* » : *une mère toute-puissante*

Génie de l'agriculture, de la nature domestiquée au service des hommes, la femme peut également apparaître en divinité maternelle, source de toute forme de vie : animale, végétale, humaine. Elle engendre non seulement toute sorte de plante, mais encore un nombre infini de créatures qu'elle nourrit, comme des bébés, du lait de ses mamelles inépuisables. En tant que mère universelle, celle-ci incarne le principe féminin de l'univers, elle est la terre-mère d'où sortent les hommes et où retournent les morts. Honorée en Europe depuis l'âge paléolithique, l'image de la nature maternelle hante toujours l'esprit des hommes de la Renaissance.

Généralement représentée comme une jeune femme dotée d'une poitrine généreuse, la Nature arrose de son lait des hommes qui poussent dans la terre, naissant comme des plantes. Le liquide qu'elle répand est un aliment primordial. Attribut essentiel de la nature maternelle, l'image lactiforme se retrouve « dans les cultes primitifs de la Grande Déesse, spécialement sur les statuettes paléolithiques dont les seins hypertrophiés suggè-

rent l'abondance alimentaire. La *genetrix* fait d'ailleurs souvent
le geste de montrer, offrir et presser ses seins, et souvent la
Grande Mère est polymaste, telle la Diane d'Ephèse [85] ».

Source de vie et nourriture première de l'homme, le lait fascine
le XVIᵉ siècle. Les médecins consacrent de longs chapitres au
« laict & la nourriture des enfans », aux vertus de l'allaitement
maternel et aux effets pernicieux du « mauvais lait » des nourrices mal choisies ou mal surveillées [86]. Le lait est considéré
comme un aliment délicat et il suffit d'un régime inadapté, d'une
émotion trop forte ou d'un comportement immoral pour qu'il
tourne en poison [87]. Tout en assurant une nourriture vitale, le
lait peut aussi être source de maladie et même de mort. C'est
ainsi qu'il est représenté dans une allégorie de la Nature gravée
par Jacques Androuet Ducerceau (Paris/Genève, 1540-1585).
Ange à la fois de la vie et du trépas, cette mère-nature se penche
légèrement en avant pour mouiller d'une fontaine lactescente
(afin d'en hâter la décomposition ?) des débris de corps humains
jonchant le sol (fig. 37).

Figure 37
Jacques Androuet Ducerceau, « *Natura* », d'après Aeneas Vico,
Paris/Genève, 1540-1585.

L'homme sort de la nature, de la terre-mère, en est nourri et y
retourne. Il naît par la femme et, assisté par la femme, il meurt.
L'estampe allégorique se fait l'écho, en termes mythiques, du
rôle joué par le deuxième sexe dans le passage des hommes à la
vie comme dans les rites de lavage et d'ensevelissement des
morts. La femme « fait des bébés » comme elle « fait des
morts »[88], veillant à l'entrée et à la sortie de ce monde, aidant les
uns à venir et les autres à partir.

Respectée pour la vie qu'elle donne, la mère-nature est en
même temps crainte pour le pouvoir qu'elle exerce sur ses créatures. La gravure traduit une certaine méfiance envers le monde
de la nature sauvage et la femme qui l'incarne, méfiance qui
commence dès qu'on quitte l'image de la terre nourricière pour
entrer dans le domaine des fauves et de la végétation inculte.

Cette *diffidence* dérive en partie du fait que la nature dépasse
l'entendement humain, elle est le mystère des mystères. « De
Dieu vient le sçavoir des effects de nature », planche gravée par
Théodore de Bry pour les *Emblèmes latins* de Jean-Jacques Boissard (Metz, 1584), insiste sur l'impuissance de la science humaine
face à l'énigme d'un monde divin. Deux « sages » à la barbe
blanche, l'un habillé d'une robe longue à l'antique et l'autre en
homme de lettres du XVIᵉ siècle, sont assis chacun d'un côté de la
Nature, une caryatide polymaste. Consultant des livres sur lesquels figure la science de leur culture respective, ces deux
hommes discutent inlassablement de mystères qu'ils ne résou-
dront jamais, car la Nature est divine, donc obscure :

> Tu peines pour neant, la raison balancée
> Au poids d'humain discours, perd ce que tu en sens
> Philosophe pippé : Nature a ses presens
> Inscrutables, couverts...

Régie par la divinité, la femme-nature échappe à la compréhension humaine. Qui essaie de pénétrer ses secrets n'est qu'un
ingénu ou un téméraire, d'autant plus qu'elle représente un
monde qui s'oppose, comme le royaume céleste, à la société des
hommes.

Le rapport ténébreux qui lie le corps féminin aux mystères de
son environnement est explicité par une « *Natura* » de Philippe
Galle (fig. 38), première planche de la *Prosopographia* de Cornelis Van Kiel (Anvers, v. 1590). Celle-ci est représentée par une
femme caryatide aux seins multiples qui s'inspire, au moins en
partie, de la célèbre Artémis d'Éphèse. D'une physionomie cor-

Figure 38
Philippe Galle, « *Natura* », dans Cornelis Van Kiel, *Prosopographia*,
Anvers, v. 1590.

pulente, ses hanches généreuses et son ventre bombé soulignent son identité maternelle. Cependant, là où devrait se trouver son sexe poussent des têtes d'animaux dont un lion, un chien, un cheval, un agneau, un renard, un singe et un porc... car « Natura » est la mère de toutes les bêtes, domestiques et sauvages. Elle tient, en outre, un oiseau à la main droite et un flambeau à la main gauche, insignes de deux éléments : l'air et le feu. Au pied de la caryatide figurent les deux autres éléments : des légumes, des fruits et une bêche évoquent la terre alors qu'une urne déverse de l'eau :

> Les mammelles tendues, le flambeau ardant,
> l'oiseau, le vaisseau à l'eau, & la boue (figures des
> quatres elements) sont les enseignes de la Nature.

L'image de cet être composite en dit beaucoup plus que le texte. La bêche et les légumes qui occupent le sol au pied du piédestal évoquent non seulement l'élément terre mais également l'agriculture, la nature nourricière domptée par l'homme. En revanche, l'eau qui coule de l'urne et les feuillages qui apparaissent de l'autre côté de la caryatide font référence à la nature sauvage, aux eaux et aux forêts. Entre ces deux natures — l'une domestique, l'autre sauvage — s'insèrent la femme et les fauves, ou plutôt la femme-fauve. A nouveau, le XVIe siècle, en projetant la femme contre l'écran du monde végétal et animal, révèle l'étendue de ses doutes au sujet de son appartenance à l'espèce humaine.

Dans leur ensemble, les représentations allégoriques de la nature traduisent une conception compartimentée de l'univers où la femme assure les points de passage. Elle crée les hommes et les aide ensuite à passer dans l'autre monde, elle forme un pont entre l'environnement humain et celui des bêtes, elle fournit un lien entre la nature cultivée et la nature sauvage. Cette vision mythique du corps féminin n'est cependant pas réservée à la gravure. On considère à l'époque que la fertilité féminine est capable de maintes merveilles et, surtout, qu'elle peut donner naissance à des êtres qui ne relèvent point de sa propre espèce. Ambroise Paré parle des « enfans imparfaits et monstrueux, voire quelquesfois des animaux et autres choses monstrueuses » engendrés par des femmes ainsi que de la naissance de « moles », qui ont « seulement vie vegetative comme des plantes »[89]. Les bulletins d'actualité de l'époque sont également friands d'his-

toires de monstres, nés « par la voulente de Dieu », dont la physionomie combine des éléments humains et animaux. Il y avait,
par exemple, l'enfant-singe dont « la figure au naturel dudit
monstre » orne un pamphlet publié à Paris par Fleury Bourri-
quant vers 1600. Le titre du pamphlet donne des détails alléchants qui étaient sans doute annoncés à la criée :

> Discours prodigieux et véritable d'une fille de chambre,
> laquelle a produict un monstre, apres avoir eu la compagnie
> d'un singe, en la ville de Messine. En ce discours sont
> récitées les paroles que ladite fille profera estant au
> suplice, et les prières qu'elle fist ; ensemble le jour
> qu'elle fust bruslée, avec le monstre et le singe [90].

La naissance de cet enfant-singe est vu comme le résultat d'un
crime — l'acte de « bestialité » —, union contre nature punie par
la mort. La promiscuité entre la femme et l'animal n'est toutefois
qu'une des causes de monstres, car « la première est la gloire de
Dieu » et « la seconde, son ire ». Ambroise ·Paré cite treize
« causes de monstres », commençant par l'intervention divine et
passant par les imperfections et les erreurs humaines pour terminer avec les maléfices des « Demons ou Diables [91] ». Quelle qu'en
soit la cause, c'est toujours le corps de la femme qui fournit le
réceptacle du miracle ou le lieu du crime, c'est par la matrice que
l'autre monde — celui de Dieu, de l'animal, du diable — pénètre
l'univers humain. Et mieux encore, ce corps-tunnel, lieu de passage, peut concevoir sans homme. Les théories contemporaines
de la « panspermie » affirment la fertilité surpuissante de l'utérus
qui peut être fécondé par le vent, par l'eau, par les odeurs [92].
Comme la terre, la femme peut produire chaotiquement, et par
elle-même [93].
En tant que *genetrix* universelle et polyvalente, la femme-
nature ne peut qu'être plus proche du monde végétal et animal
qu'elle ne l'est du monde humain. D'où les portraits de la divinité romaine « *Ops mater* » ou « *Ops opulenta* », déesse de
l'abondance, de la prospérité et de la fertilité agricole. Les graveurs inspirées par la mythologie gréco-romaine commencent
leurs suites de « Divinités de la Fable » avec Ops et Saturne,
pendants païens des parents chrétiens de l'humanité, Ève et
Adam. Cependant, chez les ornemanistes de la Renaissance, Ops
perd son identité agricole pour s'approcher du règne animal et
de la nature sauvage. Dans une suite de vingt portraits des

« Divinités de la Fable » (gravés d'après le Rosso), Jacques
Androuet Ducerceau la représente en déesse-mère : une jeune
femme nue entourée de bêtes et sauvages et domestiques (Paris/
Genève, 1550-1580). Comme le veut la tradition, elle presse ses
seins, geste qui souligne son identité maternelle, et baisse son
regard vers le sol. Les animaux qui l'entourent sont, pour la plupart, visiblement mâles. Les bois du cerf, les cornes du bouc, la
crinière du lion évoquent une nature virile qui s'apparie avec la
femme : le vrai couple n'est point Ops et Saturne, père cannibale,
mais Ops et l'animal. Une estampe semblable gravée par René
Boyvin (Paris, 1550-1580) figure cette déesse encadrée par les
piliers d'un temple. Accompagnée de son entourage habituel de
fauves, elle est vénérée par un vieil homme qui s'agenouille (à
droite), les bras croisés dans une attitude de prière (fig. 39).
Femme géante, elle est deux fois plus grande que celui qui
l'implore. Référence à la petitesse de l'homme devant la grandeur

Figure 39
René Boyvin, « *Ops mater* » (détail), Paris, 1550-1580.

grandeur de la Nature ? Pas tout à fait, car il y a une autre figure
humaine à gauche, une femme drapée à l'antique qui porte une
branche de feuillage et semble sur le point de pénétrer dans le
temple. Celle-ci est non seulement représentée debout, mais elle
est également plus grande que le pieux vieillard. Suppliante ou
prêtresse, elle jouit d'un privilège d'intimité avec la déesse que ne
partage point l'homme. C'est que la femme, et la femme seule,
peut circuler impunément du monde humain à celui de la nature.

Si l'iconographie de la Renaissance s'exprime par des métaphores empruntés à l'Antiquité, revêtant l'Artémis d'Éphèse et
« *Ops mater* » de la rhétorique allégorique, elle ne cesse de les
transformer à sa guise, de les ré-habiller en fonction de sa propre
conception des rapports entre la féminité et la nature. En fait,
bien que le motif de la femme-nature se trouve surtout chez les
graveurs ornemanistes et à l'école bellifontaine, le thème de la
complicité entre la femme et la nature sauvage n'est guère limité
aux fantasmes de l'élite. Beaucoup de contes et de légendes folkloriques du XVIᵉ siècle — cousins campagnards des récits merveilleux diffusés par les pamphlets urbains — racontent des histoires de liaisons entre femmes et animaux dont la progéniture
est tantôt monstrueuse, tantôt dotée du meilleur de ce que
contiennent les deux mondes. L'ours joue souvent le rôle de
ravisseur et la progéniture qui en résulte est moitié homme, moitié animal — tel Orson, homme sauvage [94]. Ces histoires de relations entre femmes et animaux, rendues plausibles par la prédis-
position mentale du public, étaient ensuite confirmées et actuali-
sées par les procès de bestialité [95].

Pour revenir à la morphologie de la mère-nature, certaines
représentations traduisent l'amour du XVIᵉ siècle pour l'image
grotesque d'une féminité monstrueuse. Un cartouche ornemental
encadrant un épisode de « L'Histoire de Jason et de la conquête
de la Toison d'or », suite de vingt-six estampes exécutées par
René Boyvin d'après les dessins de Léonard Thiry (Paris, 1563),
contient une évocation étonnante de la nature, femme-arbre
polymaste qui nourrit simultanément des animaux et des enfants
humains (fig. 40). Couchée sur le sol, elle s'abandonne aux nourrissons qui s'accrochent à ses mamelles. Un chien et une chèvre
attendent à leur tour auprès de la Grande Mère tandis qu'à l'extrême gauche du panneau décoratif un triton et un dauphin sortent des eaux pour assister à la scène. Illuminée en clair-obscur,
cette femme végétale entourée de ses créatures semble dormir
d'un sommeil agité, elle paraît presque souffrir. Le graveur a

Figure 40

René Boyvin, détail de la planche IX du *Livre de la conqueste de la Toison d'or par le prince Jason de Tessalie*, d'après Léonard Thiry, Paris, 1563.

choisi de créer ici une représentation dramatique de la Nature, une évocation troublante qui souligne le fait que cet être appartient simultanément à trois mondes. Les enfants qui se regroupent autour de sa tête ou qui s'agrippent à sa gorge suggèrent l'humanité là où son corps est le plus humain. Plus bas surgissent des animaux, tétant comme autant d'esprits familiers aux mamelles de la sorcière. Plus loin encore, les jambes se transforment en arbre et elle s'enracine dans la terre. Version horizontale de la « *Natura* » de Philippe Galle, cette image de la mère universelle exprime un malaise qui ne peut être attribué ni à un pur hasard ni à l'imagination fertile d'un artiste particulier[96].

En effet, malgré les enseignements de la théorie aristotélicienne selon laquelle tout homme est tripartite (à la fois humain, animal et végétal)[97], l'estampe refuse d'attribuer au sexe fort l'identité composite qu'elle réserve au sexe faible. On ne trouve nulle part de représentation masculine de la Nature, ni de composition qui identifie l'homme à plus d'un élément à la fois[98]. De ce fait, les gravures juxtaposant l'homme à la femme-nature révèlent des carences notables quant à l'homme, car celui-ci est pauvre là où la femme est riche.

Une estampe d'ornementation fournit un exemple éloquent des différences entre les physionomies féminine et masculine telles qu'elles sont conçues à l'époque. Deux modèles d'orfèvrerie, gravés sur une même planche par René Boyvin (Paris, 1550-1580), juxtaposent des salières dont une des décorations prend pour sujet la terre et l'autre la mer (fig. 41). La terre est une mère-nature aux seins multiples, entourée de sa progéniture : une multitude d'animaux de toutes espèces ainsi qu'un bébé humain à qui elle donne le sein. La mer est personnifiée par Neptune, identifié par son attribut — le trident — et par la présence d'hippocampes. D'une importance ornementale égale, les parties

Figure 41
René Boyvin, « Modeles d'orfeyrerie : deux salières », Paris, 1550-1580.

supérieures des deux salières ont plus ou moins la même densité d'éléments signifiants. La différence commence avec les supports décoratifs. Celui de Neptune figure deux jeunes tritons sonnant des buccins, séparés par des formes géométriques, un masque et, en guise dc pieds, deux petits sphinx. Seuls les tritons ont quelque rapport avec le motif central de la salière, le reste n'est qu'une ornementation dénuée de signification autre qu'esthétique. Le support de la salière de la terre, en revanche, est riche d'éléments qui contribuent au sens de l'ensemble. A la base du piédestal apparaît de nouveau la Nature, entourée de cadavres humains et animaux. Des ossements, un homme et un enfant, des animaux, jonchent le sol, abandonnés au dernier sommeil sous le regard impassible de leur Mère. Quant à la tige sculptée, on y voit un homme et une femme dans une position lascive, acteurs intermédiaires dans le jeu cyclique de fertilité et de mortalité auquel préside la Nature.

Si les richesses de la salière de la Terre contrastent de façon évidente avec la pauvreté des motifs attribués à Neptune, cette différence est loin d'être fortuite. La symbolique de l'estampe ornementale est souvent plus transparente que celle de la gravure allégorique dans la mesure où elle s'inspire généralement des lieux communs de la tradition iconographique, plutôt que des nouveautés ou des sujets à la mode [99]. Par ailleurs, l'innovation dans l'estampe ornementale se situe toujours plus au niveau du style que sur le plan du contenu. Dans cet exemple, un objet de table, orné d'éléments décoratifs censés évoquer la Terre, finit par créer une image complexe d'une féminité puissante, régnant sur un monde où elle domine à la fois l'homme et l'animal. En revanche, la symbolique « marine » qui entoure le personnage masculin ne peut en aucun cas rivaliser avec la complexité de son pendant. Les atouts du corps biologique se trouvent tous du même côté. C'est parce que, comme l'affirme Paracelse, « la femme est plus proche du monde que l'homme. L'homme, par contre, est plus éloigné de celui-ci dans l'anatomie [100] ».

Un tel pouvoir n'était pas toujours vu d'un œil bienveillant, d'autant plus qu'il mettait constamment en évidence la double allégeance du deuxième sexe. La comparaison de ces différentes personnifications de la Nature révèle, en fait, l'existence de deux attitudes divergentes vis-à-vis du corps féminin : l'une le valorise et l'autre s'en méfie. D'une part, la femme d'abondance, associée à la prospérité agricole, constitue une représentation positive de la fécondité, car elle se plie au service de la société humaine et reflète la maîtrise de l'homme sur la nature. D'autre part, la femme-nature nourricière renverse le *statu quo* : l'homme dépend d'elle, non seulement elle lui donne la vie, mais elle veille aussi sur sa mort. Pis encore, sa sœur, la femme-nature sauvage, qui n'appartient plus du tout à l'espèce humaine puisque sa physionomie monstrueuse incorpore des éléments animaux et végétaux. Visualisations d'une fécondité inépuisable et polymorphe, ces deux dernières personnifications impliquent une certaine indépendance biologique du corps féminin ainsi que son alliance à un monde qui n'était pas nécessairement utile, et même potentiellement hostile à celui des hommes.

Cet ensemble d'oppositions entre la femme-abondance « positive » (c'est-à-dire utile à la société humaine), la nature sauvage « négative » (ou au moins inquiétante et peu humaine) et le monde des hommes se résume encore plus clairement sous forme schématique, les flèches indiquant la direction de contrôle ou de domination exercée :

TABLEAU X

Société humaine		
Fertilité féminine +	=	La femme-abondance (Agriculture et élevage) Nature « domestiquée »
Fertilité féminine −	=	La mère universelle (Règne animal et végétation inculte) Nature « sauvage »
		Société humaine

Au-delà de l'identification visuelle du deuxième sexe à la ferti-lité végétale et animale, les associations positives et négatives de la femme au monde de la nature font écho au statut de la femme dans la société du XVIᵉ siècle. « Bonne » quand elle est « en ordre », quand elle s'offre en champ à féconder, quand elle fait de nombreux enfants dans le cadre d'une structure familiale dominée par l'homme, elle est « mauvaise » lorsqu'elle reproduit chaotiquement (engendrant des enfants adultérins ou des mons-tres), contrariant ainsi l'organisation sociale masculine et, par extension, l'ordre « naturel » du cosmos [101].

● **Le culte de la maternité**

Au XVIᵉ siècle, les fonctions biologiques qui différencient la femme de l'homme ordonnent entièrement la vie de celle-ci. Bien que l'époque lui reconnaisse trois étapes de vie, trois rôles poten-tiels au sein de la société — la virginité, le mariage-maternité et le veuvage [102] — la vocation réelle de la femme, sa raison d'être et la base de son identité sociale se fondent avant tout sur la vie conjugale et la progéniture.

La réhabilitation du mariage par la Renaissance et la Réforme s'est jointe à une évolution, au XVᵉ et au XVIᵉ siècle, d'une conception sentimentale de la famille et des bonheurs de la vie domestique dont une des principales conséquences est la valori-sation nouvelle de la femme épouse-et-mère. Seules vocations possibles en dehors de la virginité religieuse, l'état conjugal et la maternité sont devenus la cible d'une glorification iconographi-que qui a tendance à occulter toute autre occupation ou profession pour mieux identifier les femmes au foyer et les soumettre, elles et leurs enfants, au principe d'une autorité masculine et absolue.

Faire des enfants

Pour l'ensemble des autorités — religieuses et laïques —, le but premier de l'institution conjugale était la procréation. La paternité permettait à l'homme d' « acquérir une espèce d'immortalité, et en decours de vie transitoire, perpétuer son nom et sa semence [103] » en compensation de l'immortalité perdue lors de la première faute. Pour la femme, cependant, la maternité constituait un devoir souvent dangereux. L'effroyable mortalité infantile obligeait les parents à spéculer sur les chances du nombre afin d'assurer la survie de un ou de deux enfants. Rythmées par l'obligation de l'allaitement et par les moyens de contrôle pratiqués, les naissances se succédaient régulièrement tous les deux ou trois ans — le taux moyen de natalité dans la vie adulte d'une femme de condition modeste étant huit ou neuf enfants [104]. Une mère de milieu aisé qui disposait des moyens nécessaires pour alimenter sa famille en temps de disette et d'un refuge à la campagne lors des épidémies pouvait espérer la survie de quatre à six enfants sur dix ou douze. En revanche, l'épouse d'un artisan enterrait facilement deux enfants sur trois, et la femme du peuple pouvait se sentir heureuse si un seul de ses enfants atteignait l'âge adulte [105].

Le métier de mère était par ailleurs très hasardeux et les femmes mouraient souvent prématurément, épuisées par des maternités incessantes. La mortalité féminine lors de l'accouchement, ou dans les trois ou quatre semaines suivant la naissance, était également considérable, les dangers de la parturition étant responsables du taux de surmortalité qui apparaissait dans la tranche d'âge des 25 et 40 ans, c'est-à-dire entre l'âge moyen du mariage des femmes du peuple et l'âge de la ménopause, précoce à l'époque [106]. Les éléments les moins favorisés de la population souffraient des connaissances médicales souvent trop modestes de voisines ou de sages-femmes qui les assistaient pendant leurs couches, tandis que les milieux sociaux plus privilégiés profitaient des soins de médecins ou de sages-femmes de réputation.

Le regain d'intérêt que le XVIe siècle éprouva pour le mariage et la maternité eut des répercussions notables dans le domaine de la théorie médicale. La Renaissance vit le développement d'une médecine nouvelle qui traita la femme non plus comme un mâle

raté, mais comme une entité à part. Longtemps considérée
comme une créature inachevée, résultat d'un « accident » naturel,
le corps féminin a été enfin décrit dans sa spécificité aussi bien
physiologique que pathologique [107]. Cependant les nombreux
traités médicaux dédiés aux femmes se concentraient surtout sur
la fonction biologique de la reproduction. Opération délicate,
l'acte de conception était chargé d'interdits et réglé par des techniques spécifiques pour déterminer le sexe, l'intelligence, la
beauté, etc., de l'enfant à naître [108]. Enfin, la grossesse présentait
de nombreux périls, car les « envies » alimentaires ou les fortes
émotions de la mère pouvaient marquer le fœtus ou même provoquer une fausse couche [109]. Le moment le plus redouté était
toutefois celui de l'accouchement, la mort pouvant réclamer soit
la mère, soit l'enfant, et parfois les deux ensemble.

Accoucher

Confié presque exclusivement aux sages-femmes (ce n'est
qu'au XVIIᵉ siècle que les médecins-accoucheurs commencent à
s'imposer dans cette branche de la médecine, et seulement parmi
les classes privilégiées), l'acte de la naissance stimulait la solidarité féminine et suscitait la compassion générale [110].

L'estampe atteste l'importance accordée à cette épreuve biologique et la sollicitude qui entourait la femme en couches. Détail-
lant des représentations d'enfantement avec une minutie généralement réservée aux scènes de genre, l'iconographie prend pour
sujet la venue au monde de personnages historiques, pour la
plupart religieux. Ainsi la « Naissance de saint Jean-Baptiste »,
gravée par Étienne Delaune d'après Jules Romain (Paris/Stras-
bourg, 1557-1580), décrit les activités de la chambre de l'accouchée, les soins donnés au nouveau-né et les attentions prodi-
guées à la mère alitée (fig. 42). Cinq femmes assistent au bain du
bébé tandis qu'une sixième accourt avec le berceau. Une servante
chauffe des linges devant le feu et une jeune fille apporte à boire
aux voisines assemblées pour la traditionnelle visite à l'accouchée. L'émotion des femmes qui se pressent autour de sainte Élisabeth est très sensible. Elles l'embrassent chaleureusement, joi-
gnant leurs mains dans des gestes de prière et de remerciement,
car Élisabeth a survécu à une épreuve qui emportait des femmes
bien plus jeunes qu'elle.

Figure 42
Étienne Delaune, « Naissance de saint Jean-Baptiste », d'après Jules
Romain, Paris/Strasbourg, 1557-1580.

Si le père de l'enfant est absent de la chambre de l'accouchée, lieu d'autorité féminine, un autre homme tient quand même à s'y manifester. Tout en haut, penché à une fenêtre située au-dessus du lit, on voit Dieu le Père, entouré de nuages et d'angelots et qui dirige son regard bienveillant vers l'alitée, apportant à la mère l'expression de sa sollicitude. « Père » spirituel du nouveau-né, il bénit la sainte femme, lui accordant un statut équivalent à celui de l'enfant (situé, lui, au tout premier plan de l'image), tout en la soumettant à une présence masculine, présence qui imprime sur l'espace pictural la hiérarchie familiale de père-mère-enfant.

En tant qu'événement de première importance pour la vie sociale, la naissance constitue un rite de passage fondamental puisqu'elle transforme la femme en mère et le couple en famille. Mais si la parturition peut se qualifier d'acte social, elle reste cependant, toujours et surtout, un événement biologique dont le siège est le corps féminin. Les graveurs de la seconde moitié du XVIᵉ siècle restent sensibles à la douleur de la naissance et aux souffrances de la mère. Et les ornemanistes bellifontains, de même que les imagiers de la rue Montorgueil, évoquent avec compassion le supplice de la femme en couches, dessinant un visage tordu par la douleur, une bouche ouverte par un cri. Une gravure sur bois de la main de Jean Graffart, imprimée à la rue Montorgueil (Paris, v. 1575), met en scène la « Naissance d'Esaü et Jacob, filz gémeaux d'Isaac et Rebecca » (fig. 43). Assise sur le sol et entourée de femmes, Rebecca vient de donner le jour à ses deux fils jumeaux. Les traits encore marqués par la souffrance, elle s'appuie sur ses compagnes pour que la vieille sage-femme et son assistante puissent recevoir les enfants. D'autres femmes s'occupent des tâches habituelles aux scènes d'accouchement : elles préparent le lit, chauffent le linge, coulent l'eau du bain. Première d'une suite de six estampes racontant l'histoire de Jacob, cette image commence le récit par le moment prophétique où « Jacob naissant tient Esaü par le talon ». Les conséquences de ce geste symbolique sont ensuite évoquées à l'arrière-plan où :

> Esaü (peu prudent) vend pour une esculée
> De lentilles, son droict de primogeniture
> A Jacob, qui obtint de l'aisné la droicture

La naissance d'un enfant s'accompagne ainsi de signes qui auront une influence sur sa vie, signes souvent rappelés dans les gravures dramatisant ce moment. Tout en évoquant l'univers

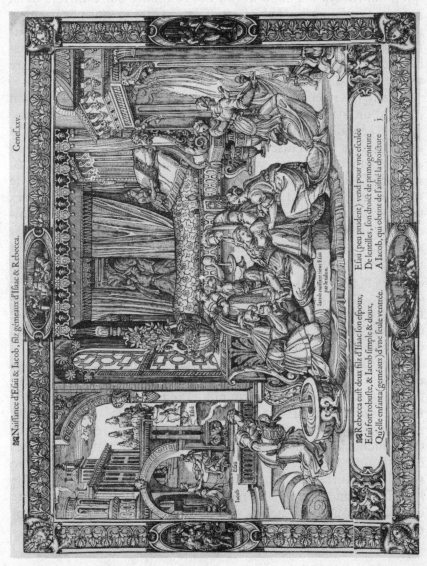

Figure 43
Jean Graffart, « Naissance d'Esaü & Jacob, filz gémeaux d'Isaac et
Rebecca », Paris, rue Montorgueil, v. 1575.

l'univers exclusivement féminin de la fécondité, les images de la partutition font référence aux mystères de la biologie maternelle qui s'impriment sur le nouveau-né. Branchée sur l'univers de la nature, la femme est habitée de forces secrètes qui pénètrent le monde humain à travers les ouvertures déchirantes de la génération. En transitant d'un monde à l'autre, de la matrice ténébreuse à la lumière du jour, le corps enfantin ne peut qu'être marqué lors de son passage [111].

Une telle violence, une telle puissance nécessitaient la mise en place d'un système de précautions. Ainsi la coutume des relevailles, généralisée dans tous les milieux sociaux, qui obligeait la mère à vivre en recluse pendant les quarante jours suivant son accouchement. Fondée sur la présupposition de l'impureté du sang de l'enfantement et de la pollution qu'entraîne cet acte de nature, la période d'isolement de l'accouchée comportait des tabous alimentaires et des rites de purification [112]. Or ces pratiques, qui ostensiblement avaient en vue la protection de la société contre les dangers de l'impureté maternelle, revêtaient une fonction supplémentaire évidente : ainsi la femme reprenait ses forces par un repos plus ou moins obligé. Mélange de précautions magiques et hygiéniques, la coutume des relevailles témoigne des facultés redoutables attribuées au corps féminin et des méthodes développées par la pratique sociale pour remettre de l'ordre dans la vie quotidienne bouleversée [113].

Dans la mesure où la naissance d'un enfant constitue un événement à la fois biologique et social, elle tend à renforcer l'identité contradictoire du sexe féminin, sexe passe-partout qui appartient simultanément au règne chaotique de la nature et aux structures familiales de la société humaine. Les représentations d'accouchement font donc écho au message normatif des images de la femme-nature : louable lorsqu'elle souscrit à une structure sociale dominée par l'homme (dans ce cas, la trinité familiale homme-femme-enfant), la parturiente est toujours inquiétante dès qu'elle ouvre les portes de son corps énigmatique, ce corps dont l'issue n'est jamais garanti.

Nostalgie de l'enfance et promotion du sentiment maternel

Les XVe et XVIe siècles européens ont « découvert » l'enfant comme personnalité iconographique. Auparavant limitée surtout à l'art religieux et à la représentation d'enfances saintes (la

Sainte Famille, l'éducation de la Vierge, la naissance de saint
Jean-Baptiste), la représentation plastique de l'enfant en bas âge
a pénétré l'imagerie laïque vers la fin du Moyen Age. Le bambin
est devenu ensuite un des personnages les plus fréquents des allégories et des scènes de genre où il apparaît dans les bras de sa
mère ou au sein de la famille, jouant avec ses compagnons, assis-
tant aux prédications, se mêlant aux activités de la vie quotidienne. Petite présence qui répond au goût du pittoresque et au
sentiment récent de l'enfance mignonne, cet acteur charmant est
rarement représenté seul [114]. Il est surtout associé à sa mère, avec
qui il forme un couple : unité fondamentale de la famille dont le
pendant est le père. Témoignage muet de l'évolution des mœurs,
l'image de l'enfant dépend surtout de la valorisation sociale de la
maternité.

« Caritas »

Au siècle de la Renaissance, l'allégorie de la Charité, Vertu théo-
logale, se retrouve tributaire d'une promotion générale de la
femme-mère et du thème nostalgique de l'enfance heureuse.
Alors qu'au XVe siècle en France la personnification de Caritas
portait un cœur et l'anagramme rayonnante de Jésus-Christ, le
modèle italien introduit au début du XVIe siècle — une femme
entourée d'enfants — ne tardait pas à éclipser son analogue
médiévale [115]. Le nouveau modèle était destiné à avoir un grand
succès dans l'estampe comme dans la peinture. S'appuyant sur
une conception sentimentale des joies de la maternité, les graveurs de l'époque excellaient à évoquer les diverses qualités de la
Charité, mère de famille nombreuse [116].

Bienveillante et affectueuse, celle-ci veille sur les enfants qui
jouent à ses pieds, caressant les bambins rondelets qui se pressent contre elle et embrassant leurs petits corps dodus. Caritas
est également nourricière : elle allaite les bébés qui s'ébattent
joyeusement sur ses genoux. Ainsi la Charité de Pierre Woeiriot,
illustration des Emblemes chrestiens de Georgette de Montenay
(Lyon, 1571), qui constitue un véritable hymne aux bonheurs de
la petite enfance et présente en modèle à suivre la maternité
féconde. Le bas âge apparaît ici comme une époque paradisiaque
sagement gouvernée par la douceur féminine (fig. 44). Assise au
milieu d'un groupe d'enfants, une jeune femme donne le sein au
plus petit, entourant d'un bras protecteur un deuxième enfant

Figure 44
Pierre Woeiriot, « *Non est fastidosia* », dans Georgette de Montenay,
Emblemes ou devises chrestiennes, Lyon, 1571.

qui répond aux attentions de sa mère en lui caressant le visage.
Deux autres — qu'elle surveille d'un œil tendre — jouent à côté
avec des oiseaux. Le cinquième enfant se tient à l'écart pour
indiquer du doigt l'ensemble alors que tout autour du groupe des
banderoles énumèrent les qualités propres à une bonne mère :
« *Non invidet* », « *Benigna est* », « *Patiens est* », « *Non irritatur* »,
etc.

Féconde et nourricière, patiente et bénigne, la Charité maternelle est le pendant social du mythe de la femme d'abondance.
Une estampe en taille-douce de Jean Chartier (Orléans, 1558-
1574) explicite l'équation entre le rôle social maternel et la ferti-

lité bénéfique de la nature [117]. Jeune et belle, la Charité de Chartier est en compagnie de trois petits enfants dont deux sont assis sur ses genoux. Elle donne le sein à l'un, tandis que l'autre brandit un bouquet de fleurs, symbole de la jeunesse, du printemps et de la fertilité. Le troisième dort par terre, couché sur quelques fruits, autres attributs de l'abondance. La présence de ces accessoires symboliques élargit considérablement sur la signification de la composition : entourée de bébés, de fleurs et de fruits, cette femme représente à la fois la nature généreuse et la maternité « charitable ».

Le thème du paradis de l'enfance, implicite dans toute allégorie de la charité féminine, crée l'image d'une société idéale composée seulement de femmes et de bambins. Ainsi une gravure de Jacques Androuet Ducerceau intitulée « L'enfance de Jupiter » (Paris, 1550-1555) fournit le prétexte pour évoquer une nature souriante, habitée de nymphes féeriques, occupées toutes aux soins du petit dieu. Alors que quelques-unes, drapées de robes flottantes à l'antique, préparent un bain pour l'enfant Jupiter, d'autres surveillent son sommeil au cœur d'un paysage idyllique. Des instruments de musique complètent le rêve, et voilà que le bain de bébé se transforme en paysage champêtre sur le modèle courtois.

Proches parents des allégories de la charité maternelle, les images de l'enfance paradisiaque, d'un âge d'or puéril, ont une signification particulière pour le XVIe siècle français. Tout comme les visions sentimentales et idéalisantes de la maternité charitable, ce thème trahit une nostalgie régressive pour la petite enfance : âge tranquille protégé par la tendresse féminine, âge trop tôt perdu dans une société où l'insécurité chronique a dû peser lourd sur le psychisme de l'homme adulte.

Le couple mère-enfant

Dans leur quasi-totalité, les représentations de mères et d'enfants excluent toute présence masculine et, surtout, toute référence au père. Cela est dû, sans doute, au fait que la haute main sur la petite enfance fait partie des devoirs obligés des femmes : les garçons restent sous l'autorité de leur mère jusqu'à l'âge de sept ans environ, tandis que les filles ne quittent jamais le giron maternel. La plupart des écrits sur l'éducation à la Renaissance impliquent, par ailleurs, un certain degré de symbiose entre l'enfant en bas âge et sa mère. Les auteurs insistent sur l'influence

que pouvait avoir une femme vis-à-vis de sa progéniture,
influence aussi facilement bénéfique que nocive dans la mesure
où elle dépendait entièrement des qualités et des mœurs maternelles. C'est pour cette raison qu'Érasme, Vives, Luther et Calvin [118] insistent sur un minimum d'instruction pour les femmes
afin qu'elles évitent les pièges de l'ignorance et élèvent « chré-
tiennement » leurs petits, « combien que l'enfant n'entende que
c'est vice ne vertu, toutesfois il se habituera & accoustumera
selon qu'il apprendra de la mère [119] ».

L'estampe confirme le rapport symbiotique mère-bambin en
représentant ce couple comme un équivalent de l'homme seul.
Une série de gravures de Jean Cousin (où se trouvent des modèles
censés enseigner l'art de dessiner le corps humain) figure la femme
en compagnie d'un enfant en bas âge alors que son pendant masculin est seul (Paris, 1540-1594). Tous les trois sont nus, seule la
femme est drapée d'un chiffon qui cache pudiquement son sexe,
témoignage iconographique du respect porté au corps maternel.

La femme « totale », celle dont l'identité physique a une valeur
égale à celle des hommes, est donc la femme-mère. Son petit
n'est qu'une prolongation de son corps, de sa féminité. C'est
d'ailleurs pour cette raison que les enfants participent au travail
féminin. Une autre estampe de Jean Cousin, la « Lapidation de
saint Étienne » (Paris, 1540-1594), montre une mère et son fils
qui se chargent d'apporter les pierres dont les hommes se servent
pour lapider le saint martyr [120]. La fonction auxiliaire de la
femme qui s'associe aux activités masculines, conséquence d'une
division du travail qui accorde aux hommes le rôle prépondérant [121], est secondée par l'enfant pendant tout le temps qu'il
reste sous l'autorité maternelle.

Devoirs et obligations de la maternité

La maternité est non seulement le premier devoir de la femme,
c'est également l'équivalent féminin du travail masculin, et cela
depuis l'origine du monde. Lors de la première faute, quand
Adam et Ève furent expulsés du Jardin du monde, les tâches
primitives assignées par Dieu prirent la forme de la malédiction
de l'enfantement et de la condamnation au labeur.

Les nombreuses séries d'images qui racontent l'histoire de la
Genèse tendent donc à juxtaposer la maternité d'Ève au travail
agricole d'Adam. Celle-ci est généralement représentée en train
d'allaiter l'un de ses deux fils tandis que son compagnon creuse
la terre avec un bâton. Parfois encore elle se repose, l'air épuisé,
à côté de ses enfants pendant qu'Adam travaille le sol (fig. 45).

Figure 45
Marin Bonnemer, « Lors commençant de peché les malheurs... »,
Paris, rue Montorgueil, v. 1575.

En vogue à la rue Montorgueil comme chez les ornemanistes, les suites d'estampes illustrant la Genèse insistent cependant sur le fait que le mal d'accouchement promis à la femme pour avoir enfreint le commandement de Dieu n'est que le début du « travail » de la maternité. Elle doit également s'occuper de sa progéniture, la nourrir, la laver, la vêtir, la prendre avec elle où qu'elle aille [122].

Les petits soins apportés aux bébés — allaiter, bercer, changer le linge — sont évoqués jusqu'aux menus détails par les graveurs de la seconde moitié du siècle. Le bambin choyé se trouve ainsi au centre d'une pléthore d'attentions féminines, la responsabilité de l'enfant en bas âge étant toujours dévolue à une femme, même si ce n'est pas la mère biologique [123]. Un beau document de ce genre est un bois intitulé « Comme s'appaisent les petits enfans », première gravure d'une suite de « Trente-six figures contenant tous les jeux qui se peuvent jamais enventer et représenter par les enfans... depuis le berceau jusques en l'aage viril », publiée à Paris par Guillaume Le Bé en 1587 (fig. 46). Dans une chambre garnie d'un lit à baldaquin, trois femmes s'occupent de leurs bébés : l'une balance son nourrisson au berceau, la seconde donne le sein à son fils en robe qui serre un hochet à la main, la troisième enseigne à marcher à un petit bonhomme qui se promène à l'aide d'un « chariot » à roulettes. Habillées à la mode du XVIe siècle en ménagères sobres de condition relativement modeste, ces trois femmes sont célébrées comme des mères modèles :

> La mère douce, honneste & naturelle,
> Berce l'enfant encor à la mammelle,
> Tout aussi tost qu'il veut son cri pousser ;
> L'autre son fils par un hochet appaise,
> La tierce, fait le sien marcher à l'aise,
> Au chariot, de peur de l'offencer.

La sollicitude maternelle mise en valeur par cette image est dictée aussi bien que décrite. Une bonne mère, « douce, honneste & naturelle », a l'obligation de prévenir les petits problèmes de son enfant, de le cajoler et de l'amuser, « de peur de l'offencer ». Sa vocation consiste à se dédier à ce petit être et subvenir à ses désirs. On se rend compte que la tendresse maternelle, que nous avons déjà vu dépeinte avec nostalgie dans les allégories de la Charité, est beaucoup plus qu'un sentiment encouragé. Au XVIe siècle, la maternité n'est pas seulement un fait biologique ou un plaisir, c'est avant tout un devoir social.

Figure 46
Guillaume Le Bé, « Comme s'appaisent les petits enfans », Paris, 1587.

Le Massacre des Innocents ou l'éloge du courage maternel

Si la représentation du lien affectif entre la mère et l'enfant a
connu un grand succès dans l'iconographie allégorique et religieuse, où les représentations de la Charité ou de la Vierge à
l'Enfant donnent lieu à des jeux de regards tendres et de caresses
réciproques, l'hommage le plus profond au sentiment maternel
est de loin celui du Massacre des Innocents.

Les graveurs sont unanimes quant à la signification première
de l'événement : ce n'est ni la cruauté des soldats, ni le sang des
bébés assassinés qui domine l'avant-scène, mais les efforts vail-
lants des mères pour préserver leurs enfants de la mort. Elles
s'interposent, intrépides, entre l'épée du meurtrier et le corps de
leur fils, s'attaquent courageusement aux agresseurs et leur grif-
fent le visage. Impuissantes devant le fer tranchant des soldats
d'Hérode, elles offrent néanmoins une résistance héroïque, prêtes
à embrasser la mort pour leur progéniture. Femmes fortes, mères
exemplaires, elles sont inconsolables lorsque leurs petits sont
abattus. Accroupies par terre, elles pleurent, désespérées, sur les
petits corps aux membres désarticulés.

Une gravure d'Étienne Delaune (d'après Raphaël, Paris/ Strasbourg, 1557-1576) témoigne assez clairement du sens profond de
cette histoire telle qu'elle est racontée par l'estampe (fig. 47).
Fidèle à la tradition iconographique qui accorde la primauté au
courage maternel, cette image contient un mélange de références
vestimentaires qui renvoient simultanément au XVIᵉ siècle et à
l'Antiquité classique. Le « message » du code vestimentaire est
donc double : il s'agit d'un événement qui relève à la fois des

Figure 47
Étienne Delaune, « Massacre des Innocents », d'après Raphaël,
Paris/Strasbourg, 1557-1576.

grands moments de l'histoire et d'une réalité toujours actuelle. Loin d'être un idéal abstrait, la mère vaillante du Massacre des Innocents fournit, pour ses contemporaines, un exemple à suivre.

Les mises en scène iconographiques du Massacre des Innocents insistent donc sur une interprétation héroïque du sentiment maternel, d'une maternité prête à garantir la vie de l'enfant, même au risque de la sienne. Véhicule fidèle d'une idéologie maternaliste en voie d'expansion, ce thème exalte le rôle protecteur que doit jouer la femme et souligne la fragilité de l'enfant en bas âge. Une telle insistance sur le protectionnisme maternel est d'ailleurs tout à fait symptomatique des préoccupations de l'époque à l'égard des nourrissons en danger [124]. Le XVIᵉ siècle accorda une attention particulière aux menaces qui guettaient la petite enfance, multipliant les ordonnances et les arrêts qui avaient pour but la prise en charge des bébés abandonnés et la prévention de l'infanticide, crime « contre nature [125] ». En fait, après l'abandon, la maladie et la malnutrition, le pire ennemi de l'enfant pouvait être sa propre mère. Si les imagiers vantaient l'intimité exclusive que partageait la femme avec sa progéniture, ils craignaient en même temps que cette exclusivité ne tourne mal, d'où l'urgence derrière la promotion de l'amour maternel et la ferveur d'une campagne de propagande sentimentale sur la « sainte vocation [126] ».

● La Vierge-mère

Le catalogue des représentations positives de la maternité serait incomplet sans qu'y apparaisse le prototype de la bonne mère : la Vierge Marie. Le thème iconographique de la Vierge à l'Enfant fut en effet le premier à témoigner, dès le XVᵉ siècle en France, d'une nouvelle conception de l'enfance. Les représentations rigides et liturgiques du Moyen Age — où la Sainte Vierge assumait une posture figée, tenant dans ses bras un petit Jésus sérieux, adulte en miniature — revêtirent, à l'aube de la Renaissance, des traits plus profanes à l'image de la vie quotidienne. Dans le groupe de Jésus et sa mère, les artistes soulignèrent alors « les aspects gracieux, tendres, naïfs, de la petite enfance : l'enfant cherchant le sein de sa mère ou s'apprêtant à l'embrasser, à la caresser ; l'enfant jouant aux jeux connus de l'enfance avec un oiseau qu'il tient attaché, avec un fruit [127] ». La Vierge du XVIᵉ siècle n'était plus la femme mystique et majestueuse de l'art du Moyen Age. Elle est descendue parmi les hommes pour partager leur monde, leurs bonheurs et leurs afflictions... et surtout leur amour pour les bébés.

Une mère comme les autres

En tant que « mère » de la chrétienté, une des fonctions les plus importantes de là Vierge Marie est la protection des hommes, ses « enfants », et son intervention en leur faveur — d'où la légendre accompagnant une Vierge à l'Enfant de Geoffroy Dumonstier (Fontainebleau, 1543-1547) : « Si aulcun a peche nous avons ung advocat auprez du pere [128]. » Ce rôle protecteur de la Vierge, qui constituait un des aspects fondamentaux du culte marial médiéval, continue au XVIe siècle à fournir un des thèmes principaux de l'imagerie religieuse « populaire ».

Une gravure sur bois de main anonyme (Paris ? v. 1550) donne un bon exemple de ce genre de représentation et de la forme anec-dotique ou narrative qui le caractérise (fig. 48). La « Vierge à l'Enfant entre saint Augustin et saint Nicolas de Tolentino » montre la Mère de Dieu menaçant d'un bâton un démon qui tâche d'emporter un petit garçon. L'enfant se réfugie auprès de la Vierge et s'accroche à son manteau, tandis qu'une jeune femme ahurie (sa mère ?) arrache sa coiffe d'un geste de déses-poir. Tout rentrera cependant dans l'ordre car le petit Jésus fait un signe de bénédiction en direction du gamin. Que font les deux saints pendant tout ce brouhaha ? Ils sont éloignés de l'action par une muraille, relégués à l'arrière-plan tandis que, dans le lointain, la vie quotidienne continue au cœur d'un paysage urbain peuplé de passants. Drame pieux qui s'apparente, par sa mise en scène théâtrale, aux « miracles » joués sur les places publiques des villes, cet incident témoigne surtout d'une identifi-cation entre la maternité divine et celle des mères de famille. Les saints hommes qui assistent au spectacle n'en sont que des témoins impuissants — la protection des enfants, même par inter-cession divine, est avant tout une affaire de femmes.

Du côté de l'art savant, le thème de la maternité sacrée parti-cipe à la valorisation du rôle maternel et du sentiment de la famille qui s'affirment au XVIe siècle. Les évocations attendris-santes de la petite enfance affectionnées par l'estampe bellifon-taine insistent sur la nature exclusive du rapport mère-fils et s'approchent, par l'abondance des détails, aux scènes de genre. Le lien privilégié entre mère et fils s'exprime généralement en termes d'affectivité : tantôt par des jeux intimes de gestes et de

Figure 48
Anonyme, « Vierge à l'Enfant entre saint Augustin et saint Nicolas de Tolentino, Paris ? v. 1550.

regards, tantôt par l'acte de l'allaitement. Une « Sainte Famille », burin de Jean Mignon (Fontainebleau, 1540-1548), explicite cette double attache — à la fois biologique et sentimentale — de la maternité (fig. 49). Assise par terre, la Vierge donne le sein au petit Jésus. Bercé sur le giron maternel, celui-ci agite ses jambes

Figure 49
Jean Mignon, « Sainte famille », Fontainebleau, 1540-1548.

avec une joie enfantine tandis que sa mère somnole, les yeux mi-clos, penchée tendrement sur son nourrisson. Le message de cette image de l'enfance sacrée ne pourrait être plus clair : *nec plus ultra* de la bonté maternelle, la Vierge Marie a été également une mère comme toutes les autres [129].

Dans la mesure où ils constituent un « couple » divin, la
Vierge et l'enfant Jésus sont souvent représentés seuls. De même,
lorsqu'ils apparaissent au sein de la Sainte Famille (dont ils sont
l'unité de base), ils sont toujours au centre de l'attention. L'évolution des mœurs se fait cependant sentir au cours du siècle, car
saint Joseph s'approche de plus en plus près du groupe femmes-
enfants des « Sacrées Conversations », créant ainsi une cellule
élargie de père-mère-enfant qui témoigne d'une mutation dans la
conception de la famille [130].

Au cours de la première moitié du siècle, le rôle plutôt effacé
que joue Joseph dans l'iconographie religieuse est compensé en
quelque sorte par une curiosité active, réaction probablement
stimulée par les excès du culte de la Vierge Marie. Leur union
fait ainsi l'objet d'une piété très sincère, mélangée à une spécula-
tion profane qui n'hésite pas à faire de Joseph une figure comique : le type d'époux doux et soumis qui prépare humblement la
bouillie à un enfant dont il n'est même pas le père [131]. Ce rôle
satellite généralement attribué à Joseph apparaît de façon éloquente dans une estampe ornementale, à la lettre « O » d'un
alphabet gravé sur bois dont l'auteur est inconnu (s.l., XVIᵉ siècle). La « Fuite en Égypte » qui s'y trouve figurée montre la
Vierge et l'Enfant sur un âne mené par Joseph. Or la Madone,
son fils et l'âne sont encerclés par la lettre tandis que Joseph se
trouve à l'extérieur [132]. A la fois présent et exclu, saint Joseph
rôde aux marges des scènes de la Nativité (où il s'occupe souvent
des bêtes) ou se tient à une distance respectueuse des « Sacrées
Conversations ». Vers le milieu du siècle, apparaissent des exceptions à cette règle d'éloignement. Le saint se rapproche de plus
en plus au couple mère-fils pour assister, avec une affection et un
intérêt paternels, aux jeux du Christ et du petit saint Jean. Il
arrive même que Joseph soit représenté au premier plan avec la
Vierge et l'Enfant. Ainsi une « Sainte Famille » de René Boyvin
(Paris, 1550-1580) le place à côté de son épouse où il s'amuse à
jouer avec le petit Jésus (il lui montre une poire). L'enfant
répond aux attentions paternelles avec enthousiasme. [133] Ce sont
les menus plaisirs du foyer qui sont répertoriés, l'harmonie de la
vie familiale présidée par la femme. En fait la femme *est* le foyer,
c'est autour d'elle que se crée la vie domestique. L'estampe
accorde, ici comme ailleurs, une place importante à l'image du
bonheur conjugal et à la famille comme refuge de bien-être et de
tendresse.

Déesse d'abondance

En dehors des représentations pieuses et sentimentales de la
Sainte Famille — où la Mère de Dieu assume les attitudes gra-
cieuses de la vie domestique quotidienne — les graveurs du XVIe
siècle ont privilégié des évocations mystiques de la Vierge
comme déesse d'abondance et divinité lunaire, incarnation du
principe féminin de l'univers. « La Vierge, le pied sur le soleil »
de Jean Duvet (Genève/Langres, 1540/1560) est typique de ce
genre d'image sacrée qui transforme la Vierge à l'Enfant en
déesse-mère mythique (fig. 50). Une couronne suspendue au-
dessus de sa tête, les pieds sur le soleil et la lune, elle tient une
cornucopia, symbole de la grâce divine (cf. fig. 36). Les plis de sa
robe à l'antique découvrent son sein et accentuent son ventre et
ses jambes, soulignant ainsi l'identité maternelle d'une silhouette
presque païenne. Marie s'apparente ici aux allégories de la fertilité agricole et aux déesses-mères antiques chères à l'iconographie savante. C'est en outre la femme qui l'emporte ici sur le
fils : la taille insignifiante de l'enfant et la façon dont il se blottit
contre sa mère le rendent presque invisible. Syncrétisme typique
de la Renaissance, ce mélange ingénu de paganisme et de christianisme est tout à fait caractéristique de l'art de l'époque [134].

Déesse de l'abondance, la Vierge est en même temps une
femme-ange, une divinité astrale. Lorsqu'elle apparaît comme la
« Femme revêtue de lumière » de l'Apocalypse, elle est généralement représentée ailée et couronnée d'étoiles, debout sur un
croissant de lune et entourée d'une mandorle de feu (le soleil).
En tant qu' « épouse de Dieu » celle-ci appartient aux cieux et
s'oppose aux ténèbres, règne de Satan d'où sort le monstre à sept
têtes : dragon, Antéchrist et diable. Thème commun à l'iconographie urbaine, à l'estampe bellifontaine et à la gravure d'illustration, la femme mystique de l'Apocalypse est le plus souvent
représentée dans son double rôle de mère et d'adversaire de la
bête diabolique. Une très belle estampe de Guillaume Saulce
(Paris, rue Montorgueil, v. 1575) accorde à la Vierge de l'Apocalypse un rôle central devant lequel pâlissent tous les autres éléments narratifs (fig. 51). Elle rayonne en déesse céleste, détachée
des événements qui l'entourent, resplendissant au milieu d'une
auréole flambante. L'enfant, tout petit, quitte sa mère et s'envole
vers Dieu le Père, qui se penche hors des nuages pour le recevoir.
A gauche se trouve le Dragon, dont une des sept têtes vomit
l'inondation censée emporter la femme-soleil, et tout autour sont

Figure 50
Jean Duvet, « La Vierge, le pied sur le soleil », Langres ? avant 1561.

Figure 51
Guillaume Saulce, « La Vierge de l'Apocalypse »,
Paris, rue Montorgueil, v. 1575.

disposés d'autres personnages et scènes de l'Apocalypse. La Vierge est cependant distante, détachée des combats qui se livrent autour d'elle. Érigée en idole, elle est douée d'une autonomie qui est due, en toute probabilité, à l'importance toujours grande du culte marial auprès des couches sociales moyennes et inférieures du tissu urbain.

Si l'imagerie « populaire » du milieu citadin accorde à la Vierge une certaine indépendance en tant que vedette du drame apocalyptique, la gravure d'élite semble beaucoup moins convaincue de son rôle principal lors du combat cosmique. L'Apocalypse figurée de Jean Duvet (Lyon, 1561), par exemple, équilibre l'importance des protagonistes. La planche qui oppose la « Femme revêtue de lumière » au monstre satanique divise l'espace pictural en trois parties plus ou moins égales : à gauche le dragon, à droite la Vierge et, en haut, Dieu le Père qui bénit l'enfant apporté par des chérubins (fig. 52). A l'inverse de l'estampe de Saulce, la densité des traits et la richesse des détails tendent à confondre les antagonistes plutôt qu'à les distinguer. La femme joint les mains dans un geste de piété, fixant des yeux son époux céleste, qui viendra à son secours, tandis que l'enfant, qui ne peut voler de ses propres ailes, est porté vers son père. Douce comme un agneau, cette femme-ange est beaucoup moins puissante que sa contrepartie de la rue Montorgueil, et bien davantage liée à l'autorité céleste et masculine dont elle dépend. Une telle différence n'est pas due à un hasard. Les graveurs en taille douce qui attribuent à la Vierge Marie les gestes de l'affection maternelle, qui se plaisent à transformer le thème de la Sainte Famille en scène de vie familiale ont également tendance à situer la mère du Christ au sein d'une hiérarchie divine. C'est que l'estampe savante, tout en louant les qualités de cette femme sans pareille, lui refuse l'autonomie relative accordée par l'imagerie urbaine.

En fait, si la conception mythique et religieuse de l' « épouse de Dieu » confie à la Vierge un statut supérieur à tout homme, elle est cependant toujours soumise aux deux « hommes » de sa « famille ». A la fois élevée et subordonnée, la position de Marie dans la hiérarchie religieuse correspond à celle des femmes dans la vie sociale de l'époque dans la mesure où elles y assument le rang du mari ou du plus proche parent mâle. Cette assimilation du sexe féminin au « standing » masculin pouvait ainsi doter la femme d'un rang social supérieur à celui de maints autres hommes bien qu'elle restât toujours sous l'autorité de son père, frère, mari ou fils. Ainsi, malgré son idéalisation comme déesse-

Figure 52
Jean Duvet, « *Hec Historia Apocalipsis* » de *L'Apocalypse figurée*,
Lyon, 1561.

mère, la Vierge de l'estampe savante se conforme au modèle social et cède la place d'honneur dès qu'elle se trouve en présence de son « mari » ou de son fils adulte. Une estampe de Léon Davent, « Les Apôtres contemplant le Christ et la Vierge dans des gloires d'Anges » (Fontainebleau, 1546), explicite cette mise en place de la Vierge de la part des graveurs en taille-douce. L'image en question est une variante de l'Assomption de Jules Romain qui orne l'abside de la cathédrale de Vérone. Dans la version française, Davent a ajouté le Christ à droite. La Vierge n'est plus la seule à recevoir la vénération des Apôtres, elle est accompagnée et éclipsée par son fils qui a pris en plus la position de supériorité traditionnelle de l'iconographie : il se trouve à droite alors que sa mère est reléguée au côté gauche. L'importance de Marie se trouve donc sensiblement diminuée par cette adaptation. Et ce n'est pas tout : non seulement la variante française livre un témoignage parlant sur la réticence des graveurs du Nord face aux excès du culte de la Vierge Marie, mais elle fournit également un exemple de leur refus de déifier inconditionnellement la femme à l'instar des Italiens néo-platoniciens [135].

Les chiffres confirment ces observations sur les limites imposées à la Vierge dans l'estampe de l'époque. D'une importance égale à celle du Christ au début du XVIe siècle, la Vierge s'y trouve lentement dépassée par son fils :

TABLEAU XI

Dates	Représentations de la Vierge et épisodes de sa vie	Représentations de la Vierge et du Christ ensemble	Représentations du Christ et épisodes de sa vie	Total nombre représentations
1500-1540	1 (17 %)	4 (66 %)	1 (17 %)	6 (100 %)
1540-1560	25 (28 %)	28 (31 %)	36 (41 %)	89 (100 %)
1540-1600	3 (7,5 %)	9 (22,5 %)	28 (70 %)	40 (100 %)
1560-1600	77 (34,5 %)	31 (14 %)	115 (51,5 %)	223 (100 %)
1500-1600	106 (30 %)	72 (20 %)	180 (50 %)	358 (100 %)

L'estampe sur feuille : chronologie quantitative des représentations de la Vierge Marie par rapport à celles du Christ [136].

Entre 1500 et 1540, les représentations du Christ (seul) et de la Vierge (seule) sont d'une importance égale (17 % chacun). Au cours du siècle cependant, les représentations du Christ augmentent rapidement (de 41 % en 1540-1560 à 70 % en 1540-1600),

alors que le nombre d'images figurant la Vierge seule et les illustrations d'épisodes de sa vie avant la naissance de son fils ne
progresse que lentement (de 28 % en 1540-1560 à 34,5 % en
1560-1600). Par un juste retour des choses, les gravures évoquant
les deux ensemble diminuent progressivement (de 66 % en 1500-
1540 à 14 % en 1560-1600). En moyenne, le siècle accorde 50 %
des gravures au Christ, seulement 30 % à la Vierge et 20 % aux
deux ensemble. Recul, donc, du culte marial par rapport à celui
du Fils et lente dissociation des deux dans l'iconographie religieuse. Les conclusions à en tirer seraient riches, surtout en vue
du nombre de graveurs protestants parmi les artistes de l'élite.
Qu'il suffise cependant de constater ici le déclin de popularité de
la Sainte Vierge, déclin qui coïncide avec une mise en place de la
Mère de Dieu dans l'estampe savante. Si, en tant que mère
modèle et déesse de la fertilité, elle jouit toujours d'une certaine
autonomie — formant avec son bébé une unité —, elle occupe
toutefois une place secondaire par rapport à Dieu le Père et au
Christ adulte. Seule l'imagerie urbaine, gravure « populaire »,
reconnaît dans la Vierge Marie une personnalité potentiellement
indépendante de l'autorité masculine.

*

* *

L'éloge des fonctions biologiques du corps féminin, fonctions
qui se manifestent au sein de la vie sociale dans la personne de la
mère nourricière, donne lieu à une valorisation de la femme
dans l'estampe allégorique et religieuse. Les personnifications de
la Paix et de l'Abondance qui l'identifient à la fertilité de la terre
cultivée transmettent une représentation positive d'une nature
« domestiquée » soumise au service de l'homme. A ces visions
mythiques de la fécondité correspondent d'autres allégories et
d'autres personnages : une contrepartie sociale est fournie par la
Charité « maternelle » et un pendant religieux par les portraits
mystiques de la Vierge en « déesse de l'abondance ». Pourtant,
même si tous les milieux de l'estampe s'adonnent à une promotion enthousiaste de la maternité, l'iconographie véhicule un discours idéologique limitatif. L'image tend à renforcer l'encadrement familial de la femme et à dénombrer les devoirs qui lui
incombent [137].
Le succès graphique de sujets représentant les caractéristiques
biologiques spécifiques au second sexe (et surtout les fonctions

corporelles dérivantes de la maternité) est, en fait, symptomatique d'une interrogation générale sur la nature féminine, qui préoccupe autant les gens de lettres que les hommes de science, et qui dure tout au long du siècle. Mais, comme le remarque Évelyne Berriot-Salvadore à propos du discours médical, la valorisation d'une identité biologique ne traduit pas nécessairement une promotion réelle de la femme. Cela peut même mener à une réduction de l'espace accordé à son identité sociale : « Paradoxalement, la revalorisation du sexe féminin qui, dans un premier temps, passe par la découverte et la reconnaissance d'une autonomie spécifique conduit finalement à une représentation plus réductrice encore : la femme ne serait plus qu'un vase pour la fécondation et disparaîtrait en tant qu'être particulier pour devenir un simple instrument de génération [138]. »

Porteuse d'une image à la fois agrandissante et réductrice du corps féminin et de la vocation maternelle, l'estampe laisse transparaître, sous les ambiguïtés du discours, l'existence d'un certain malaise à l'égard des fonctions reproductrices. Alors que les bois « populaires » de la deuxième partie du siècle mettent en scène tout le folklore de l'acte de naissance, où l'enfant vient au monde marqué par les signes prophétiques de l'accouchement, l'estampe d'inspiration savante insiste également sur le corps magique et puissant des femmes ; d'où des allégories telles que celle de la *Natura* en tant que Mère universelle qui, devenue jardinière, fait « pousser » les hommes dans la terre. Être mythique, mère des humains comme des animaux et des plantes, la femme-nature voyage impunément entre trois mondes — humain, animal ou végétal —, d'où sa puissance déconcertante et sa supériorité par rapport aux hommes, communs mortels [139].

Quelques schémas aideront à distiller les composants essentiels de la conception mythique et sociale de la biologie féminine telle qu'elle apparaît dans l'estampe [140]. Le tableau suivant regroupe les thèmes iconographiques parcourus selon la qualité qui les inspire : la fertilité du corps féminin (fertilité qui l'associe à l'abondance agricole), la maternité « positive » ou l'éloge du sentiment maternel encadré par les structures de la vie familiale, et, finalement, la fertilité-maternité « négative », celle qui transmet une image de la biologie féminine comme extension du monde de la nature sauvage.

TABLEAU XII

Qualités féminines	Thèmes iconographiques	Milieux de production	Dates
Fertilité (femmes « d'abondance »)	Abondance/Paix (nature « domesti-quée ») Vierge (déesse d'abondance) Charité (nature généreuse)	Livres d'emblèmes École de Fontainebleau Ornemanistes	1540-1560
Maternité + (« encadrée », idéalisée et sentimentale)	Charité maternelle	Livres d'emblèmes École de Fontainebleau Lyon	1540-1600
	Mères « comme il faut »	Rue Montorgueil	
	Massacre Innocents Vierge à l'Enfant Sainte Famille Sacrées Conversations Accouchements (avec présence masculine)	École de Fontainebleau Ornemanistes	
Maternité − (« inquiétante » et autonome, à la fois humaine, animale et végétale)	Accouchements (sans présence masculine) Mère Universelle (nature sauvage)	Rue Montorgueil Ornemanistes	1560-1600

Remarquons que les allégories reposant sur une vision mythique de la fertilité appartiennent plutôt à l'estampe savante — étant l'œuvre d'emblématistes et de graveurs par l'école de Fontainebleau —, alors que les représentations de la maternité sociale apparaissent dans *tous* les milieux de la gravure. Quant aux effets potentiellement nuisibles ou déconcertants de la génération, ils n'apparaissent que vingt ans environ après les autres — c'est-à-dire à partir de 1560 —, les imagiers urbains insistant plus sur une mise en scène « folklorique » de l'accouchement et les graveurs ornemanistes sur la progéniture monstrueuse de la Mère-nature. Ce décalage chronologique des représentations correspond, en effet, à une évolution générale du discours iconographique sur la femme, sur laquelle nous reviendrons, à une évolution où les dangers qu'elle incarne se multiplient brusquement à partir des années 1560.

Pour conclure avec la représentation « positive » de la fécondité féminine, une dernière observation s'impose : la valorisation de la maternité et l'insistance sur la place de la femme-mère au sein de la vie domestique trouvent une expression à tous les étages de la production graphique. De même, l'estampe religieuse, les évocations de l'unité familiale et les personnifications mythiques de la nature reprennent et confirment les mêmes structures, une même image d'une féminité bénéfique « encadrée » par un univers masculin. Le schéma suivant démontre plus clairement l'omniprésence de cet échafaudage hiérarchique, les flèches indiquant le sens du rapport dominant-dominé qui en résulte :

TABLEAU XIII

Dieu/Christ	Mari/Père	Monde des hommes/Société humaine
↓	↓	↓
Vierge (mère)	Femme (mère)	Nature « domestiquée » (agriculture)

En effet, la fertilité et la maternité ne peuvent être représentées de façon positive que lorsqu'elles sont soumises à une superstructure masculine. Quand le corps échappe à cette hiérarchie à la fois divine, sociale et naturelle, c'est alors qu'il devient inquiétant. Cependant, la biologie féminine, se suffisant à elle-même, ne se plie pas automatiquement aux exigences de l'univers humain. D'où la nécessité de l'encadrer, de la surveiller, de l'entourer d'interdits et, surtout, de lui assigner une place aussi réduite que précise au centre de la vie sociale [141].

3. LA VIE SOCIALE : UNE VOCATION DOMESTIQUE

« Femme prudente & sage est l'ornement du mesnage »
« Maison sans femme & sans flame, corps sans ame »
(G. Meurier, *Thresor de sentences dorées,*
Anvers, 1568.)

« Qui a femme de bien vit longtemps bien »
« Femme sage et de façon de peu remplit sa maison »
(A.J.V. Le Roux de Lincy, *Le Livre des proverbes
français... de la Renaissance,* Paris, 1859.)

Au-delà des bienfaits de la maternité, les représentations positives de la femme qui la situent au sein de la vie sociale chantent ses louanges comme épouse fidèle et bonne ménagère. L'estampe se prête ainsi à une promotion de l'institution du mariage et du rôle joué par la maîtresse de maison dans la création du bonheur familial. Ange du foyer, celle-ci est célébrée comme compagne affectueuse de l'homme et moteur de sa félicité domestique.

En faisant écho aux proverbes contemporains, la gravure atteste d'une reconnaissance de fait envers l'épouse soucieuse du bon gouvernement de la maisonnée. Les images illustrent également une conception affective de la famille en évoquant, à l'intérieur des demeures, l'amitié des époux (fondement de l'équilibre conjugal) et les menus douceurs de la vie quotidienne. Miroir de son époque, l'estampe accorde à la femme un rôle déterminant dans la gestion de la cellule familiale sans négliger pour autant la délimitation restrictive de son identité sociale.

● Le bonheur conjugal

> « Nous voyons bon nombre de gens tant heureux
> à ceste rencontre, qu'en leur mariage semble reluire
> quelque idée et repraesentation de paradix ».
>
> (Pantagruel, dans le *Tiers Livre*
> de Rabelais, 1546.)

Le double courant humaniste et réformateur qui s'efforçait, au cours du XVIe siècle, de réhabiliter l'institution du mariage a dû s'acharner contre des *a priori* établis par le christianisme médiéval [142]. Alors que le clergé de la Contre-Réforme continuait à prôner l'existence contemplative du célibat comme le meilleur moyen de se préparer à la vie de l'au-delà, les humanistes de la Renaissance tendaient à revaloriser l'état conjugal en termes d'amour chrétien. D'autre part, la Réforme protestante encourageait une conception du mariage comme seul état acceptable en proclamant le sacerdoce universel, en supprimant les monastères et en permettant aux pasteurs d'avoir une famille. Luther et Calvin prirent tous deux femmes pour donner l'exemple.

La réhabilitation de la vie maritale par les humanistes et les réformateurs eut comme conséquence un élargissement des buts qu'on lui attribuait. La procréation d'enfants et le soulagement de la concupiscence — pendant longtemps les fins premières reconnues au mariage — firent place à une promotion de l'amitié au sein du couple et à une conception de l'épouse comme consolatrice. On trouve un peu partout l'affirmation que Dieu créa la femme pour « l'aide, esbatement et société de l'homme [143] », « non seulement pour procréer mais aussi pour société de vie et soulagement de son humanité... [pour] estre vraie compaigne & loyale consorte, participant avec lui en toutes choses soient prosperes ou adverses [144] ».

Le couple

> « ... il n'y a chose en ce monde qui se puisse egaller en comble de delices & consommation de tous plaisirs au mariage, auquel il se trouve si grande communité de corps, & union d'esprits, que par telle alliance ils semblent deux transformez en un... l'amitié conjugale est divine & celeste, laquelle ne peult estre estincte que par la seule mort. »

(J. de Marconville, *De l'heur et malheur de mariage,* Paris, 1563.)

Selon les promoteurs de l'union conjugale, le mariage était censé reconstruire l'unité primitive du premier couple. Comme « Ève & Adam », la femme devait être pour son mari « fille, sœur, espouse & compaigne [145] ». Fidèle donc à la pensée sociale de son temps, l'estampe représente le mariage d'Adam et Ève comme l'archétype de l'union chrétienne.

Une très belle gravure de l'orfèvre protestant Jean Duvet montre ce premier couple au moment de la bénédiction nuptiale (Genève/Langres, 1540-1560). Adam et Ève viennent de se donner la main, leurs beaux corps nus rappelant au spectateur qu'ils sont toujours à l'état d'innocence (fig. 53). Au centre, Dieu le Père est en train de bénir les époux comme le ferait un prêtre ou un pasteur : debout entre les deux, les pieds sur le soleil, celui-ci matérialise le lien divin qui les unit désormais. Autour des protagonistes, une foule d'anges et d'archanges assiste à la cérémonie tandis qu'une multitude de têtes enfantines évoquent la progéniture future des parents de l'humanité. Or, tout commence bien mais promet de finir mal, car Satan guette. Un petit démon enroulé aux pieds d'Ève la dévisage en attendant, la tête appuyée sur les mains, alors que l'assemblée entière est dominée par le pommier du péché originel. Bien qu'il soit consacré par Dieu, ce mariage porte déjà l'enseigne de la faute. C'est d'ailleurs à cause de cette faute que toute épouse a l'obligation de se soumettre à son conjoint. Comme l'affirma Calvin, les femmes « doivent penser qu'elles portent le salaire du péché d'Ève quand elles sont sujettes à leurs maris [146] ».

Dans la mesure où le premier mariage s'est fait sous l'ombre du pommier fatal, toute union entre homme et femme se calque nécessairement sur l'archétype — car le mythe est vérité. Un emblème d'Alciati, « Sur la foy de Mariage » (Lyon, 1549), repré-

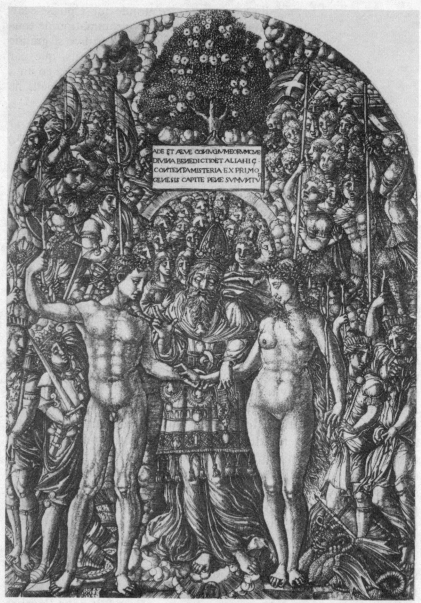

Figure 53
Jean Duvet, « Le mariage d'Adam et Ève », Genève/Langres, 1540-1560.

sente ainsi un couple au pied d'un pommier chargé de fruits
(fig. 54). Référence obligée au péché originel, l'arbre représente

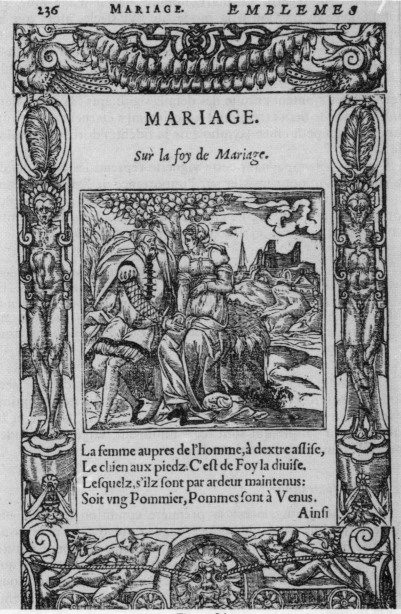

Figure 54
Pierre Eskrich (?), « Sur la foy de Mariage », dans Andrea Alciati,
Emblèmes, Lyon, 1549.

également l'amour physique qui consolide l'union conjugale. Assis l'un à côté de l'autre, la main dans la main, les deux époux échangent un regard. Le mari, homme barbu d'âge mûr, est habillé avec distinction à la mode du XVIᵉ siècle, alors que sa femme est plus simplement mise d'une robe à la fois antique et moderne. Des monuments en ruine complètent la référence à l'Antiquité et soulignent l'identification entre l'épouse vertueuse et les femmes modèles de l'ère classique. A la symbolique de l'ensemble s'ajoutent ensuite des détails signifiants : la dame tient un bouquet de fleurs (référence au printemps éternel de l'amour) tandis qu'un petit chien (symbole de la fidélité) dort sur la traîne de sa robe [147].

Le texte accompagnant cette vignette reprend les éléments de la composition pour insister sur l'importance de l'affection dans la vie matrimoniale. Que le pommier y soit associé à Vénus plutôt qu'à l'arbre biblique ne change pas grand-chose à sa signification. C'est toujours à l'union physique qu'il fait référence :

> Au mariage de l'homme, & de la femme, est amour, & foi, desquelles le signe est le chien fidèle, & bien aimant son maistre. Et pource que souvent cest amour, & foi conjugale, est entretenue par la charnelle conjunction des corps : Pource bien y advient ung pommier, avec ses fruictz. Car la pomme est dediée à Venus, à qui la pomme d'or fut adjugée.

L'union des époux, la « charnelle conjunction des corps », sert donc à renforcer l'édifice conjugal. Il n'y a aucune mention d'enfants ni de but procréateur du mariage : c'est l'amitié et la solidarité du couple qui sont ici à l'honneur, érigées en fondements de l'institution matrimoniale.

Le paradis domestique

Si l'amitié conjugale est la première condition du bonheur domestique, une compagne douce, sage et prévoyante peut assurer, au-delà de la félicité maritale, l'harmonie de toute l'unité familiale. Maintes allégories des mois et des scènes de genre qui illustrent le repas de la famille — rituel quotidien qui réunit tous les membres de la maisonnée — reconnaissent ce rôle clef détenu par la femme.

Au cours du XVIᵉ siècle, l'iconographie des mois connaît une transformation significative à ce propos car elle devient domestique. Le thème traditionnel des travaux de l'année s'élargit pour inclure des scènes de la quotidienneté familiale [148] Les représentations du « Mois de janvier », par exemple, occultent la vie à l'extérieur pour évoquer la chaleur du foyer et l'intimité conjugale. Première d'une suite de douze estampes gravées par Étienne Delaune, ce mois est représenté par un couple assis à table, à qui on sert un repas et le traditionnel gâteau des Rois (Paris, 1568). Installés près du feu, l'un à côté de l'autre, ils causent familièrement, la femme accompagnant ses propos d'un geste, les yeux fixés sur le visage de son mari (fig. 55). Le grand feu dans l'âtre,

Figure 55
Étienne Delaune, « Mois de janvier », Paris, 1568.

les mets appétissants qu'apportent les serviteurs et les activités de cuisine perçues à l'extrême droite donnent à la scène un air de bien-être et de félicité domestique. Le mari occupe la place du prestige, trônant sur un fauteuil magnifique devant la cheminée tandis que son épouse occupe un tabouret plus loin du feu. Cependant, bien que celui-ci soit au centre des attentions conjugales et des soins des serviteurs, c'est la vie du couple qui est ici mise à l'honneur, les délices du foyer dont jouit l'homme fortuné qui possède une telle compagne prévoyante et affectueuse.

Ainsi l'écrivait Jean de Marconville à la première page de *L'heur et malheur de mariage* : « Il n'est heur semblable à celui qui procede du mariage paisible & tranquille, ouquel *(sic)* consiste le complet du contentement temporel des humains & le comble de tous les plaisirs que lon pourroit souhaiter en l'estat de ceste vie mondaine » (Paris, 1563).

Mariage signifie aussi famille, cellule de base de la société, microcosme où le mari règne en père, en roi, en dieu. La doctrine chrétienne — catholique comme protestante [149] — sur le gouvernement des familles se fonde surtout sur le IVe commandement du décalogue (que les réformés appellent V[e] commandement) : « Père et Mère honoreras, afin que vives longuement », et sur l'Épître aux Éphésiens où saint Paul établit en ces termes l'autorité du père de famille sur sa femme, ses enfants et ses domestiques : « Femmes, soyez soumises à vos maris, comme au Seigneur... Enfants, obéissez à vos parents selon le Seigneur... Serviteurs, obéissez à vos maîtres... avec crainte et tremblement... Servez-le avec empressement comme servant le Seigneur. » Monarchie de droit divin, l'autorité du père de famille constitue le sommet de la hiérarchie familiale. C'est le reflet et la garantie de l'ordre social, de la structure immuable de l'univers tel qu'il a été constitué par Dieu [150]. La place accordée à la femme est entre l'homme et l'enfant, entre son mari et ses domestiques. Strictement assujettie à son époux, elle lui doit obéissance et respect, ayant droit en retour à la considération sinon à l'amour : « Que le mari domine comme chef de la femme et non pas comme tyran ; que la femme de son côté s'assujettisse avec modestie à lui servir, complaire et obéir [151]. »

Voit-on cette hiérarchie familiale dans l'estampe ? Surtout dans les représentations du repas de la seconde moitié du siècle et surtout en milieu protestant, où ce thème assume une valeur de symbole. Une allégorie de la Concorde gravée par Robert Boissard (Francfort, v. 1590) représente une famille à table au moment du bénédicité (fig. 56). C'est le père qui récite la prière, chapeau à la main, tandis que les membres de la maisonnée écoutent, les mains pieusement jointes. Comme l'allégorie d'Étienne Delaune, cette gravure évoque la tranquillité d'un foyer où règnent la foi, la discipline et l'harmonie. Ici, cependant, c'est la famille qui l'emporte sur le couple, famille relativement nombreuse (six enfants et deux servantes) dont la simplicité vestimentaire contraste avec le confort de la demeure (il s'agit sans doute d'un portrait de milieu réformé). Au pied

Figure 56
Robert Boissard, « *Concordia* », Francfort ? v. 1590.

de la table, il y a même le chien du maître et le chat du foyer, acteurs iconographiques de rigueur dans toute évocation de la vie familiale.

L'estampe de Boissard reproduit les signes de la hiérarchie domestique déjà remarquée chez Delaune. Le *pater familias* a le privilège du fauteuil alors que les autres se contentent de tabourets ou restent debout. En plus de la distinction du confort, la place de chacun est disposée selon un certain ordre : le maître de maison est installé en haut de la table, sa femme à sa droite, ensuite le fils et la fille aînés en face des autres enfants et des servantes. Remarquons, pourtant, que le manque de statut est en partie compensé par les besoins de la faiblesse et d'un droit de proximité de la cheminée — ce sont les plus petits qui sont le plus près du feu. A chacun sa place donc, son droit au siège ou à la chaleur au sein d'une vie familiale où le bien-être est assuré par l'ordre et l'affectivité qu'elle incarne.

• Enfermer pour surveiller ou l'épouse idéale

L'économie domestique du XVIᵉ siècle se fonde sur la répartition complémentaire des rôles masculin et féminin où la femme s'occupe des espaces « domestiques », internes et privés, alors que l'homme se charge des sphères « politiques », externes et publics. Au mari revient le prestige et l'autorité ainsi que les contacts sociaux extra-familiaux, à l'épouse la gestion de la maison, l'éducation des enfants en bas âge, la direction de la cuisine et la surveillance des serviteurs. Elle ne quitte le foyer que pour se rendre à l'église ou sur des lieux « publics », centres d'activités ménagères (le marché, le four, le lavoir, le puits). L'architecture sociale de l'espace divise ainsi la vie familiale en intérieur et extérieur, en féminin et masculin. Règle générale, cette répartition des aires de responsabilité s'applique tant aux couches sociales supérieures qu'aux milieux « populaires », ruraux et urbains, où le travail des femmes n'est en général qu'un prolongement de leurs obligations domiciliaires [152].

Cette situation de fait est renforcée par de nombreux textes de moralistes, de légistes et de théologiens qui prônent une sphère d'activité féminine qui ne dépasserait le seuil domestique qu'en cas de stricte nécessité. Les auteurs de traités sur les devoirs de la bonne épouse et mère insistent sur les vertus de la recluse, limitent ses déplacements et ses activités, circonscrivent ses gestes et ses paroles [153]. Ils affirment à l'unanimité la fragilité essentielle de la femme et l'obligation de la protéger contre elle-même. Encadrée par une structure familiale où l'autorité du mari assure la stabilité de l'édifice, la ménagère est non seulement tenue de renforcer cet ordre social, mais également d'exercer une discipline personnelle selon laquelle son corps reste clos à l'image du logis. En fait, en même temps que l'estampe sur feuille dépeint les mérites de l'épouse vertueuse — ange gardien du bonheur domestique — l'emblématique reflète une toute autre réalité en la représentant comme une prisonnière plus ou moins volontaire.

C'est surtout l'emblématique d'inspiration humaniste qui privilégie cette vision réductrice de la femme modèle. Cinq recueils « humanistes » échelonnés entre 1536 et 1567 contiennent treize emblèmes représentant la vie conjugale de façon positive. Sur ces treize images, sept dépeignent la ménagère idéale comme une femme « fermée » [154]. « La renomée plus que la beaulte de femme est de pris », emblème d'Alciati (Paris, 1536) en établit le modèle (fig. 57) : une figure nue aux cheveux dénoués est debout au milieu d'un bel intérieur d'époque, une pomme à la main et le pied sur une tortue. Flanquée par deux tourterelles, symboles de l'amour constant, elle incarne la bonne épouse telle qu'elle fut représentée par Phidias :

> Phidias feist une statue
> De Venus dame en volupte.
> Soubz ses piedz meist une Tortue
> Ou les meurs de femme a moste [montré]
> La tortue garde son hostel
> Pour faire voix ne ouvrant la bouche.
> Et tost a teste & pieds boute
> En sa maison des quon la touche.

L'emblème d'Alciati s'inspire d'une statue décrite par Plutarque dont le symbolisme frappa particulièrement le XVIᵉ siècle. Plusieurs auteurs la citent comme une sorte de proverbe en pierre, modèle immuable de la bonne conduite féminine. Jean de Marconville par exemple, en discutant de *L'heur et malheur de mariage,* mentionne « Phidias statuaire » qui « fist l'effigie de Venus aux Elienses, de telle sorte & representation qu'elle marchoit dessus une tortue, denotant par cela que c'est l'estat d'une femme que de garder la maison sans courir çà et là. Aussi que la femme doit sur toutes choses garder silence & ne parler jamais qu'avec son mari, ou par le congé & consentement d'icelui » [155].

Repris et remodelé par la majorité des emblématistes, la femme-tortue d'Alciati accumule un long catalogue de variantes

Figure 57
Mercure Jollat (?), « La renomée plus que la beaulte de femme est de
pris », dans Andrea Alciati, *Livret des emblemes*, Paris, 1536.

au cours du siècle. Guillaume de La Perrière, auteur du premier
livre d'emblèmes français, ne manque pas de lui rajouter des
détails supplémentaires. Ainsi le dix-huitième emblème du *Théâtre des bons engins* (Paris, 1539) figure une jeune femme nue
debout dans un paysage. Elle tient une grande clef à la main et
porte un doigt à ses lèvres tout en contemplant l'inévitable tortue, accessoire de rigueur qui se trouve, comme le veut la tradition, sous son pied (fig. 58).

Figure 58
Anonyme, Emblème XVIII de Guillaume de La Perrière, *Théâtre des bons engins*, Paris, 1539.

> Anciennement telle fut la paincture
> De la déesse aux impudicques dames :
> Par laquelle toutesfois, ne luxure
> Signifioient, ne quelques cas infames :
> Mais remonstroient aux bien honnestes dames,
> Ce que garder leur seroit de besoing.
> La tortue dit, que femme n'aille loing,
> Le doigt levé, qu'à parler ne s'avance,
> La clef en main denote qu'avoir soing
> Doibt sur les biens du mari par prudence

Des élaborations sur ce thème ne tardent pas à suivre. L'*Hecatomgraphie* de Gilles Corrozet (Paris, 1540), qui s'inspire librement de La Perrière et d'Alciati, prend comme sujet « La statue de Caia Cecilia » pour réitérer le même message (fig. 59) :

> Toute femme pudicque
> Doïbt estre domesticque
> Non pas aller dehors
> pour mielx monstrer son corps.

Le bois illustrant cet emblème figure une femme nue, debout sur un piédestal, qui tâche de préserver sa modestie en couvrant de ses mains ses parties « honteuses » (geste pudique de la Vénus de Médicis). Par terre se trouvent une quenouille, un fuseau et une pantoufle :

> Le roi Tarquin eut une fille saige
> Bien entendant au faict de son mesnage,
> Dans sa maison par si bon ordre & sens,
> Par faictz privez honnestes & decentz,
> Que les Romains apres sa mort lui feirent
> Si grand honneur qu'une image establirent
> A sa louenge, affin que s'esvertue
> Chascune femme à voir cette statue,
> Pres de laquelle estoient une queloigne [quenouille]
> Et ung fuseau dont la femme besoigne,
> Puis tout au bas la pantoufle de chambre.
> . . . .
> ... L'image ainsi pourvueue
> Tiroit à soi de tout chascun la veue,
> Et mesmement des grandz dames Romaines
> Qui s'efforcoient en leurs vertus humaines
> Se démonstrer prudentes mesnageres
> En leurs maisons, & dehors non legieres,

La statue de Caia Cecilia.

Toute femme pudicque
Doibt estre domesticque,
Non pas aller dehors
Pour mielx monstrer son corps.

Figure 59
Anonyme, « La statue de Caia Cecilia », dans Gilles Corrozet, *Hecatom-graphie*, Paris, 1540.

Car telle image assez faisoit entendre
Que toute femme a vertu debvoit tendre
Qu'elle debvoit estre laborieuse,
Des faictz d'aultrui non pas curieuse,
Et ne debvoit sans grand cause & raison
Aller en ville & laisser sa maison.

Semblable à ses prédécesseurs quant à l'interdiction de sortir, Corrozet insiste avec La Perrière sur l'importance du travail féminin et sur les devoirs de la bonne ménagère [156]. « Actualisée » ensuite au profit des lectrices-spectatrices de l'emblématique, le thème de la femme-tortue, femme « fermée », transmet surtout l'image d'une double clôture : celle de l'épouse à l'intérieur de la maison et celle des ouvertures du corps, la bouche et le sexe.

Adrien Le Jeune attribue une importance particulière à cette vision limitative du rôle féminin, consacrant trois de ses cinquante-six emblèmes à ce même sujet (Anvers, 1567). Le premier des trois — « Les Vertus de la femme » — est presque identique au dix-huitième emblème de La Perrière : une femme habillée à l'antique se trouve debout sur une tortue au milieu d'un beau paysage. Elle porte la main à sa bouche et tient un trousseau de clefs. Malgré la similitude des gestes et des attributs mis en scène par ces deux emblèmes, un examen plus détaillé révèle chez Adrien Le Jeune une attitude plus sévère à l'égard de la ménagère. En premier lieu, alors que celle de La Perrière est nue, la « femme de vertu » du médecin hollandais est pudiquement vêtue d'une robe antiquisante. En second lieu, la figure de La Perrière ne fait que toucher ses lèvres d'un doigt tandis que celle du Hollandais utilise sa main entière comme bâillon. En dernier lieu, le personnage féminin du *Théâtre des bons engins* pose seulement un pied sur la tortue symbolique alors que l'autre s'en sert comme d'une estrade pour se détacher de la nature environnante, pour s'isoler encore plus du monde. A l'appui des altérations iconographiques, le texte d'Adrien Le Jeune est également plus critique vis-à-vis des défauts à obvier, plus catégorique quant aux mesures nécessaires pour le maintien de la vertu féminine :

Au dessoubz des deux piedz la tortue est pressee :
La main droicte soustient un grand trousseau de clez,
L'autre estoupee la bouche ou elle est redressee.
Femme ne doibt avoir ses pas trop esgarez.
Elle ne doibt aussi estre sotte & langarde,
Et à bon droit des biens lui appartient la garde.

L'austérité que traduit cet emblème est relativement nouvelle. Symptôme d'un durcissement d'attitude à l'égard de la femme qui se manifeste dans l'estampe au cours de la deuxième moitié du siècle, elle trahit une certaine méfiance envers l'épouse vertueuse dont les défauts ne sont que refoulés, prêts à resurgir dès qu'elle enlève la main de la bouche, dès qu'elle sort de sa maison-coquille. Interprète d'une conviction courante de l'époque, l'image de la femme-tortue confirme l'idée reçue que l'instabilité fondamentale de la nature féminine nécessite une vigilance continue, jointe à une répression systématique.

A ce moment apparaît également dans l'emblématique une variante redondante sur le thème de la femme « fermée » — c'est la Vénus « Spartiate » dont les membres sont liés. A l'origine, cette allégorie était censée représenter la force des liens affectifs : « Le laz ou le lien, signifie l'amour, aussi Venus a pris son nom latin de *vinculum,* pour autant qu'elle lie. On lit dans Pausanie d'une statuë de Venus qui est liée & garottée, pour demonstrer que les femmes se doivent tousjours vertueusement, & loyaument porter envers leur maris [157]. » Étant donné les préoccupations des emblématistes quant à la clôture corporelle de l'épouse modèle, le thème de la « Spartienne Venus » s'est admirablement adapté à des réflexions d'ordre domestique. Adrien Le Jeune, par exemple, ajoute à la symbolique originelle une pléthore de détails signifiants (fig. 60). Assise sur un trône, cette déesse est dépeinte en prisonnière, ayant des fers aux pieds et les yeux bandés. Nue comme la Vénus d'Alciati, sa modestie est néanmoins préservée par un tissu drapé autour des jambes. Plusieurs autres éléments font écho au modèle alciatien : elle tient des pommes dans son giron et deux tourterelles roucoulent près du trône. S'y trouve cependant un acteur supplémentaire, Cupidon, qui se presse contre sa mère. Compagnon habituel de Vénus, il sert surtout à identifier cette femme nue et ligotée comme déesse de l'amour. Transformée en femelle apprivoisée, enchaînée à son siège, aveuglée par un bandeau, cette Vénus domestiquée est donnée en exemple à toute femme sage, qui « doibt pareillement/Garder bien soigneusement/Sa maison & son mesnage ».

La représentation de la ménagère idéale en femme « fermée » n'était pas tout à fait novatrice lorsqu'elle est apparue dans le livre d'emblèmes au cours des années 1530. Une feuille volante allemande d'Anton Woensam représentant « *Die Weise Frau* » (v. 1525) attribue à la femme parfaite des pieds en forme de sabots de cheval (pour « marcher dans l'honneur »), un crucifix à

EMBLEME XII.

Le douaire d'vne femme,

La Spartienne Venus
Eut lesdeux piedsretenus
D'vn cep qui l'arreſtoit
prise.
Vn bandeau elle porta
Qui ſon regard areſta,
Et ſi fut touſiours aſſiſe,

La chaſte honte & l'amour
Ou conſtance faiſt ſeiour
Siet bien à la femme ſage:
Elle doibt pareillement
Garder bien ſoigneuſement
Sa maiſon & ſon meſnage.

Figure 60
Anonyme, « Le douaire d'une femme » dans Adrien Le Jeune, *Emblèmes*,
Anvers, 1567.

la main, une tourterelle sur le cœur et un cadenas sur la
bouche [158]. De même, l'hôtel Jacques-Cœur à Bourges montre au
premier étage une femme sculptée en pierre dont les lèvres sont

enserrées par un cadenas. Précédents parlants, ces exemples permettent de supposer l'existence antérieure d'un modèle ou d'un groupe de thèmes iconographiques qui auraient préparé le terrain aux femmes-tortues de l'emblématique.

L'aspect peut-être le plus significatif de l'exploitation de ce thème par les emblématistes est son caractère systématique. Tous les recueils « humanistes » dédient au moins un emblème à ces « vertus de la femme », et si les recueils religieux — catholiques et protestants — abandonnent des réflexions d'ordre domestique, on trouve toujours des personnifications voisines où ne manquent ni brides, ni verges, ni clefs [159]. Ces témoignages éloquents confirment le rôle réduit réservé à la ménagère par les classes dirigeantes du milieu urbain tout en transmettant la persistance d'une certaine méfiance à son égard, méfiance qui reflète la place effectivement importante qu'elle occupe dans la vie quotidienne. On n'enferme que ceux dont on a peur, afin qu'ils soient empêchés de nuire. Or, comme le démontrent les chapitres suivants, le corps de la femme, son regard, ses paroles sont considérés comme autant de dangers potentiels. Elle est l'adversaire naturel de l'homme, d'où le besoin de l'enfermer pour mieux s'en protéger. La femme idéale ? C'est avant tout celle dont on n'a plus rien à craindre.

● Le travail

Célébrée lorsqu'elle se soumet à l'homme au sein de la vie familiale, étiquetée « vertueuse » quand elle s'enferme dans l'univers domestique, la silencieuse gardienne des clefs peut se vanter d'une ultime qualité : elle est industrieuse. L'estampe privilégie la représentation de diverses occupations jugées comme propres aux femmes tout en en passant d'autres sous silence : c'est que l'image a surtout tendance à valoriser le travail domestique tout en écartant, par ses lacunes, des occupations considérées comme sans importance ou impropres au deuxième sexe.

Filer

Au XVIᵉ siècle, l'occupation féminine par excellence est celle du filage et de la fabrication de tissus. Savoir commun aux ressortissantes de toutes les classes sociales, l'art du fil leur appartient par coutume, car « faire ouvrages de laine, prendre quenouilles, tourner le fuseau, mettre au giron le cabasson, besogner à l'eguille, de soie ou sur le mestier... tousjours a esté l'art des femmes [160]. Travail de première nécessité pour les femmes du peuple, qui fabriquent une grande partie de leur linge de maison et de la garde-robe familiale, l'aiguille étant également pratiquée par les dames de la plus haute société. Vives affirme que « la roine Isabelle de Castille, femme de Ferdinand roi d'Arragon, voulut ses quatre filles sçavoir filer, couldre, besogner de l'eguille, & paindre en laine & soie [161] », et Brantôme raconte que Catherine de Médicis « passoit fort son temps les après disnées à besogner après ses ouvrages de soie, où elle y estoit tant parfaicte qu'il estoit possible [162] ». Les femmes de tout âge et de toute condition sociale consacrent donc beaucoup de temps à cet art domestique qu'elles apprennent très tôt (généralement à partir de l'âge de cinq ans), d'autant plus que le travail du fil est considéré comme le travail premier de toute bonne ménagère. Les textes citent en exemple Pénélope et Lucrèce, deux parangons de vertu qui passèrent leurs heures de solitude à cette besogne domestique, car « telles occupations d'œuvres [sont] agremens de femme prudente, diligente & pudique [163] ».

Partout dans l'estampe les femmes tiennent la quenouille, bobinent le fil, travaillent au grand métier à tisser et, dans la mesure où cette occupation est considérée tâche « exemplaire », celle qui file assume facilement dans l'iconographie une valeur de symbole. C'est ainsi que maintes allégories de l'Industrie se trouvent personnifiées par une femme cousant, entourée de fourmis ou d'abeilles : l' « *Industria*» de Jacques Androuet Ducerceau (Paris/Genève, 1540-1585) montre un personnage habillé à l'antique occupé à manier l'aiguille, des fourmis et des outils de couture (instruments du travail « féminin ») à ses pieds ainsi qu'une statue, une urne, une médaille (produits d'activités « masculines ») (fig. 61).

Au-delà de sa valeur symbolique, la représentation d'un groupe de femmes occupées à filer et à tisser fournit aux graveurs l'occasion d'évoquer la vie paisible du foyer. Antonio Fantuzzi, peintre graveur bellifontain, crée autour des « Filles de Ménée » (Fontainebleau, 1542) une scène de tranquillité domestique (fig. 62). Les trois sœurs sont représentées à l'ouvrage au centre d'une salle imposante. Douces et diligentes, elles incarnent la vertu féminine et la concorde de la vie d'intérieur. Remarquons par ailleurs que la quiétude de cette scène contraste avec le tumulte du dehors qu'on perçoit à travers les fenêtres. Encore une fois l'estampe souligne le fait que l'espace féminin est l'intérieur paisible et l'extérieur actif le domaine des hommes.

Figure 61
Jacques Androuet Ducerceau, « *Industria* », d'après Aeneas Vico,
Paris/Genève, 1540-1585.

Bien que les représentations du filage visent généralement à documenter l'utilité sociale attribuée au travail féminin, le fil et la couture peuvent également évoquer le côté mystérieux de la femme : les sorcières chevauchent une quenouille pour se rendre au sabbat et les trois Parques, magiciennes de l'Antiquité, sont généralement dépeintes comme des fileuses. Ainsi, comme la plupart des occupations féminines valorisées dans le cadre de la vie sociale, le filage constitue l'une des zones de pouvoir réel accordées au deuxième sexe, d'où l'insistance des graveurs sur l'encadrement domestique et/ou symbolique de cette activité.

Figure 62
Antonio Fantuzzi, « Les filles de Ménée », d'après le Primatice,
Fontainebleau, 1542.

Cuisiner et soigner

Cuisiner

Si, dans les milieux les plus pauvres, la cuisine est un domaine surtout féminin, même dans les milieux les plus aisés il incombe à la maîtresse de maison de surveiller la préparation des aliments.

Lorsqu'elle apparaît dans l'estampe, la cuisinière figure généralement en leitmotiv, en détail anecdotique qui ajoute une note d'actualité aux scènes d'histoire biblique ou aux allégories des mois. Ainsi, une servante accroupie devant l'âtre dans le « Mois de janvier » d'Étienne Delaune (cf. fig. 55) tient une poêle au-dessus du feu. De même un petit bois de Geoffroy Tory — « Marthe et Marie » (Paris, 1525-1533) — montre une des saintes femmes qui, ayant momentanément interrompu sa besogne, parle au Christ. Elle garde toujours une grande cuillère à la main pendant qu'au fond de la pièce deux autres femmes continuent à préparer le repas, l'une maniant un couteau et l'autre s'occupant d'une marmite.

L'association de la femme et de la nourriture surgit un peu partout dans l'estampe. Extension, au bénéfice de la famille entière, de sa fonction biologique de mère nourricière, la préparation des aliments relève de son identité féminine. D'ailleurs, que ce soit au sein de la vie sociale ou au milieu de la nature, c'est la femme qui s'occupe des transformations. C'est elle qui convertit la nourriture « crue » en condiment « cuit », qui assure le passage de la nature à la culture, qui transforme le sauvage en domestique, qui opère enfin d'innombrables métamorphoses dont la cuisine n'est qu'une manifestation au niveau du quotidien.

Soigner

A l'époque de la Renaissance, le savoir culinaire et le savoir médical populaire se confondaient dans la pratique sociale. En effet, jusqu'au XIXᵉ siècle, « l'essentiel de la médecine empirique, magique ou religieuse se pratiquait dans le cadre familial. Si le médecin était appelé parfois pour donner les soins de base, la mère, la grand-mère ou la nourrice exerçaient une action quotidienne : elles faisaient souvent le diagnostic des maux et utilisaient un catalogue de remèdes qui se transmettait de génération en génération [164] ». Cette aptitude médicale attribuait à la femme une fonction essentielle dans la vie domestique. Vives recommande à la jeune fille de qualité d'apprendre « a faire cuisine

& apprester viande a ses parents... mesmement a ceulx qui sont malades. Elle n'aura honte de soi empescher de la cuisine, sans laquelle les ergotans & desgouttez ne viennent en convalescence, ni les sains vivent [165] ». Par ses connaissances en matière de cuisine la femme peut donc assurer la santé de sa famille et la guérison des malades. C'est d'ailleurs une des raisons pour lesquelles les hommes se marient : en pesant le pour et le contre du mariage, Panurge affirme *(Tiers Livre* de Rabelais) qu'un des gros avantages de l'état conjugal est précisément la dévotion avec laquelle l'épouse soigne son mari, car « le sage dict : là où n'est femme, j'entends merefamilles, et en mariage légitime, le malade est en grand estrif » (chap. IX).

L'image de la femme soignante appartient à tous les milieux de l'estampe. Elle est omniprésente dans les « *Arts moriendi* » xylographiques des XVe et XVIe siècles où elle apporte au mourant une boisson ou de la viande. Elle figure également dans la gravure d'illustration, dans l'emblématique et dans l'estampe bellifontaine où elle fournit au malade des médicaments ou des repas, veille auprès de lui, assiste à la consultation du médecin et prie à côté du lit [166]. L'association de la femme aux soins médicaux est enfin tellement évidente que Philippe Galle s'en sert pour personnifier la Santé [167].

Bien que la première sphère d'activité de la femme soignante fût le foyer, elle pouvait à l'occasion dépasser le cadre domestique pour répondre aux besoins d'un plus vaste public. Un exemple : une gravure sur bois ornant une Lettre d'Indulgence imprimée entre 1520 et 1525, qui évoque l'intérieur de l'Hôtel-Dieu de Paris (fig. 63). Ce sont toujours des femmes — des religieuses — qui s'occupent des malades alités, leur donnant à manger et enveloppant les trépassés dans des linceuls. Le soin des malades recueillis dans les hôpitaux était, en effet, généralement laissé aux religieuses, aux dames charitables et à un certain nombre de femmes rétribuées [168]. De même, la tradition voulait que les dernières attentions portées au corps défunt soient assurées par des femmes qui lavent le corps et le préparent pour l'ensevelissement, alors que les hommes devaient se tenir à l'écart [169]. La responsabilité de la toilette du mort revient au deuxième sexe tout comme celle du nouveau-né. Comme on l'a déjà remarqué à propos des personnifications féminines de la Nature, c'est toujours la femme qui fait « passer » l'homme de la vie à la mort et, dans la vie sociale, c'est souvent à travers l'acte de laver, acte chargé d'efficacité symbolique, que s'exprime son rôle de « passeuse » [170].

Figure 63
Anonyme, « Lettre d'indulgence » (détail), Paris ? v. 1520.

Alors que l'estampe sur feuille tend à valoriser le rôle de la femme soignante aux grands moments de la vie humaine — la naissance, la maladie, la mort — l'emblématique témoigne d'une certaine méfiance à son égard. En effet, une « infirmière » peut se tromper par ignorance ou par excès de zèle et, en ce cas, ses potions peuvent aussi facilement aggraver la condition du malade que l'améliorer. Le cinquantième emblème du *Théâtre des bons engins* (Paris, 1539) met ses lecteurs en garde contre les remèdes erronés de femmes ignorantes. Dans un intérieur d'époque, un homme souffrant est couché dans un grand lit à baldaquin ; une femme (habillée à la façon du XVIᵉ siècle, c'est déjà mauvais signe !) lui apporte un grand verre. Hélas, il n'en aura aucun bien car elle se trompe de cure (fig. 64) :

> Qui donne vin à ung febricitant
> Il ne le fait qu'eschauffer davantage :

Figure 64
Anonyme, Emblème L, de Guillaume de La Perrière, *Théâtre des bons engins*, Paris, 1539.

Le vin est chauld, & la fiebve excitant,
Au patient porte tesgrand dommaige.

Remarquons que le malade en question est un homme plutôt qu'une femme. Acteur social d'une importance supérieure à celle du deuxième sexe, l'homme est néanmoins sa victime — c'est lui qui souffre des conséquences des « fautes » féminines. Ici comme

ailleurs, l'estampe affirme l'idée reçue selon laquelle le « mal »
que fait la femme prend généralement comme cible sa contrepartie masculine, que ce mal soit voulu ou pas. Malgré ses bonnes
intentions, la garde-malade nuit autant par excès d'amour que
par défaut de connaissances.

Le XVIᵉ siècle marque en effet une étape dans la prise en
charge du savoir médical par les hommes médecins, étape qui
passe par le dénigrement systématique de la pratique féminine.
Des traités de « superstitions » — tels que les *Erreurs populaires
touchant la médecine et le régime de santé* de Laurent Joubert
(1587) — invectivent les femmes car elles importunent les
malades et les assomment d'attentions. Joubert affirme, par
exemple :

> ... que les femmes tuent les febricitans d'abstinence de boire,
> abondance de vivres, & ennuyeuse couverture [...] les femmes
> viennent à un excès qui est insupportable ; & travaillent plus les
> patiens, que ne font le reste du peuple. Cela provient d'une condi-
> tion naturelle, qui les meut à outrepasser les bornes de mediocrité,
> & estre tousjours excessives plus que les hommes, en leurs affec-
> tions & œuvres [171].

Même la femme la plus dévouée risque donc de pécher par
excès et de faire du tort à celui qu'elle soigne. Et pour celles qui
font de la pratique médicale une profession — les sages-femmes —, la fin du XVIᵉ siècle marque les débuts d'une offensive
dévalorisante de la part du corps soignant masculin qui les
accuse d'ignorance et d'ineptie. Dans cette querelle entre sages-
femmes et accoucheurs, les premières seront éventuellement
perdantes [172].

*
* *

La logique qui sous-tend l'allocation des tâches féminines au
service de la vie quotidienne repose, en partie, sur une transposition des fonctions biologiques en fonctions sociales. En tant que
mère nourricière, la femme est également responsable de l'ali-
mentation, de la cuisine, de la médecine. Protectrice des petits
enfants, elle s'occupe de ceux qui, par faiblesse ou maladie,
dépendent des autres. Source de vie, elle veille également sur la
mort. Tout ce qui touche au corps entre dans son domaine.

Les responsabilités qui lui incombent par ce fait lui donnent un certain nombre de pouvoirs qui peuvent revêtir des formes et des valeurs différentes selon leur contexte. Ainsi la cuisinière, si elle est bonne ménagère, peut nourrir sa famille alors que sa contrepartie négative, la sorcière, confectionne des philtres néfastes. De même la garde-malade, représentante d'un savoir médical « populaire », peut aussi facilement guérir que nuire [173]. L'estampe valorise ainsi le rôle clef détenu par la femme dans le contexte social tout en exprimant des réserves à son égard. Porte-parole des préoccupations « bourgeoises » des emblématistes comme des préjugés des milieux dirigeants, la gravure témoigne encore une fois de la tendance, du côté des cultures au pouvoir, à restreindre les activités féminines au strict domaine domestique et à délimiter leurs sphères d'influence [174].

Aider

Au-delà des travaux spécifiquement féminins dépeints par l'estampe — la maternité, le filage, la cuisine et le soin des malades — apparaît une quantité d'activités où les femmes sont associées au travail des hommes, surtout dans le cadre de l'exploitation agricole. Comme l'a précisé Martine Segalen, les travaux d'agriculture, « occupation de 80 % à 90 % de la population française de l'époque... nécessitaient une collaboration quotidienne des deux sexes à cause de la répartition des tâches. Les activités domestiques associées à la gestion de la maison et de la basse-cour revenaient aux femmes alors que les gros travaux, tels le labourage des champs et l'exploitation des vignes, relevaient du domaine masculin. Séparés par leurs tâches complémentaires comme par la répartition de l'espace qui en résultait, hommes et femmes collaboraient lors des grands moments de la vie agricole : la moisson, les vendanges, la tonte... Leur coopération s'effectuait selon une organisation hiérarchique, comme dans les couples faucheur-ramasseuse ou berger-tondeuse, où l'homme assumait le travail plus spécialisé, plus lourd, plus prestigieux et la femme remplissait un rôle d'auxiliaire ». Cependant, « si la force physique commande dans bien des cas cette répartition, elle n'intervient pas dans de nombreuses tâches et la distinction est alors culturelle » [175].

La spécialisation des activités masculines et féminines au cours des travaux agricoles ainsi que l'association hiérarchisée qui en résulte sont clairement visibles dans les illustrations des Livres

d'Heures et dans les suites allégoriques des mois de l'année [176].
On y voit des femmes traire les vaches, puiser l'eau, couper
l'herbe pour les animaux — tâches féminines par excellence. Ailleurs elles secondent les hommes : elles cueillent les raisins que
foulent ceux-ci dans une cuve, elles ramassent et transportent les
tailles de vigne que coupent les vignerons, elles préparent la pâte
du pain qui sera cuite par un boulanger, elles apportent à manger aux laboureurs qui retournent la terre à la charrue [177]. Une
très belle estampe d'une série gravée par Étienne Delaune
(Paris/Strasbourg, 1557-1580) représente le « Mois de juin » par
la tonte des moutons (fig. 65). Deux paysannes, l'une jeune, l'autre âgée, sont occupées à tondre des brebis près d'une habitation
rurale. Situées à la limite de la basse-cour et surveillées par un
berger qui dirige les travaux d'un doigt impérieux, elles sont
doublement encadrées : par l'espace domestique comme par l'autorité masculine. A l'arrière-plan, juste devant la maison, se
trouvent deux autres fermières : l'une puise de l'eau et l'autre
trait des vaches. Autonome quand elle travaille à l'orée du domicile, la femme rurale acquiert une position de subordonnée dès
qu'elle quitte son terrain propre, dès qu'elle dépasse l'aire des
activités ménagères. Soumise d'emblée à la hiérarchie familiale,
la paysanne est également conditionnée par la hiérarchie du
travail.

*
* *

D'une valeur documentaire précieuse et détaillée lorsqu'il
s'agit d'illustrer les tâches agricoles attribuées aux femmes, l'iconographie présente des lacunes surprenantes quant à leur travail
dans le cadre urbain. On ne voit guère, par exemple, de marchandes, ni en boutiques ni derrière les bancs des marchés. La
seule exception à cette règle du silence — une vendeuse de
cierges, habillée en bourgeoise et installée devant une église
(Paris, bois anonyme, 1550-1570) — est probablement une caricature protestante dirigée contre Catherine de Médicis [178]. Les
filles de joie et les servantes sont les seules femmes « profession-
nelles » qui apparaissent régulièrement dans l'estampe. Il y avait
pourtant des professions réservées par tradition au deuxième
sexe : celle des lingères, par exemple, ou celles des rubanières, des
bonnetières-enjoliveuses, des brodeuses et doubleuses de soie [179].
Les femmes travaillaient également dans l'artisanat et les arts

Figure 65
Étienne Delaune, « Mois de juin », Paris/Strasbourg, 1557-1580.

« mécaniques » : les épouses, les mères et les filles d'artisans aidaient souvent à l'atelier ou au magasin tandis que les ouvrières, dont les salaires étaient inférieurs d'un tiers sinon de la moitié à ceux des hommes, pouvaient à l'occasion concurrencer la main-d'œuvre masculine [180].

Il est fort probable que les silences de la gravure au sujet du travail féminin reflètent la réduction progressive de leur autonomie sociale et professionnelle — phénomène qui s'intensifie au cours du XVIe siècle —, tout en faisant écho aux préceptes de la culture dominante selon laquelle la place de la femme était au foyer. Période marquée par l'inflation et la crise monétaire, par des hausses de prix qui ne furent guère suivies par celles des salaires, le siècle de la Renaissance entraîna un rétrécissement aigu du champ du travail. En résulta un antagonisme entre hommes et femmes sur le terrain de l'exploitation économique qui incita les corporations à rédiger de nouveaux statuts beaucoup plus rigoureux, statuts qui excluaient les femmes des professions artisanales et limitaient leur participation au commerce. Quant aux corporations féminines, il n'en restait que trois à la fin du siècle : celles des lingères, des boutiquières et des chambrières [181]. Même l'activité des femmes appartenant à la famille d'un artisan ou d'un boutiquier était strictement délimitée par les statuts corporatifs.

La diminution de l'autonomie professionnelle féminine au cours du XVIe siècle assume une signification supplémentaire lorsqu'elle est mise en rapport avec la hiérarchisation sociale qu'imposa l'absolutisme naissant. Dans le domaine du travail comme au sein de la famille, le rôle des femmes fut défini par le modèle monarchique. En sus des règlements corporatifs réduisant l'étendue de la participation féminine aux activités économiques, la législation royale tendait à renforcer les pouvoirs du mari et à faire de la femelle une incapable, qui ne pouvait conclure aucun acte sans l'autorisation du plus proche parent mâle [182]. On ne demandait aux femmes que de rester au foyer, de faire des enfants et de garder leur chasteté. Que le travail féminin représenté par l'estampe soit surtout domestique ne doit en rien nous surprendre. En tant que véhicule de la pensée des classes supérieures et moyennes, l'estampe servait l'évolution idéologique en affichant les modèles les plus aptes à appuyer le devenir social.

4. STRUCTURES ET LIMITES DES VERTUS FÉMININES

Dans l'ensemble, les images qui octroient des qualités spécifiques au beau sexe tendent à positionner la femme vertueuse dans un contexte — tantôt mythique, tantôt social — tributaire de son encadrement familial ou de ses fonctions biologiques. En même temps, ces représentations précisent son rang, ou sa place à l'intérieur du monde humain comme au sein du système cosmologique. Les évocations idéalisées de la féminité la situent ainsi à

divers étages de l'univers : elle fréquente les créatures du règne de
la nature, anime la vie domestique et brille parmi les étoiles du
monde divin. Prisée partout pour sa beauté et sa chasteté, pour
sa fécondité et sa tendresse maternelle, pour son travail domestique et son utilité au foyer, la femme modèle a sa place à tous les
niveaux du cosmos :

TABLEAU XIV

Aire cosmologique	Position dans la hiérarchie cosmologique	Attributs et qualités féminines	Thèmes iconographiques
Monde divin	Femmes « célestes » (doctrine religieuse et influence du néo-platonisme)	Virginité Chasteté Beauté Savoir	— La Vierge Marie — Femmes « anges » — Muses inspiratrices
Société humaine	Femmes « marginales » (éloignées de la vie quotidienne)	Virginité Chasteté	— Vierges guer- rières (femmes hommasses) — Personnifica- tions idéalisées (de la Virginité, de la Chasteté, de la Tempérance) — Religieuses (vie du couvent, le corps « fermé »)
Société humaine	Femmes « sociales » (intégrées dans la vie familiale)	Attentions conjugales Maternité Travail domestique	— Épouses sou- mises — Femmes « fer- mées » — Mères (nourri- cières et coura- geuses) — Bonnes ména- gères
Règne de la nature	Femmes « natu- relles » (associées aux mondes végétal, animal, aquatique)	Fécondité Lactation et autres fonctions biologiques	— Femmes « d'abondance » (nature « domes- tiquée ») — Mère « univer- selle » (naissance et mort hommes et animaux) — Femme-Nature « sauvage » (vé- gétale, animale, aquatique)

Chaque aire de l'univers — que ce soit le monde divin, la
société humaine ou le règne de la nature — est ainsi peuplée de
femmes exemplaires. Cependant, la supériorité physique et
morale reconnue à ces parangons de vertu n'empêche pas
qu'elles soient toujours soumises à une autorité masculine, que
ce soit celle de Dieu le Père ou celle du père de famille. Si l'organisation hiérarchique de l'univers accorde à la femme une place
importante, c'est à condition d'une soumission préalable. C'est
pourquoi chaque compartiment du cosmos comporte une micro-
hiérarchie qui reflète le principe d'une autorité dominante :

TABLEAU XV

Monde divin	Société humaine		Règne de la nature
Dieu/Christ ↓	Vie sociale ↓	Mari/Père ↓	Monde humain ↓
Femmes « célestes »	Femmes « marginales »	Femmes « sociales »	Femmes « naturelles »

La femme occupe donc un rang bien défini dans l'organisation
schématique de l'univers. Quel que soit le lieu où elle se trouve,
elle est dépendante d'un supérieur grâce auquel elle retrouve sa
place et reste en harmonie avec le monde. Les exceptions de la
mère universelle (qui domine l'homme) et de la femme-nature
sauvage (qui échappe à son contrôle) font plutôt partie des
aspects de la féminité ressentis comme menaçants. Ces dernières
défient la hiérarchie des représentations positives : elles contre-
disent l'idée d'un ordre cosmologique à sens unique et traduisent
une certaine méfiance à l'égard du beau sexe. En fait, si la femme
de vertu est « en ordre » avec l'univers, la femme troublante est
surtout celle qui s'oppose à l'organisation « masculine » du cosmos. Remarquons, par ailleurs, que les trois aires de l'univers
décrites par l'estampe correspondent à trois formes de pensée de
l'époque : le religieux, le social, le mythique. S'épaulant l'un
l'autre, ces divers modes de compréhension utilisent des thèmes
iconologiques tout à fait différents pour transmettre une même
conception de la féminité.

En tant que vierge, dont le corps est asexué, elle occupe l'étage
supérieur de la hiérarchie féminine. En tant que mère, dont le
corps fertile est rentabilisé au bénéfice de l'humanité, elle constitue la fondation sur laquelle s'érige l'échelle des vertus sociales.
Ainsi les images positives de la femme mettent l'accent sur son
corps, soit par la négation de sa sexualité, soit par l'affirmation

de son identité biologique [183]. Même les portraits d'épouses dociles, de femmes « fermées » et de ménagères industrieuses greffent sur le principe de la chasteté celui de la productivité féminine, extension de son rôle physiologique [184].

Les qualités de la « virginité-chasteté » et de la « maternité-productivité » qui composent la base de la valorisation iconographique sont communes à tous les milieux de la gravure. Dans l'estampe sur feuille c'est la fécondité qui l'emporte sur tous les autres attributs — avec 18 représentations (11,5 %) sur un total de 156 allégories féminines positives — alors que la chasteté vient en seconde place avec seulement 11 représentations (7 %) [185]. Quant à l'emblématique, les choses se présentent bien autrement : c'est la chasteté qui vient en premier avec 14 emblèmes (15 % sur un total de 96 représentations féminines positives) alors que la fécondité-maternité n'est représentée que par 6 emblèmes (6 %) [186]. Par ailleurs, ce n'est pas la vierge mais plutôt la femme « fermée » qui triomphe dans l'emblématique, la ménagère apprivoisée que donne en exemple l'idéologie absolutiste de la famille prônée par les milieux dirigeants urbains. En revanche, l'estampe sur feuille présente une vision moins limitative, voire moins régressive du beau sexe dans la mesure où elle évoque, à travers des allégories de la Nature, de l'Abondance, de la Charité, les douceurs de la maternité. Allégories d'inspiration surtout bellifontaine, ces dernières témoignent d'une promotion réelle du sentiment maternel ainsi que d'un mythe nostalgique du paradis terrestre qu'incarnerait cette tendresse « nourrissante ».

Mais si la maternité et la chasteté sont au centre des représentations positives de la femme, il ne faut pas oublier toutefois que l'allégorie la prise tant pour sa beauté que pour le rôle de muse ou de mentor que lui accordent la Cour et les cercles humanistes. A la fois exaltée et réifiée, la femme-fée ornementale des allégories d'inspiration néo-platonicienne est l'objet d'un culte érudit et formel, reflet d'un féminisme surtout littéraire [187]. Cette idéalisation mystificatrice est conditionnée et contrebalancée par la mise en place intransigeante de l'épouse-mère-ménagère dans la vie sociale [188]. Malgré les innovations de la Renaissance, la valorisation iconographique de la femme selon ses fonctions sociales et biologiques est toujours plus profonde, et nettement plus généralisée, que celle des créatures prodigieuses affectionnées par la culture des élites.

Les limites de la promotion de la femme dans l'estampe sont tout aussi parlantes que les qualités qu'on lui attribue. Le contrôle social qu'implique l'image positive de la féminité ainsi que la place de subordonnée qu'elle occupe dans la hiérarchie sociale et cosmologique traduisent la conviction qu'elle n'est vertueuse que lorsqu'elle se plie aux exigences d'une organisation masculine de l'univers. La gravure transmet la certitude que l'élément féminin a besoin d'une « socialisation » continue associée à une surveillance ininterrompue. On peut en conclure que le XVIe siècle était loin d'être persuadé de sa bonté « naturelle », ni de sa vertu. Encore moins était-il rassuré quant à sa solidarité dans la lutte des hommes au sein d'un univers qui, malgré toute tentative de contrôle, était toujours perçu comme instable, voire franchement hostile à la société humaine.

III

LES MULTIPLES DÉFAUTS DU SEXE FAIBLE

> « Après avoir longuement séjourné comme
> en un beau & magnifique palais avec les
> graces, vertus, perfections & excellences des
> femmes illustres, maintenant nous allons
> entrer comme dedans l'ord & immunde esta-
> ble d'Augias auquel y avoit autant d'immon-
> dices amassées comme trois mille bœufs en
> avoient peu rendre, par l'espace de plusieurs
> ans. Car il se trouve tant d'exemples des vices
> & imperfections des femmes que mieux il
> vaudroit pour la conservation de la commune
> honnesté passer soubs silence telle infamie
> que de la décrire »
>
> (J. de Marconville, *De la bonté et mauvaisté
> des femmes,* Paris, 1563.)

Si la valorisation iconographique de la femme gravite autour
des valeurs sociales de la chasteté, de la maternité et du travail
domestique, les vices du « sexe faible » semblent, au premier
regard, embrasser toutes les manifestations possibles du mal
obscur [1]. Accusée d'être adonnée à l'ensemble des péchés capitaux, la femme se spécialise tout particulièrement dans l'art de la
déception, car elle manifeste un génie particulier pour la fraude
et le mensonge. Excellant également en violence — verbale et
physique —, elle persécute volontiers le « sexe fort » par des flots
de paroles ou des coups de quenouille. Inconstantes, mélancoliques, dotées de mille défauts, les femmes, semble-t-il, prennent
un plaisir sadique à semer le chaos dans le monde des hommes.

De cette pléthore de méfaits émerge un discours précis à l'égard des dangers que représente la féminité pour le XVIᵉ siècle. Le catalogue des vices attribués au deuxième sexe et l'analyse des malheurs qu'ils entraînent révèlent, sous la confusion apparente, les origines de l'appréhension masculine. D'une part, le désordre potentiel dont on accuse l'élément féminin s'attaque toujours à l'une des trois structures gouvernant la vie quotidienne : l'ordre moral, le système social et la pratique religieuse. D'autre part, l'ensemble des fautes dites « féminines » affiche une cohérence globale car elles sont censées viser toutes au même but, voire renverser l'organisation « masculine » de l'édifice social et amener l'humanité entière aux portes du royaume infernal.

1. « ELLE PRATIQUE TOUS LES SEPT PECHEZ MORTELS [2] »

L'analyse quantitative de l'estampe sur feuille a déjà révélé l'importance numérique des péchés capitaux dans le catalogue des défauts féminins, où 63 % des représentations allégoriques négatives sont consacrées à cette même série de vices [3]. Quant à l'emblématique, les auteurs des recueils illustrés ne s'intéressent guère aux péchés capitaux en tant que tels. Ils évoquent volontiers une multitude de crimes féminins contre la bonne morale parmi lesquels ceux-ci se retrouvent tout naturellement, mais aucun livre d'emblèmes ne les représente tous ensemble ou en série. Sur cent quarante-huit illustrations emblématiques dédiées à la femme dangereuse, seulement vingt et une (14 %) sont consacrées aux péchés mortels.

En regardant de plus près les fautes attribuées au beau sexe, on constate que l'estampe sur feuille comme l'emblématique lui accordent certaines faiblesses plus facilement que d'autres :

TABLEAU XVI

PÉCHÉS CAPITAUX	ESTAMPE SUR FEUILLE		EMBLÈMES	
	N°	%	N°	%
1. Luxure	17	40,5	13	62
2. Envie	6	14,5	3	14
3. Vanité/Orgueil	5	12	2	9,5
4. Paresse	4	9,5	2	9,5
5. Avarice	4	9,5	1	5
6. Colère	3	7	0	0
7. Gourmandise	3	7	0	0
Total :	42	100 %	21	100 %

*Personnifications féminines des Sept Péchés capitaux
selon leur ordre d'importance.*

Malgré le manque d'intérêt apparent des emblématistes pour ce genre de transgression morale, la distribution quantitative des emblèmes consacrés aux vices mortels respecte la même hiérarchie que l'estampe sur feuille. Pour ces deux milieux de la gravure, le péché féminin par excellence est celui de la Luxure. L'Envie, la Vanité, la Paresse et l'Avarice sont également caractéristiques de la féminité, alors que la Colère et la Gourmandise n'arrivent qu'en dernier lieu, disparaissant même entièrement dans l'emblématique où elles sont uniquement attribuées aux hommes. En fait, le sexe viril pèche surtout par colère et gloutonnerie, parfois par cupidité, mais il est rarement montré commettant les quatre autres fautes qui sont partout attribuées aux femmes.

Quelques exemples concrets serviront à illustrer le consensus des divers milieux de l'estampe quant à la « féminité » des péchés capitaux et, par conséquent, de la responsabilité majeure des femmes dans la corruption de l'humanité. Le thème de la « femme-vice » est d'ailleurs fort ancien. Divers manuscrits du XIVᵉ siècle représentent l'ensemble des péchés mortels par une image synoptique où une surcharge d'attributs transforme la forme féminine en personnification composite du vice. Ainsi un manuscrit allemand qui montre la « femme-péché » avec une patte d'oiseau (c'est la Paresse), mordue par l'autre « jambe » en forme de serpent (l'Envie), une tête de loup sur le ventre (la Gourmandise et la Luxure). Elle tient un arc (l'Ire) et un sac d'argent (l'Avarice) et porte sur la tête une couronne de plumes de paon (la Vanité)[4].

Au XVe siècle, l'estampe xylographique prend le relais, persé-
vérant dans l'identification du sexe « faible » aux défauts qui
entraînent la perdition de l'âme. Une gravure sur bois illustrant
l'*Exercitum super pater noster* (France, vers 1450) montre un
homme à table assisté par trois dames élégantes (fig. 66). Cha-

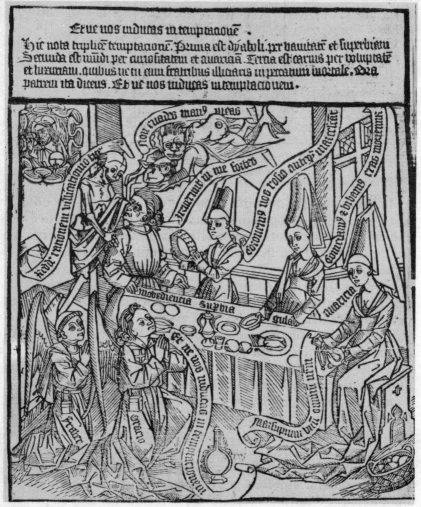

Figure 66
Anonyme, « Allégorie de la tentation », dans l'*Exercitum super pater noster*,
France ? v. 1450.

cune d'entre elles porte une banderole qui l'identifie : elles s'appellent « *Avaritia* », « *Gula* » et « *Superbia* ». Sirènes tentatrices,
elles offrent au jeune homme des symboles des plaisirs du monde

— une bourse pleine d'argent, des mets appétissants, une couronne précieusement ouvragée. Les manœuvres de ces trois séductrices réussissent si bien auprès de leur victime que, lorsque la Mort vient surprendre le joyeux convive au milieu du festin, son âme s'envole droit dans les bras du démon. Ni Dieu le Père, qui apparaît au milieu des nues, ni les deux anges qui prient au premier plan, ne peuvent rien contre le saccage de cette âme humaine. Quand le vice revêt la forme féminine, l'homme n'a plus aucun espoir [5].

Mis à part le thème de la « femme-vice », les XIVe et XVe siècles ont produit de nombreuses séries d'enluminures, de vignettes, de fresques et de vitraux illustrant les Sept Péchés capitaux par des animaux que chevauchent des personnages symboliques, hommes et femmes [6]. Mais si le catalogue visuel de cette époque n'attribue pas systématiquement au sexe féminin la majorité des représentations, l'art du XVIe siècle — savant et « populaire » — accusera la femme de pratiquer la quasi-totalité des fautes mortelles [7].

Les graveurs nés au siècle de la Renaissance sont restés partiellement fidèles à la tradition iconographique du Moyen Age dans la mesure où ils associent souvent l'homme à l'animal dans la personnification des Péchés capitaux [8]. Ainsi sur une page de titre gravée par Jacques de Fornazeris (Lyon, 1612), on voit les sept vices, créatures fantastiques composées de divers éléments, humains et animaux (fig. 67). Seulement deux de ces péchés « monstrueux » possèdent une physionomie masculine : « *Ira* » est un soldat armé à l'antique, le bas de son corps étant une symbiose entre un lion et un scorpion, et « *Gula* » est moitié homme, moitié chien. Les cinq autres péchés appartiennent au sexe féminin. « *Invidia* » est une vieille femme aux seins atrophiés qui brandit un flambeau allumé ; elle porte à sa bouche le bout de sa queue serpentine et sur son dos battent des ailes de chauve-souris. L' « *Acedia* » est une femme-escargot aux jambes de bouc qui chevauche allégrement une tortue. Comme sa sœur âgée, elle porte des ailes de chauve-souris. « *Luxuria* » est un femme-paon dont la queue se termine en serpent. A la place des jambes poussent des bras de femme nus. La gorge découverte, elle ajoute à ses charmes provocateurs l'éclat de ses bijoux et la fragrance d'un flacon de parfum. « *Avaritia* » est une femme canine aux seins pendants et flasques. Sa toilette recherchée est rehaussée par une coiffure compliquée et une fraise à la Médicis. Un sac d'argent à la main, elle caresse tendrement un crapaud. « *Superbia* », en revanche, est une reine-lionne. Couronnée et armée à l'antique, elle tient à la main un sceptre et un collier d'office.

Figure 67
Jacques de Fornazeris, frontispice de Ioanne Busaeo, *Panarion,* Lyon,
1612.

Au-dessus de ces incarnations hybrides du vice apparaît une
image du Christ foulant aux pieds le monstre à sept têtes de

l'Apocalypse, dragon mythique qui, dans ce contexte, désigne l'ensemble des sept fautes mortelles [9]. Beaucoup plus qu'une simple gravure d'ornementation, cette page constitue un commentaire sur l'ouvrage qu'elle introduit : le livre qu'elle préface s'appelle *Panarion,* c'est-à-dire Enochia, ville des enfants de Caïn, d'où l'iconographie du péché et le message triomphaliste de l'ensemble.

La représentation des Péchés capitaux au XVIe siècle ne repose pas toujours sur la symbolique des animaux. La vie quotidienne, l'histoire, la mythologie gréco-romaine fournissent maints exemples de personnages et de stéréotypes pouvant à leur tour personnifier les plus graves défauts du genre humain. Ainsi Vénus devient-elle allégorie de la Luxure, Saturne l'image de la Colère, la paysanne oisive l'emblème de la Paresse. Le frontispice d'une suite d'estampes en taille-douce gravée par Léon Davent (Fontainebleau, 1547) donne un bon exemple du catalogue usuel des personnalités antiques et des personnifications allégoriques le plus souvent associées à ces vices. La Justice s'y trouve assise sur un globe terrestre, reliée par la ceinture à sept chaînes qui s'accrochent aux figures représentant les sept péchés mortels (fig. 68). La majorité d'entre eux sont incarnés par des femmes, deux seulement sont attribués aux hommes. Comme Fornazeris, Davent fait de l'Ire et de la Gourmandise des fautes masculines : le coléreux Saturne est montré en train de croquer un enfant alors qu'un gourmand gros et gras s'empiffre de jambon et de vin. Toutes les autres personnifications sont féminines. Vénus est la Luxure, le flambeau de l'Amour à la main. L'Avarice, une vieille femme à la gorge desséchée, serre contre son cœur un sac plein d'argent. L'Envie est d'un âge avancé elle aussi ; étique et torse, elle mord un serpent et s'arrache les cheveux. La Paresse est une paysanne endormie dont les mains bandées et la quenouille délaissée indiquent que l'oisiveté caractérise également ses heures de veille. Enfin la Vanité, une jeune femme couronnée, s'admire dans une glace.

Si l'estampe d'élite attribue systématiquement au beau sexe le plus grand nombre de péchés capitaux, la gravure urbaine surpasse l'iconographie savante quant au nombre de vices considérés comme propres aux femmes. Un grand bois imprimé rue Montorgueil par Jean Boussy (Paris, v. 1575) ne réserve que l'Avarice au sexe masculin : le riche marchand qui compte son or offre un faible pendant à l'ensemble des femmes « vicieuses » (fig. 69). Six médaillons, disposés des deux côtés de la planche le long d'un Jugement dernier en arrière-plan, encadrent les personnifications des péchés. Au-dessus de l'Avarice se trouvent la

Figure 68
Léon Davent, « La Justice », frontispice d'une suite d'estampes illustrant
les Sept Péchés capitaux, d'après Luca Penni, Fontainebleau, 1547.

Luxure et la Gourmandise : « Paillardise » est représentée par
Vénus en compagnie de Cupidon, les yeux bandés (l'Amour est
aveugle), « Gloutonnerie » est une jeune femme attablée qui
vomit par terre tandis qu'un pourceau, symbole de l'avidité, se
précipite pour dévorer ses déjections. De l'autre côté de l'estampe se trouvent l'Oisiveté, la Colère et l'Orgueil. « Paresse »,
une paysanne, dort sur les gerbes de blé, un âne couché auprès
d'elle. « Ire » revêt les traits de l'infâme Médée, mère cruelle et
dénaturée, tuant ses enfants de ses propres mains contre un fond
de ville en flammes. « Orgueil » est représenté par une coquette
qui, comme le veut la tradition, s'admire dans un miroir, le paon
qui l'accompagne n'étant que le reflet de sa vanité. Le septième

Figure 69
Jean Boussy, « Chrestiens, regardez d'éviter & fuir les sept pechez mortels,
par lesquels au jugement de Dieu serez envoyez au feu eternel »,
Paris, rue Montorgueil, v. 1575.

et dernier péché est « Envie », une vieille décharnée aux seins
pendouillants que piquent des serpents. Située en dehors des
médaillons ovales, l'Envie n'appartient plus au monde des
hommes, mais plutôt au royaume des morts. Elle sort de son
tombeau, s'élançant du sol au milieu du Jugement dernier tandis
qu'autour d'elle se tordent les damnés tourmentés par des créa-

tures diaboliques. Ce sont ceux qui, peu prudents de leur vivant, ont pratiqué « les sept pechez mortels, par lesquels au jugement de Dieu » ils sont « envoyez au feu eternel ».

Si l'on peut juger de ces quelques planches — tout à fait typiques de leur genre —, l'iconographie des Péchés capitaux confirme les observations quantitatives précédentes quant à la culpabilité majeure des femmes (« spécialistes » du péché) dans le mauvais train que mène le monde. L'estampe savante comme la gravure urbaine rivalisent sur les fautes spécifiques au beau sexe. ·Après les accusations de luxure, d'envie, de vanité et de paresse — vices « féminins » — viennent tout autant d'incriminations pour cupidité, violence et gloutonnerie. La femme est une créature lunatique, mélancolique, « volage »... il n'y a pas un défaut qu'elle n'affectionne.

2. « VICE DE FEMME EST ORGUEIL [10] »

Le motif de la femme occupée à sa toilette — personnification de l'Orgueil ou de la Vanité — traverse fréquemment la gravure allégorique où il témoigne d'une méfiance aiguë à l'égard de la beauté et de l'art cosmétique. Il est vrai que l'importance sociale et culturelle de l'esthétique corporelle encourageait la femme à passer beaucoup de temps devant sa glace ; mais si l'on exige d'elle la beauté [11], on lui défend en même temps de recourir à des artifices pour l'atteindre. Le penchant des femmes pour la mode et le fard fournissent donc aux prédicateurs de l'Ancien Régime une source inépuisable de tirades contre le péché d'orgueil dont les séquelles dépassent la sphère religieuse pour entamer l'organisation morale et sociale.

En fait, on soupçonne la femme pimpante de vouloir attirer le regard masculin afin de stimuler sa concupiscence et l'entraîner dans l'abîme de la luxure. Pis encore, celle qui écoute sa propre vanité triche également sur son statut social. Il ne faut pas oublier que le luxe et les habits somptueux revêtent une grande importance symbolique à l'époque, tant pour les nobles que pour les bourgeois. Mais si la noblesse s'en sert pour se distinguer et se distancier socialement, la roture aisée en fait parade pour s'associer aux classes aristocratiques. De temps à autre, les lois somptuaires tâchent de préserver les bienséances en matière de mode, mais sans beaucoup de succès. Ainsi, la critique de la femme qui s'admire devant son miroir est porteuse d'une triple connotation : le péché mortel, la perturbation des mœurs, le désordre qui accompagne tout désir « illégitime » d'ascension sociale.

● **La vanité, la femme et le démon**

> « Dites une seule fois à une femme qu'elle est jolie, le diable le lui répétera dix fois par jour. »
>
> (A.J.V. Le Roux de Lincy, *Le Livre des proverbes français... de la Renaissance,* Paris, 1859.)

Depuis le Moyen Age, la représentation traditionnelle du péché de vanité est celle de la femme orgueilleuse de sa beauté. En se pomponnant, miroir à la main, elle se condamne aux peines éternelles de l'enfer.

L'estampe allégorique du XVIe siècle reste fidèle à une convention iconographique de longue date qui entoure de démons la femme frivole. Ainsi le message moralisant d'une enluminure du XIVe siècle — illustration qui montre une dame à sa toilette aidée d'une multitude de petits diablotins [12] — est-il repris, pour l'essentiel, par une planche de la *Grand Nef des folz,* imprimée à Lyon en 1529-1530. « De la grant ostentation dorgueil » figure un démon tournant une broche sur laquelle est assise une femme (fig. 70). Appartenant, par ses habits recherchés, aux milieux aisés urbains, celle-ci est occupée à s'admirer dans une glace, inconsciente du danger qu'elle encourt. Mais le feu qui rôtit cette « belle à la brochette » annonce le dénouement malheureux du drame. Référence aux flammes de l'enfer, il informe le spectateur de l'ultime récompense du narcissisme.

Sujet à grand succès, le thème de la coquette guettée par Satan enchante le public de l'estampe ainsi que les lecteurs de canards, une nouvelle « littérature » à sensation destinée au grand public. Or, la réussite de ce thème est due, sans doute, davantage à une certaine rancune de la population plutôt qu'aux enseignements édifiants du sermon dominical. Qui ne se réjouit pas de voir « punie » celle qui — jeune, belle et richement parée — suscite l'envie des femmes et le désir des hommes ? Cette jalousie, on la voit personnifiée dans une gravure de Philippe Galle (Anvers, v. 1590) où l'Envie est représentée en train de manger son

De la grant oftentation dorgueil.

eft forbide ſ Vilaine la louenge qui part de ſa propre bouche de celluy qui ſe loue.et
telle louenge fuyt le ſaige. Pareillement forgueil pompeux fait pluſieurs fotz que
ſes enfers rauiſſent/Car pour comfaire a une femme orguilleuſe ſe ieune fol beuint
orguilleux Pource met le ſcripture. Tourne ta face en arriere de ſa femme qui eſt
orgueilleuſe et corrompue. Et ne regarde point autour de toy une eſpece eſtrange.
Car pour ſa beaulte et ſpecioſite de femme pluſieurs ſont periz. Et de ce vient
que concupiſcence de beaulte feminine art et bruſle comme feu. Pource dit noſtre
ſeigneur. Lorgueil et ſuperbiete du fol orguilleux ſoit amputé coupe et abatu de
ſon propre glaiue. Et contre moy ſoit prins ou las de ſes yeulx et ie fraperay icel-
luy orguilleux des leures de ma charite/car contre luy ie pronunceray ſentence ſe-
ſon charite qui eſt faire iuſtice a chaſcun.

Rgueil et ſuperbie
te nō ſaine fait plu-
ſieurs eſtre fotz les-
quelz une cymbe ſe
giete tire en noſtre dictie Orgueil eſt ung vice plain de pe-
chie que tous doyuent fouyr.
Car par ces ordures il excede
tous vices ſ pechiez Jadis en
uers ſes ſouuerais auoit for-
gee ceſte nef le premier inuen
teur de malice ſ de toute faul-
ſete/ Qui engendra aucune
fotz ſ ſa progenie de leſtat or-
guilleulx en ſe mectāt loig
et eſleuant deuant dieu. Les
fotz de qui la ſuperbiete pom-
peuſe rauiſt ſes cueurs ſe vantent de pluſieurs choſes que
par leu eſtude nont pas meri-
tees/Car le fol dit bouloigne
la ſaige me a nourry et repeu
de ſes ars et y ay beu ſes be-
aulx ſ cultiues enſeignemēs
de philoſophie Et par tāt cō-
me digne ie merite et deſſers
mōter au pmier ſiege ſ auoit
le hault lieu entre ſes clercs ſ
le continuer. Lautre ſe vante

dauoir celebre ieux ſ fait iouſtes es paleſtres ſ champs des argins q veritablemēt
a grant peine a veu et congneu ſes eſemens. O poure inceſe qui par follie te vantes
ſi tu deſiroyes ſes treſſouefz dōs de la ſacree minerue ſ haulte ſapiece ſa terre theu
tonique te ſuffiroit Tu voys que germanie pugnace ſ vertueuſe paiſt et nourriſt
tant de nobles iouuenceaux du langaige de ſauefz ſes monumens ont maintenant

Figure 70

Anonyme, « De la grant ostentation dorgueil », dans Sebastian Brant,
La Grand Nef des folz, Lyon, 1529-1530.

cœur — par dépit — aux pieds d'une femme superbe [13]. Quant
au châtiment qui s'ensuit, voici le destin horrible que réserve un

bulletin « d'actualité » parisien à une Flamande trop soucieuse de sa prestance :

> Discours miraculeux inouï et epouventable, avenu à Envers ville capitale de la Duché de Brébant, d'une jeune fille flamande, qui par la vanité, et trop grande curiosité de ses habits et collez à fraise goderonnez à la nouvelle mode, fut étranglée du Diable, et son corps apres telle punition Divine estant au cercueil, transformé en un chat noir en presence de tout le peuple assemblé... Avec une remonstrance aux dames et filles en forme de dialogue en vers françois [14].

Même l'estampe de cour, qui a le plus célébré la beauté féminine et le plus exploité les atouts de l'élégance vestimentaire, voue la vaniteuse aux enfers. Bien qu'elle soit tempérée par des références à d'autres formes d'orgueil (se lever contre Dieu, faire fléchir la Justice, etc.), la « *Superbia* » gravée par Léon Davent à Fontainebleau en 1547 accorde toujours la place d'honneur à la femme au miroir et à son escorte habituelle, le démon (fig. 71).

Pourquoi la grande majorité des allégories de la vanité visent-elles le deuxième sexe ? Au XVIe siècle, la mode, en réalité, asservit autant les hommes que les femmes et les lois somptuaires réglementent les ornements, le style et même l'étoffe des habits des deux sexes. Pourtant, les prédicateurs, les moralistes et les artistes de l'époque n'en continuent pas moins à attribuer au luxe féminin des qualités particulièrement pernicieuses. Selon eux, la femme qui s'occupe pendant des heures de mettre au point une parure éclatante finit par corrompre la vie de la communauté. Non seulement la coquette néglige-t-elle sytématiquement l'office divin, mais elle aspire également à séduire l'homme et à le détourner de son devoir chrétien ;

> Les femmes... sont si ravies à se vestir, farder, orner, parer, qu'elles en perdent la Messe aux festes & Dimanches... encor qu'elles sachent bien que par cela elles servent de ruine à quelques uns, les faisans tresbucher en concupiscence [15].

En fait, la Renaissance est convaincue qu'aucun homme ne peut résister aux attraits de la toilette féminine, véritable arsenal de séduction devant lequel le sexe fort perd toutes ses défenses. On considère d'ailleurs que la sensualité et la luxure sont les buts premiers des parures, l'orgueil et la vanité personnelle n'étant que des préoccupations secondaires. Comme l'affirme Sébastien

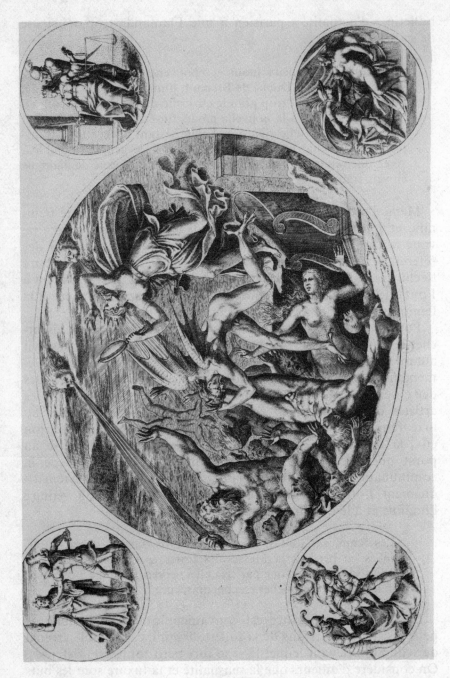

Figure 71
Léon Davent, « *Superbia* », d'après Luca Penni, Fontainebleau, 1547.

Brant, la « folle » orgueilleuse ne « se farde et s'attise » que pour :

> ... éblouir le monde
> en posant ses appas
> dans les filets du diable
> et capturer les âmes
> qui iront en enfer.
> Elle est l'appeau, la chouette,
> le miroir aux alouettes
> dont le diable se flatte
> et qui a pu conduire
> des esprits à l'abîme
> qui se croyaient lucides [16].

La belle orgueilleuse est ainsi l'alliée du démon avec lequel elle collabore pour mieux capturer le corps — et l'âme — des hommes. « Tu n'es pas femme chrestienne, mais ministre du diable & satellite », s'exclame J.-L. Vives [17]. Sirène au service du Mal, la femme-amorce est un agent de contagion, un poison mortel :

> ... par telz sumptueux habitz & parements tu attire les yeulx des jeunes gens & les soupirs des adolescens, tu nourris leur concupiscence, tu allume & enflamme leurs desirs... tu pers les autres, & comme venin du basilique tu infaicts ceux qui te regardent [18].

La femme qui se farde se rend en plus coupable de vouloir transformer le visage que Dieu lui a donné. Ceci constitue un crime plus qu'abominable, car l'humanité a été faite à l'image du Seigneur :

> ... femmes impudiques & volages, qui colorent leurs faces & leurs cheveux, & mussent le visage & image de Dieu de affiquetz & dorures du diable... veulent convertir, reformer & transfigurer ce qui Dieu a faict pour y mettre marque infernalle [19].

De ce fait, les cosmétiques dont elles se servent pour s'embellir ne sont que des inventions sataniques. Quiconque aspire à altérer sa personne abandonne automatiquement le service de Dieu pour assumer la livrée du Diable :

> Dieu t'a donnée face humaine... pourquoi la veux tu tacher & maculer ? Que ne te contente de nature et de Dieu, pour te vouloir monstrer plus jeune ou plus belle que tu ne es ? Une cou-

leur faict les joues vermeilles, l'autre les levres corralines, une les sourcilz noirs & deliez, l'autre la gorge blanche... Lors que tu est ainsi deffiguree, Dieu ne te cognoist point de ses brebis ; tu a falsifié sa monnaie, quant tu te aorne de la marque de l'Antechrist, duquel tu portes les couleurs... [20].

C'est donc chez le démon que s'équipe la femme vaniteuse. L'estampe du XVIᵉ siècle abonde en images d'échoppes de mode où des vendeurs diaboliques s'ingénient à transformer en beautés des femelles laides ou âgées. Une gravure flamande de 1590 environ met en scène une « boutique des enragez amours,/De vanité, & d'orgueil & d'autres tels tours » où on voit deux élégantes servies par des boutiquières, tandis qu'à l'arrière-plan deux créatures monstrueuses fabriquent tout l'attirail de la coquetterie [21]. Une des jeunes filles essaie un « cachenfant » (boudin d'étoffe qui se lie autour des hanches afin de rembourrer une silhouette trop mince) pendant que le serveur diabolique chante les mérites de cet accessoire) : « Venez belles filles avecq fesses maigres : Bien tost les ferrais rondes et alaigres. » Quant à l'autre cliente, elle s'équipe d'un masque aussi repoussant que son propre visage : « Ores moi avecq la masque laide orde et sale :/Car laideur est en moi la beauté principale. »

Le thème du magasin de mode géré par des démons a connu un grand succès à l'époque, surtout dans l'estampe du Nord. Les fraises extravagantes en vogue, en ville et à la cour, ont notamment donné lieu à une multitude de gravures satiriques où la fatuité des hommes et des femmes est décrite de façon caricaturale. A la fois humoristiques et moralisantes, ces images montrent des prétentieux affublés de collerettes énormes qui viennent se faire pomponner chez les rejetons de l'enfer [22]. Prenons en exemple « L'empeseur de fraises pour la toilette » (fig. 72), gravure destinée — comme la plupart de ces images — au marché international (Anvers, v. 1600). Dans la boutique se trouve une dame de condition qui est servie par une femme difforme coiffée d'une ruche. A côté de la belle élégante, un dandy attend son tour, une fraise froissée à la main, et, au fond du magasin, deux créatures diaboliques plissent des collerettes qu'elles accrochent ensuite au mur. Pendant ce temps, et à l'insu des deux clients du démon, la Mort franchit le seuil en brandissant une faucille : « Les fraises grandes que l'homme vivant port,/Au col apres la vie monstre la mort. » *Memento mori,* qui rappelle aux spectateurs que la mode est une invention diabolique et la vanité le passeport de l'enfer, la présence de la Mort

Figure 72
Anonyme, « L'empeseur de fraises pour la toilette », Anvers ? v. 1600.

ajoute une note macabre à cette image. Les inscriptions, élaborées au profit de ceux qui savent lire, renchérissent ensuite sur le message iconographique :

> Hommes & femmes empesent par orgueil
> Frases longues pour ne trouver leur pareil
> Mais en enfer le Diable soufflera
> Et à brusler les ames, le feu allumera.

Les mignons du démon joignent également leur mot aux menaces qui pèsent sur les deux élégants insouciants. Actuellement occupés à servir la vanité des vivants, ils se réjouissent d'avance à l'idée des tourments qu'ils infligeront aux âmes perdues : « Avec ces fers chauds qu'on vous ici appreste,/En enfer puni seras, o l'aide beste. » Après les joies de ce monde s'ensuivront les tortures raffinées de l'au-delà car, selon la logique gouvernant le rapport entre crime et châtiment, le pécheur sera puni, après la mort, par les mêmes instruments dont il s'est servi lors de sa faute terrestre.

● **Artifice et déception**

> « Femme orgueilleuse bien se monstre
> Qui nest nul si horrible monstre
> Par dehors monstre sa paincture
> Mais par dedans gist la pourriture. »

> (P. Grosnet, *Les Mots dorez*,
> Paris, 1530-1531.)

Au-delà du péché d'orgueil, de la concupiscence et de la perdition éternelle qu'elle entraîne, la vanité féminine comporte d'autres inconvénients. Les arts de la déception — le fard et la mode — cachent à l'homme le visage réel de la femme qu'il courtise. L'ange dont la beauté éblouissante captive son cœur peut se révéler un monstre.

La nature satanique de la toilette se manifeste surtout dans la « magie » cosmétique et vestimentaire qui peut transformer une femme laide en ange et une vieille en jeune coquette. C'est que les recettes de beauté courantes à l'époque comportent souvent des ingrédients « secrets » et intègrent des rites magiques dans leurs processus de fabrication [23]. Aussi soupçonne-t-on encore plus aisément que le fard et les atouts de la mode soient des arts « diaboliques », autant de sortilèges destinés à séduire le sexe masculin en lui dissimulant la nature véritable du corps convoité. La littérature et les proverbes de l'époque abondent ainsi en diatribes contre celles qui cachent sous un bel extérieur un corps pourri, sale et malodorant :

> Femme de vestement parée
> A ung fumier est comparée
> Qui de neige fait couverture :
> Au descouvrir appert l'ordure [24].

> Femme, de qui les joues peintes
> De vermillion, & de fard teintes
> Souz feinte rougeur, ont peau molle,
> Et chair rongee de verole [25].

> Femme, qui as gorge d'Albastre,
> Que dis je ! mais gorge de plastre,
> Qui souz la blancheur du dehors,
> Cache dedens, troux noirs, & ords [26].

Typiques de leur époque, ces proverbes transmettent le dégoût violent qu'éprouve la Renaissance à l'égard d'un corps imparfait dont la laideur ne peut jamais être tout à fait dissimulée par l'artifice cosmétique et vestimentaire. Corps vieilli, corps flétri par la maladie, corps en état de décomposition, l'image de pourriture à laquelle se réfère cette littérature misogyne est directement tributaire du discours ecclésiastique médiéval [27].

La violence des accusations contre les subterfuges de la toilette est un peu plus compréhensible lorsque celles-ci visent les courtisanes atteintes de syphilis, maladie « nouvelle » qui fait des ravages à l'époque. On a pourtant du mal à mettre sur un même plan la véhémence des images dénonçant les vieilles ridicules qui aspirent encore aux joies de l'amour. Les deux dépendent cependant d'une même horreur du corps, qu'il soit rongé par la maladie ou flétri par l'âge. En fait, si les prostituées sont accusées comme les sirènes de la contagion, les vieilles coquettes sont surtout décriées pour le dégoût qu'elles inspirent. Jacques Olivier, auteur de l'*Alphabet de l'imperfection et malice des femmes* (Paris, 1617), tance de ces mots celles qui tâchent de se rajeunir :

> ... ne se contentant de mouchoirs de col, de dentelles, de moules, de fausses perruques, blanches, blondes, frisées, chastaignées, & brunes... & dix mille autres petits engingornemens : elles ont recours aux fards, aux fausses gorges, pour dissimuler la lai-

deur d'un visage, d'un sein, & d'un col, qui sans cet artifice res-
sembleroit plus tost [à]... deux cornemuses, qu'à un estang de
laict [28].

D'où le mélange de répulsion et de fascination qu'inspire le
portrait peu flatteur de la « Comtesse Marguerite du Tyrol »,
dessin de Léonard de Vinci dont le succès se mesure au nombre
de copies faites par les plus grands artistes de l'époque. Telle
celle d'après Quinten Massys qui se trouve actuellement à la
National Gallery de Londres. La comtesse du Tyrol, c'est la
femme âgée qui espère séduire malgré sa physionomie difforme —
voïre simiesque — cruellement mise en relief par l'élégance d'un
costume déjà démodé au début du XVIᵉ siècle. Au bout des doigts
elle tient un bouton de rose, référence au printemps éternel de
l'amour auquel elle aspire encore. Cette caricature (car il s'agit
d'une plaisanterie assez cruelle, et aucune identification valable
n'a été trouvée pour le personnage représenté) fut gravée ensuite
par Hans Liefrinck (Anvers, 1540-1580) en compagnie d'une autre
vieille pimpante, habillée elle aussi selon la mode d'une cour
éteinte depuis plus d'un demi-siècle [29]. La morale ? Le poète
Sigogne (v. 1560-1611) la communique en quelques mots :

> Petite aridelle harasse,
> Esquelette de peaux et os
> Tournez ailleurs vostre pensee
> Et laissez moi vivre en repos ;
> ....
> Aveque la robe et la cote
> Vous pourrez avoir du credit,
> Mais gardez-vous d'estre si sotte
> De vous laisser voir dans le lict :
> ....
> ... faites [donc] tresve d'Amour,
> Et, s'il vous cuit en quelque endroit,
> Portez y cependant le doigt [30].

Si l'arsenal de la coquetterie féminine constitue un des sujets
préférés des satiristes du XVIᵉ siècle, les prédicateurs, dont les
sermons prennent régulièrement pour objet les excès de la mode,
n'y voient rien d'amusant. Une « Remonstrance charitable aux
dames et demoiselles de France », sermon publié à Paris en 1577,
fournit un bon exemple des diatribes contre bijoux et parures qui
reviennent, comme une sorte de litanie, au centre du prêche
dominical. L'auteur anonyme de cette réprimande menace les

vaniteuses d'être cruellement dépouillées le jour du Jugement dernier :

> En ce jour-là, le souverain Seigneur ôtera l'ornement de leurs souliers, leurs colliers faits en forme de demi-croissant, leurs carquans, leurs joyaux, leurs brasselets, leurs coiffures, leurs chaînes, leurs peignes, les ornements qui s'appliquent auprès des épaules, les bordures qui sont à l'entour de leurs robes, leurs bagues remplies de musque, les petites bagues qui leur pendent aux oreilles, et les anneaux et pierres précieuses qui leur pendent sur le front, et leurs diverses sortes d'habillements [31].

L'estampe savante répond aux préoccupations des prédicateurs avec une certaine équivoque. A la condamnation de la vanité féminine s'ajoute une appréciation esthétique des résultats obtenus. Les artistes graveurs de l'école bellifontaine tendent à manifester une complaisance notable lorsqu'ils évoquent des dames de la cour ou des courtisanes occupées à leurs toilettes, entourées de bijoux, de flacons et de bouteilles de parfums et d'onguents. Tant les portraits de filles de joie que les scènes de bain détaillent minutieusement les accessoires de la beauté tout en se référant, plus ou moins explicitement, au but amoureux des préparatifs. Un exemple de ce genre de « compromis moral » est une allégorie de la Vanité gravée par Jacques Androuet Ducerceau (Paris/Genève, 1540-1585), où apparaît une jeune femme entourée du nécessaire de sa toilette (fig. 73). Absorbée par son image, elle s'admire dans une glace. Juge-t-elle du progrès des préparatifs qu'elle complète grâce à une boîte de fard ? Coiffée d'un grand chapeau et vêtue d'une robe à grand décolleté, elle s'apprête soigneusement pour le grand jeu de la séduction. Mais ni le maquillage destiné à cacher les imperfections du corps ni l'étalage des charmes d'une féminité appétissante ne suffisent à condamner cette belle inconnue. C'est surtout l'inscription « *Vanitas* » qui transforme ce portrait en allégorie de la tromperie et de la luxure.

● **Désordre social**

Les exigences de l'élégance peuvent cependant compromettre encore bien autre chose que la seule honnêteté d'une femme ou son salut éternel. Les malheurs causés par l'ostentation du « beau sexe » peuvent, en effet, dépasser le destin individuel pour entraîner la ruine des fortunes, le désordre des familles et même le bouleversement des classes sociales.

Figure 73
Jacques Androuet Ducerceau, « *Vanitas* », d'après Aeneas Vico,
Paris/Genève, 1540-1585.

Proverbiale est en premier lieu la cupidité des vaniteuses.
Épouse ou maîtresse, courtisane ou concubine, l'ambition de
toute femme passe par l'appauvrissement de l'homme. Ainsi le
théologien Jean Benedicti s'attaque-t-il à « celle qui est cause que
son mari fait banqueroute par la superfluité des atours, &

habits dissolus[32] ». De même Étienne Tabourot, auteur des
Escraignes dijonnoises, accuse les femmes rapaces d'être à l'origine de la corruption des mœurs : « il leur falloit plus de sortes
d'habits, de collets, de cotillons, de manches, de manchons,
recouppez & relevez, avec tant de façon, que ce n'estoit que pure
ruine, & de ce luxe s'engendroient plusieurs autres meurs
corrompus[33] ».

L'estampe emblématique témoigne du désespoir des hommes
dépouillés par la vanité féminine. « Femmes et nefz ne sont
jamais complies », vignette du *Théâtre des bons engins* de Guillaume de La Perrière (Paris, 1539), accuse le beau sexe d'avidité.
S'y trouve une jeune femme fringante dans un petit navire. Elle
sourit, les yeux mi-clos, sûre de ses pouvoirs de séduction et de
son empire sur les hommes (fig. 74) :

> Femmes et nefz ne sont jamais complies,
> C'est une chose ou l'on doibt bien penser,
> Quand on les cuide avoir du tout remplies

Figure 74
Anonyme, Emblème LXXVIII de Guillaume de La Perrière, *Théâtre des
bons engins*, Paris, 1539.

C'est lors le temps qu'il fault recommencer.
Vous les pourriez cent fois mieulx agencer
Qu'a la parfin vous serez à refaire :
C'est grosse charge & trop peneux affair :
Voire plus grand encores qu'on n'estime
Heureux seroit qui s'en pourroit deffaire,
Ou se garder d'entrer en tel abisme.

Les inconvénients de la parade féminine ne s'arrêtent point à l'épuisement des ressources de celui qui a la folie d'aimer : l'épouse coquette, par exemple, ne respecte pas plus son mari que ses devoirs domestiques. Plus elle se fait belle, plus elle devient rebelle, délaissant ses occupations familiales pour passer des heures devant son miroir : « Aucunes en y a qui consumment demi le jour a elles parer, en autres affaires negligentes... Elles spolient & destruisent maris & enfans pour se vestir & reparer, & laissent la maison desgarnie, affin qu'en publique puissent monstrer leur gloire [34] ». Ainsi la femme prétentieuse pèche non seulement par orgueil, mais aussi par paresse. On dit à l'époque : « Dame qui moult se mire peu file [35]. » Symbole de l'industrie féminine, la quenouille s'oppose au miroir, emblème de la vanité. C'est pourquoi Ronsard achète une quenouille pour sa bien-aimée. S'adressant à cet objet, le poète lui promet une maîtresse modèle plutôt qu'une paresseuse pimpante :

Tu ne viendras ès mains d'une mignonne oisive,
Qui ne fait qu'attiser sa perruque lascive,
Et qui perd tout son temps à mirer et farder
Sa face à celle fin qu'on l'aille regarder
Mais bien entre les mains d'une dispote fille
Qui dévide, qui coud, qui ménage et qui file
Avecques ses deux sœurs pour tromper ses ennuis,
L'hiver devant le feu, l'été devant son huis [36].

Épouse égoïste et ménagère fainéante, l'orgueilleuse abandonne mari, maison et enfant pour se consacrer à l'édification de sa beauté. Nous la voyons ainsi occupée dans une estampe attribuée à Jacques Picart (Paris, v. 1610). Assise devant sa glace, celle-ci se consacre aux détails de sa coiffure (fig. 75). Elle est tellement absorbée par sa toilette que son nourrisson est abandonné au père, qui s'installe près du feu pour bercer l'enfant et lui donner sa bouillie, deux tâches normalement réservées aux femmes :

Pendant qu'a se parer pour paraistre jolie
La coquette Socuppe, ainsy ce pauure sot
Berce eshrene l'enfant luy donne la boulie
Nettoye les souliers et fait bouillir le pot.
oubz les churnie S.t Innocent ala maitresse porte qui

Figure 75
Jacques Picart (?), « Pendant qu'à se parer pour paraistre jolie... »,
Paris, v. 1610.

Pendant qu'à se parer pour paraistre jolie
La coquette soccupe ; ainsi ce pauvre sot
Berce esbrene l'enfant lui donne la boulie
Nettoye les souliers et fait boullir le pot.

L'iconographie de cette gravure dérive du thème comique du
« monde à l'envers » dont l'humour repose sur l'inversion des
rôles des deux sexes : les femmes portent la culotte et l'épée alors
que les hommes filent la quenouille ou s'occupent du bébé[37].
Image à la fois morale et humoristique, la scène représentée par
Picart véhicule un avertissement général à l'intention de la
société masculine : si l'homme ne freine pas la vanité de son
épouse, il risque de se retrouver déchu de son rôle de maître. Il
deviendrait alors un homme-femme et s'assiérait doucement au
coin du feu tandis que sa compagne sortirait à sa place pour
exhiber ses parures. Et ne nous leurrons pas à cet égard, toute
l'importance que donne cette estampe à la fatuité féminine ne
provient pas uniquement d'un souci de bon ordre domestique :
s'y exprime le soupçon que tous ces artifices sont destinés à
plaire à d'autres hommes qu'au mari. A la disgrâce domestique
s'ajouterait donc le déshonneur du cocuage[38].
    Au-delà de la dépense excessive, de l'oisiveté et de la ruine des
familles, l'orgueil des femmes est à l'origine d'un dérèglement
alarmant à l'intérieur de la hiérarchie sociale. Ni les prédicateurs
de l'époque ni les lois somptuaires ne réussissent à freiner l'ex-
travagance, ce qui (d'après les moralistes) serait à l'origine d'une
confusion fâcheuse entre les différents milieux sociaux. Tant les
théologiens que les législateurs de l'époque se plaignent régulièrement du luxe effréné affecté par des roturières possédant assez
d'argent pour satisfaire à leurs aspirations sociales. Selon eux,
toute femme qui se respecte devrait s'indigner contre ses voisines
vaniteuses dont les toilettes rivalisent d'élégance avec les parures
de la noblesse :

    ... le code [de la toilette] a été à ce point négligé qu'à grand-
    peine on arrive de nos jours à établir une différence entre les
    nobles et les roturières, les femmes mariées, les jeunes filles et les
    veuves, entre la matrone et la maquerelle. On a si bien abdiqué
    toute pudeur que n'importe qui s'affuble comme il lui plaît. Nous
    voyons mainte femme du peuple, et de la plus basse condition, en
    atours de soie pure, à petits plis, à fleurettes ou à rayures ; en
    mousseline, en brocart ou en lamé d'argent, avec de la zibeline ou
    du maroquin ; et leurs maris pendant ce temps rapetassent des

souliers dans une échoppe. Elles ont les doigts chargés d'éme-
raudes et de diamants, car aujourd'hui tout le monde dédaigne les
perles. Je ne parle pas des colliers d'ambre ou de corail, ni des
souliers dorés... La pratique actuelle engendre deux maux : les ressources des ménages vont en s'épuisant, et le rang de classe, sauvegarde de notre dignité, se trouve confondu. Si les roturières se
prélassent en des carosses ou des litières incrustées d'ivoire et
capitonnées du drap le plus fin, que restera-t-il pour les nobles et
les grandes dames ? Et si la personne mariée tout au plus à un
chevalier traîne une queue de quinze aunes, que fera l'épouse d'un
duc ou d'un comte... Il n'est pas de femme, si basse que soit son
extraction, qui se fasse scrupule d'user de tous les fards d'une
dame bien née, alors que les personnes du commun devraient se
contenter de l'essence de bière nouvelle, ou de jus d'écorce
fraîche, ou de quelque autre ingrédient peu coûteux, pour laisser
aux grandes dames le rouge, la céruse, l'antimoine et les autres
couleurs plus élégantes [39].

Les lois réglant l'étalage du luxe tentent de rétablir un peu
d'ordre dans le chaos où est tombé le code vestimentaire. Ces
prescriptions légales, dont les premières datent de la fin du
XIVe siècle, se font de plus en plus nombreuses et détaillées au
XVIe siècle. Aussi courant en pays protestant qu'en pays catholique, les édits réglementant la mode visent à renforcer la stratifica-
tion traditionnelle de la société et les distinctions de classe à une
époque où la mobilité sociale menace la stabilité du *statu quo* [40].
En 1517, François Ier défend aux roturiers de porter « aucuns
draps d'or, d'argent, veloux, satin, damats, camelotz, taffetaz
brochez et brodez d'or ou d'argent » et interdit aux marchands de
leur en vendre [41]. D'autres édits sont proclamés et renouvelés
régulièrement entre 1532 et 1583 : le cramoisi est désormais
réservé aux princes et princesses ; on défend aux bourgeoises de
porter soie sur soie ; le velours est interdit aux ecclésiastiques (à
moins qu'ils ne soient princes) ; les artisans « mécaniques », les
paysans, les gens de labour et les valets ne peuvent porter pour-
points, « chausses », « bandés » ou « bouffés » de soie. Certaines
proclamations concernent tout particulièrement les femmes. Celle
de 1583, par exemple, permet aux dames et demoiselles de la
noblesse des crêpes mêlés ou tressés d'or ou d'argent pour leurs
coiffures et chaperons. Selon leur qualité les femmes peuvent porter de l'or émaillé ou non, et plus ou moins de pierreries, les
simples bourgeoises n'ayant droit qu'à une simple chaîne d'or au
cou, à des « paternôtres » ou chapelets décorés d'or, et à une

pomme ou livre garni de pierreries jusqu'à concurrence de quatre éléments [42].

Apparemment, ces restrictions somptuaires ne produisent que peu d'effet : en vain les édits ordonnent-ils une répression sévère, chacun s'ingéniant à les tourner ou à les braver. De temps en temps, les autorités décident de faire un exemple et arrêtent par dizaines des femmes dont les bijoux et les parures enfreignent les restrictions. Pierre de l'Estoile décrit une de ces tentatives ponctuelles pour renforcer des prescriptions qui, en fin de compte, se révèlent illusoires :

> Le dimanche 13 novembre [1583], le prévôt de l'hotel et ses archers prirent prisonnières cinquante ou soixante que demoiselles que bourgeoises, contrevenant en habits et bagues à l'édit de la réformation des habits, sept ou huit mois auparavant publié ; et les constituèrent prisonnières au Fort l'Evêque et autres prisons fermées où elles couchèrent, quelque remonstrance et offre de les cautionner et payer les amendes encourues que pussent faire les parents et maris, qui fut une rigueur extraordinaire et excessive, vu que par l'édit il n'y gissait qu'une amende pécuniaire. Mais il y en avait en ce fait un tacite commandement et consentement du roi... ces dames étaient ensuite condamnées, les jours suivants, à des « amendes plus grandes ou moindres, selon la qualité des personnes et de la contravention [43] ».

Bien que ces ordonnances soient censées réglementer les habits et les ornements portés par les deux sexes, les cas d'infractions cités par les contemporains impliquent surtout des femmes. Ainsi Jean de Marconville cite-t-il les édits royaux contre le luxe et les « depenses superflues qui se font és habits tant d'hommes que de femmes » pour donner en exemple « une femme outre raison mondaine, laquelle ayant oui publier l'edict eut plus grande envie qu'auparavant d'avoir chaisnes & habillement à la nouvelle façon [44] ». Sa vanité, comme le veut la bonne morale, fut durement punie. Semblablement Jean Benedicti, écrivant sur le péché d'orgueil, affirme que « l'homme, ou la femme, qui portent habits pompeux, chaines, dorures, & autres superfluitez pour leur plaisir, ou pour vaine gloire, ou pour faire paroistre au monde qu'ils sont beaux, & d'un beau corsage, ou qu'ils sont riches... ils pechent veniellement ». Cependant, sur les sept articles qu'il dédie à l'orgueil vestimentaire, quatre seulement traitent des deux sexes alors que les trois autres condamnent des excès spécifiques aux femmes [45].

*
* *

Vice du beau sexe, la vanité donne lieu à une pléthore de troubles. Tant l'art que la littérature privilégient l'image satanique d'une féminité qui, privée de scrupule, emprunte au démon les artifices nécessaires à la tromperie et à la séduction. Mignonnes du diable, les orgueilleuses conduisent aux enfers les hommes innocents, victimes consentantes de l'envoûtement des toilettes. Courant ensuite les rues pour exhiber leurs parures, celles-ci continuent à semer le chaos où qu'elles aillent, car elles ne s'habillent guère selon leur rang. Femme d'artisan déguisée en bourgeoise ou bourgeoise grimée en aristocrate, elles ne respectent pas plus les distinctions de classe que la tranquillité du foyer.

On reproche donc surtout à la vanité féminine de se servir des détours de la mode pour nuire à l'homme et confondre l'ordre établi. L'orgueil vestimentaire frappe autant l'individu que la collectivité — d'où l'étendue des dégâts et l'énormité du péché commis. Que ce soit dans la conduite des âmes, dans le gouvernement de la maison ou dans le maintien des distinctions de classe, la femme « à la mode » échappe facilement — et sans cesse — aux mécanismes de contrôle.

3. « AVARITIA » et « DIVITIE »

> « Plusieurs en sont diffamez : mais surtout
> le sexe feminin, il est tellement porté à l'or,
> & à l'argent qu'on peut croire la femme la
> plus avaricieuse de tous les animaux. »
> (J. Olivier, *Alphabet de l'imperfection et
> malice des femmes,* Paris, 1617.)

L'inclination des femmes pour les accoutrements de la mode les amène forcément à la recherche de l'argent. D'où les reproches d'avarice et de cupidité — conséquences directes de la vanité féminine — faites aux jolies coquettes dont les affections sont généralement gouvernées par l'intérêt. *L'Amie de Court* de La Borderie (1542) mesure ainsi le succès de ses conquêtes amoureuses en termes de butin reçu :

> J'ai sceu gaigner un grand seigneur ou deux,
> pour avoir tout ce dont j'ai besoing d'eux,
> Accoustrement anneaux, chaines, dorures,
> Nouveaux habits et nouvelles parures.
> Chascun des deux faveurs me portera.
> Dieu sçait comment mon cœur les traitera [46] !

Or, si les exigences de l'élégance poussent la femme à la rapacité, son penchant « naturel » pour le luxe la rend prodigue d'un côté et avare de l'autre. Pour satisfaire à son orgueil elle dépense toutes ses richesses pour la toilette, ne laissant pas un sou pour des obligations sociales moins égoïstes :

> ... une femme mondaine est avaricieuse, car pour avoir dequoi faire parade de toutes ses vanitez... il faut qu'elle épargne son revenu, & qu'elle se montre chiche en toutes sortes de choses, & même en ce qu'elle devroit employer au soulagement des pauvres, & aux œuvres de charité, pour le bien & le salut de son ame... [47].

Même les mères de famille ne sont pas exemptes de ce défaut. Le mari qui ne freine pas les dépenses de son épouse risque de compromettre sa progéniture, car une femme vaniteuse est capable de priver ses propres enfants de leur subsistance afin de s'acheter de nouveaux colifichets :

> La plus domestique noise qui soit entre l'homme et la femme et semblablement la plus domestique haine et contrarieté, qui soit entre l'un et l'autre, c'est qu'il veult garder les biens pour substanter et nourrir les enfans, et par le contraire elle ne veult sinon le tout gaster, employer, et despendre en robbes et vestements pource que les femmes sont en ce cas tant curieuses et amoureuses, qu'elles jeuneraient et s'abstiendraient des alimens de la vie pour espargner une robbe neuve, pour un jour de feste. Les femmes naturellement aiment a garder, et ne veulent rien despendre ni employer, excepté en cas de vestemens : car de vingt-quatre heures qu'ils y a entre la nuict et le jour, elles ne vouldroient en chacune avoir et changer d'une neufve robbe [48].

Le chemin direct qui mène de la vanité féminine à l'avarice est visualisé par une estampe de Philippe Galle intitulée « *Divitiae* » (Anvers, v. 1590), où l'amour des richesses est personnifié par une belle femme, couverte des pieds à la tête de bijoux et d'étoffes somptueuses, qui montre au spectateur un collier incrusté de pierreries et une bourse pleine d'argent [49]. Assise au milieu du luxe et des richesses exhibées par l'Avarice, se détache une petite figure féminine, miroir à la main. C'est « *Superbia* », sœur de la cupidité, vice indissociable de l'avarice, car c'est elle qui donne à l'argent tout son sens. Effectivement, on voit à l'arrière-plan les plaisirs défendus auxquels conduit la vanité : dans le parc d'un château, des couples distingués se livrent aux passe-temps de l'amour.

Comme on pourrait s'y attendre, l'avidité féminine prend l'homme pour principale victime. Dépourvue le plus souvent de ressources propres, la femme a recours à tout l'attirail de la coquetterie dans le but de vider les poches de l'amant ingénu. C'est ce rapport d'intérêts qui inspire un emblème célèbre d'Alciati, écho « moderne » d'un texte de Pausanias (Paris, 1536), où l'on voit un cordier vêtu de haillons fabriquer à grand-peine une corde. Son travail ne lui servira cependant à rien car, derrière son dos, une ânesse mange tout le cordage dès qu'il est tressé. Emblème « contre ceulx qui donnent aux garçes ce quon doibt convertir a bon usaige », le texte accompagnant cette image compare le cordier à celui qui se laisse ruiner par la cupidité des femmes :

> Ung homme avec des joncs despaigne
> Faisoit cordes incessamment
> Mais pour quelque peine qu'il preigne
> Il nen a rien finablement :
> Car son anesse hastivement
> Mangeoit pour foin tout son ouvrage
> Maintes femmes pareillement
> Consument tost grand labouraige.

Cette histoire réapparaît un peu partout au XVIe siècle. La plupart des livres d' « hieroglyphes », des recueils d'emblèmes et des traités sur le beau sexe citent la fable du cordier imprudent comme allégorie de l'homme exploité par la femme dépensière, Jean de Marconville, dans *De l'heur et malheur de mariage* (Paris, 1564), se réfère également à Pausanias pour décrire la femme prodigue qui « en peu de temps dissipe & consomme tous les biens de son mari » [50]. De même Valeriano Bolzani, auteur des *Commentaires hiéroglyphiques ou images des choses* (Lyon, 1576), cite « ceste figure notable par la peinture & sculpture des braves ouvriers, lesquels pour signifier un homme curieux d'amasser & la femme prodigue, & libre à despendre, le representoient faisant une corde de genest, avec la femme derriere en forme d'un asne mengeant tout ce qu'il avoit peu tordre [51] ».

L'obsession pécuniaire des femmes est censée gouverner leurs rapports avec l'autre sexe. Elles n'aiment que par intérêt, l'avarice domine tous leurs sentiments. Ainsi l'emblème de Corrozet, « Amour vaincu par argent » (Paris, 1540) accuse celles-ci de préférer à l'affectivité la vénale accumulation des richesses. Cupidon, l'air déprimé, brûle le bandeau qui lui couvrait les yeux. Il ne représente plus l'amour aveugle, mais un amour clairvoyant — celui de l'argent :

> C'est honte à vous dames & damoiselles
> Que Cupido qui vous tient soubz ses elles,
> Se plainct de vous disant à toute gent
> Que [vous] le chassez pour complaire à l'argent
> ....
> Vous n'estes plus (ce dict-il) amoureuses,
> Mais de l'argent trop avaricieuces,
> Amour n'est plus dans le foeminin cueur,
> Car l'argent est dessus amour vaincueur.

Le thème de l'exploitation de l'homme ingénu par la femme cupide sous-tend l'iconographie de nombreuses allégories. Une « Moralité » de Jacques Androuet Ducerceau figure « *Divitie* » par une femme richement habillée qui se fait porter par quatre hommes (Paris/Genève, 1540-1585). La litière sur laquelle elle est assise transporte également des couronnes, symboles du pouvoir temporel et des abus qui en découlent (fig. 76). Or, les hommes qui soutiennent cette reine de la richesse ne sont guère des domestiques ; ils sont vêtus de tuniques et de toges à l'antique, attributs — selon le code vestimentaire de l'allégorie — de l'homme vertueux. Quant à la femme superbe, elle porte une robe de style moderne : ornée de bijoux et de broderies, sa parure l'apparente aux personnifications négatives du corpus emblématique. Cette femme « mauvaise » asservit les hommes les meilleurs, les domine et les manipule selon ses besoins... l'amour des biens est une maîtresse impitoyable.

La métaphore iconographique de la femme dominatrice et de l'homme subjugué apparaît de nouveau dans une allégorie de l'Avarice gravée par Léon Davent, cinquième planche d'une suite illustrant les Sept Péchés capitaux (Fontainebleau, 1547). Assise sur un trône surélevé et entourée d'objets précieux, l'Avarice présente à une foule d'adorateurs une coupe débordante d'écus (fig. 77). Agenouillés devant cette idole vivante se trou-

Figure 76
Jacques Androuet Ducerceau, « *Divitie* », d'après Aeneas Vico,
Paris/Genève, 1540-1585.

vent des hommes de tout âge et de toute condition sociale : un
pape, un empereur, un roi, des ecclésiastiques, des hommes de
lettres et des paysans, des riches et des pauvres. A l'arrière-plan,

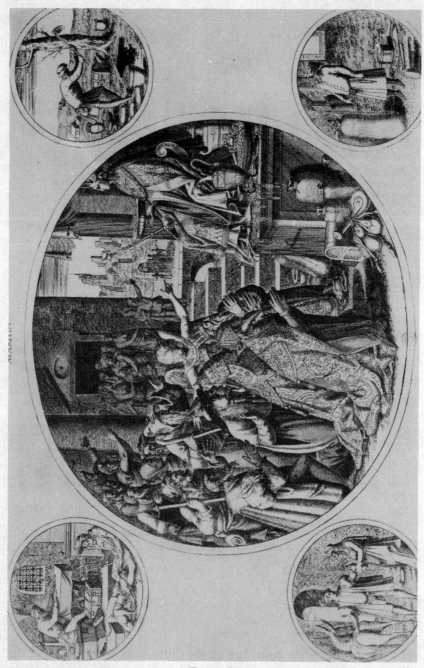

Figure 77
Léon Davent, « *Avaritia* », d'après Luca Penni, Fontainebleau, 1547.

à l'extérieur du temple de Mammon, on aperçoit une ville du XVIe siècle, détail qui rappelle au spectateur que le vice représenté ici appartient à son propre monde. La beauté éblouissante de cette déesse n'est cependant qu'une illusion. Sous le bord de sa robe précieuse sortent des griffes et sur son front poussent des cornes. Son joli visage n'est qu'un masque de pucelle cachant la face de Satan ; c'est que la femme et le démon s'allient pour tromper les hommes, pour les dominer et les détourner du chemin de la vertu. En adorant l'idole d'or, les hommes se détournent du vrai Dieu pour servir le Diable. Une fois encore, la gravure dénonce le rôle joué par la femme comme intermédiaire active entre l'humanité (masculine) et le royaume du Mal.

En fait, le seul maître que reconnaît la femme est le lucre. Pour l'argent elle renoncerait à tout, même au Père Éternel. « *Diffidentia Dei* », estampe en taille-douce gravée par Philippe Galle en illustration de la *Prosopographia* de Cornelis Van Kiel (Anvers, v. 1590), rend explicite la préférence des femmes pour les biens de ce monde (fig. 78). Une jeune femme dont l'accoutrement rappelle la mode de la fin du siècle serre une bourse bien remplie à la main. Elle tourne le dos au soleil, symbole de la lumière divine, dont elle s'éloigne avec un geste de mépris.

Dénoncée surtout par les étages supérieurs du monde de l'estampe — l'emblématique et l'allégorie savante —, la cupidité féminine passe par l'assujettissement et l'appauvrissement de l'homme, par le refus du divin en faveur d'une alliance infernale. Comme tous les autres vices attribués au second sexe, l'avarice mène à une même fin : le triomphe du démon et à l'inversion de l'ordre social. Selon les graveurs du XVIe siècle, le règne des femmes serait, sans le moindre doute, celui du chaos, de l'impiété et du Mal.

4. « FRAUS » OU LA FEMME TROMPEUSE

> « Cœur de femme trompe le monde
> Car en lui malice abonde. »
>
> (G. Meurier, *Thresor de sentences dorées,*
> Anvers, 1568).

> « L'Experience quotidienne nous faict assez entendre que quant le sexe foeminin veult appilquer l'esprit & l'artifice que nature lui a donné, à autre chose qu'à la vertu, qu'il ne trouve fraude, imposture, ni trahison à quoi il ne parvienne. »
>
> (J. de Marconville, *De la bonté et
> mauvaisté des femmes,* Paris, 1563.)

DIFFIDENTIA DEI.

Aspernor lucem, diffido Deo; mihi tota
Est spes in caris fixa numismatibus.

Figure 78
Philippe Galle, « *Diffidentia Dei* », dans Cornelis Van Kiel, *Prosopographia*,
Anvers, v. 1590.

La fraude et l'hypocrisie sont des vices où la femme excelle tout autant qu'elle triomphe en matière d'avarice ou de vanité. Comme le remarque Jacques Olivier à propos du « Monstrueux Mensonge », c'est un défaut dans l'exercice duquel elle dépasse — et largement — l'autre moitié de la population :

> ... quoi que ce soit un vice commun à toute la nature humaine, corrompue par le péché, si est-ce que particulièrement, les femmes s'y montrent plus sujettes que les hommes, parce qu'étant de nature babillardes, & sujettes à mille médisances & discours superflus, il est fort difficile qu'elles ne se glissent au mensonge pernicieux, officieux, ou joyeux [52].

En fait, la tromperie fait partie inhérente de la nature féminine depuis l'origine du monde. Ève ne naquit-elle pas d'une côte torse d'Adam ? Argument classique des textes misogynes depuis le Moyen Age, l'imperfection morale du sexe faible est due, avant tout, à une tare structurale :

> ... il y a comme un défaut dans la formation de la première femme, puisqu'elle a été faite d'une côte courbe, c'est-à-dire d'une côte de la poitrine, tordue et comme opposée à l'homme. Il découle aussi de ce défaut que comme un vivant imparfait elle déçoit toujours [53].

Dès lors, la femme n'a cessé de tourmenter l'homme, d'abuser de sa bonté, de trahir sa confiance. En décrivant les « tromperies & cauteleuses fallaces des femmes », Jean de Marconville s'appuie sur la sagesse des Anciens pour démontrer la perfidie du deuxième sexe :

> Les histoires sacrees & profanes sont toutes pleines d'exemples des trahisons, fraudes & circumventions qui se commettent ordinairement par les femmes, comme il appert par l'histoire de Dalila, laquelle ayant entendu que toute la force de Sampson consistoit en ses cheveux elle trouva moyen de le faire dormir en son giron, & ce faict lui tondit ses cheveux, par la rasure desquelz elle lui osta aussi toute sa force [... Et] quant je considère les cautelles, ruses, & fallaces des femmes, non seulement des anciens siècles, mais aussi de celles de maintenant je ne me puis tenir de deplorer l'estat & le malheur des choses humaines qui vont si preposterement qu'il faille que l'homme qui est naturellement doué d'un esprit genereux, se rende tant abbesti & abbruti que d'estre subject aux tromperies d'un si pusille & contemptible animal

qu'est la femme, & neanmoins elle a trompé les plus grands personnages qui aient jamais esté au monde comme il appert
d'Adam, David, Salomon, & autres notables personnages qui ont
succombé aux tromperies des femmes, comme Hercules qui estoit
dompteur des monstres, fut toutesfois vaincu par une femme [54].

Pour le XVIᵉ siècle, tant l'histoire sainte que la mythologie
gréco-romaine promulguent une série d'avertissements ou de
leçons morales au sujet de la féminité. Les récits de la chrétienté
et ceux du monde païen s'épaulent réciproquement pour enseigner à la société masculine un précepte important : personne,
fût-il le héros le plus valeureux du monde, n'est capable de résister aux astuces du sexe supposé faible dont la force réelle repose
largement sur sa maîtrise de l'art du mensonge.

● La fraude, l'avarice et l'adultère

La fourberie féminine se manifeste surtout en termes d'intérêt
dans la mesure où les motivations principales inspirant la menterie ou le faux-semblant, tels qu'ils sont pratiqués par la femme,
ont leur origine dans l'Avarice. Maints proverbes de l'époque
affirment que la fausseté naît de la cupidité. De même Jean
Benedicti, en décrivant « Les pechez commis par Avarice », cite
comme ses « filles » les fautes suivantes :

> Violence, rapine & concussion
> Fraude & Astuce
> Mensonge
> Falsité
> Lucre illicite & gain deshonneste
> Trahison [55].

Il est à noter que les deux tiers des défauts figurant dans cette
liste (soit quatre sur six) relèvent de la déception, et un autre de
l'enrichissement malhonnête. De surcroît, tous ces « enfants » de
l'Avarice sont censés être de sexe féminin.

Une allégorie de la Fraude gravée par Jacques Androuet Ducerceau (Paris/Genève, 1540-1585) explicite le lien de parenté
entre la rapacité féminine et l'hypocrisie qui l'accompagne
(fig. 79). Une jeune femme en déshabillé comble de caresses un
vieillard barbu. La ruse dont elle se sert est ancienne comme le
monde : pendant qu'elle l'embrasse, elle plonge la main dans
l'escarcelle de sa victime qui, en toute ingénuité, ne se doute de
rien.

Figure 79
Jacques Androuet Ducerceau, « *Fraus* », d'après Aeneas Vico,
Paris/Genève, 1540-1585.

Génie de la déception et reine de la ruse, la femme ajoute aux
artifices de la séduction l'art des suaves paroles. Elle est l'éternelle courtisane...

> ... de qui le faux parler
> Espand maintes mensonges par l'air
> Pour vuider, d'argent, l'escarcelle
> Du monsieur, qui te pense belle [56].

Et si elle ne s'ingénie pas à soustraire de l'argent à son amant, elle le trompera d'une autre façon, cherchant ailleurs l'amour qu'elle refuse à celui qui l'entretient :

> ... d'une amie trop fine, vous n'en avez jamais bon compte : elle vous joue tousjours quelque tour de son mestier ; elle vous tire à tous les coups quelque argent de soubz l'aisle ; ou elle veut estre trop brave, ou elle vous fait porter les cornes, ou tout ensemble [57].

L'imagerie urbaine fait écho à l'estampe savante et aux préceptes des misogynes littéraires en condamnant la femme pour la facilité avec laquelle elle manque à sa parole. « Foy legere de la [f]emme », cinquième planche d'une suite de douze allégories morales éditées par Jean III Le Clerc (Paris, rue Saint-Jacques, v. 1580), montre une fille de joie dans les bras d'un gentilhomme éperdu d'amour (fig. 80). Les affections du soupirant sont destinées cependant à faire triste naufrage, car la belle ne le paie pas de la même monnaie. Comment le sait-on ? Le chien couché aux pieds de la coquette aboie en direction de sa maîtresse perfide. Symbole de la fidélité et animal associé à l'homme, comme l'est le chat à la femme, le chien trahit ici les véritables sentiments de la courtisane. La légende inscrite en dessous de l'image renchérit ensuite sur le message iconographique et en tire la morale :

> Ne vous fiez jamais à la parjure foi
> D'une femme impudique, & d'une ame traistresse,
> Contemplant celle-ci qui manque de promesse
> Au brave Courtisan, qu'elle met en esmoi.

Quoi qu'il fasse, l'homme est toujours perdant face à la femme fourbe, d'autant plus qu'elle cache sa vraie nature sous une façade à la fois innocente et esthétique. « Dessoubz beauté gist deception », emblème de l'*Hecatomgraphie* de Gilles Corrozet (Paris, 1540), insiste sur ce dernier aspect de la fausseté féminine. La vignette représente d'un côté un homme de condition, vêtu à la mode du XVIe siècle, qui se frotte le pied (sa chaussure lui fait mal). De l'autre côté de l'espace pictural se trouve une jeune femme belle et gracieuse. Elle est habillée d'une robe légère à l'antique qui laisse transparaître sa gorge et une jambe bien tournée. Un pendentif orne son cou et des rubans attachés à sa coiffure augmentent l'agrément de sa toilette. Le commentaire de Corrozet explique l'énigme du rapport entre ces deux personnages et en tire la morale. C'est que, bien qu'elle soit d'appa-

Foy legere de la [f]emme

Ne vous fiez iamais à la parjure foy
D'vne femme impudique, & d'vne ame traistresse,
Contemplant celle-cy qui manque de promesse
Au braue Courtisan, qu'elle met en esmoy.   v.

Figure 80
Jean III Le Clerc, « Foy legere de la [f]emme », Paris, rue Saint-Jacques,
v. 1580.

rence irréprochable, cette femme charmante cache sous un extérieur adorable de graves défauts de caractère.

> Un homme avoit une femme assez belle,
> Qui n'estoit pas à son gré bien fidele

Et meit cela si bien en fantasie,
Qu'il en tomba au mal de jalousie,
Voir à bon droit, or feit il tost apres
Aux parens d'elle ung banquet tout expres,
Et apres boire & levées les tables,
Leur racompta en mots non delectables
Comment sa femme alors se gouvernoit,
Et qu'envers lui tresmal se maintenoit,
En concluant & donnant à entendre
Qu'il la quittoit & qu'il leur vouloit rendre,
On lui respond que soubz clere beaulté,
Estre ne peult si grand desloyaulté,
Et qu'elle avoit l'apparence & la face,
D'honnesteté & vertueuse grace.
Ha messeigneurs (dit il) voyez vous pas
Mes beaux souliers dont je marche grand pas,
Ilz sont tous neufz, mais ne scavez ou est ce,
Que l'ung d'iceulx secretement me blesse,
Car soubz doulceur par dehors embasmée,
Gist une aigreur dedans envenimée.
Par le propos que ce mari deduict,
Voyons que n'est tout or ce qui reluit,
Et que vrai est du poete ung proverbe,
Que le serpent gist souvent dessoubz l'herbe.

La femme n'est donc guère ce qu'elle paraît. Son aspect ingénu et son allure pudique sont autant de masques à l'aide desquels elle entortille l'homme afin de poursuivre impunément son propre plaisir. Le plus souvent, elle s'acharne à collectionner des cornes pour son mari [58].

Une longue tradition littéraire alimente le mythe de l'épouse rusée, habile à tromper son compagnon. Les fabliaux du Moyen Age abondent en histoires de menteuses qui abusent de l'affection et de la bonne foi de leurs maris lesquels finissent par croire plus à leurs épouses perfides qu'à leurs propres yeux [59]. Aux XVe et XVIe siècles, des recueils de contes inspirés du Décaméron reprennent avec enthousiasme le leitmotiv de l'infidélité féminine. Les Cent nouvelles nouvelles, l'Heptaméron et Les Nouvelles Récréations et joyeux devis, pour ne citer que les œuvres les plus connues, renchérissent sur un thème au succès assuré [60]. Même le Roman de la Rose, dont la vogue s'étend sur deux siècles, dédie 3000 vers — le « Discours de la vieille » — aux subterfuges utiles aux femmes qui aspirent à conquérir les hommes et à les plier à leur volonté. Ces contes deviennent ensuite réalité dans la littérature de sensation. Un bulletin d'information, imprimé à Paris en 1611, raconte l' « histoire tragique d'un jeune gentilhomme et d'une grand'dame de Narbonne, en laquelle on recognoistra les ruses des femmes, à décevoir les jeunes hommes [61] ». Quant au discours moral, il reprend et élargit la tradition littéraire :

> ... il n'y a rien au monde si leger & si perfide que le sexe Femi-nin. La perfidie de la Femme paroît en ce que pour venir à bout de ses desseins, elle tromperoit pere & mere, & les plus grands de tous ses amis, ou bien même celui de qui elle tient le premier être de la vie : Car quand vous auriez autant d'yeux comme Argus, dont parle la Fable, qu'en avoit cent, elle feroit si bien en sorte qu'elle vous tromperoit, quelques precautions que vous puissiez prendre pour empêcher l'execution des desseins qu'elle a envie de faire [62].

Trompeuse par tradition, menteuse par nature, la femme fournit à l'estampe allégorique la personnification même de la Fraude, de l'Hypocrisie, de la Calomnie. Tout défaut qui relève de la déception est automatiquement attribué au sexe fourbe, et chaque milieu de l'estampe lui réserve une place privilégiée parmi les vedettes du vice.

● **Mensonge, hypocrisie et calomnie**

La représentation traditionnelle de la fausseté est celle de la femme masquée, personnage symbolique qui transparaît aussi souvent dans l'emblématique que dans l'estampe allégorique. Elle s'exhibe ainsi, une souricière et une canne à pêche à la main, dans une gravure de Philippe Galle illustrant la *Prosopographia* de Cornelis Van Kiel (Anvers, v. 1590) : « Par l'amorce dont je trompe les poissonnets, & la souriciere que je porte pour attraper les souris, voyez que je suis la Fraude » (fig. 81).

La phrase commentant cette figure n'interprète que deux des trois attributs de la Fraude. Pourquoi n'y trouve-t-on aucune mention de son masque ? Sans doute parce que la symbolique du masque était trop bien connue à l'époque pour mériter une explication, alors que le sens des autres attributs pouvait varier selon le contexte dans lequel ils se trouvaient. En fait, dans la mesure où la femme au faux visage constitue un élément courant du lexique iconographique, elle se prête aisément à des personnifications « doubles » — telle la figure de la Ligue hypocrite qui apparaît sur un placard de la fin du siècle. « Les entre-paroles du Manant de-ligué, & du Maheutre », feuille volante imprimée par

Figure 81
Philippe Galle, « Fraus », dans Cornelis Van Kiel, *Prosopographia*, Anvers, v. 1590.

Figure 82
Jean III Le Clerc, « Les entre-paroles du Manant de-ligué & du Maheutre » (détail), Paris, rue Saint-Jean-de-Latran, 1594.

Jean III Le Clerc (Paris, rue Saint-Jean-de-Latran, 1594), drama-
tise les conflits sociaux résultant des manœuvres de la Ligue [63].
Alors que le Maheutre discute avec le Manant aux alentours de
la Ville de Paris, une vieille femme vient à leur rencontre
(fig. 82). Cette dernière brandit la masque d'une jeune fille innocente, mais ses mauvaises intentions sont toujours transpa-
rentes : non seulement elle porte un couperet de boucher à la
ceinture, mais elle découvre sa face répugnante. Le dialogue des
deux hommes élargit ensuite la signification de cette figure par
une série de questions et de réponses, stratagème littéraire déjà
familier au public des emblématistes :

Mah. — Dis moi... quelle femme cesla ?

Man. — J'en viens [de Paris] & ceste femme est la Ligue cruelle,
          Qui pour perde Soissons, hors de Paris s'en va.

Mah. — Elle est autre qu'une autre, & crois à veoir sa mine,
          Qu'elle vint des Enfers, pour nous ensorceler.

Man. — Comme... la maudite chemine,
          Elle a l'œil de Mendoçe, & les grands dents du Cler :
          Sa main gauche soustient la feinte hypocrisie,
          Elle a à son costé le cousteau de Boucher,
          Cousteau dont il souloit, selon sa fantasie
          Pour gaigner des doublons, l'escripture escorcher.

Mah. — Que denotent ces chiens desquels elle est suivie ?
          Je croi qu'elle s'en paist quand la faim la saisit.

Man. — C'est pource qu'ainsi qu'eux elle est pleine d'envie,
          Et qu'elle tasche à mordre à l'heure qu'elle rit.

Mah. — Dieu desormais nous garde & d'elle, & de ses ruses,
          De ses coups clandestins, de ses conseils zelez.

   Que le méchant personnage du trio soit une femme n'est guère
surprenant. Lorsque le bien s'oppose au mal, c'est à l'homme
que reviennent, le plus souvent, les lauriers de la vertu. La
femme, et surtout la femme âgée, assume aussi facilement le
parti du vice.
   Le motif du masque est particulièrement cher aux emblématistes, d'où la « Simulation odieuse », emblème de Jean-Jacques
Boissard gravé par Théodore de Bry (Metz, 1584). La « Simulation » est une Méduse, l'inévitable masque à la main, qui s'amuse
à pêcher (fig. 83). Ses cheveux serpentins et ses seins flasques
trahissent son alliance avec le Mal, alors que le faux visage et la
canne à pêche révèlent sa nature hypocrite. Or, cette Méduse
regarde par-dessus son épaule en direction de deux hommes
habillés à la mode du XVIᵉ siècle. Debout derrière une petite

Figure 83
Théodore de Bry, « Simulation odieuse », dans Jean-Jacques Boissard,
Emblèmes latins, Metz, 1584.

muraille sur laquelle se trouvent deux scorpions et deux sacs
(d'argent ?), ceux-ci échangent des propos en gesticulant avec des
masques révélateurs. Dans son ensemble, l'emblème affirme que ·

la dissimulation monstrueuse préside, tel un génie, aux affaires des hommes :

> Ce monstre conjuré à noz communes pertes,
> Ente dans chasque cœur son esguillon poinctu :
> ....
> Hypocrite Avorton des Enfers appellé
> Pour piper les humains soubs un front simulé
> Dont le taint n'est que fard, que veut la preudhomie ;
> Qui de masques divers voilez de pieté,
> Pervertis des mortels l'alme société :
> Heureux qui n'a par toi sa raison endormie.

Surgit, encore une fois ici, le thème de la femme intermédiaire entre l'homme et le mal, de la créature diabolique dont la seule ambition vise la ruine de l'humanité. Monstre mythique, mi-humain, mi-serpent, la Méduse hypocrite constitue un écho iconographique au rôle perfide joué par ce même duo — femme/reptile — lors du Péché originel. En fait, la symbolique féminine et animale de la tromperie fait partie des représentations mentales courantes à l'époque et la métaphore littéraire s'inspire de ce même prototype. Ainsi Brantôme, lorsqu'il affirme que « de telles femmes rusées, fines et changeantes, il s'en faut donner garde comme d'un beste sauvage [64] ». La *subscriptio* de Boissard fait également référence au fard, cosmétique trompeur qui transforme les femmes laides de mœurs équivoques en jeunes beautés virginales. Mais, c'est pour une autre raison que moralistes et prédicateurs condamnent le masque en tant qu'accessoire de toilette. Au-delà de sa fonction esthétique, le faux visage permet aux femmes de poursuivre *incognito* leurs amours adultères [65].

L'identité « féminine » de la déception donne lieu à des variantes iconographiques intéressantes, surtout quand il s'agit de la propagande religieuse. La poétesse réformée Georgette de Montenay, par exemple, transforme une religieuse catholique en emblème de l'Hypocrisie. La gravure de Pierre Woeiriot illustrant cet *Embleme chrestien* (Lyon, 1571) montre une nonne, chapelet au bras, qui se promène à la campagne (fig. 84). Celle-ci contemple une énorme langue alors que son cœur traîne par terre, attachée à une ficelle [66] :

> La langue aux mains & le cœur loing derriere.
> D'hypocrisie est la droite peinture,
> Elle seduit par sa douce maniere,
> Et rit mordant la simple creature.
> Or Christ apprent en la saincte escriture
> Que rient ne sert la langue sans le cœur,
> Dont l'hypocrite a povre couverture.

Figure 84
Pierre Woeiriot, « *Frustra me colunt* », dans Georgette de Montenay,
Emblemes ou devises chrestiennes, Lyon, 1571.

L'interprétation religieuse de la dissimulation n'est pas le fait
des seuls protestants. Les femmes bigotes qui cachent, sous le
voile de la dévotion, un cœur porté au vice offrent un sujet de
prédilection à tous les détracteurs du sexe féminin. Même Brantôme s'acharne contre ce genre de comportement, fort commun
à son époque si l'on peut se fier à ses affirmations :

> ... en ai-je veu force de ces devotes et patenostrieres mangeuses
> d'images et citadines ordinaires des eglises, qui, sous ceste hypo-
> crisie, couvoient et cachoient leurs feux, afin que, par telles feintes
> et faux semblans, le monde ne s'en apperceust et les estimant très-
> prudes, voir à demi sainctes. Mais bien souvent elles ont trompé le
> monde et les hommes. Et voilà comme nos devotes, ou plustost
> bigottes, nous trompent... [67].

Alors que la fraude, le mensonge et l'hypocrisie sont autant de
techniques de dissimulation par lesquelles la femme défend ses

propres intérêts, il existe une autre catégorie de tromperie féminine qui vise directement à la destruction d'autrui. La Calomnie
est « le mal des maux [68] », car elle peut ruiner la vie d'un homme
par pure médisance. Elle vise l'innocent, le vertueux, l'irréprochable, et l'offre en victime à l'opprobre social. C'est pour cette
raison que la « Calomnie » de Geoffroy Dumonstier (Fontainebleau, 1543-1547) est représentée foulant aux pieds un homme
nu (fig. 85). Portant la main à la tête en geste de désespoir, cet
infortuné est dépouillé de tout : de ses biens, de son honneur, et
même de sa pudeur, parce qu'il n'a même plus un brin d'étoffe
pour se couvrir. Celle qui l'a renversé est une femme au regard
perçant. Drapée à l'antique, elle tient dans chaque main un serpent qui s'enroule autour de ses avant-bras. Femme-reptile, la
Calomnie répète encore une fois le drame de la Chute lorsque
Ève s'est associée à l'avocat du Diable pour perdre Adam l'innocent. Rien n'est nouveau en ce monde... les péchés féminins
mènent toujours au même état des choses : au triomphe du Mal
et à la défaite de l'homme. Monde à l'envers, la lutte des sexes
traduit, ici comme ailleurs, la lutte du Mal contre le Bien, du
Vice contre la Vertu, du Chaos contre l'Ordre.

● La distribution sociale de la finesse féminine

Bien qu'elle semble être pratiquée par des femmes de tout âge
et de toute classe sociale, la faute de la dissimulation n'est pas
partagée de façon égale parmi la population féminine. Ce sont
les femmes des villes, et surtout celles des couches supérieures
qui excellent dans l'exercice de la déception. Quant aux campagnardes, elles sont peu habiles dans la pratique du mensonge,
étant plus obtuses que leurs sœurs citadines.

Les conteurs des XVe et XVIe siècles respectent la géographie
sociale des femmes rusées, situant les histoires de fourberie féminine dans les cités et les exemples de niaiserie à la campagne.
Lorsqu'une femme urbaine réagit autrement, c'est une exception
à la règle. Au moins c'est ainsi que Bonaventure des Périers voit
la chose :

> Il ne se faut pas esbahir si celles des champs ne sont guère fines,
> veu que celles de la veille se laissent quelquefois abuser bien sim-
> plement. Vrai est qu'il ne leur advient pas souvent, car c'est ès
> villes que les femmes font les bons tours [69].

Or, si une femme futée est capable d'entraîner, par menterie,
la ruine d'un amant ou le déshonneur d'un mari, la dissimu-

Figure 85
Geoffroy Dumonstier, « Allégorie de la Calomnie », Fontainebleau,
1543-1547.

lation d'une consœur haut placée peut provoquer la destruction d'un pays entier. Ainsi dit le proverbe :

> De femme trop fine
> Tost en ruine
> L'estat viendra :
> Et qui s'encline,
> A sa doctrine
> Mal lui en prendra [70].

Le XVIe siècle redoutait tout particulièrement l'intervention des femmes dans les affaires d'État, d'autant que le beau sexe jouait un rôle de plus en plus déterminant dans la politique royale depuis le règne de François Ier jusqu'à celui de Henri III. De la « Paix des Dames » aux machinations de Catherine de Médicis lors des guerres de Religion, l'influence des femmes fut souvent ressentie dans les débâcles du royaume. Cette intervention dans les affaires nationales n'était cependant pas toujours bien accueillie [71], et, même Brantôme, qui défendait par principe les reines des maisons de Valois et d'Orléans contre toute accusation d'ingérence politique, ne se retenait guère à l'égard des princesses et des régentes du siècle précédent. De « Madame Yolande de France », sœur de Louis XI, il dit qu'elle « sçavoit aussi bien ou mieux dissimuler que le roi son frere », et qu'elle « estoit cent fois plus fine que lui, tant à sa mine qu'à ses parolles et façons [72] ». « Madame Anne de France », fille de Louis XI et régente de son frère, Charles VIII, était encore plus rusée. Elle s'avança par fraude, fâcha le peuple, et tyrannisa son époux :

> Elle estoit fine trinquarte, corrompue, plaine de dissimulation et grande hypocrite, qui, pour son ambition, se marquoit et se degui-soit en toutes sortes. Dont le royaume se commanceat à se fascher de ses humeurs... lorsque le roi alla à Naples, elle ne demeura plus en titre de regente, mais son mari, M. de Bourbon, regent. Il est bien vrai qu'elle lui faisoit faire beaucoup de choses de sa teste ; car elle le gouvernoit et le sçavoit mener, d'autant qu'il tenoit un peu de la sotte humeur, voire beaucoup... [73].

*
* *

Que ce soit au cœur de la vie politique, au cours de la quoti-dienneté conjugale ou au centre des débâcles amoureuses, la finesse proverbiale du sexe féminin ne peut que provoquer le désastre. L'estampe, comme la littérature, évoque à ce propos tous les malheurs qui guettent l'homme ingénu. Tant l'emblématique que l'imagerie urbaine et l'estampe savante s'inspirent des supplices de l'homme calomnié, volé par la courtisane ou cocu par sa propre épouse.

Mais si les graveurs du XVIᵉ siècle accusent le deuxième sexe de fraude et d'hypocrisie, cette accusation n'est peut-être pas tout à fait infondée dans une société où le pouvoir reste largement aux mains des hommes. Dépourvue d'autonomie dans la vie économique et sociale, soumise à son mari, à son père, au frère, la femme ne peut agir qu'indirectement. Or, dans la mesure où la dissimulation et la coquetterie sont les armes des faibles, la manipulation de l'homme peut constituer pour la femme une voie de sortie, une façon d'agir [74]. Et que la société masculine redoute une telle instrumentalisation n'est que naturel. A une époque qui cherche à renforcer les structures de l'État, de la religion et de la famille, toute exception au rapport dominant-dominé mettrait en cause l'ensemble du système — d'où le pouvoir réel de « l'opposition » féminine et la facilité avec laquelle elle réussit à brouiller les cartes d'un jeu où elle est censée participer sans un seul atout.

5. PARESSE ET PAUVRETÉ

« Une femme qui pense seule pense à mal »
(H. Institoris et J. Sprenger, *Malleus maleficarum,* Paris, 1497.)

« Fille oiseuse rarement vertueuse »
(G. Meurier, *Thresor de sentences dorées,* Anvers, 1568.)

La paresse et la pauvreté sont étroitement associées dans l'esprit des hommes du XVIᵉ siècle [75]. Graveurs, emblématistes et moralistes affirment tous à l'unanimité que l'oisiveté mène aux malheurs de l'indigence. Mais, si la paresse est surtout un défaut des pauvres, elle se trouve également à l'origine de plusieurs autre vices, telle l'impudicité. La femme fainéante a le temps de penser, activité à la fois insolite et dangereuse qui ne peut que la mener sur le chemin du péché. C'est pour cette raison que l'estampe et la littérature dénoncent catégoriquement l'indolence

féminine et recommandent fermement aux chefs de famille d'occuper, jour et nuit, les femmes de leur maisonnée.

● **L'oisiveté des femmes du peuple**

La Paresse est le dernier en importance des quatre vices systématiquement imputés au sexe féminin dans l'iconographie des Sept
Péchés capitaux. Semblable à la majorité des fautes « féminines »
du *septemvir,* elle est pratiquée par une catégorie particulière. À
l'inverse de la Vanité, qui est généralement exercée par de jeunes
beautés issues de couches sociales supérieures (comme l'Avarice,
péché que partage la femme avec l'homme), la Paresse est un
défaut propre aux couches populaires.

Ainsi « Du vice de paresse », gravure sur bois illustrant *La
grand nef des folz* de Sebastian Brant (édition de Lyon,
1529/1530) représente une paysanne âgée assoupie au coin du
feu : cette « vieille qui est auprès du feu sa guenoille au coste...
dort par si grande paresse quelle se brusle les piedz par faulte de
les reculer ou retirer a soi ». De même « *Pygritia* », planche de
Léon Davent (Fontainebleau, 1547) accuse une paysanne
désœuvrée tout en l'entourant d'autres représentations syncrétiques de l'oisiveté féminine (fig. 86). Le médaillon central de la
gravure prend de la *Nef des folz* le motif de la fileuse âgée [76].
Accroupie près d'un grand feu, celle-ci se rechauffe, le pied au
cœur des flammes, la quenouille négligée glissée sous le bras. De
l'autre côté du feu, des enfants vêtus de haillons profitent,
comme elle, de la chaleur réconfortante tandis qu'un paysan
passe à l'arrière-plan, occupé à semer un champ. Seul personnage industrieux parmi des indolents, l'homme s'oppose par son
activité à la paresse féminine et enfantine. Les petits médaillons
ornant les quatre coins de l'estampe renchérissent sur le thème de
l'oisiveté en présentant au spectateur deux animaux « languides »
— un ours et un caméléon — et encore deux femmes inactives.
Celle de l'angle supérieur gauche chevauche un âne, emblème de
l'inertie et de « la femme mal obéissante » [77] ; ses mains bandées
indiquent qu'elle se permet en tout temps le luxe de l'inactivité.
Dans l'angle inférieur droit se trouve une autre femme, l'habit en
lambeaux, assise par terre sous le toit ruiné d'une chaumière.
Pleurant de tristesse, la tête appuyée sur une main, elle traduit la
nature mélancolique des oisifs et la pauvreté qui les accable.

Le motif de la quenouille délaissée apparaît dans la grande
majorité des allégories de la Paresse. Symbole du travail féminin

Figure 86
Léon Davent, « *Pygritia* », d'après Luca Penni, Fontainebleau, 1547.

et de l'industrie vertueuse, la quenouille abandonnée signifie automatiquement le vice de l'oisiveté. Ainsi « *Negligentia* », estampe en taille douce gravée par Philippe Galle pour la *Prosopographia* de Cornelis Van Kiel (Anvers, v. 1590) ignore les instruments domestiques qui gisent à ses pieds (fig. 87). Assise devant sa maison, les bras croisés sur la poitrine, celle-ci affiche un dédain profond pour le travail du fil et une indifférence totale à l'égard de sa maison délabrée : « A la maison ruineuse, & à la quenouille & fuseau jetté en terre, pouvez entendre que je suis la Nonchalance. »

La mauvaise ménagère de Philippe Galle s'oppose, tant par son attitude que par son habillement, à la personnification de l' « *Industria* » gravée par Jacques Androuet Ducerceau (cf. fig. 61). Cette dernière est représentée en train de coudre et, comme sied à tout modèle de vertu, elle porte une robe plus ou moins dans le style antique et ses cheveux tressés sont arrangés avec simplicité. L'allure modeste et l'assiduité de cette femme exemplaire contrastent vivement avec l'attitude de la Paresse. Habillée d'un vêtement à la mode du XVIᵉ siècle qui laisse transparaître sa gorge et ses bras nus, la Négligence est plus coquette dans sa mise qu'elle n'est ordonnée dans sa toilette, car ses cheveux s'échappent de sa coiffe en mèches désordonnées. La comparaison de ces deux personnages éclaire, une fois de plus, le code vestimentaire de l'allégorie qui tend à vêtir les personnifications positives à la mode antique et les figures négatives à la façon moderne. De même, l'apparence physique de la femme vertueuse se caractérise, comme le veut la grammaire morale de l'iconographie, par la pudeur alors que l'oisive est plutôt provocante. C'est que l'on pensait à l'époque que l'inactivité engendre dans la tête des femmes des pensées impudiques, d'où la nécessité de les occuper constamment.

● « *Fille oisive à mal pensive* [78] »

Les moralistes du XVIᵉ siècle sont tout aussi convaincus que les graveurs et les auteurs des recueils de proverbes quant à la nature pernicieuse de la paresse féminine. Ceux-ci recommandent fermement aux hommes de ne jamais laisser chômer leurs épouses, même si le travail auquel elles se dédient n'est guère nécessaire à l'économie du foyer. Ainsi J.-L. Vives, en adressant aux maris des conseils sur la politique conjugale, insiste sur l'effet salutaire de l'activité domestique :

NEGLIGENTIA.

Et colus et fusus digitis cecidere remissis;
30,   *Mox neglecta etiam concidet ipsa domus.*

Figure 87
Philippe Galle, « *Negligentia* », dans Cornelis Van Kiel, *Prosopographia*,
Anvers, v. 1590.

> Sur le tout, garde qu'elle [l'épouse] ne demeure oiseuse a la maison, & la metz en besogne a quelque negoce, tant petite soit : car... s'elle pense seule, elle pense mal. Elle s'exercera non tant en chose delicieuse ou vaine que utile, quoi qu'elle soit opulente ; car fortune est muable, & l'occupation divertit les folles pensees [79].

Même les emblématistes, lorsqu'ils vantent les mérites multiples de leurs œuvres, en proposent la lecture comme un passe-temps « utile » qui permettrait de « fuir maudite oiseveté,/Qui de tout vice est la droite nourrice » [80]. En introduisant ses *Emblemes ou devises chrestiennes,* Georgette de Montenay propose ainsi aux jeunes femmes de l'aristocratie de l'imiter et de composer des vers à la plus grande gloire du Créateur :

> Ne souffrez plus, damoiselles gentiles,
> L'esprit rené vaquer à choses viles :
> Ains employez l'a mediter les faits,
> Et faire escrits de cil qui nous a faits,
> Et qui nous veult à lui par Christ unir [81].

Le traitement littéraire de la paresse des milieux aisés diffère cependant nettement de celui des échelons inférieurs de la société. Si l'indolence des privilégiées est censée mener à la vanité et à la concupiscence, l'inactivité des femmes du peuple crée des problèmes beaucoup plus immédiats. C'est que « la femme oisive & negligente » est « du tout inutile au mesnage » [82].

Dans la majorité des maisonnées, le travail féminin est nécessaire à la bonne gestion de l'unité domestique et familiale. Ce sont les femmes qui assurent la production des repas, la garde des enfants, la fabrication des vêtements et mille autres tâches ménagères. Le rôle complémentaire des paysannes dans l'économie agricole — où les activités quotidiennes et saisonnières se répartissent selon le sexe des participants — est bien connu. Quant aux citadines, elles ont toujours la responsabilité de gérer le foyer et, le cas échéant, de surveiller la boutique ou l'atelier du mari. L'influence de la ménagère s'étend même aux domestiques et aux apprentis dont elles est censée contrôler le comportement et le travail [83]. Ainsi Antoine de Guevara décrit-il la participation des épouses à la gestion de la maison comme une obligation de premier ordre, une condition de la vie elle-même :

> C'est encore un très salutaire conseil que les femmes mariées aprenent et sçavent tres bien gouverner leurs maisons, c'est à sça-

voir, à pétrir et à cuire, faire des ouvrages, balaier, faire la cuisine et à coudre, parce que ce sont des choses si nécessaires que, sans cela, elles mesmes ne pouroient pas vivre et encore moins rendre les maris contents [84].

Or, que la paresse féminine soit plus redoutée dans les couches sociales inférieures et moyennes n'est guère surprenant donné l'apport — souvent indispensable — du travail des femmes. Au dépit de l'autorité absolue exercée par l'homme dans les affaires de sa famille, l'oisiveté féminine peut saboter de l'intérieur l'organisation de la cellule domestique et transformer la vie du ménage en purgatoire. Et, parmi les mille malheurs causés par cette léthargie féminine, règne au premier rang le spectre de la pauvreté.

● « Vice de paresse, à pauvreté s'adresse [85] »

Selon Jean Benedicti, trois des « filles » de la Paresse — Désespoir, Négligence et Divagation d'Esprit — sont également des attributs de la Pauvreté [86]. Cette dernière apparaît fréquemment dans l'estampe allégorique sous la forme dictée par les auteurs des traités d' « hiéroglyphes ». Pierre Dinet, par exemple, décrit la Pauvreté comme « une femme hideuse, morne, estant assise sur terre, ayant les mains dans le sein, abandonnée de toute compagnie [87] », et c'est précisément sous une telle apparence qu'elle apparaît dans une « Moralité » de Jacques Androuet Ducerceau intitulée « *Calamitas* » (Paris/Genève, 1540-1585). Sous un toit en paille ouvert sur le ciel une femme pleure : assise à même le sol, un bol cassé à ses pieds, elle n'est vêtue que de quelques haillons qui ne suffisent pas à couvrir sa honte (fig. 88). Évocation brutale de la misère, cette image dépasse la métaphore allégorique pour décrire une réalité quotidienne — la pénurie chronique qui rongeait les campagnes épuisées par la guerre, les impôts, les épidémies et les disettes [88]. Se reconnaît également dans cette estampe l'un des motifs de la « *Pygritia* » de Léon Davent : une femme désolée accroupie sous le toit ruiné d'une chaumière qui incarne les conséquences du péché de l'oisiveté (cf. fig. 86). L'attitude mélancolique des deux femmes est d'ailleurs caractéristique de leur déchéance oisive, car « Paresse est une tristesse spirituelle qui aggrave & appesantit si bien l'ame qu'elle ne prend aucun goust à faire bien [89] ».

Si on compare ces deux images à une estampe intitulée « *Pauperies* » gravée par Théodore Galle d'après Martin de Vos (éditée

CALAMITAS

VESTITV ET TECTIS SPOLIATA
HEVNVDA RELINQVOR

Figure 88
Jacques Androuet Ducerceau, « *Calamitas* », d'après Aeneas Vico,
Paris/Genève, 1540-1585.

à Anvers par Philippe Galle, v. 1590), on y retrouve toujours la
femme pauvre habillée d'une robe toute déchirée, assise cette
fois-ci sur une chaise rudimentaire, faite de branches d'arbres et
de paille[90]. Les yeux mi-clos, elle paraît somnoler, la tête

appuyée sur une main dans une attitude langoureuse. A ses pieds se trouve une petite figure féminine, un cœur fendu à la main : c'est l'Humilité, seul espoir des pauvres. A l'arrière-plan, des chaumières en ruine et des châteaux forts à demi effondrés signalent le passage récent de quelque désastre, tandis que les quelques personnages qui parsèment le paysage ne marchent qu'à l'aide de béquilles. Synthèse des maux qui accompagnent la Paresse et la Pauvreté, cette image confirme l'identité essentiellement « féminine » des deux.

*
* *

L'oisiveté, l'indigence et la « tristesse spirituelle » forment donc un trio conceptuel où la femme joue le rôle de principe unificateur. Péché surtout des femmes du peuple, la Paresse mène à de nombreux vices, au premier rang desquels figurent l'impudicité et la misère. L'urgence du message iconographique s'explique par l'importance des enjeux. Malgré son statut d'inférieure, la femme du XVIᵉ siècle est la clef de voûte de l'économie domestique, tout comme le peuple constitue la base de l'économie nationale. D'où le besoin de dénoncer les conditions de la non-productivité et de stimuler l'industrie par des admonitions fréquentes.

6. LE CAQUET DES FEMMES

> « Les femmes sont en caquet tant affables
> Qu'elles nous font prendre souriz pour chatz. »
> (G. de La Perrière, *Le Théâtre
> des bons engins,* Paris, 1539.)

La supériorité incontestée attribuée au sexe féminin dans la pratique de l'hypocrisie et du mensonge est due en partie à sa dextérité verbale, talent qui fleurit surtout parmi les échelons inférieurs de l'édifice social. On dit à l'époque que « Parolles sont femmes mais les faits sont masles [91] », distinction entre le dire et le faire qui reflète l'une des préoccupations majeures d'une société soucieuse de circonscrire au maximum la sphère des activités féminines. Par ailleurs, on pensait que la propension marquée du deuxième sexe à l'expression orale était un fait de nature, un défaut biologique remontant à la Création du Monde :

[On] découvre le secret de cette imperfection en la Genese, car Dieu formant le corps de la femme d'une côte dure & craquetande, & celui de l'homme de terre sourde & muette, c'étoit un Don préjugé que l'homme seroit de sa mesure, taciturne & silencieux, & la femme au contraire & caquetante & babillarde [92].

Dès lors, la langue féminine n'a cessé de se remuer, à un point tel que le silence signifierait pour elle une torture :

Les femmes ont tant d'inclination au babil, que le plus grand suplice que l'on leur peut faire souffrir, seroit de les empêcher de parler [93].

L'estampe comme la littérature accordent une place importante à la parole féminine. Traité tantôt en sujet comique, tantôt en source de troubles sociaux, le « babil » des femmes est une arme versatile à l'aide de laquelle elles s'amusent à subjuguer leurs maris et à calomnier leurs voisines. De nombreux fabliaux, contes, farces et soties des XVe et XVIe siècles prennent pour sujet le caquet des commères, thème à recette sûre dont le public ne se lasse guère : « La Farce des femmes qui ont la langue arse quant ils *(sic)* blasonnent leurs maris [94] », « Le Caquet des bonnes chambrières, declairant aulcunes finesses dont elles usent vers leurs maistres et maistresses [95] » et « Le Grant Voyage et pelerinage de saincte Caquette » [96] ne sont que quelques titres au catalogue. Cependant, si la tradition littéraire et théâtrale privilégie une vision humoristique de la femme bavarde, le discours savant laisse entrevoir une autre réalité.

Selon les autorités morales, c'est dans la langue que gît la grande partie de la puissance féminine. C'est une lame empoisonnée, un serpent venimeux :

Nous voyons que nature en diverses parties du corps a mis les forces, à l'aigle au bec, au taureau à la corne, au serpent en la quëue, au chien aux dents, au pigeon es esles, & aux femmes en la langue. Mais... toutes les bestes venimeuses ne tiennent tant de venin respandu en tout leur corps, comme une mauvaise femme en tient en sa langue... [d'où le fait] qu'il est plus tolerable de hanter avec les lions & dragons que de converser avec une mauvaise femme [97].

Plus féroce qu'un lion, aussi empoisonnante qu'un dragon, la femme à la langue mauvaise se repaît de discorde. Elle tourmente son mari et enflamme des quartiers entiers par ses médisances. En outre, la bavarde a tendance à négliger son ménage et ses devoirs domestiques en faveur de commérages oisifs, ce qui constitue encore une infraction contre l'équilibre du foyer et du corps social.

● Victimes du babil féminin

> « Familiarité & conversation des femmes
> a esté la ruine de plusieurs. »
>
> (J. Benedicti, *La Somme des pechez,*
> Paris, 1601.)

La qualité « venimeuse » de la parole féminine repose surtout dans les résultats de la médisance, de la calomnie et de l'injure. Calvin, par exemple, dénonce la responsabilité des femmes dans la création de tensions communautaires lorsqu'il compare les commérages des vieilles à un incendie dévastateur :

> Le babil est une maladie des femmes, et volontiers elle croît avec la vieillesse ; joint que les femmes ne pensent jamais être assez bien parlantes, si elles ne sont babillardes et médisantes, et si elles ne détractent de tous. Par ce moyen il advient que bien souvent les vieilles enflamment comme avec une torche allumée plusieurs maisons par leur caquet et babil plein de calomnies [98].

La prédominance de ce genre de préjugé social (fondé, sans doute, sur des formes réelles de sociabilité féminine) doit être responsable, au moins en partie, du succès de l'allégorie de la Calomnie attribuée à Apelle telle qu'elle apparaît dans l'art de la Renaissance. Boccace, Mantegna, Dürer et Flötner, pour ne citer que quelques grands artistes, ont tous laissé une interprétation du tableau célèbre [99]. Une version simplifiée de cette allégorie apparaît dans l'*Hecatomgraphie* de Gilles Corrozet (Paris, 1540), où la « Calumnie », une vieille femme aux seins pendants, flambeau allumé à la main, traîne devant un juge aux oreilles d'âne un jeune homme innocent. Deux conseillers perfides se tiennent derrière le juge pour lui chuchoter à l'oreille ; l'un est habillé à la façon du XVIᵉ siècle, l'autre vêtu en femme et coiffé d'un chapeau de fou. Comme le veut la tradition didactique du livre d'emblèmes, les vers accompagnant l'image expliquent à la fois l'origine de l'allégorie et la signification des éléments iconographiques :

Appelles painctre excellent en ouvrage
Pour se venger d'aulcun vilan oultrage
Qui lui fut faicte d'ung calumniateur
Fut d'ung tableau ingenieux facteur,
Premierement il painct comme rassis
Ung juge estant au tribunal assis,
Ayant au chief d'ung Asne les aureilles
A celles du roi Midas pareilles,
Deux conseillers il mit à ses costez,
Ausquelz tous bons jugementz sont ostez,
L'ung Ignorance & l'aultre Souppecon,
Ayans de femme & l'habit & facon.
Devant ce juge ainsi accompaigné
Vient Calumnie au vis tang rechigné
En la main dextre ayant la torché ardente,
Pour demonstrer sa fureur fouldroyante,
Et qu'elle estoit par envie enflammée
Contre l'honneur, le bien, la renommée
D'ung pauvre humain qu'a force elle tenoit
Par les cheveulx & ainsi le trainoit
Taschant oster à cest homme la vie.

A l'exception des deux hommes abusés par la Calomnie — le « pauvre humain » et le juge —, tous les autres personnages (c'est-à-dire tous les médisants) sont soit féminins, soit travestis en femmes. C'est que le XVI⁰ siècle, comme l'Antiquité, attribue à la langue féminine une spécialisation dans la pratique de l'offense et de l'outrage. Comme le précise un proverbe courant à l'époque : « Saichez que femme est ennuieuse,/Medisante & malicieuse [100] ».

L'effet dévastateur de la calomnie et de l'insulte à l'époque moderne est bien connu des historiens. On en vient souvent aux mains, et même au tribunal. Les registres judiciaires concernant les causes mineures, comme les injures simples, montrent clairement le poids du verbe dans les microcommunautés urbaines où fleurit « l'injure brutale, triviale et sexuelle ». Mais au lieu de se terminer uniquement en bastonnades ou en crimes, comme au village, l'invective des citadins finit souvent devant le juge [101]. Or, lors de telles disputes, la femme joue souvent un rôle d'agent provocateur, contribuant, par un torrent de paroles, à l'excitation générale. Du reste, la prouesse verbale des femmes du peuple est légendaire. Si l'agressivité masculine s'exprime par la violence physique, celle des femmes passe surtout par l'insolence orale.

Une nouvelle de Bonaventure des Périers fournit, sous forme d'anecdote, un exemple de l'habileté des femmes dans la pratique de la provocation verbale. Le conte « Du Regent qui combatit une harangère du Petit Pont à belles injures » narre l'histoire d'une marchande de poisson qui défie à un duel oral le régent du collège de Montaigu [102]. Le bon régent met tous ses « compagnons » au travail pour amasser grand nombre d'invectives qu'il copie ensuite sur « deux grands rolletz ». Il « en estudia un par cœur ; l'autre, il le met en sa manche pour le secourir au besoing si le premier lui falloit ». Ainsi armé du savoir de la communauté lettrée et sécurisé par l'écrit, il se rend au Petit Pont pour « escrimer à beaux coups de langue ». Le régent et la vieille « combatirent vaillamment et s'entredirent chascun une centaine de bonnes et fortes injures d'arrachepied ». Cependant, alors que la poissonnière « ne faisoit que se mettre en train », le régent, « estant au bout de son premier rollet, va tirer l'autre de sa manche ». A la vue de ce papier, la bonne femme s'emporte ainsi que toutes ses voisines marchandes : « Ah ! tu apportes un rollet, va estudier, maistre Jean ! Va, tu ne sçais pas ta leçon ! Et, comme à un chien... toutes ces harangères se mettent à crier sur lui et le presser tellement qu'il n'eut rien meilleur que se sauver de vitesse, car il eust esté accablé, le povre homme. » Et la morale de l'histoire ? C'est que le savoir des hommes de lettres ne vaut rien face au pouvoir du verbe féminin : « Pour certain il ha esté trouvé que, quand il eust eu un chapelin, un vocabulaire, un dictionnaire, un promptuaire, un tesor d'injures, il n'eust pas eu le premier de cette diablesse. » Témoignage éloquent de l'antagonisme réel qui opposait la culture (masculine) de l'écrit à une culture orale et populaire identifiée à la femme [103], cette histoire en dit long sur la prouesse orale attribuée au sexe « faible », talent imbattable devant lequel tout homme, même le plus savant, devait succomber [104].

Le thème de l'homme de lettres défait par une vulgaire marchande a eu un succès notable dans la littérature humoristique des XVIe et XVIIe siècles, et il est fort probable qu'il ait été illustré par un certain nombre de graveurs dont les images sont aujourd'hui perdues. Il en existe cependant une estampe expressive, bien qu'un peu plus tardive, c'est la « Plaisanterie d'un pédant et d'une harangere » (fig. 89), gravure en taille-douce fait par Humbelot (Paris, première moitié du XVIIe siècle).

L'impuissance ressentie par les hommes face à la parole féminine donne lieu à des phénomènes de compensation, tel le rêve

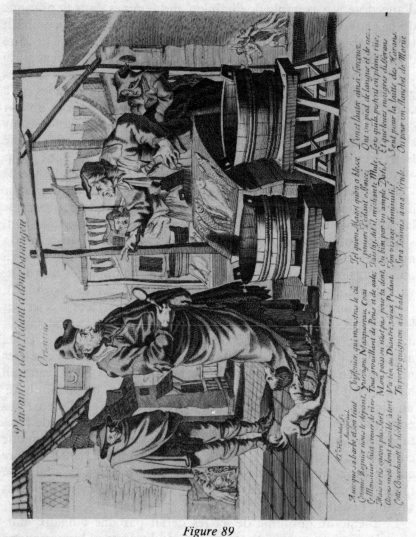

Figure 89
J. Humbelot, « Plaisanterie d'un pedant et d'une harangere », Paris,
première moitié du XVIIᵉ siècle.

d'un pays paradisiaque où les femmes ne parleraient plus. Ce songe
fantasmagorique se retrouve dans la *Farce nouvelle des Trois
Galans* (v. 1571), où le personnage du Badin s'imagine en Dieu le
Père. Revêtu de cette autorité, il décide que toutes les femmes
entrées au Ciel doivent être muettes, sinon elles casseraient la tête à
tout le monde, y compris les saints et le Seigneur lui-même.

> Je les ferois toutes muets
> Si tost qu'en paradis iroient,
> A jamais ne parleroient
> Jusque a ce que leur fise signe
> ....
> ... pour ce que, s'il *(sic)* y estoient
> Toutes par troupeaulx assemblés,
> Avant qu'ils fussent desemblés,
> Y mainneroient un tel sabas,
> Une si grand noise et débat,
> Que moi, Dieu, les sainctes et saintz
> De leur parler ne serions sainctz
> Car leur caquet, qui fort enteste,
> Nous pouroit bien caser la teste
> Et engendrer grand maladie [105].

Le rêve d'une féminité privée de la parole est partagé par beaucoup d'hommes de l'époque. D'où l'iconographie de la femme « fermée », ménagère idéale dont la bouche est close — par un cadenas si besoin se présente [106]. Fantasmes qui trahissent la vulnérabilité masculine, ces facéties communiquent une crainte réelle de l'agression verbale. Nombreuses sont les plaintes du sexe dit fort contre celui réputé faible, car une épouse acariâtre et babillarde pouvait transformer la vie domestique en enfer terrestre [107].

L'exemple le plus célèbre de ce genre de torture maritale n'est-il pas celui de Job ? « La femme a faict murmurer Job que le diable mesme n'avoit sceu esbranler ne retirer de sa simplicité [108] ». Cette mégère accusatrice était la dernière — et la pire — des infortunes qui lui étaient infligées par le Prince du Mal :

> Autres tyrans ne fault pour martirizer les hommes que telles femmes, qui persecutent leurs maris... Au bon Job le diable osta tous ses biens, occist ses enfans, perdit sa famille, le rendit sur le fumier tout ulceré, & ne lui laissa que sa femme (comme l'on croit) pour par son importunité augmenter la tristesse du pacient, lui reprochant ses bienffaictz comme crimes demonstrant en ce qu'elle faisoit pis que le diable, qui jamais ne lui reprocha sa simplicité [109].

L'épisode le plus souvent représenté de l'histoire de Job est précisément celui où, malade et abandonné, il est cruellement moqué par son épouse. Cette virago biblique apparaît en vedette dans une gravure sur bois de Marin Bonnemer (Paris, rue Montorgueil, v. 1575) où, située au premier plan et au centre de l'es-

pace pictural, elle domine son époux affaissé sur un tas de paille
(fig. 90). Les poings sur les hanches, elle se penche sur le saint
homme qui endure avec une patience exemplaire le flot de
paroles dirigé contre lui :

Figure 90
Marin Bonnemer, « Job, en sa plus grande adversité est moqué de sa femme
& parens », Paris, rue Montorgueil, v. 1575.

> Job sur terre tout nud & en langueur extrême,
> Douloureux à merveille, est par sa femme mesme
> D'injure & moquerie, acablé tellement
> Que tout son mal n'est rien, au pris de ce tourment.

Au-delà de sa fidélité à l'écriture sainte, cette image s'inspire du motif iconographique de la femme dominatrice qui écrase l'homme et opère sa ruine. Supérieure, par sa position debout, à son mari effondré, elle l'est également en méchanceté, puisqu'elle profite de la situation pour l'accabler d'insultes. En fin de compte, l'unique façon pour l'homme de « souffrir ses clameurs, ses injures, & vengeances, & pour triompher d'elle... [c'est de] gagner la porte ou ne rien dire en effet [110] » — comme le fit le sage Job.

La calomnie, l'injure et l'accusation sont des formes d'expression féminines qui opposent l'individu au voisin, la femme à l'homme, l'épouse au mari. Cependant, si les dégâts infligés par la mauvaise langue à sa victime sont déjà légion, pire encore sont les ravages de la parole collective du second sexe dont la cible principale est le corps social.

• « Le cliquet du moulin le caquet des fillettes »

> « Où femmes y a, silence n'y a. »
> (G. Meurier, *Thresor de sentences dorées*,
> Anvers, 1568.)

Si la volubilité féminine se traduit souvent par un comportement agressif à l'égard de l'homme, le caquet des femmes entre elles revêt plutôt une fonction de sociabilité. Les rythmes du travail domestique réunissent régulièrement servantes et ménagères à l'extérieur de la maison dans quelques espaces communs qui leur sont presque réservés, comme le four, le puits, le lavoir. Ces lieux d'assemblée favorisent des échanges sociaux qui créent à leur tour des solidarités de voisinage, transitant autant par la parole que par le travail en commun [111]. Or, ces formes de civilité sont vues d'un œil malveillant par la culture masculine, qui affectionne une attitude méprisante à l'égard des conversations de « bonnes femmes ». On dit à l'époque : « Deux femmes font un plaid, trois un grand caquet, quatre un plein marché [112] », et on va jusqu'à comparer ces causeries féminines aux hurlements des damnés aux enfers — autant dire que les femmes sont des démons :

... allez vous en au four, au marché & où elles battent la buée en
nombre à quantité, car ce sont les rendez vous ordinaires du
caquet & du bruit des femmes, & si vous pensiez que ce fust une
petite imperfection que celle-là aux femmes, peut estre vous trom-
periez vous de cent lieuës: car c'est estre de la condition des dam-
nez, qui sans cesse hurlent, crient & blasphement contre la divine
Majesté... [113].

Les femmes ne « parlent » pas, elles « babillent », « caquetent »
et « jasent » [114]. Non seulement leur conversation n'a ni poids ni
importance, mais encore elle est condamnée comme une source
de désordres, d'où le nombre de satires iconographiques contre
le « caquet des femmes ».

Le thème de l'assemblée féminine a connu un grand succès dans
l'estampe urbaine des XVIᵉ et XVIIᵉ siècles où se répètent inlassablement les mêmes situations types et les mêmes critiques à l'égard
du sexe volubile. Un « Caquet des femmes », gravé à Paris vers
1560, expose dans une seule estampe l'ensemble des lieux propres
au bavardage et les maux qui en découlent (fig. 91). On y voit des
groupes de femmes au travail (au moulin, au lavoir, à la fontaine,
au fournil) et au repos (à l'église, aux étuves, chez l'accouchée). Et,
partout où elles se trouvent, les langues se remuent. Devant le
moulin, des paysannes attendent leur tour, assises confortablement
sur des sacs de grain. Elles sont si préoccupées par la conversation
qu'elles ignorent le meunier gaillard qui profite du rassemblement
pour faire la cour à une jeune femme : « sur le sac un meunier
damourettes/Clique dessus la fesse et... claque un baiser. » Des
mœurs légères, résultat d'une surveillance insuffisante de la part du
groupe sur ses membres, constituent un des risques du caquet
féminin. D'autres inconvénients apparaissent chez les lavandières :
si certaines travaillent, d'autres se disputent, se tirent les cheveux et
s'accablent d'injures. D'autres encore passent la journée dans l'oisiveté ; elles se réchauffent autour du feu, mangent et boivent.
Querelles, bagarres et négligence caractérisent également les
femmes réunies chez le boulanger et à la fontaine. Au fournil, les
poings sur les hanches, elles échangent d'aigres propos. A la source
d'eau, elles en viennent aux mains, se cognant avec férocité malgré
les efforts de leurs compagnes pour les séparer. Et puis, tout
autour, indifférentes aux disputes qui les côtoient, causent les
commères, la mine complice sinon franchement conspiratrice. Où
qu'elles se trouvent — qu'elles soient deux, cinq ou vingt en nombre —, les femmes bavardent, bavardent incessamment.

Si l'impudicité, la discorde et la paresse résultent de commérages sur le lieu de travail, d'autres vices découlent de causeries

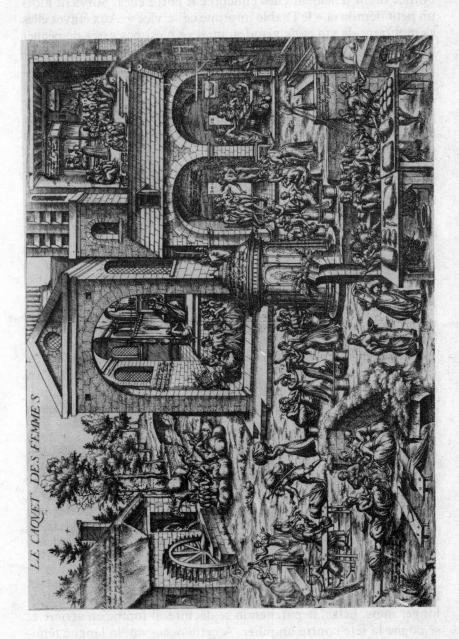

Figure 91
Anonyme, « Le Caquet des femmes », Paris, v. 1560.

pendant le temps du repos. A l'église, les jaseuses oublient Dieu et l'office divin tellement elles chuchotent entre elles. Survient alors un petit démon et « le Diable imprime ce service ». Aux étuves elles s'empiffrent de vin et de viandes, mais ce n'est pas assez de pécher par gourmandise, il faut qu'elles pèchent aussi par vanité en comparant leurs charmes à ceux de Vénus, Minerve et Junon lors du jugement de Pâris. Au-dessus des belles baigneuses se trouve la chambre de l'accouchée où s'entassent un grand nombre de parentes et de voisines. Devoir social qui incombe aux femmes de toute condition, la visite à l'accouchée renforce la solidarité du groupe féminin face au nouveau père.

Le babillage des femmes est donc une des portes du vice : les bavardes négligent leur travail, tombent dans les filets du démon et pèchent par paresse, par colère, par gloutonnerie, par orgueil. Pis encore, elles se détournent de Dieu et négligent la religion en faveur des délices de la causette.

● **Commérages à l'église**

La tradition des femmes bavardes à l'église remonte jusqu'à saint Paul [115] et, à en croire les témoignages, cette activité est toujours fort en vogue au XVIe siècle. On dit à l'époque : « La femme ne porte point d'oreilles au sermon [116] », et encore : « Femme plus voulentiers devine/Que noit la parolle divine [117]. » Une histoire de la *Légende dorée,* maintes fois reprise dans l'art et la littérature des XVe et XVIe siècles, narre comment un caquet au cours de l'office dominical a été transcrit par le démon lui-même :

> Le pieux Jacques de Voragine conte qu'un jour, pendant que saint Martin célébrait la messe, deux commères bavardaient à cœur-joie. Le diable se mit en tête d'écrire cette conversation, dans le but de faire éclater de rire le saint et de troubler le service divin... La loquacité des deux commères, pendant la messe, était telle que de leurs paroles on eut empli un boisseau. « Le Diable [alors]... escripvant le quaquet de deux galloises, à belles dents, allongea bien son parchemin » [118].

C'est ce que fait le petit démon du « Caquet » de 1560 : tenant la feuille écrite entre les mains, il la porte à sa bouche pour l'allonger mais, hélas, le parchemin se déchire, il tombe en arrière et se cogne la tête contre un pilier. A cette occasion, la langue féminine triomphe même du démon. Écoutons le récit qu'en fait Pierre Grosnet :

> Notez en leglise de dieu
> Femmes ensemble caquetoient
> Le diable y estait en ung lieu
> Escripvant ce quelles disoient
> Son rolet plain de point en point
> Tire aux dens pour le faire croistre
> Sa prinse eschappe & ne tint point
> Au pilier cest heurte la teste [119].

Si le pouvoir du verbe féminin est tel qu'il peut confondre même le diable, les humbles mortels n'ont certainement rien à espérer de la parole collective du sexe impie. Or, la permanence du « babil » féminin dans la maison de Dieu est souvent accompagnée d'une pernicieuse coquetterie, tandem vicieux qui fournit le sujet d'une planche de *La Grand Nef des folz* de Sebastian Brant. « Du tumulte et parlement qui ce fait en lesglise » figure un groupe de femmes toutes coiffées de chapeaux de fou qui regardent, le sourire aux lèvres, un jeune homme s'engouffrer dans la gueule de l'enfer, victime de leurs œillades lascives. Ce sont les « femmes qui quaquettent ensemble quant on dit le service » et « se pourmainent par lesglise avecques pantoufles ou patins faisans noise/font signes et regardz impudiques/& perturbans la devotion du peuple » [120]. Lieu de rassemblement, l'église est l'un des rares espaces communautaires où les deux sexes se rencontrent régulièrement, d'où la vanité qui s'y déploie — par coquetterie autant que par rivalité féminine.

Une plaquette anonyme intitulée « La Méchanceté des femmes » dénonce cette distraction chronique du beau sexe dans la maison de Dieu. L'objet de cette satire fulminante se rend à la messe à la suite d'une toilette interminable :

> Voilà ma Bourgeoise à l'Eglise,
> Pour mieux profaner sa sottise,
> Ne doit ni *Pater* ni *Ave,*
> Et a tousjours le nez levé,
> Ou pour regarder derrière elle
> S'il arrive quelque Damoiselle,
> Ou quelque petit freluquet,
> Pour de loing avoir le caquet,
> Vous tient une majesté grande,
> Puis s'il faut aller à l'offrande
> Ma Bourgeoise double le pas,
> Comme ne faisant pas grand cas
> Ni de Monsieur ni de Madame,

> Ni moins d'encourir quelque blasme.
> ....
> Après cela pour la sortie
> Fait des révérences de pie
> Relève son vertu gardin,
> Courbe les yeux sur son tetin,
> Porte la main dessus sa gorge,
> Blanche comme un souffleur de forge,
> Elle n'a garde d'oublier
> De visiter le benoistier,
> Y trempant le gris à l'enaude
> Comme un bailleur de chiquenaude,
> N'osant prendre le vipillon
> Peur de gaster son cottillon [121].

L'auteur en conclut à l'indifférence des femmes à l'égard de la religion, leur unique but en allant à la messe étant le commérage et le besoin de paraître aux yeux du monde. Même le roi Henri III semble être convaincu de l'incompatibilité profonde opposant les femmes à la vraie piété, puisqu'il va jusqu'à interdire leur participation à certaines processions sous prétexte « qu'il n'y avait point de dévotion là où elles se trouvaient [122] ».

L'accusation de verbosité et d'inattention à l'église est-elle l'invention d'une culture ecclésiastique à dominante masculine et misogyne pour dévaloriser un sexe dont les rapports sociaux passent surtout par la parole [123] ? Ou bien est-elle le reflet d'une certaine réalité, témoignage de la frustration des clercs face à une population qui leur refuse le respect qu'ils pensent être leur dû ? Il est fort possible que les femmes, en tant que groupe sociologique, prenaient moins au sérieux des rites dont s'occupaient uniquement des hommes.

Un travail ethnologique sur les Mundurucú du Brésil fournit une interprétation intéressante — bien qu'indiscutablement anachronique — d'un comportement analogue lors du culte religieux [124]. Civilisation lointaine de celle qui nous intéresse, dans l'espace et dans le temps, la culture de ce peuple brésilien offre cependant quelques parallèles avec le phénomène de la religiosité féminine au XVI⁰ siècle. Chez les Mundurucú, les femmes entretiennent une conversation marmonnée tout le long des cérémonies dont elles ne sont que les spectatrices. Assises en groupe et isolées des hommes, elles assistent à des rituels dont la gestion appartient à l'autre sexe. Chez ces Indiens sud-américains, comme dans la France de l'Ancien Régime, les formalités de la religion, la narration cérémoniale des mythes de création et l'exécution des rites sont des activités exclusivement masculines. Cela veut dire que, tout en participant aux rituels qui engagent la communauté entière, les femmes participent toujours moins que les hommes au détail des événements. C'est le sexe « fort » qui s'occupe des aspects positifs et affirmatifs de la religion, de la façon dont elle confirme les structures de leur monde et de leur société, alors que le groupe féminin se préoccupe moins du discours et adopte lors des rassemblements un comportement de fête. Pour les femmes Mundurucú, toute cérémonie est un événement social, prétexte à une réunion où elles peuvent échanger des nouvelles et calomnier les absentes. Or, tel comportement présente quelques analogies avec la religiosité européenne au début de l'ère moderne, surtout auprès des couches inférieures du tissu social [125]. Une étude plus approfondie des attitudes religieuses du XVIe siècle français confirmerait-elle ces points de repère ou d'autres similitudes entre l'espace féminin des deux cultures — telle la façon dont les femmes vivent une cérémonie religieuse « masculine » à laquelle elles ne participent que marginalement ?

● **Paysannes, lavandières et voisines**

Tout comme l'église, le moulin dont le cliquetis est comparé au tintamarre des langues est un des hauts lieux de la sociabilité féminine. Une estampe anonyme gravée à Paris au début du XVIIe siècle affirme que « chaque femme de son caquet/Semble du moulin le cliquet » (fig. 92). Contrairement au « Caquet des femmes » de 1560, qui accuse les commères de négligence à l'égard des mœurs du groupe, cette estampe s'attaque plutôt aux médisances habituellement attribuées aux conversations féminines, ainsi qu'à l'imprudence des ménagères qui ne veillent pas à la conservation de leurs biens :

> Assize molement sur un sac de farine,
> sans songer au meunier, qui desrobe le grain,
> l'une parle du temps, l'autre du souverain,
> et chacune a lenui mesdi sa voisine.

Tandis que les paysannes bavardent, les hommes travaillent : le meunier mène son âne chargé de grain à l'intérieur du moulin et un autre homme, portant un lourd fardeau, traverse un pont à l'arrière-plan. Paresseuses, malignes et mauvaises ménagères, ces femmes parlent de choses qui ne les regardent pas et manquent à leur travail, nuisant ainsi à ce qui devrait constituer le centre de

Figure 92
Anonyme, « Chaque femme de son caquet semble du moulin le cliquet »,
Paris, début du XVIIe siècle.

leur intérêt, c'est-à-dire le bien-être économique et alimentaire de leurs familles.

Les calomnies généralement associées aux conversations féminines provoquent des réactions violentes de la part des hommes. Se sentaient-ils visés ? Écoutons Jacques Olivier à ce sujet :

> Le traquet d'un Moulin n'est point si bruyant aux oreilles des passans, que le caquet & la médisance des femmes aux amoureux du silence, elles auront formé une maison d'injures pour la plupart moindre chose du monde, que le plus habile homme de la terre, ne les auroit conçûes en son esprit. Elles ont tant d'industrie, & tant d'adresse à diffamer ceux qu'elles haissent, qu'en peu de temps il faut se confesser vaincu, & leur ceder la place : quoi que le bon droit vous rendit immobile comme un rocher [126].

Mis à part les préjugés misogynes de l'auteur, la parole qu'il décrie si bruyamment a une fonction précise dans la vie quotidienne de la communauté. Le commérage n'est pas nécessairement malveillant, puisqu'il sert à échanger des informations importantes au sein du groupe. Cependant, il peut toujours dégénérer en médisances et finir par ruiner la réputation d'un membre du voisinage [127]. A la fois forum d'actualités, agence de contrôle social et tribunal des déviants, l'assemblée des commères détient un pouvoir réel dans la mesure où il peut affirmer ou détruire la renommée d'un homme aussi facilement que l'honneur d'une femme.

Les lavandières ont la réputation d'être parmi les plus agressives des cancanières. Travail dur et fatigant, le lavage à la rivière stimule un sentiment de corporation doublé d'un certain ressentiment. Si l'agressivité des lavandières du « Caquet » de 1560 se manifeste par une dispute entre femmes, le groupe peut resserrer ses rangs en face de l'étranger et, plus spécialement, en face de l'homme. Dans son étude du « folklore » des laveuses à une époque plus récente, Yvonne Verdier a souligné la tradition du langage ordurier et des jeux d'agressions verbales et gestuelles entre les lavandières et l'homme qui passe : « les laveuses, dans l'ensemble, apparaissent femmes fortes, gaillardes, culottées pour le moins [128] ». Quant aux commérages du lavoir, ils ne sont que le reflet verbal du travail en cours : « laver ensemble son linge sale, ou laver le linge sale des autres, c'est bien mettre son nez dans les affaires d'autrui [129] ».

Au-delà des effets potentiellement désastreux du cancan des commères sur l'économie du foyer et sur la réputation des absents, les rassemblements de femmes peuvent également semer la discorde au sein du ménage individuel. La fameuse visite à l'accouchée donne à la communauté féminine l'occasion de se réunir allégrement tout en jugeant âprement de la situation conjugale de l'alitée : « Couchée dans son lit ou étendue dessus, l'accouchée, parée comme une châsse, recevait tous ses parents, tous ses amis, toutes ses connaissances, toutes les commères racolées par celles-ci. Car il ne s'agissait pas d'une visite ; on prenait possession de la maison, et, sous prétexte de distraire la pauvre malade, on revenait régulièrement s'installer chaque jour auprès d'elle pendant un mois ou six semaines, échangeant de joyeux propos et faisant bonne chère aux dépens du mari » [130].

Le mari de l'accouchée avait, en effet, le devoir de nourrir toutes les visiteuses et de contenter sa femme dont l'état de santé était souvent précaire. Et si on peut se fier à la littérature, celle-ci pouvait bien tirer profit de son repos forcé — pour certaines c'était indubitablement le seul moment de répit dans une vie chargée d'obligations domestiques — afin de mieux tyranniser son époux et de l'exploiter avec l'aide des commères réunies. L'auteur des *XV joies de mariage,* par exemple, accuse les voisines « fourre-nez » de comploter contre le nouveau père pour toujours plus manger et boire. En outre, celles-ci incitent l'accouchée à exiger de lui des viandes spéciales, une nouvelle robe pour la cérémonie de relevailles et de constantes petites attentions. A la longue, cette conspiration féminine aboutit à l'endettement du ménage et à la soumission permanente du mari à sa femme [131].

Du côté des documents juridiques, les Lettres de Rémission des XIVe et XVe siècles étudiées par Roger Vaultier confirment la tradition, toujours courante au XVIe siècle, du faste des visites à l'accouchée et des dépenses extraordinaires occasionnées par les fêtes de relevailles [132]. Peut-on douter de la rancœur des hommes à l'égard d'une obligation sociale dont profitaient surtout leurs femmes et leurs voisines ? A cette rancune devait également contribuer une bonne dose de curiosité masculine envers un divertissement réservé à l'autre sexe. L'auteur anonyme des *Caquets de l'accouchée,* publié à Paris en 1622, prétend qu'il s'est caché derrière le lit de sa cousine afin d'entendre les « discours facétieux où se voit les mœurs actions et façons de faire de ce siècle le tout discouru par Dames, Demoiselles, Bourgeoises et autres... en VIII après-dines qu'elles ont faict leurs assemblées [133] ».

On perçoit dans le discours masculin une certaine fascination tempérée d'anxiété (souvent camouflée par la facétie — l'humour neutralise l'angoisse) devant toute réunion de femmes d'où l'homme est exclu. Que disent-elles, au fait ? Au mieux, elles bavardent de choses sans importance, au pis elles méditent la ruine du mari. Selon un « Caquet de femmes » anonyme, gravé à Paris au début du XVIIᵉ siècle (fig. 93), les commères discourent sur le fait que la douleur de l'accouchement constitue un « paiement » pour le plaisir charnel, affirmation proverbiale à l'époque attribuée ici au sexe considéré de loin comme le plus libidineux :

> Madame le danger ou la femme s'expose,
> pour contenter un peu ce naturel desir,
> reçoit ce reconfort que c'est fort peu de chose,
> qu'un moment de douleur pour neuf mois de plaisir.

Si l'intimité de la chambre de l'accouchée entraîne des réflexions grivoises, la privauté du bain incite à la conspiration amoureuse. Cette même estampe représente, au-dessous du « caquet » de l'accouchée, quatre jeunes femmes dans une cuve. Tout à fait nues, leurs cheveux blonds dénoués sur les épaules, elles se congratulent sur leurs charmes respectifs et sur le pouvoir que leur donne la beauté sur les hommes, et même sur les dieux :

> Si les hommes voyant nos yeux,
> Sente leur liberté perdüe ;
> Nous pourions bien charmer les dieux
> Nous voyant ainsi toute nuë.

*
* *

Pourquoi l'estampe privilégie-t-elle une vision négative de la sociabilité féminine ? Les femmes ne se retrouvent guère à plusieurs qu'en fonction de leurs obligations domestiques, et même les veillées sont animées par le fil et la quenouille. Puisque leurs réunions font partie de la gestion quotidienne du ménage, où est le mal ? Cependant, des accusations de paresse, de désordre, de négligence, de vanité, de médisance, etc., visent systématiquement la collectivité, et seuls les aspects négatifs des assemblées sont retenus.

La clef de l'antagonisme à l'égard des femmes en groupe repose sans doute en partie sur la ségrégation croissante des sexes dans la vie quotidienne de l'époque. La répartition des tâches, jointe aux efforts de désagrégation des sexes entrepris par

Figure 93
Anonyme, « Le Caquet des femmes », Paris, début du XVIIe siècle.

le clergé, mènent à une partition de plus en plus stricte des espaces. A l'église, dans les processions, dans les veillées, lors des repas de noces même, hommes et femmes sont séparés [134]. Cette division verticale de la population transforme ensuite chaque sexe en une entité sociologique indépendante, dotée d'une organisation interne spécifique au groupe. Par conséquent, chaque groupe développe un certain « esprit de corps » et, à la fin, un sentiment d'opposition à l'autre [135].

A la division verticale du peuple en masculin/féminin s'ajoute ensuite une compartimentation horizontale. Chaque échelon de la hiérarchie sociale — déjà structurée en unités de solidarité locales (village, métier, classe d'âge, etc.) — comporte des sous-groupes féminins, des microsociétés fonctionnant à l'intérieur des espaces communautaires. Dans ce cas également, la coexistence des sexes et le principe de domination masculine relèvent de la dynamique des groupes plutôt que de rapports interpersonnels. Pour une société qui divise le monde entre « les nôtres » et « les autres », en « nous » et en « eux » [136], il est inévitable que l'opposition collective des sexes entraîne l'incompréhension et la méfiance. Désormais, la « lutte des sexes » ne se situe plus sur un terrain individuel : ce sont des armées qui mènent la bataille [137].

Au-delà de la séparation physique et professionnelle, les transformations culturelles du XVIe siècle ont largement contribué à élargir le fossé séparant hommes et femmes, et cela surtout en milieu urbain. Les moyens de communication y sont toujours entre les mains du sexe « fort » : livres, images et sermons sont composés, dessinés, déclamés par des hommes, alors que la plupart des femmes sont coupées, par simple insuffisance d'instruction, de la culture et du savoir écrits. Confinées dans un monde surtout oral, la moitié féminine de la population devient l'objet d'un mépris et d'une dévalorisation croissante [138].

L'une des conséquences principales d'une telle dévalorisation, amplifiée par les clercs, par les autorités, par les juges, par les maîtres d'école, fut de couper la culture populaire urbaine de ses racines. Le rôle fondamental de la femme, qui recueillait et transmettait cette culture déclina. Plus précisément, cette culture elle-même subit la contamination de la dévalorisation féminine. Les « histoires de bonnes femmes » pouvaient-elles encore être facilement prises au sérieux par les fils, les époux et les pères ? Et même si cela était, pouvait-on en faire publiquement état sans s'exposer aux lazzis ou à la violence répressive ? En ce sens, la dévalorisation accélérée de la femme, à l'époque moderne, fut l'un des principaux moyens utilisés — consciemment ou non, peu importe — pour affaiblir la culture populaire urbaine [139].

Sexe voué à la parole et identifié à une culture discréditée, la femme est parquée dans un espace social destiné à rétrécir. Cependant, en tant que minisociété distincte, travaillant à l'intérieur d'une société plus étendue, la féminité collective est toujours perçue comme un danger potentiel. C'est que le pouvoir des femmes se développe essentiellement dans l'espace qu'elles occupent par opposition à l'homme ; d'où les critiques systématiques des rassemblements féminins et la moquerie qui s'attache à leurs conversations. Fort de conseils des autorités littéraires ecclésiastiques et juridiques, la culture dirigeante a entrepris une campagne de dénigrement systématique de la parole féminine doublée d'une tentative de morcellement du groupe. Dans l'imagerie, les désordres attribués au caquet des femmes « prouvent » que celles-ci sont incapables de se comporter convenablement à l'extérieur de la maison. Ainsi doivent-elles rester à l'intérieur, loin de l'influence pernicieuse des autres membres de son sexe. La femme « bonne » est, une fois de plus, la femme « fermée », la bouche close et les mains occupées.

7. VIOLENCES FÉMININES

> « Plus que la mer, femme esmue peult nuire :
> Plus que le feu, bruler & consommer :
> Plus qu'indigence, à tout malheur conduire :
> Plus que la guerre, abatre & assommer :
> Plus que la mort, mal faire, & bien destruire : »
> (Anonyme, *La Louenge des femmes,*
> Lyon, 1551.)

Une des sources du malaise transmis par la représentation négative des assemblées féminines repose dans la nature supposée cruelle et coléreuse du beau sexe. Pour le XVIᵉ siècle, la capacité de violence dont fait preuve la femme dépasse de loin toute cruauté commise par l'homme. Pis encore, les voies de sa vengeance surpassent en férocité les supplices des enfers :

> ... elles sont beaucoup plus cruelles & sanguinaires [que les hommes] & despouillées de toute humanité & compassion... lorsqu'elles veulent executer une vengeance elles ne laissent en arriere aucune espece de cruauté d'autant qu'elles ne peuvent maistriser

leurs desordonnées passions & vitieuses affections, mais leur cholere s'allume & enflambe si fort qu'elles deviennent si furieuses, que quelquefois elles entreprennent des choses que les plus cruels tyrans du monde auroient horreur d'exercer, & excogitent des choses desquelles Sathan ne s'adviseroit pas... [140].

Pour les auteurs de l'époque le goût de la *vendetta* caractérise trois catégories principales de femmes. Il y a d'abord celles auxquelles la haute position sociale et le pouvoir temporel qui en découle donnent l'occasion de se venger facilement. Ensuite viennent les ménagères offensées qui font retomber le poids de leur ressentiment sur les membres de leur famille, et, en dernier lieu, les rassemblements de femmes dont la colère collective s'exprime en fureur et en actes de brutalité.

Dans le cas des personnalités haut placées, le caractère belliqueux de « Marie d'Austrie, femme de Louis, Roi de Hongrie » s'explique (s'il ne l'excuse pas tout à fait) par un énième défaut inhérent à la nature féminine : Discours tragique

> ... elle avoit le cœur grand et dur, et qui malaisement s'amoilissoit ; et la tenoit-on, tant de son costé que du nostre, un peu trop cruelle ; mais tel est le naturel des femmes, et mesmes des grandes, qui sont très-promptes à la vengeance quand elles sont offensées [141].

Complémentaires des récits historiques, les bulletins d'actualité renforcent l'image d'une féminité violente et meurtrière. Jean-Pierre Seguin a catalogué dix-sept canards publiés entre 1574 et 1625 qui détaillent par le menu d'horribles empoisonnements, infanticides ou patricides commis par des femmes enragées [142]. Les cinquième et vingt-sixième pamphlets du catalogue, par exemple, mettent en scène des épouses assassines provenant des deux extrêmes de l'échelle sociale, l'aristocratie et le petit peuple urbain :

> Le vrai discour d'une des plus grandes cruaultez qui ait esté veüe de nostre temps, avenue au Royaume de Naples. Par une Damoiselle nommée Anne de Buringel, laquelle a fait empoisonner son mari par un à qui elle promettoit mariage, et depuis elle a empoisonné son pere, sa sœur, et deux de ses petits neveux... (Paris, 1577).

> Discours tragique et lamentable de la cruauté inhumaine d'une femme vefve, laquelle estant remonstrée par son propre fils de sa paillardise et meschante vie, par vindicte, l'empoisonne, poignarde, couppe sa teste, et tous ses autres membres (Lyon, 1604).

Au fait, les pulsions meurtrières du sexe vindicatif ne cessent même pas après la mort de sa victime. Son sadisme « naturel » continue à se défouler par la mutilation et le supplice du cadavre. Ainsi, une ménagère au nom de Marguerite tue son mari d'un coup de selle et exerce sur sa dépouille des « cruautés inouïes » :

> ... sans estre esmüe d'aucune compassion, [elle] commence à execeuter sa rage par les parties honteuses qu'elle lui coupe : après elle prend une hache de laquelle elle lui donne un grand coup, croyant de deguiser son sexe. Elle lui coupe la teste, la met en quatre quartiers, coupe les bras au dessous du coude, et les jambes au dessous des genouïlz... apres vint aux yeux qu'elle lui creve et tire avec la pointe d'un fuseau : Elle prend des tenailles avec lesquelles elle lui arrache le nez et les oreilles : Ce n'est pas tout, il lui reste encore quelque cruauté à exécuter : elle lui arrache la barbe sans lui en laisser un seul poil [143].

Violence de femme contre l'homme, le crime de Marguerite ne s'arrête pas au meurtre. Lorsque l'épouse se dresse contre son mari, l'agression se complète d'actes symboliques. La virago émascule le corps de l'homme déchu, le prive de son sexe, de sa barbe, de tout ce qui trahit une virilité désormais perdue du simple fait de s'être laissée abattre par un membre du sexe « faible ». La sauvagerie féminine ne se contente jamais du délit simple ; elle s'élève en même temps contre les signes extérieurs de l'autorité masculine et conteste l'ordre social qui la sanctionne.

Du haut en bas de la société, les femmes donnent ainsi libre cours à leurs penchants sanguinaires. Thème commun à la littérature de l'élite et aux pamphlets de faits divers, la nature irascible du second sexe trouve dans l'estampe son portrait [144]. La gravure savante comme l'imagerie « populaire » reflètent le consensus de l'époque quant à la brutalité des femmes : celles du passé comme celles du présent. L'histoire biblique, l'Antiquité gréco-romaine et les facéties sur la vie contemporaine fournissent aux imagiers des différents milieux producteurs un éventail de mégères, de viragos et de meurtrières dont se repaît le public.

● **Ménagères irascibles et belliqueuses ou la femme est pire que le diable**

> « ... la mauvaise femme ressemble à un sainct
> Michel renversé, pour ce que l'image de sainct
> Michel a le diable au pied, & la femme l'a à la teste. »
>
> (J. de Marconville, *De la bonté et mauvaisté des femmes,* Paris, 1563.)

L'estampe accorde une place signifiante au spectacle de la dispute féminine et, surtout, au phénomène de la querelle verbale qui dégénère en bagarre. C'est que la solidarité du groupe n'exclut pas des tensions internes, et même les amies les meilleures peuvent en venir aux crêpages de chignon. Voilà pourquoi une « Hôtesse digne de Foi, quoi qu'elle soit Femme comme les autres » a protesté :

> ... qu'elle aimeroit mieux loger trente Hommes d'armes ou d'affaire, que quatre femmes ensemble en même chambre, non seulement pour la difficulté qu'il y a à les servir : mais pour le bruit & le tintamarre qu'elles font sans s'écouter. Et ce qui est à déplorer, il arrive bien souvent, qu'en caquetant & jasant elles viennent *de verbis ad verbera,* & des injures aux coups, avec tant de rage & de furie, qu'on les peut mettre au prédicament des furies d'Enfer... [145].

De même, deux voisines des *Cent nouvelles nouvelles,* complices dans une aventure adultère, finissent par se battre férocement pour un couvre-chef — récompense de leurs infidélités — à la grande stupéfaction du voisinage pour qui elles étaient amies de cœur :

> Adonc l'aultre hausse et de bon poing charge sur le visage de sa voisine, qui ne le tint pas longuement sans le rendre, brief, elles sente batirent tant et de si bonne maniere qua bien petit quelles ne sentretuerent ; et lune appelloit l'autre ribaude. Quand les gens de la rue virent la bataille de ces deux compaignes, qui peu de temps devant avoient passé par la rue ensemble amoureusement, furent tous esbahiz, et les vindrent tenir et deffaire l'une de l'autre [146].

Les disputes entre femmes sont certainement courantes au XVIe siècle. Robert Muchembled a calculé que près de 15 % des crimes jugés entre 1528 et 1549 dans la ville d'Arras sont le fait du deuxième sexe, dont 10 % de coups, blessures et injures et 18 % des faits de résistance aux autorités [147]. En dehors de la violence quotidienne qui caractérise la vie urbaine, le système de parenté, l'organisation de l'espace domestique et les rapports de voisinage engendrent également une extraordinaire agressivité. La tradition d'alliances exogènes regroupe sous un même toit des femmes de provenances diverses et leur impose une vie commune, génératrice de tensions. Tout d'abord, l'installation virilocale soumet l'épouse à la domination de sa belle-mère.

Enfermées dans l'espace domestique, celles-ci ont ensuite beaucoup plus d'occasions de rivalité que les hommes, dont la majorité des activités sont exercées à l'extérieur [148]. Ainsi les proverbes de l'époque soulignent-ils le caractère souvent conflictuel de ce genre de rapport :

> Deux pots au feu denotent feste,
> mais deux femmes grande tempeste [149].

Se trouvent un peu partout des témoignages de tensions féminines qui s'achèvent en disputes, voire en effusions de sang. Pierre de l'Estoile relate l'histoire d'une religieuse de l'Hôtel-Dieu pendue à Paris pour meurtre. Celle-ci « bailla à une autre fille, sa compagne, quelques coups de couteau, en intention de la tuer, et à une vieille religieuse... coupa la gorge du même couteau ». On trouvait « étrange » le cas :

> ... en ce qu'une jeune fille de vingt-cinq ans, nourrie dix ans audit Hôtel-Dieu, en habit et exercice de religieuse, eût la hardiesse et l'assurance de vouloir tuer de sang-froid et par machination précogitée, deux de ses sœurs religieuses, pour venger une légère offense qu'on disait qu'elles lui avaient faite trois mois auparavant [150].

Étant donné l'étroitesse de la vie conventuelle, il n'est pas trop difficile d'imaginer les dimensions disproportionnées que pouvait atteindre une « légère offense » dans l'esprit d'une âme mal adaptée. Mais ce qui choque le narrateur, c'est surtout la froide préméditation du crime plus que le sang répandu. C'est que les accès de colère meurtriers sont considérés comme « normaux » et d'ordre quotidien.

En dehors du cloître, les querelles entre maîtresse et servante sont tout aussi fréquentes que celles qui éclatent entre belle-mère et belle-fille ou celles qui s'allument entre voisines. La position d'autorité détenue par la maîtresse de maison à l'égard de ses domestiques compense en quelque sorte son rôle de subordonnée par rapport au mari. Si elle en abuse parfois, c'est, hélas, dans l'ordre des choses ; les souffre-douleur se trouvent souvent en bas de la hiérarchie domestique.

Le pédagogue Barthélemy Aneau prend pour exemple ce dernier genre de conflit lorsqu'il dénonce les mauvais traitements que les maîtres d'école font subir aux écoliers. L' « Abetissement d'enfans, par tyrannie des magisters », emblème de l'*Imagination poétique* (Lyon, 1552), montre une femme élégante frappant sa servante accroupie par terre (fig. 94). Celle-ci est tellement abrutie par la cruauté de sa maîtresse qu'elle se transforme, comme le font les écoliers excessivement disciplinés, en bête sauvage :

> Voyez ici celle Dame superbe
> En longue Robe, en mine, geste, & verbe.
> Qui par orgueil trop fier, & inhumain
> Bat sans merci sa serve avec la main.
> Laquelle povre à ses pieds prosternée,
> Pour estre ainsi batue, & mastinée :
> Prend un desdain fort despiteux : & pource
> Se mue en beste, & devient sauvage Ourse,
> ....
> EN CEST image est pincte la manie
> Des Magisters, & fiere tyrannie,
> Qui les enfans de libere Nature
> Sauvage rend, par coups, & par bature.

La plus célèbre histoire de conflit entre maîtresse et servante est sans doute celle de Sara, femme d'Abraham, avec Agar,

Figure 94

Bernard Salomon (?), « Abetissement d'enfans, par tyrannie des magisters », dans Barthélemy Aneau, *Imagination poétique*, Lyon, 1552.

domestique et concubine. Exemple d'accès de violence auxquels même les héroïnes bibliques pouvaient succomber, c'est la jalousie, source de tension fréquente dans la vie domestique du XVIᵉ siècle, qui en est la cause « Voyez en effet dans la Genèse quelle fut l'impatience et la jalousie de Sara contre Agar quand elle eut conçu... Si c'est ainsi même parmi les saintes femmes, que sera-ce parmi les autres [151] ? »

Cette dispute célèbre est mise en scène par Mathurin Nicolas dans une suite d'images illustrant la vie d'Abraham (Paris, rue Montorgueil, 1574). La seconde gravure de la série évoque deux épisodes clefs du drame, le sacrifice d'Abraham et la querelle entre l'épouse et sa rivale : « Dieu promect lignée à Abraham, lui faict faire sacrifice, Agar mesprisant Sarra sa maistresse, est batue & s'enfuit enceinte d'Ismaël » (fig. 95). Au premier plan de l'image se trouvent Sara et Abraham devant la porte de leur maison. Debout devant son mari, elle pleure, inconsolable, dans un mouchoir tandis qu'Abraham lui explique, avec une expression à la fois soucieuse et compatissante, le comportement qu'elle doit adopter à l'égard de sa domestique insolente :

> Sarra d'Abraham femme, est d'injure opressee,
> Par sa servante Agar, de son maistre engrossee
> Mais par l'advis de lui, si souvent la poursuit,
> Avec coups de baston, qu'elle en la fin s'enfuit.

Effectivement, on voit à l'arrière-plan la douce et éplorée Sara se métamorphoser en mégère. Elle tire Agar par les cheveux et la rosse à grands coups de bâton. Il n'existe cependant nul doute dans l'esprit du graveur quant à la coupable de l'histoire ; le tandem conjugal s'unit face aux membres subalternes de la maisonnée et le conflit entre femmes se résout dès que l'homme soutient l'épouse légitime contre la concubine.

La mise en scène iconographique de disputes entre femmes d'une même maisonnée, ou d'un même voisinage, insiste sur la facilité avec laquelle les femmes passent de l'injure verbale à l'agression physique. Or, ces combats individuels n'impliquent que des problèmes personnels, des comptes à régler entre telle et telle femme. Mais le groupe pouvait, le cas échéant, oublier ces différends et resserrer les rangs afin de faire face à un adversaire collectif. C'est que les femmes du XVIᵉ siècle n'hésitaient guère à empoigner les ustensiles du ménage et à s'attaquer, tant bien que mal, aux « ennemis » de leur famille, de leur foyer, de leur village.

Figure 95
Mathurin Nicolas, « Dieu promect lignée à Abraham, lui faict faire sacrifice,
Agar mesprisant Sarra sa maistresse, est batue & s'enfuit enceinte
d'Ismaël », Paris, rue Montorgueil, v. 1574.

Armées de viragos en délire

Les armes dont se sert le sexe faible lors de ses combats (privés et publics) restent d'abord verbales et domestiques. Si les mots peuvent infliger des blessures, les instruments de la vie quotidienne peuvent se transformer en véritable arsenal si la ménagère en décide ainsi. La meurtrière Marguerite ne se sert-elle pas de son fuseau pour mutiler le corps de son mari ? Au fait, si l'épée et l'arme à feu sont réservées au sommet (viril) de la pyramide sociale, la femme et le paysan se défendent toujours très bien avec leurs outils ménagers et agricoles.

Une suite de douze estampes gravées par Étienne Delaune, représentant des batailles et des triomphes, consacre une planche hors séquence à un « Combat grotesque entre paysans » (Paris/Strasbourg, 1557-1578), seule image burlesque de la série. Gravure qui traduit le mépris affiché par la culture savante à l'égard des disputes des humbles, cette figure visualise en même temps la nature supposée chaotique du milieu rural (fig. 96). Au

Figure 96
Étienne Delaune, « Combat grotesque entre paysans », Paris/Strasbourg, 1557-1578.

centre de l'image, deux roturiers juchés sur des ânes brandissent des armes insolites — un poulet à la broche et un flambeau ardent. A côté de ces preux chevaliers, deux paysannes se livrent bataille ; la plus jeune terrasse la plus âgée et l'assomme d'un coup de cuiller à pot, ce qui n'a rien de surprenant car la jeunesse et la beauté triomphent toujours de la vieillesse et de la laideur. Pour la plupart, les femmes se disputent entre elles et les hommes entre eux. La seule exception est constituée par deux vaillantes ménagères, armées d'une fourche et d'une batteuse, qui chargent un homme occupé à sonner du cor : dans la logique belliqueuse de la mêlée populaire, deux femmes valent donc un homme. Ensuite, entre les jambes des participants, des enfants et des animaux domestiques renchérissent sur la confusion, témoignant, par leur seule présence, du manque de sérieux de cette rixe. Or, pourvu qu'elles ne menacent point la tranquillité des seigneurs ou la stabilité des villes, les guerres entre paysans font rire : « A la description faite par Noël de Fail en 1547 de la "grande bataille... où les femmes se trouvèrent", entre ceux de Flameaux et de Vindelles, près de Rennes, fait écho la guerre picrocholine racontée par Rabelais [152] ». Mais, dans la réalité, les « émotions » populaires ne se limitent pas aux seuls conflits internes. A l'occasion, le petit peuple des villes et des villages pouvait s'unir contre les autorités. Dans ce cas, l'on ne trouve point comique ni les bandes de femmes ni les troupes paysannes.

Pendant les périodes de disette et les temps de troubles, les femmes participent plus qu'activement aux émeutes contre la pénurie alimentaire, contre les impôts, contre les officiers fiscaux. Elles en pouvaient même être les instigatrices. Selon Yves-Marie Bercé, la présence féminine était l'élément le plus constant des soulèvements frumentaires : « Jusque dans les embuscades paysannes la nuit sur les grands chemins il y avait des femmes armées de pierres... Elles se jettent dans les tumultes du pain cher sans autre programme que l'angoisse de l'avenir et la justice des affameurs [153] ». Les femmes s'assemblaient également pour piller les greniers à blé, les boulangers et même les transports de grain dans le but de défendre « par une sorte de réflexe biologique, la vie de leurs enfants et l'existence physique de leur foyer [154] ». Telle fut la réaction des ménagères de Lyon qui jouèrent un rôle prépondérant dans la Grande Rebeine, émeute frumentaire de 1529 [155]. D'autre part, maintes citadines prirent part aux agitations catholiques et protestantes au cours du siècle : trente-sept des cent trente personnes arrêtées dans une manifestation protestante rue Saint-Jacques appartenaient au beau sexe [156]. La présence féminine ne manquait pas non plus dans les révoltes iconoclastes de Nîmes (1561), de Rouen (1562), des Pays-Bas (1566) [157]. Il semble cependant que la violence la plus extrême des soulèvements féminins ait été dirigée contre d'autres membres du même sexe. A Aix-en-Provence, en 1572, un groupe de bouchères catholiques tourmentèrent l'épouse d'un libraire protestant, la rouèrent de coups et la pendirent à un arbre autour duquel les réformés avaient coutume de se réunir [158].

En sus des questions religieuses qui déchiraient le tissu des communautés urbaines, l'établissement d'impôts nouveaux ou l'augmentation des anciens touchaient de près les ménagères, responsables de l'économie domestique. « L'accroissement des impôts risquant de réduire à la mendicité et menaçant, dans son existence même, une fraction de la population d'une ville ou d'une province, ne nous étonnons pas de voir les femmes ouvrir la voie aux émeutes fiscales par des éclats publics [159] ». Une estampe de Matthaüs Merian (Francfort-sur-le-Main, v. 1640) fournit une des rares illustrations « documentaires » de ce genre de fureur féminine, déclenchée à l'occasion d'une hausse de l'impôt sur le grain à Delft en 1616 (fig. 97). S'y trouvent une multi-

Figure 97
Matthaüs Merian, « Soulèvement des femmes de Delft le 2 août 1616 », extrait du *Theatrum europaeum*, Francfort-sur-le-Main, v. 1640.

tude de femmes de tout âge et de toutes conditions sociales armées d'un assortiment d'instruments domestiques : balais, quenouilles, trousseaux de clefs, broches, pelles, etc. Elles prennent d'assaut la mairie et assomment un fermier général qui serre encore à la main les sceaux de son office. Ahuris par cette démonstration de colère collective, des soldats assistent impuissants au spectacle, démunis face à une foule contre laquelle ils ne peuvent se servir d'armes [160]. Sexe « faible » et « incapable », la femme joue du privilège douteux d'une certaine liberté d'action face aux autorités, son « imbécillité » l'excusant d'excès pour lesquels l'homme aurait été tenu coupable [161].

Étant donné le rôle des femmes lors des agitations populaires, il n'est guère surprenant que la fureur des ménagères représente, dans l'art du XVIᵉ siècle, le *summum* du désordre, le monde renversé. Là où la femme s'arroge le rôle du guerrier, s'instaure le chaos. Le célèbre tableau de Breughel intitulé *Dulle Griet* ou *Margot l'enragée* (1564) est supposé être une allégorie de la destruction des Pays-Bas par les armées espagnoles. Sur un fond de ville incendiée, habitée par des êtres fantastiques, nés de la peur et de l'angoisse, une géante armée et cuirassée de fer se dirige vers la bouche de l'enfer. Elle emporte avec elle les « fruits hétéroclites d'un aveugle pillage, insoucieuse à la ruine qu'elle a voulue totale ». Visiblement, « cette figure apocalyptique, centre de gravité de la composition, convoque une idée maîtresse : elle est... l'esprit d'oppression et de violence, doué d'une puissance surhumaine et à qui toute pitié est étrangère [162] ». Génie de la guerre, cette « démone » est suivie par une armée de viragos pillant ici un entrepôt (de grain ?), terrassant là des diablotins. Mais si l'esprit du tableau condamne les excès de violence, son message est composé d'éléments un peu plus ambigus.

Derrière la mauvaise Margot se trouve la bonne sainte Marguerite, habillée en blanc et occupée à lier un démon sur un coussin (référence à la légende de Marguerite triomphant du Diable). En même temps, des troupes de mégères repoussent avec succès les bataillons infernaux qui assiègent leur ville, frappant vigoureusement les démons griffus et ligotant les prisonniers. Bien qu'elles personnifient indubitablement la confusion et la destruction de la guerre, ces femmes représentent également la lutte des justes contre les mauvais, le combat du peuple contre l'envahisseur. A ce niveau d'interprétation, on ne peut que reconnaître à ce tableau un message délibérément équivoque. *Dulle Griet* trahit, en termes de dialectique entre résistants et oppresseurs, une certaine tolérance, sinon une sympathie, pour les émeutes féminines, désordres des faibles et des affamées contre les représentants du pouvoir. Si, en ville, on craignait le soulèvement des femmes lors des troubles, on ne pouvait que reconnaître la force réelle dont disposait la collectivité féminine tout comme la justice potentielle de ses révoltes.

Diables en déroute

A un autre niveau d'interprétation, le tableau de Breughel renvoie au thème iconographique de la lutte entre la femme et le démon, sujet fort en vogue du XVᵉ au XVIIᵉ siècle européen [163]. Mais si l'œuvre du peintre flamand transforme ce combat mythique en allégorie des tensions qui déchiraient son pays, la représentation traditionnelle du thème vise à démontrer que le sexe féminin excède en violence et méchanceté le Malin lui-même.

Grand nombre de luttes entre femmes et démons s'inspirent des querelles de ménage où l'épouse acariâtre triomphe, à force de coups et d'injures, de son mari malchanceux. Ainsi l'ornement sculpté d'une stalle de l'église Saint-Spire à Corbeil (fin du XVᵉ siècle) représente une ménagère, habillée à la mode de l'époque, obligeant un diable à s'agenouiller pour qu'elle puisse scier sa corne de bouc — signe de sa défaite totale [164]. Malgré sa grande popularité dans les arts littéraires et décoratifs, aucune gravure française du XVIᵉ siècle dédiée à ce thème n'est parvenue jusqu'à nos jours. Il en existe cependant un certain nombre de variantes, de pays voisins et d'époques rapprochées, telle une feuille volante allemande du début du XVIIᵉ siècle, intitulée « La mauvaise femme triomphant du Diable » — « *Das über den Teüffel Triumphirende Weib* » — où une femme du peuple, vieille et laide, rosse le démon à coups de bâton. Il tâche de se faire tout petit et de protéger son crâne d'une main tremblante, mais c'est en vain. D'une poigne de fer, la virago serre la griffe du diable qui ne peut que gémir, pleurer et se plaindre de la cruauté des femmes [165].

Le combat inégal entre Satan et la mégère revêt parfois l'aspect d'une bataille rangée entre deux armées. Une estampe florentine gravée aux alentours de 1460 montre six femmes — une reine, quatre dames de qualité et une femme du peuple — qui mettent en déroute une bande de démons. Elles ont déjà pendu un diable au pilori et se prêtent maintenant main-forte pour lier sur un coussin le chef de la troupe infernale. Un dernier rejeton des enfers s'enfuit à toutes jambes en criant « *oimé oimé* », poursuivi par une dame élégante armée d'un fouet. En vain appelle-t-elle « *aspettà un poco* », sa proie lui montre les talons [166]. Deux détails introduisent une note d'interrogation dans l'interprétation de cette image : la prédominance des femmes de condition et l'acte d'attacher sur un coussin l'émissaire du Mal. Est-ce une représentation du triomphe de quelque sainte sur les mignons des enfers, telle sainte Marguerite ou sainte Julienne ? Ou assistet-on à une interprétation élitiste et misogyne du thème de la bataille entre la femme et le démon ? Après tout, la créature attachée à la potence soupire « *O mala compagnia* », réflexion qui tendrait à renforcer cette dernière interprétation, d'autant plus que la plupart des images satiriques du XVe siècle mettent en scène des ressortissantes de couches sociales supérieures, alors qu'aux XVIe et XVIIe siècles l'iconographie humoristique vise de préférence les étages inférieurs de l'édifice social.

Un dernier exemple du thème de la lutte entre la femme et le démon est fourni par une feuille volante allemande du début du XVIIe siècle qui illustre l'offensive d'un bataillon de femmes contre la gueule béante de l'enfer [167]. Armées, comme leurs sœurs des émeutes fiscales et frumentaires, de quenouilles, de fourchons et de pelles, elles brandissent des drapeaux « domestiques » sur lesquels figurent des objets du foyer : des pantoufles, des trousseaux de clefs, des chaudrons, etc. Ces ménagères belliqueuses avancent intrépidement contre les légions des enfers, serrant les rangs et rythmant le pas au roulement du tambour. Bien que les deux armées ne soient pas encore aux prises, l'issue de l'affrontement est certaine. Au premier plan, une mégère affronte en combat singulier trois démons dont deux gisent déjà par terre. Plus loin, d'autres créatures fantastiques s'enfuient, frappées de terreur à la vue des viragos. Selon le texte qui commente l'image, le but ostensible de cette estampe est de consoler les « pauvres maris » du mauvais caractère de leurs épouses. Si le Diable lui-même est si facilement défait par la méchanceté féminine, que peut faire l'homme tout seul ?

Satire contre la prétendue « mauvaisté » du sexe féminin, le thème du combat entre la mégère et le démon transforme la femme en rivale de Satan, sinon en diablotin lui-même. Au reste, on l'accuse souvent d'être un véritable « diable domestique [168] », une « furie infernale [169] ». Sa cruauté ne connaît aucune limite, d'où sa rivalité avec le Prince du Mal dont elle peut même solliciter les services afin de mieux tourmenter ses victimes :

> ... la haine d'un démon n'est point tant à craindre, que celle d'une mauvaise femme. Car si le Diable fait mal, il est seul, mais la femme est aidée de cet esprit malin, pour exercer une cruelle vengeance... ainsi la femme semble naître dans le monde pour mal-faire, & pour tourmenter les hommes [170].

Mégère cruelle, virago destructrice, diable domestique, la femme violente ne craint nul adversaire, que ce soit sa voisine,

son mari, les autorités civiles ou le démon lui-même. Or, non
seulement elle ne recule jamais devant une situation conflictuelle,
mais elle s'amuse même à allumer des querelles, à provoquer des
émeutes. Une telle agressivité soulève une certaine inquiétude. Si
l'on peut rire des batailles burlesques de femmes et de paysans, si
l'on ricane aux dépens des ménagères belliqueuses, le sourire
s'efface devant les crimes « historiques » perpétués contre
l'homme, la famille et l'ordre social.

● Prototypes historiques de la cruauté féminine

Le consensus du XVIe siècle quant au penchant violent du sexe
faible puise dans l'Antiquité gréco-romaine et dans l'histoire
biblique des « preuves » historiques de sa férocité. Les amazones
mythiques, Médée la meurtrière et l'inique Jézabel, fournissent
aux artistes et aux littéraires des exemples irréfutables de la perfidie des femmes et des crimes dont elles se sont rendues coupables depuis l'aube du temps.

Amazones anciennes et modernes

La Renaissance fut à la fois fascinée et épouvantée par l'idée
d'une société de guerrières féminines. Le mythe des amazones,
colorié par des récits de leurs prouesses militaires, affleure dans
des textes de toute sorte, des *Dames illustres* de Boccace aux
Caquets de l'accouchée. Ces textes s'inspirent surtout de deux
sources d'information sur les hauts faits de ces soldats extraordinaires, de deux types de témoignages qui véhiculent deux visions
radicalement différentes des célèbres combattantes de Thrace.

La première source comprend les récits de l'Antiquité et les
bas-reliefs gréco-romains illustrant des batailles d'amazones,
autant de documents écrits et plastiques qui alimentent l'imagination de l'élite littéraire et artistique. Boccace, par exemple,
dédie deux chapitres de ses *Dames illustres* à l'histoire de ces
guerrières. Il y précise que celles-ci sont toutes vierges et belles,
et qu'elles stupéfient les hommes par leurs faits d'armes. Cependant, ni leur beauté ni leur courage ne suffisent à leur donner
l'ascendant et, à la fin, l'armée masculine réussit toujours à les
massacrer ou à les capturer [171]. Malgré leur dextérité dans l'art
viril de la guerre, ces combattantes antiques doivent reconnaître
l'ultime supériorité de leur adversaire-homme, verdict rassurant
pour une époque « moderne » qui craignait profondément la prétendue agressivité du beau sexe.

Cette même admiration pour l'amazone — tempérée par une affirmation de la suprématie masculine — se trouve dans toutes les estampes reproduisant des bas-reliefs romains. « *Amazonum pugna* », gravure en taille-douce de Nicolas Beatrizet (Rome, 1559), s'inspire d'un sarcophage antique où est figurée une lutte entre amazones à cheval et soldats à pied (fig. 98). Deux groupes de combattants se détachent du tumulte général : au centre droit, une amazone en selle s'apprête à percer de sa lance un soldat tombé à terre ; au centre gauche, un jeune homme armé d'une épée désarçonne une cavalière en la tirant simultanément par le bras et par les cheveux. Or, si la mêlée oppose un nombre plus ou moins égal de guerriers des deux sexes, leurs techniques de bataille diffèrent fortement. L'amazone triomphe d'un soldat en situation d'infériorité, mais un homme à pied peut venir à bout d'une femme et lui faire vider les étriers sans même avoir recours aux armes ! Les implications de cette image sont claires — la force masculine l'emportera toujours, même en face d'une bande de femmes militaires. On pourrait rétorquer que cette estampe ne fait que reproduire un artefact d'une civilisation très antérieure au XVIe siècle. Certes, mais l'image n'est jamais gratuite. C'est le choix du sujet et l'assemblage des éléments qui véhiculent le sens, qui transmettent le message. Peu importe que le sujet soit antique ou moderne, que le contenu soit consciemment ou inconsciemment perçu, il est toujours communiqué à qui « lit » cette gravure.

Alors que l'illustration et les récits de la bravoure des guerrières thraciennes suscitent l'admiration des hommes tout en les rassurant de leur propre ascendant, les amazones « nouvelles », rencontrées au cours des voyages d'exploration, provoquent une réaction tout à fait différente. Deuxième source d'information sur ces soldats mythiques, les récits de voyage narrent la « découverte », lors d'expéditions en Afrique ou en Amérique, des descendantes des armées féminines de l'Antiquité. Ces amazones modernes font cependant preuve d'une évolution déconcertante. Non seulement elles manifestent une haine traditionnelle à l'égard des hommes, mais elles pratiquent également une cruauté ahurissante. Réputées tantôt mangeuses de chair humaine, tantôt despotes cruelles régnant sur des territoires étendus, elles figurent dans nombre de chroniques de voyages des XVIe et XVIIe siècles [172].

Prenons en exemple le récit des *Singularitez de la France Antartique autrement nommée Amérique* d'André Thevet (Paris, 1558)

Figure 98
Nicolas Beatrizet, « *Amazonum pugna* » (détail), Rome, 1559.

et une planche qui l'illustre, une gravure sur bois généralement
attribuée à Jean Cousin (fig. 99). Ici, une bande de femmes nues,
armées d'arcs, tirent des flèches contre deux hommes suspendus à
un arbre, la tête en bas. Une d'entre elles avive encore les tor-

Figure 99
Jean Cousin (?), « Comme les Amazones traitent ceux qu'ils (sic) prennent
en guerre », dans André Thevet, *Les singularitez de la France antartique
autrement nommée Amérique*, Paris, 1558.

tures des suppliciés en allumant un grand feu de bois sous les
têtes des prisonniers. Sanguinaires et barbares, les amazones
d'Amérique sont d'un sadisme spectaculaire.

> Elles font guerre ordinairement contre quelques autres nations :
> & traitent fort inhumainement ceux qu'elles peuvent prendre en
> guerre. Pour les faire mourir elles les pendent par une jambe à
> quelque haute branche d'un arbre : pour l'avoir ainsi laissé quel-
> que espace de temps, quand elles y retournent, si de cas fortuit
> n'est trespassé, elles tireront dix mille coups de flesches : & ne le
> mangent comme les autres Sauvages, ainsi le passent par le feu,
> tant qu'il est reduit en cendres. D'avantage ces femmes appro-
> chans pour combatre, jettent horribles & merveilleux cris, pour
> espouventer leurs ennemis.

Thevet fait mention de plusieurs théories sur l'origine des
amazones américaines, dont l'une affirme leur descendance en

ligne directe des antiques militaires de Thrace. Mais quelle que soit la théorie retenue par les auteurs des récits de voyages, la caractéristique prédominante des combattantes du Nouveau Monde est toujours l'inhumanité. Si les soldates gréco-romaines suscitent l'admiration des hommes de la Renaissance, celles du monde moderne leur inspirent l'horreur. En France, l'épithète « amazone » ne constitue guère un compliment à l'époque. En racontant les méfaits de la reine Marie de Hongrie, Brantôme affirme « qu'elle se montrast un peu hommasse ; mais, pour l'amour elle n'en estoit pas pire, ni pour la guerre, qu'elle prit pour son principal exercice... Elle y fit de belles guerres, ores par ses lieutenans, ores en personne, tousjours à cheval, comme une genereuse amazone./ Ce fut elle qui, la première, commança les grands feux à nostre France [173] ». Cette « amazone » belliqueuse et hommasse fut donc l'ennemi qui dévasta la France. On s'aperçoit également qu'être femme d'armes au XVIe siècle implique une sorte de crime contre la nature humaine, car celle qui manie l'épée en devient aussitôt androgyne [174].

La fascination des hommes de la Renaissance pour les guerrières de l'Antiquité reste donc bien délimitée : seules sont dignes de louanges celles qui ont vécu loin dans l'espace et dans le temps, celles qui ont combattu vaillamment pour succomber à la fin devant la suprématie masculine. En revanche, celles qui peuplent encore les pays lointains, celles qui apparaissent à la tête des armées européennes, celles qui sont hostiles à la paix et sauvages à l'égard des prisonniers, celles-ci font l'objet d'une désapprobation totale. Femmes-hommes, les amazones modernes sont des monstres, des aberrations de la nature, et cela à cause de leur ambiguïté sexuelle, car « tant plus une femme approche de la nature virile & est hommasse, & plus elle est audacieuse, mauvaise, enragee, & ayant mauvaise teste... tant plus une femme ou fille approche de la virilité des hommes, tant plus elle est vicieuse [175] ». Dès que le mythe de la virilité féminine s'approche trop de la réalité, les louanges se transforment en invectives. Tout compte fait, l'image de l'amazone inspire beaucoup plus facilement le dégoût et la peur que l'admiration.

Médée et ses sœurs meurtrières de l'Antiquité classique

« ... monstre moi pareille inimitié
Et cruauté, telle que de Medee :
Fait moins honteux, que de l'outrecuidee
Semiramis : de Thamyris, de Myrrhe

D'Adonis mere : une entreprise pire
Que de Scylla: Acte plus inhumain
Que de ces sœurs, qui oserent occire
Quantanteneuf, leurs Maris, de leur main »
(Anonyme, *La Louenge des femmes,*
Lyon, 1551.)

Médée, sorcière perfide, infanticide et fratricide, fournissait aux graveurs l'archétype « historique » de la cruauté féminine. Ses meurtres faisaient frissonner d'horreur le XVIᵉ siècle qui la plaçait en tête des vedettes violentes de l'Antiquité classique. De ce fait, elle apparaît un peu partout dans l'estampe, où elle représente tantôt la colère, tantôt l'ingratitude filiale, tantôt la mauvaise mère. « *Ira* », troisième planche de la suite des Sept Péchés capitaux gravés par Léon Davent (Fontainebleau, 1547), la représente en train de dépecer ses pauvres enfants, victimes innocentes de son amour déchu [176]. De même, l'emblème « Charite empeschant vengeance » de l'*Imagination poétique* de Barthélemy Aneau (Lyon, 1552) dénonce son fratricide brutal (fig. 100) :

MEDEE ainsi son pere Oetes fuyant
Et son ami le Grec Jason suivant,
De telle ruse envers son pere usa,
Qui la suivoit & ainsi l'amusa
Son frere Absyrt par quartiers despeça.
Par les chemins ses membres dispersa
A quelle fin qu'elle fille mauvaise,
Se peut sauver, & fuir plus à l'aise.
Ce temps pendant que le bon Pere affix
Recueilleroit les membres de son filz
OR devinez que denote la fable ?
C'EST que pieté & amour ineffable,
Ne seuffe point : mais retarde, & empesche
Punir cellui, ou elle là qui peche.

Fidèle au texte, le petit bois illustrant cet emblème oppose la douleur du père à la cruauté de la fille. Agenouillé à côté du corps mutilé de son fils, Eétez lève les bras dans un geste de deuil, tandis que Médée s'enfuit en possession toujours de la tête et d'une main d'Absyrte. Ces pauvres restes du corps fraternel lui serviront plus tard pour dépister son père dès qu'il reprendra la poursuite.

Figure 100
Bernard Salomon (?), « Charite empeschant vengeance », dans
Barthélemy Aneau, *Imagination poétique*, Lyon, 1552.

A la fois hypnotisé et horrifié par la brutalité d'une femme
capable de sacrifier son propre frère à sa passion amoureuse, le
XVIᵉ siècle ne cesse de s'étonner des exploits de Médée. Ainsi le
*Livre de la conqueste de la Toison d'or par le prince Jason de
Tessalie,* suite de vingt-six estampes exécutées par René Boyvin
d'après les dessins de Léonard Thiry (Paris, 1563), consacre une
planche entière à l'épisode du fratricide (fig. 101). On y voit
Médée et Jason à la poupe de la galère grecque. Telle une vigoureuse bouchère, la sœur se sert d'une lame de dimensions redoutables pour découper, morceau par morceau, le corps du frère.
Jason assiste, imperturbable, au spectacle macabre, mais les
deux soldats à l'arrière-plan sont visiblement émus par l'aspect
charcutier de cet acte. Dans la mer flottent déjà la tête et la
jambe du jeune homme, amorces destinées à leurrer les navires
d'Eétez :

> Lequel [Eétez] les suit viste a main vengeresse :
> Ell'Absytrus tost demembre & depece :
> Ses membres jette or' a pouge or' a ourse,
> En divers lieux pour retarder sa course.

Figure 101
René Boyvin, pl. XV du *Livre de la conqueste de la toison d'or par le prince Jason de Tessalie*, d'après Léonard Thiry, Paris, 1563.

La barbarie de Médée ne s'arrête point au meurtre des membres de sa famille. Elle est également à l'origine de divers assassinats, notamment celui de Pélias par ses propres filles. La vingt-troisième planche du *Livre de la Conqueste de la Toison d'or* met en scène le moment du parricide (fig. 102). Au clair de lune,

Figure 102
René Boyvin, pl. XXIII du *Livre de la conqueste de la Toison d'or par le
prince Jason de Tessalie*, d'après Léonard Thiry, Paris, 1563.

les filles du roi pénétrent dans sa chambre. L'une tient son père
par la barbe et se prépare à le transpercer d'un glaive alors que
les autres s'enfuient, jetant en arrière des regards stupéfaits.
Dans le ciel on entrevoit la responsable du crime : c'est Médée
qui s'envole sur un char attelé de serpents, contente du succès de

sa ruse (elle avait promis aux princesses de rendre à leur père sa jeunesse dès qu'il serait mort) :

> ... par pitié elles [les filles de Pélias] prennent courage
> Son sang vuider par violent outrage :
> Qu'avoit promiz [Médée] de nouveau vigourer,
> Mais leur laissa pour roide mort plourer.

Bien que Médée fût considérée comme la plus violente des femmes de l'ère classique, l'Antiquité regorgeait d'exemples supplémentaires de la perfidie féminine. Barthélemy Aneau en dresse une espèce de catalogue dans son recueil d'emblèmes [177]. On y trouve, entre autres, Junon « cruelle en vengeance » qui crève les yeux de Tirésias, les cinquante filles de Danaé qui « par haine à mort picquante/Tous leurs mariz tuarent une nuict », et Servie, fille du roi Tullius, qui fit piétiner le corps de son père assassiné. Comme Médée, cette dernière plaçait l'amour passionnel au-dessus des affections familiales, raison pour laquelle l'emblème s'intitule « Contr'amour » (fig. 103) :

> ... quand Servie alloit, pour embracer,
> Le paternel meurtrier Tarquin le Prisque :
> Dessus un char montée, cointe, & frisque,
> Feit les chevaux marcher, par vitupere,
> Sur le corps mort du Roi Tulle son pere
> OR donc à mort son pere elle haissoit ?
> Non faisoit pas, mais Tarquin cherissoit.
> L'un des amours naturel, sans pitié :
> Et l'autre estoit de paillarde amitié.

Trônant dans son char telle une reine, cette fille impitoyable menace d'un bâton son cocher. Celui-ci, dégoûté par le crime qu'elle l'oblige à commettre, détourne la tête pour ne pas voir le corps du roi écrasé par ses propres chevaux. Notons en passant que le calme de Servie contraste vivement avec la frayeur du cocher. On est censé en conclure, évidemment, que la femme est capable de cruautés qui font frémir même les hommes les moins raffinés.

Jézabel, archétype biblique

Les femmes féroces de l'Antiquité classique ont une sœur chez Jézabel, reine assassine et idolâtre de l'Ancien Testament. Pour Jean de Marconville, elle est la pire de toutes, raison pour

Figure 103
Bernard Salomon (?), « Contr'amour », dans Barthélemy Aneau, *Imagination poétique,* Lyon, 1552.

laquelle il la cite en premier au chapitre « De la barbare cruauté & horrible tyrannie d'aucunes femmes » :

> Or, entre toutes les meschantes femmes de l'ancienne memoire Jesabel tient le premier & supreme lieu pour avoir esté la plus sanguinolente de tout le sexe foeminin, laquelle en toutes especes d'iniquité surpasse tous les plus inhumains bourreaux qui aient jamais esté, car non contente d'avoir faict idolatrer le Roi Achab son mari, mais le rendit plus cruel tyran de tous les Rois d'Israël, lui faisant persecuter & metrir les saincts Prophetes & serviteurs intimes de Dieu, & le fist devenir si prodigue du sang humain, qu'il ne faisoit non plus de cas de le faire espandre que celui des bestes brutes... Et finalement pour le comble de toutes ses cruautez, elle fist lapider le juste Naboth, ayant suborné contre lui deux faux tesmoings... pour avoir par confisquation la vigne qui lui appartenoit de son patrimoine... Dieu suscita le Roi Jehu pour en faire la punition, lequel fist mettre à mort ceste chienne mastine, le corps & la charonne de laquelle il fist jecter aux chiens, qui la mangerent & lui furent sepulchre [178].

L'imagerie urbaine et les recueils de « Figures de la Bible » donnent ainsi en exemple l'histoire de Jézabel, pendant biblique de l'infâme Médée. Prototype de la femme manipulatrice et sanguinaire, elle représente pour le XVIᵉ siècle le pouvoir destructeur des reines et l'influence funeste que celles-ci pouvaient avoir sur la politique nationale.

Jean Boussy, imagier de la rue Montorgueil, raconte l'histoire de Jézabel dans une suite de six estampes sur bois imprimées à Paris aux alentours de 1575. La première planche illustre plusieurs épisodes du drame : « Naboth refuse sa vigne à Achab. Achab irrité se couche. Jezabel sa femme le reconforte, conspirant la mort de Naboth, dont la vengeance est faicte par Jehu » (fig. 104). Au centre de l'espace pictural se trouve « la roine Jezabel », habillée d'un luxe extraordinaire. Elle converse avec Achab qui l'écoute attentivement, couché dans un lit somptueux. Belle, riche et orgueilleuse, cette reine prend en main les instruments du gouvernement : elle se rend chez les secrétaires du roi pour dicter l'ordonnance de mort de Naboth et la marque du sceau royal :

Figure 104

Jean Boussy, « Naboth refuse sa vigne à Achab. Achab irrité se couche. Jezabel sa femme le reconforte, conspirant la mort de Naboth, dont la vengeance est faite par Iehu », Paris, rue Montorgueil, v. 1575.

Jezabel lors femme inciville,
Au Roi Achab donne confort,
Et mande aux plus grans de la ville
Lettres, pour Naboth mettre à mort.

Coupable d'avoir gouverné à la place de son époux et d'avoir
répandu le sang d'un innocent, Jézabel reçoit à la fin sa juste
récompense. La cinquième planche de la série met en scène la
terrible fin que lui réserve Jéhu (fig. 105) :

Jezabel en son Royal estre,
Par des eunuques servans siens,
Est jectée par la fenestre,
Et son corps devoré des chiens.

En tant qu'exécution rituelle privant de sépulture le corps du
criminel, cette mort fascina le XVIe siècle, toujours friand

Figure 105
Jean Boussy, « Iehu fait jetter Jezabel par les fenestres, elle est mangée des
chiens », Paris, rue Montorgueil, v. 1575.

d'exécutions-spectacles et de punitions corporelles publiques [179]. C'est sans doute pour cette raison que la représentation la plus fréquente de Jézabel choisit ce moment dramatique. Une planche des *Quadrins historiques de la Bible,* recueil de Claude Paradin illustré par Bernard Salomon (Lyon, 1553), fait souffrir la reine d'Achab d'autant plus qu'elle est toujours en vie lorsqu'elle est livrée à la meute de chiens. Malgré sa lutte désespérée, ceux-ci la mordent partout, même dans sa féminité la plus intime — au sein, à la hanche, à la tête (fig. 106).

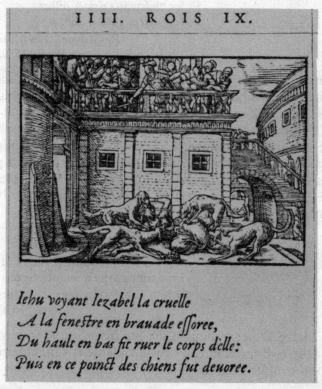

Figure 106
Bernard Salomon, « Iehu voyant Jezabel la cruelle... », dans Claude Paradin, *Quadrins historiques de la Bible,* Lyon, 1553.

Le succès de cette histoire reposait surtout sur sa pertinence à une époque où les femmes jouaient un grand rôle dans la vie politique. Les prédicateurs parisiens accusaient la reine Elizabeth d'Angleterre d'être une « Jézabel » après l'exécution de Marie Stuart [180]. « Jézabel », c'était également Catherine de Médicis, dont l'influence sur ses fils, Charles IX et Henri III, était fréquemment critiquée. Tenue pour responsable du massacre de la Saint-Barthélemy et des malheurs des guerres de Religion, la reine mère était l'exemple vivant du pouvoir néfaste exercé par les femmes dans la gestion du pays [181].

● Bellone et la discorde ou la violence féminine dans l'allégorie

> « Par femmes sourdent maintes guerres
> Et homicides en maintes termes
> Et les chasteaux ars & pillez
> Et les povres gens exillez »
>
> (P. Grosnet, *Les Mots dorez,*
> Paris, 1530/1531.)

Le consensus historique sur la violence des femmes rencontre son expression symbolique dans le glossaire iconographique de l'allégorie où « Bellone », personnification de la guerre, et « Discorde », emblème de la dissension, sont toujours représentées sous une apparence féminine. La première incarne le génie de la destruction dont on accuse le deuxième sexe, si habile à provoquer des confrontations armées. La seconde traduit plutôt la tendance, attribuée à toute femme, de semer la discorde chez elle et à bannir la tranquillité du foyer.

Bellone

> « Par femme sourt & meult la guerre
> En maint pays en mainte terre »
>
> (P. Grosnet, *Les Mots dorez,*
> Paris, 1530-1531.)

Selon Pierre Dinet, auteur des *Cinq livres des hieroglyphiques* (Paris, 1614), Bellone était une déesse violente et sanguinaire, d'où sa vocation comme cochère de Mars :

> Cest Bellone, fut entre les Anciens une Deese remplie de courroux, & fureur, de laquelle, on estimoit qu'elle print grandissime plaisir, de voir respandre le sang humain... On l'a estimee pour ceste cause, conduire le chariot de Mars, ayant toute la face teincte de sang... Chose qui a occasionné qu'on mettoit un fouët à la main de son portraict, avec lequel elle guidoit les chevaux dudit Mars : c'est à dire, incitoit les peuples aux batailles cruelles : lui donnant à ce mesme effect, une trompette, & un flambeau en la main [182].

Cette furie sangsue eut un grand succès dans l'estampe savante. Généralement représentée en pendant d'un autre personnage mythique ou allégorique, on l'associe tantôt à Mars, tantôt à la Victoire, on l'oppose à Minerve ou à la Paix [183]. Ainsi, une suite de quatre estampes allégoriques gravée par Étienne Delaune (Strasbourg, v. 1575) juxtapose « *Bellum* » (fig. 107) à « *Pax* » (fig. 35). Assise sur un amas de trophées et armée à l'antique, la déesse de la guerre brandit d'une main un glaive et de l'autre un bouclier. A l'arrière-plan brûlent des monuments classiques, car Bellone se spécialise dans le pillage et le massacre — elle est la ruine des royaumes.

Un autre « *Bellum* » gravé par Carol de Mallery d'après Martin de Vos (imprimé par Philippe Galle à Anvers, v. 1590) trace un portrait, semblable à celui de Delaune. Ici comme ailleurs, « *Bellum hostile, rapax, ardens, miserabile, dirum* » est traduit par la furieuse cochère, flambeau et épée à la main. Armée et entourée de trophées, elle abrite entre ses genoux une petite figure féminine en haillons : c'est la Pauvreté, conséquence inévi-

Figure 107
Étienne Delaune, « *Bellum* », Strasbourg, v. 1575.

table de toute guerre [184]. A l'arrière-plan se dessinent ensuite les malheurs auxquels mènent les confrontations militaires : sur un fond de bataille rangée, des soldats pillent un village et s'attaquent aux habitants.

Si l'allégorie attribue à une déesse féminine la responsabilité pour des actes de carnage et de destruction caractéristiques des campagnes belliqueuses, le dieu Mars, chargé dans l'Antiquité du patronage des conflits armés, n'est évoqué par la Renaissance que pour glorifier des personnages ou des faits d'armes. Dès qu'il s'agit de déplorer la guerre en tant que fléau des nations, celui-ci cède la place à sa servante, Bellone. C'est que, au contraire de l'homme dont la prouesse sert le devenir des royaumes, la violence des femmes ne peut qu'assurer leur destruction [185].

Discorde

> « Discorde est vraie mort & ruine
> des choses humaines, & la racine »
> (G. Meurier, *Thresor de sentences dorées,*
> Anvers, 1568.)

Alors que la personnification féminine de la guerre repose sur la critique du pouvoir « destructeur » attribué aux femmes et de leur influence potentiellement pernicieuse sur la vie politique du royaume, l'allégorie de la Discorde souligne plutôt le rôle de catalyseur joué par le second sexe lors de confrontations ou de querelles, tant sur la scène nationale que dans l'arène domestique.

Généralement représentée comme une méduse âgée armée d'une torche et d'un soufflet, la Discorde est un personnage familier du public des emblématistes. « La discorde mortelle », emblème d'Adrien Le Jeune (Anvers, 1567), la peint en vieille femme aux cheveux serpentins qui trône sur un soufflet, flambeau à la main (fig. 108). Le texte accompagnant l'image interprète, au bénéfice du lecteur, les attributs symboliques du personnage :

> Qui est celle qui tient ceste lance flambante
> Et porte au lieu de crins des serpens venimeux ?
> Qui est sur un soufflet, pres la flamme saillante
> D'un feu, qui toutefois en demeure fumeux ?
> La Discorde langarde excite telle guerre,
> Et les meurtres aussi que lon commet en terre.

Figure 108
Anonyme, « La discorde mortelle », dans Adrien Le Jeune, *Emblemes*,
Anvers, 1567.

Responsable de guerres et de meurtres, la Discorde entraîne
les hommes à leur ruine. Femme « fatale » au sens littéral, elle
continue à jouer, vis-à-vis de l'humanité, la fonction déstabilisa-
trice qui était celle d'Ève lors du péché originel. La première
faute ne condamnait-elle pas l'homme à la mortalité ?
N'opposait-elle pas pour la première fois l'humanité à son Créateur ? Dès lors, la femme a toujours allumé « le feu de dissension
entre les hommes », raison pour laquelle les champs de bataille
sont souvent présidés par cette furie [186].
     Le chaos que crée cette divinité au sein des conflits armés sur
le territoire national se reproduit à petite échelle dans la cellule

de base du royaume : la famille. Maints proverbes de l'époque affirment la capacité des femmes à instaurer la concorde ou la dissension au sein de l'unité domestique :

> La femme fait un mesnage ou deffait [187].

> Bien entretiendra sa maison
> Cil qui a bonne & saige femme.
> Mais une folle sans raison
> Rendra tout son hostel tout infame [188].

En fait, c'est sur la femme que repose la responsabilité de l'harmonie familiale. Si conflit il y a, la faute en incombe à l'épouse, puisque c'est elle qui est censée se soumettre aux désirs de son mari plutôt que de le contrarier. Une ménagère querelleuse est donc coupable de rebuter son époux et de rendre irrespirable l'ambiance domestique. Elle finit par chasser de son propre foyer le maître du logis :

> De discorde naist & provient discention, contestation, noise, objuration, reproche & bataille. Aucunes femmes sont si quereleuses & difficiles que, pour legiere cause, offensent leurs maris, tant est leur parler audacieux & fascheux. Il n'est rien que tant aliene le mari de l'amour de la femme que la noise reiteree, & la langue amere & injurieuse... Pour ce le sage l'equipare a la gouttiere de la maison, & a la fumée qui chasse l'homme dehors. Dit oultre que mieulx vault habiter en terre deserte que avec femme noisive & de mauvaise teste [189].

L'influence considérable qu'exerçait la femme sur le climat domestique a donné lieu à des représentations allégoriques de la Discorde sous forme de querelle de ménage. Un support de gargouille de l'église de la Trinité de Falaise, sculpté au XVe siècle, symbolise ce vice par une « dispute de la culotte » où la lutte pour l'autorité dans le cadre du ménage passe par l'attribut vestimentaire. De même, une estampe flamande gravée par Crispin van de Passe d'après Martin de Vos et destinée à l'exportation (Anvers, 1589) représente la « *Discordia* » par une bagarre entre hommes et femmes à l'intérieur d'une taverne ou maison de joie (fig. 109). Pendant d'une planche intitulée « *Concordia* » qui met en scène un repas de famille paisible à l'intérieur d'un foyer modeste mais confortable [190], la Discorde oppose à l'harmonie familiale la lutte des sexes, la vanité vestimentaire et le péché de gloutonnerie : les acteurs de la rixe sont richement habillés et leur dîner gâché comprend de nombreuses viandes, autant de

Figure 109
Crispin Van de Passe, « *Discordia* », d'après Martin de Vos, Anvers, 1589.

luxes qui contrastent vivement avec la simplicité et le calme de la famille attablée. Au centre de la mêlée, une dame somptueusement vêtue s'agrippe à l'oreille de son compagnon et s'apprête à le frapper d'un trousseau de clefs. Deux autres mégères s'attaquent courageusement à leurs adversaires, les arrosant de vin et les griffant au visage. Or, les hommes se défendent fort mal et une victoire féminine semble imminente — ce qui ne surprendrait personne... le conflit n'est-il pas le domaine propre du sexe ? Quoi qu'il en soit, une chose est certaine : de la Taverne de la Discorde la paix est définitivement bannie.

*
* *

Malgré la diversité des sujets illustrés, tous les milieux de la gravure font chorus sur la nature cruelle du deuxième sexe, sur son antagonisme à l'égard de l'homme et sur sa répugnance pour l'ordre établi. Les leçons de l'histoire biblique, les enseignements de l'Antiquité, les relations de voyages aux pays exotiques et les métaphores de l'estampe allégorique fournissent à l'époque moderne des exemples d'une vérité universelle. A travers le temps et l'espace, Bellone et la Discorde, Jézabel, Médée et les féroces amazones confirment la justesse d'une politique sociale qui s'efforce d'enlever au sexe « périlleux » toute possibilité de nuire. Mais si la gravure urbaine insiste plus sur les personnages de la ménagère insoumise et de la virago armée, si l'estampe savante privilégie des histoires de violence datant de l'Antiquité classique, et si l'allégorie, comme l'emblématique, abonde en personnifications de la Guerre et de la Discorde, l'inquiétude qui transparaît à travers le consensus iconographique dépasse de loin des préoccupations strictement sociales ou politiques. La nature sanguinaire des femmes pose une énigme dans la mesure où ce défaut fait précisément l'une des forces d'un sexe supposé faible. On a déjà vu que les fautes féminines constituent une menace constante pour « les autres », les hommes, et que la puissance du second sexe repose surtout sur sa capacité d'abuser du premier. Le dilemme souffert par la société masculine s'exprime donc à travers l'impossibilité de réconcilier l'image idéaliste d'une fémi- nité « rangée » — docile, maternelle et domestique —avec la « réalité » d'un comportement considéré comme agressif et insu- bordonné [191]. Cette contradiction ne pouvait que susciter l'an- goisse, car la femme était effectivement loin d'être telle que les hommes la voulaient.

8. ET MAINTS AUTRES DÉFAUTS ET FAIBLESSES...

« Inconstante/mobile/vagabonde :
Improbe/vaine/avare/indiguabonde
Suppeditant/bislingue/menassant/
Quereuleuse/baveuse/ravissant/
Impatiente/ennuieuse/menteuse
Legiere a croire/ivrognesse/onereuse
Brief la femme est sur toute creature
Orde et immonde/en faict et en nature. »

(P. Grosnet, *Les mots dorez*,
Paris, 1530/1531).

Pour reprendre un des lieux communs du siècle de la Renaissance, la liste des défauts attribués au sexe féminin est si longue qu'il faudrait un volume entier pour les énumérer. Au-delà des tares qui dominent son portrait iconographique — la vanité, l'avarice, la fraude, la paresse, le caquet, la violence [192] — existent maintes autres formes d'inconduite dans lesquelles la femme excelle. Restent cependant, dans les limites de cette étude, encore trois vices centraux au discours iconographique. Il s'agit de la gourmandise, de l'inconstance, de la mélancolie.

• La gourmandise

Péché capital, la gloutonnerie est plus souvent reprochée aux hommes qu'aux femmes, bien que le beau sexe ne soit guère exempté du péché d'excès de nourriture — surtout en ce qui concerne la boisson. Si l'on peut se fier aux témoignages de l'époque, l'ivrognerie, refuge des faibles et des malheureux, est un vice particulièrement cher aux femmes. Calvin leur reproche de trop boire et de se comporter indécemment en conséquence : « Plusieurs aussi sont adonnées à boire du vin outre mesure ; dont il advient qu'en oubliant toute modestie et gravité, elles se débordent et folâtrent [193]. » Du côté catholique, il en va de même : Jean Benedicti affirme que l'ébriété « est encore plus indecent[e] aux femmes qu'aux hommes : car celle qui est prise de vin est exposée à beaucoup de dangers... la femme ivrette ferme la porte à toute vertu & l'ouvre à tous les vices [194] ». Selon les moralistes, en effet, le danger principal qui guette la femme soûle est celui d'une conduite impudique :

> S. Paul nous défend de boire du vin, qui formente la luxure... Ce precepte regarde particulièrement les filles & les femmes : car étans de leur naturel plus chaudes & plus lâchives en leurs affections que les hommes, il ne faut pas s'étonner si le vin ne leur est pas propre, & si l'ivrognerie leur est mille fois à plus grand deshonneur qu'aux hommes [195].

Même le savoir épigrammatique des proverbes fait écho aux discours des théologiens et des moralistes en accusant le deuxième sexe d'être trop porté au vin :

> Femme safre [gourmande] & ivrognesse,
> de son corps n'est pas maistresse.
>
> Femmes sur le vin, nez rouge & beccu [196].

Quant à l'estampe, de nombreuses personnifications de la Gourmandise attribuent le vice de l'intoxication alcoolique tout particulièrement aux femmes. La gravure sur bois de Jean Boussy qui représente les Sept Péchés mortels sur un fond de Jugement dernier (Paris, rue Montorgueil, v. 1575) figure la gloutonne assise à table, une carafe de vin sur les genoux (cf. fig. 69). De même, la suite de Léon Davent consacrée aux Péchés capitaux (Fontainebleau, 1547) voue deux médaillons de la planche intitulée « *Gula* » à la gourmandise féminine (fig. 110). Un médaillon montre une femme échevelée et déjà à moitié

Figure 110
Léon Davent, « *Gula* » (détails), d'après Luca Penni, Fontainebleau, 1547.

déshabillée se promenant dans un cadre urbain. Tout en marchant, elle boit au goulot d'une gourde, un flacon de remplace-
ment déjà prêt à la main. Quant à l'autre, elle aime autant la
viande que le vin. Grosse et grasse, celle-ci chevauche une truie
aux mamelles distendues. Serait-elle une religieuse ? Son habit
pourrait bien être celui d'un ordre conventuel. Brandissant une
coupe de vin, elle porte allégrement sur l'épaule un poulet à la
broche enguirlandé de saucisses [197].

Tout comme l'ivresse peut mener à la luxure, l'avidité alimentaire des femmes incite à la concupiscence. Une « Bacchanale
grotesque », facétie parisienne de main anonyme gravée aux
alentours de 1565 (fig. 111), représente la Gourmandise comme
compagne de Bacchus. Habillée à la mode du XVIe siècle, elle
chevauche un porc chargé de viandes diverses : des saucisses, une
volaille à la broche, un lapin, etc. De la main gauche, elle offre
une andouille à Bacchus. Symbole traditionnel du membre viril
et objet de mille plaisanteries dans l'imagerie urbaine, l'andouille
suggère qu'à la jouissance gastronomique s'ajoute celle de la
chair. En fait, la monture de la femme gloutonne est attelée à un
tonneau de vin, char improvisé sur lequel est juché Bacchus.
Brandissant un jambon et une coupe de vin, celui-ci sourit plai-
samment à sa compagne. Comme le veut la tradition iconographique, Bacchus est tout nu, n'étant couvert que d'une ceinture
de feuilles de vigne. Il offre à la Gourmandise une boisson à double sens :

> Or tenez ma gente amoureuse
> Tant je vous voi de bonne grace
> Beuvez a moi pleine ma tasse
> De cette liqueur savoureuse.

Près du char du dieu des ivrognes se tient un faune, escorte
obligée de toute excursion bachique. La procession se ferme
ensuite sur le « plaisant chasseur », personnage comique dont la
verge en érection renchérit sur les allusions érotiques de l'image.

Alors que la gourmandise des femmes les porte aussi facilement à l'alcool qu'aux mets gras, leur avidité mène toujours au
même but : l'impudicité. D'ailleurs, les appétits voraces du beau
sexe sont d'autant plus préoccupants qu'ils sont imprévisibles.
Une instabilité systématique aggrave tous ces excès. Déjà exaspé-
rante puisqu'elle ne connaît point la modération, la féminité est
encore plus frustrante lorsqu'elle ajoute à la liste de ses défauts le
vice de l'inconstance.

Figure 111

Anonyme, « Gourmandise, Bacchus le dieu des ivrognes, le plaisant chasseur », Paris, v. 1565.

• L'inconstance

> « Scez tu pourquoi, femme souvent
> Change d'avis, & de coustume ?
> C'est pour autant, que poudre & vent
> Sont plus legers que seiche plume :
> La flamme, qui au feu s'allume
> Plus legere que le vent semble :
> La femme, plus que tout ensemble »
>
> (Anonyme, *La Louenge des femmes,*
> Lyon, 1551.)

Changeante comme la lune, la femme est un être fluctuant et imprévisible. Comme l'observe le sage Rondibilis au *Tiers Livre* de Rabelais, cette imperfection est due — ainsi que la plupart des faiblesses féminines — à un défaut de nature :

> Quand je diz femme, je diz un sexe tant fragil, tant variable, tant muable, tant inconstant et imperfaict que Nature me semble (parlant en tout honneur et reverence) s'estre esguarée de ce bon sens par lequel elle avoit crée et formé toutes choses, quand elle a basti la femme [198].

Le XVIᵉ siècle est unanime à décrier la « legereté volage » du deuxième sexe [199]. Du haut en bas de l'échelle sociale, la littérature et l'image rivalisent sur l'inconstance dont il se rend coupable. Les proverbes et la littérature d'élite, l'imagerie urbaine, l'emblématique et l'estampe savante, tous les moyens de communication sociale s'épaulent pour affirmer la mutabilité féminine. Si, à Chambord, le roi François Iᵉʳ écrit sur sa fenêtre : « Toute femme varie » (en souvenir amer de quelque déception amoureuse ?) [200], les proverbes renforcent les préjugés collectifs de leur sagesse mordante.

> Souvent femme varie
> Bien fol est qui s'y fie [201].
>
> Comme la lune est variable
> Pensee de femme est muable [202].
>
> En ung instant elle maine grant deuil
> Puis rit soubdain/puis a la larme a leuil
> Maintenant folle/& maintenant est saige/
> Maintenant craint : puis tout est davantage
> Aulcune fois veult une chose faire

Et puis soubdain elle veult le contraire
Elle est joyeuse/et puis elle est marrie
En soimesmes, tousjours le contraire [203].

Devant le consensus de l'époque sur l'instabilité du beau sexe, il est tout à fait logique que l'estampe allégorique ait choisi de personnifier ce défaut par la forme féminine. Ainsi le XVe emblème du *Théâtre des bons engins* de Guillaume de La Perrière (Paris, 1539) représente la « foy legere » par une femme tenant une balance où une plume pèse plus lourd que deux mains serrées en signe d'amitié (fig. 112). Le décolleté du personnage qui sert d'appui à la symbolique de cet emblème suggère que, dans son cas, la légèreté passe surtout par l'instabilité de ses affections. L'avarice et la cupidité ne règnent-elles pas, on l'a vu, sur l'intensité des sentiments féminins ?

Si le second sexe se distingue par sa variabilité, l'homme, son contraire, est inversement remarquable pour sa stabilité — ce qui, pour un vieillard, peut constituer un défaut presque aussi grand que l'inconstance féminine. « Ni temerairement, ni laschement », emblème de Jean-Jacques Boissard illustré par Théodore de Bry (Metz, 1584), juxtapose les faiblesses de chaque sexe et conclut que le moyen terme entre les deux est l'idéal. L'espace pictural figure, du côté gauche, une femme habillée à la mode du XVIe siècle et, du côté droit, un homme âgé en robe longue qui ne se tient debout qu'à l'aide d'une canne. Au centre se trouve une ancre autour de laquelle s'enroule un dauphin. Symbole de la modération et devise de l'empereur Auguste reprise par l'imprimeur vénitien Aldus, l'ancre et le dauphin figurent la symbiose entre la lenteur de l'un et la mutabilité de l'autre :

D'un costé, voi[s] la femme, à qui rien ne peut plaire,
S'il n'est precipité, soit à droit, soit à tort,
De l'autre ce viellard, au lent & foible effort,
Et tardif à l'égal que la femme est legere.

Plus qu'elle le Daulphin n'est remuant cogneu :
Le vieillard plus que l'ancre, est lent, & retenu :
Et l'advis de ces deux separé te peut nuire.
Si leur conseil tu joincts par bon temperament,
Et que tous tes desseins tu hastes lentement,
Ton affaire obtiendra le succès qu'il desire.

Une allégorie morale d'Étienne Delaune, gravée en toute probabilité à Strasbourg aux alentours de 1580, établit un autre

Figure 112
Anonyme, Emblème XV de Guillaume de La Perrière,
Théâtre des bons engins, Paris, 1539.

parallèle entre la constance des hommes et l'instabilité féminine (fig. 113). « Il n'y a rien de constant en ce monde que l'Inconstance », troisième planche d'une suite de vingt compositions moralisantes, montre une jeune femme couronnée et habillée d'un costume exotique qui se balance sur un globe flottant au milieu d'une rivière. Elle cherche à se percer le sein d'un poignard malgré les remontrances d'un « philosophe », vieillard à la barbe blanche qui lui adresse la parole de la rive. A l'arrière-plan se lisent les conséquences de l'instabilité des peuples : sur un fond de ville incendiée, deux armées se rencontrent pour faire la paix. Personnification de l'incertitude et du changement, la femme est ici de nouveau opposée à l'homme, incarnation de la solidité et de la sagesse.

Les sources de cette différence fondamentale entre les deux sexes est imputée aux influences astrales. La lune, astre féminin, varie constamment, d'où la versatilité des êtres qui tombent sous son influence. En revanche le soleil, astre masculin, est symbole de la fermeté et de la permanence [204]. Identifiée au corps céleste

Figure 113
Étienne Delaune, « Il n'y a rien de constant en ce monde que l'inconstance »,
Strasbourg ? v. 1580.

nocturne par une polarisation conceptuelle de l'univers, qui attribue aux femmes les mystères de la nuit et aux hommes la clarté du jour [205], le sexe « lunaire » est à la merci de l'astre qui le gouverne. D'où « L'influance de la lune sur la teste des femmes », gravure en taille-douce imprimée chez Moreau (Paris, avant 1640) qui représente cinq femmes du peuple dansant en rond sur la place publique (fig. 114). La pleine lune leur sourit du haut du ciel nocturne et darde sur la tête de chacune un rayon. Au bout de chaque rayon se trouve un petit croissant où on voit l'image d'un œil (la lune les tient à l'œil ?). Un peu plus loin, trois hommes munis de lanternes (les maris ?) se tordent de rire au spectacle des danseuses lunatiques. Facétie qui dévalorise le cerveau « léger » de la femme et la facilité avec laquelle elle s'abandonne à l'influence sélénite, cette image s'apparente en même temps aux évocations de rondes de nymphes ou de sorcières au clair de lune, sujet affectionné par l'estampe des milieux savants [206]. Au contraire de l'imagerie urbaine, la gravure de l'élite reléguait-elle entièrement au domaine mythique ou allégorique l'alliance du deuxième sexe avec la reine de la nuit ? Quoi qu'il en soit, on peut déjà remarquer une critique — satirique d'un côté, exotique de l'autre — commune aux deux milieux de la gravure : le lien profond qui unit la femme à la lune la pousse à faire des choses bizarres, dont la moindre est de se couvrir de ridicule.

L'accusation de l'inconstance fournit aux hommes de culture un argument supplémentaire pour écarter la femme des sphères du pouvoir temporel. C'est que l'instabilité « naturelle » de son sexe la rend incapable d'occuper une position quelconque de responsabilité :

> C'est la cause pourquoi on les à forcloses de l'entremise des choses ecclesiastiques, & deboutées de l'admiration politique, non pas toutefois que la femme ait faulte de jugement, raison, ou de bon advis, mais pource qu'il ne lui appartient de se mesler des affaires de la republique pour sa trop grande legerté, inconstance, & mutabilité [207].

D'autre part, et sur un autre terrain, la variabilité de la femme la rend plus perméable aux persuasions du Prince du Mal :

> Le diable ennemi fin, ruzé & cauteleux, induit volontiers le sexe féminin, lequel est inconstant à raison de sa complexion, de legere croyance, malicieux, impatient & melancolique pour ne pouvoir commander à ses affections... [208].

Figure 114
Anonyme, « L'influance de la lune sur la teste des femmes », Paris,
première moitié du XVIIᵉ siècle.

Le discours moral rejoint ici le discours théologique pour dis-
créditer l'ensemble de la population féminine. Inconstante en
amour, éternellement changeante, « lunatique » et légère en politique, la femme a le cerveau faible. Variable par nature, elle est
plus sujette que l'homme aux influences néfastes des corps

célestes, du démon, de sa propre nature. Ainsi tombe-t-elle facilement d'espoir en désespoir, de joie en mélancolie.

● « *Melancolia* » et « *Disperatio* »

> « Femme se plainct femme se deult
> Femme est triste quant elle veult »
> (P. Grosnet, *Les Mots dorez,*
> Paris, 1530/1531).

La célèbre gravure de Dürer intitulée « *Melancolia I* » (1514)
fournit le prototype graphique de la mélancolie, faiblesse d'esprit
à laquelle on croyait particulièrement porté le deuxième sexe.
Des variantes sur la figure représentée dans cette estampe apparaissent partout en Europe au cours du XVIᵉ siècle. Celles-ci
montrent des personnages assis dans une attitude « mélancolique », c'est-à-dire « dormant, somnolent ou rêveur, la tête dans
la main, le coude sur un genou, une table ou un quelconque
support [209] ». Les Pays-Bas, l'Allemagne, l'Italie et la France ont
produit de nombreuses images de mélancoliques dont il reste
encore à éclaircir le sens profond. Pourquoi, en effet, accorde-
t-on beaucoup plus d'importance à la mélancolie qu'aux trois
autres tempéraments d'Hippocrate : le sanguin, le colérique, le
flegmatique ? L'ampleur de la question est attestée par le nombre
d'études qui y ont déjà été consacrées [210]. Qu'il suffise de constater ici l'identification iconographique entre la femme et la
mélancolie, une affliction à la fois physique et psychique qui se
manifeste par des symptômes préoccupants.

Le premier signe d'une constitution atteinte de cette humeur
nocive est l'attitude triste et pensive. C'est ainsi qu'apparaît la
« *Melancholia* » de Jacques Androuet Ducerceau (Paris/Ge-
nève, 1540-1585) : assise sur un rocher au milieu de la mer, une
femme vêtue à la mode du XVIᵉ siècle contemple les vagues d'un
regard fixe, la joue appuyée sur la main (fig. 115). Humeur « de
la nature de la terre, froide et sèche [211] », la mélancolie est ici
associée à l'élément liquide, l'humidité et la froideur étant propres au tempérament féminin.

L'épouvante et le désespoir sont d'autres signes de la
mélancolie, car les personnes dominées par cette humeur sont
sujettes aux rêves et aux visions nocturnes : « ils ont songes et
idées en dormant fort espouvantables : car quelquefois il leur est
advis qu'ils voyent des diables, serpens, manoirs obscurs, sepul-
cres, et corps morts, et autres choses semblables [212] ». Une
estampe de Thomas de Leu, quatrième planche d'une suite sur
les « Quatre tempéraments » (Paris, v. 1600), montre une femme

Figure 115
Jacques Androuet Ducerceau, « *Melancholia* », d'après Aeneas Vico,
Paris/Genève, 1540-1585.

assise à côté d'un homme endormi (fig. 116). Les mains jointes
dans un geste de détresse, elle lève au ciel des yeux accablés de
tristesse pendant que son compagnon dort, une chope de bière
renversée à côté de lui. L'une en proie à la désespérance, l'autre
vaguant dans le pays des songes alcoolisés, ils sont tous les deux
nus et déshérités. De surcroît, le sol tout autour est parsemé

Figure 116
Thomas de Leu, « *Melancholicus* », planche IV d'une suite sur les
« Quatre tempéraments » Paris, v. 1600.

d'ustensiles de ménage cassés, de meubles rompus : c'est que les
mélancoliques travaillent à leur propre destruction.

La « dépravée imagination des melancoliques[213] » peut entraîner des conséquences encore plus alarmantes que le sommeil
troublé et les visions morbides. Si cette humeur devient trop
excessive, elle cause la folie ou pousse au meurtre : « lorsque
l'humeur melancolique a excedé son degré de justice, ils [les
individus affligés] deviennent par pourriture et adustion dudit
humeur furieux, maniaques, et souvent se précipitent et
tuent[214] ». La femme qui se pend dans une allégorie de Jacques
Androuet Ducerceau intitulée « *Desperatio* » (Paris/Genève,
1540-1585) appartient à ce même club funeste (fig. 117). Agrip-

Figure 117
Jacques Androuet Ducerceau, « *Desperatio* » d'après Aeneas Vico, Paris/
Genève, 1540-1585.

pée à un arbre, elle lie à une branche le bout d'une corde dont l'extrémité est déjà nouée autour de son cou[215]. Suicide type des personnes affligées de mélancolie, la pendaison est en même temps le genre de mort volontaire qu'affectionnent les femmes car elles « sont facilement décües, & ... deseperent beaucoup plustost que les hommes[216] ». Cette coutume mortuaire fournit ensuite à l'auteur anonyme de *La Louenge des femmes* — satire aux frais du beau sexe — l'idée d'un arbre merveilleux auquel celles-ci viendraient nombreuses se pendre :

> Un mien voisin me faisoit sa complainte,
> Qu'en son jardin un arbre malheureux
> Estoit planté : auquel ja femme mainte
> S'estoit pendue en estat douloureux.
> De faict, cest homme estonné & paoureux
> Pour tant grand bien advenu, faisoit conte
> De le coupper : Ami ce seroit honte
> (Lui di[s] je lors) de le couper ainsi
> Au moins devant, que de son greffe monte
> Un pareil arbre en mon jardin aussi[217].

Triste sort que celui qui attend les femmes mélancoliques. Serait-ce pour cette propension au malheur que l'estampe attribue à la forme féminine toute une série d'afflictions et d'adversités telles l'Infortune, la Tribulation, la Calamité, la Servitude[218] ? En fin de compte, les défauts du deuxième sexe n'épargnent personne, encore moins celle qui les possède, car les faiblesses de toute femme peuvent faire boomerang et se retourner contre elle-même. Elle devient ainsi la première de ses propres victimes, et le cercle vicieux se clôt dans l'apothéose de l'autodestruction.

● **Le « Branle des folles » ou la ventilation sociale
des défauts féminins**

Le catalogue des folies et des fautes attribuées au second sexe peut, à l'occasion, dépasser ses habituelles fonctions idéologiques et normatives pour donner lieu à des exercices ludiques et à des jeux de mots tant dans l'art que dans la littérature. En conclusion à son traité célèbre sur la *Bonté et mauvaisté des femmes* (Paris, 1563), Jean de Marconville bâtit ainsi une diatribe féroce sur une série de verbes commençant par la lettre « F » (comme Femme) :

... la femme ne semble avoir esté producte sur la terre, pour autre cause que pour tourmenter les humains, & leur donner memoire & souvenance de tous maux, malheurs & miseres : car la mauvaise femme peult plus porter de nuisance que la mer esmeue par ses flots, plus brusler & consommer que le feu, plus que pauvreté à tout malheur conduire, plus que la guerre abbatre & assommer, & plus que la mort mal faire, & bien destruire, car faire finesse, folier, faulser foi, friander, fouiller, feindre, flater, fascher, farder son corps, faire un lict & le deffaire, c'est tout ce que femme peult faire [219].

De même, Jacques Olivier, auteur qui relève de la tradition des moralistes « misogynes », structure son *Alphabet de l'imperfection et malice des femmes* (Paris, 1617) selon l'ordre des lettres de l'alphabet, chaque lettre désignant un défaut auquel est consacré un chapitre entier [220] :

A.	*Avidissimum animal :*	Très avide animal
B.	*Bestiale barathrum :*	Abisme de bestise
C.	*Concupiscentia carnis :*	Concupiscence de la chair
D.	*Duellum damnosum :*	Duel dommageable
E.	*AEstuans aestas :*	Esté bruslant
F.	*Falsa fides :*	Fausse foi
G.	*Garrulum guttur :*	Gasier babillard
H.	*Herinuis armata :*	Herienne armée
I.	*Invidiosus ignis :*	Feu envieux
K.	*Kaos calumniarum :*	Confusion des calumnies
L.	*Lepida ines :*	Plaisante contagion
M.	*Mendacium monstruosum :*	Monstrueux mensonge
N.	*Naufragium vitae :*	Naufrage de la vie
O.	*Odii opifex :*	Artisane de la haine
P.	*Pecati auctrix :*	Augmentatrice du péché
Q.	*Quietis quassatio :*	Ennemies du repos
R.	*Regnorum ruina :*	La ruine des royaumes
S.	*Sylva superbiae :*	Forest d'orgueil
T.	*Truculenta tyrannio :*	Cruelle tyrannie
V.	*Vanitas vanitatum :*	Vanité des vanitéz
X.	*Xanxia Xerxis :*	Humeurs de Xerxes
Y.	(Le terme latin manque) :	Yvrognesse éhonté
Z.	*Zelus zelopitus :*	Zèle jaloux

Du côté de l'iconographie, l'énumération des faiblesses féminines se présente souvent sous la forme de la facétie — tel le « Branle des folles », estampe satirique imprimée à Paris aux alentours de 1560 (fig. 118). Cette ronde de sottes sert de pré-

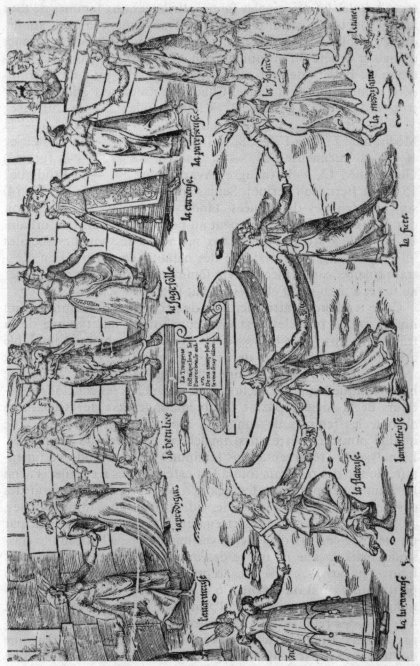

Figure 118
Anonyme, « Le branle des folles », Paris, v. 1560.

texte à étaler les principales fautes attribuées aux femmes de tout
âge et de toute condition sociale. Dans une chambre ronde,
quinze « folles » dansent en cercle, chacune portant un bonnet
d'âne sur la tête ou autour du cou. Au centre se trouve la maîtresse du ballet : debout sur un piédestal, elle joue de la trompette pour rythmer la danse. Chaque danseuse est étiquetée. S'y
trouve, de droite à gauche : 1. — la Sagefolle ; 2. — la Curieuse ;
3. — la Paresseuse ; 4. — la Jasarde ; 5. — l'Ennuieuse ; 6. — la
Médisante ; 7. — la Ficte ; 8. — l'Ambitieuse ; 9. — la Flatteuse ;
10. — la Luenneuse ; 11. — la Querelleuse ; 12. — la (grosse)
Gloutonne ; 13. — la (maigre) Avaritieuse ; 14. — la Prodigue ;
15. — la Berulice [Berlue]. Seules trois danseuses (nos 2, 10, 14)
sont des femmes distinguées, tandis que toutes les autres, soit
douze sur quinze, appartiennent au petit peuple rural ou urbain.
Le « Branle » attribue donc aux membres des couches sociales
inférieures la grande majorité des défauts, ce qui n'a rien d'extraordinaire, car la méchanceté féminine était censée augmenter
au fur et à mesure qu'elle descendait l'échelle sociale.

Cette tendance à attribuer plus de perversité aux femmes d'un
niveau social peu élevé est d'ailleurs tout à fait typique de la
tradition satirique et burlesque de l'imagerie urbaine. Semblable
à la littérature comique de l'époque, aux farces et soties, aux
recueils de nouvelles et aux chansons facétieuses, l'estampe
humoristique tendait à exclure de ses planches les échelons supérieurs de la société. Même l'emblématique taxe de méchanceté
absolue les femmes de condition modeste, alors que celles de
qualité pouvaient être aussi facilement bonnes que mauvaises.
L'analyse des représentations féminines selon le code vestimentaire donne des résultats tout à fait catégoriques à ce sujet. Parmi
les figures personnifiant les qualités positives, 75 % portent des
costumes « modernes » qui les identifient aux milieux aisés,
12,5 % sont des religieuses et encore 12,5 % sont associées, par
un mélange curieux d'éléments vestimentaires, à l'Antiquité classique, mais *aucune* ne relève des milieux populaires. Quant aux
figures négatives, 34 % des représentations appartiennent au
petit peuple rural ou urbain, 36 % aux classes moyennes et supérieures, 26 % sont associées à l'Antiquité classique, et seulement
4 % sont des religieuses. Les chiffres confirment donc les préjugés sociaux affichés par la gravure satirique et démontrent une
des techniques par lesquelles l'iconographie moralisante du livre
d'emblèmes participe à la valorisation des couches sociales privilégiées aux dépens du peuple. Si les actrices emblématiques

vêtues de la façon du XVIᵉ siècle sont, dans l'ensemble, plus vicieuses que vertueuses, celles qui appartiennent aux milieux distingués ont cependant deux chances sur trois d'échapper à la malédiction de leur sexe. En revanche, les femmes d'origine modeste se retrouvent toutes du mauvais côté.

Le vaste corpus d'images représentant les vices attribués au sexe féminin se prête difficilement, vu l'omniprésence des accusations, à une analyse des discours propres aux différents milieux producteurs. Toutefois, dans la mesure où ces mêmes images attribuent certaines fautes plus facilement aux ressortissantes de différentes classes sociales elles fournissent un aperçu intéressant sur les préjugés de l'époque. Ainsi, la vanité et l'avarice, péchés des courtisans et des femmes du monde, s'opposent à la paresse et à sa « fille », la pauvreté, défauts des femmes du peuple. En outre, la méchanceté féminine se diversifie aux étages inférieurs de l'édifice social : le caquet et la gourmandise, par exemple, sont pratiqués presque uniquement par des femmes des catégories moyennes et inférieures.

En ce qui concerne les vertus féminines, on peut rarement leur attribuer une appartenance sociale puisque, selon la tradition iconographique, les femmes exemplaires sont généralement identifiées à l'Antiquité classique où à l'ère biblique. Cependant, de temps en temps, des qualités spécifiques sont octroyées aux femmes « modernes ». La virginité, par exemple, peut être représentée par une religieuse, la bonne mère est parfois incarnée par des ressortissantes des classes moyennes, les bienfaits du travail domestique et agricole sont dus surtout aux paysannes, les douceurs de la vie conjugale sont une prérogative des classes moyennes et supérieures.

A l'inverse donc, des défauts féminins, la vertu est l'apanage des milieux moyens et supérieurs, les seules représentantes « positives » du peuple étant des campagnardes industrieuses. C'est que, en tant que véhicule des préoccupations de ses propres producteurs, l'estampe reproduit fidèlement les préjugés des milieux au pouvoir, pour qui la population féminine des classes inférieures est un adversaire culturel à récupérer ou à éradiquer.

L'art traduit donc l'aggravation des différences sociales et sexuelles qui se creusent au XVIᵉ siècle. A la fois reflet et agent d'une campagne de dévalorisation de la femme, comme de la culture orale, et « populaire » à laquelle elle est identifiée, la gravure assume la livrée idéologique des dirigeants, revêtant de parures neuves et étroites l'univers mental de la population urbaine [221].

*
* *

La longue liste des défauts féminins dénoncés par l'estampe du XVIᵉ siècle mène paradoxalement à un nombre de désordres bien délimités [222]. En fait, les malheurs qu'entraînent les méfaits du second sexe sont toujours pareils. Quelle que soit la nature du crime perpétré, soit il enfreint le système social, soit il viole l'ordre moral, soit il transgresse le domaine religieux.

Un tableau synoptique résumant le catalogue des vices féminins et les troubles auxquels ils sont censés mener permet de mieux saisir l'essentiel des structures qui sous-tendent le discours iconographique. Ici, à côté de chaque vice attribué à la femme, sont indiqués les principaux thèmes ou représentations illustrant le défaut en question et, dans les trois colonnes de droite, les conséquences auxquelles ils mènent. La Vanité, par exemple, est dénoncée par de nombreuses estampes aux sujets divers. Les représentations de la coquette au miroir et de la boutique du démon s'inspirent surtout de la doctrine religieuse dans la mesure où elles transmettent une conception de l'orgueil comme péché mortel et décrivent la femme vaniteuse comme une complice du diable. L'accusation de l'incitation à la luxure, autre manifestation du péché « cosmétique » et vestimentaire, ajoute au discours religieux des préoccupations d'ordre moral : la coquette incite l'homme à des rapports sexuels illicites. Dans l'éventail des préoccupations d'ordre social, la cupidité des orgueilleuses les pousse à ruiner leurs maris et leurs amants, leurs ambitions les encouragent à singer leurs supérieures, et leur négligence du travail domestique cause des désordres au foyer. A la fin la vie domestique et familiale est bouleversée, la hiérarchie sociale s'enfonce dans la confusion et l'ordre « naturel » du monde est brutalement renversé :

TABLEAU XVII

Les multiples défauts des femmes, leur expression iconographique et leurs conséquences

DÉFAUT FÉMININ	THÈME ICONO-GRAPHIQUE	CONSÉQUENCES		
		Sociales	*Morales*	*Religieuses*
VANITÉ & ORGUEIL	Coquette au miroir			Péché capital Perdition âme
	Boutique du démon			Femme = alliée du diable
	Incitation à la luxure		Rapports sexuels illicites	
	Avidité & dépenses ruineuses	Chaos dans vie sociale & domes-tique		
	Négligence devoirs domestiques			
	Aspirations sociales illégitimes	Monde à l'envers		
AVARITIA & DIVITIAE	Amours d'intérêt		Compor-tement hypocrite (homme dupé par femme)	
	La femme (et les richesses) dominent l'homme	Monde à l'envers		
	L'Avarice est une déesse diabolique			Péché capital Perdition âme Femme entraîne homme dans le péché

FRAUDE & HYPO-CRISIE	Amours d'intérêt Hypocrisie & mensonge Épouses adultères		Compor-tement hypocrite (homme dupé par femme) Rapports sexuels illicites	
	Calomnie	Femme triomphe sur homme (Monde à l'envers)		
	La Fraude serpen-tine ou masquée			Avocat & alliée du diable
PARESSE & PAU-VRETÉ	Négligence devoirs domestiques Pauvreté	Chaos dans vie sociale & domes-tique		
	Paresse, mère des vices		Pensées impudiques (rapports sexuels illicites)	Péché capital
CAQUET	Médisances et violences verbales Négligence devoirs domestiques et/ou travail Job & et sa femme	Conflits sociaux (verbaux & physiques) Chaos dans vie sociale & domes-tique L'homme dominé par la femme		
	Impudicité		Rapports sexuels illicites	
	Vanité Les femmes se détournent de Dieu			Péché capital Perdition âme

VIO-LENCES	Bagarres entre femmes Groupes des femmes « armées » d'ustensiles domestiques	Violences collectives		
	La femme est pire que le diable	Monde à l'envers		Femme = diable
	Amazones, Médée, Jézabel, etc.	Violences contre l'homme		
	Bellone & Discorde	Chaos dans vie sociale, politique, domestique		
GOUR-MANDISE	Ivresse Gloutonnerie		Incitation à la luxure & rapports sexuels illicites	Péché capital
INCONS-TANCE	Comportement « lunatique » Instabilité dans les rapports humains	Chaos dans vie sociale & politique	Affections changeantes (& rapports sexuels illicites)	
MÉLAN-COLIE & DÉSES-POIR	La « maladie » mélancolique	Chaos dans vie personnelle & domestique		
	L'autodestruction	Violence auto-infligée		Péché du suicide

Si l'on additionne, en respectant toujours les trois catégories du tableau précédent, l'ensemble des crimes imputés au sexe féminin, on se rend compte que la femme pèche d'abord contre l'organisation sociale, ensuite contre la religion et en dernier lieu contre la bonne morale :

TABLEAU XVIII

Résumé des conséquences entraînées par les méfaits féminins.

Sociales	N° mentions	Morales	N° mentions	Religieuses	N° mentions
Chaos dans vie sociale, domestique, politique	6	Rapports sexuels illicites	6	Péchés capitaux & Perdition âme	6
Monde à l'envers (la femme triomphe sur l'homme	5	Comportement hypocrite (l'homme dupé par la femme)	2	La femme alliée du diable (ou la femme = diable)	3
Violences physiques	4			La femme entraîne l'homme dans le péché	2
TOTAL	15	TOTAL	8	TOTAL	11

Puissante créature que la femme : non seulement elle réussit à déstabiliser les structures sociales existantes, mais elle poursuit son œuvre de destruction dans l'au-delà en enseignant aux hommes le chemin de la perdition. En même temps elle s'amuse à ébranler le système éthique : à l'aide de son corps, appât irrésistible par lequel elle ruine les innocents, ou grâce à sa langue, qui l'aide à camoufler la vérité par le mensonge.

Dénoncés et re-dénoncés par la gravure, les vices attribués à la plupart des femmes s'opposent à la sagesse du petit nombre imprégné de vertu. Celles qui sont chastes, soumises et industrieuses garantissent l'ordre du régime social, alors que les autres, la vaste majorité, s'y opposent. La logique à la fois normative et paranoïaque qui structure ce discours de contraires est le produit d'une idéologie sociale — masculine et dominante — qui ne réussit pas à résoudre certains conflits inhérents au système. L'un de ces points faibles est précisément le fait que, tout en étant théoriquement inférieur au premier, le deuxième sexe joue toutefois un rôle central dans la vie quotidienne. Bien que la femme soit privée du privilège de l'autorité formelle, elle possède toujours un grand pouvoir potentiel. Le *statu quo* établi en faveur du sexe fort est ainsi loin d'être stable et le dogme de la domination masculine est miné par la peur et l'angoisse de la contradiction [223].

Cette peur est transmise par tous les milieux de la gravure. Tant l'imagerie urbaine que l'emblématique et l'estampe savante affirment la nécessité de vigilance à l'égard de la population féminine. A chaque niveau de l'édifice social, l'iconographie transmet la conviction qu'il ne faut surtout pas céder aux femmes la moindre parcelle d'autorité, sinon elles en profiteraient pour dominer à leur tour. Et ce qui est pire, c'est que tout contrôle s'avère futile. Selon les graveurs du XVIe siècle, le second sexe échappe systématiquement aux contraintes d'une organisation sociale qui lui est défavorable. D'où la violence des invectives lancées, une violence de faibles dont les mécanismes de surveillance et d'encadrement sont loin d'être efficaces.

Mais si les femmes s'opposaient à certaines structures contraignantes, c'était sans doute une tactique de survie au niveau de la vie quotidienne. Les individus tendent à maximiser leurs positions personnelles par des stratégies de politique domestique et par des coalitions d'intérêts locaux, même si cela entraîne ailleurs une situation conflictuelle. Dans ce cas, la dénonciation de la « méchanceté » féminine devient moins un miroir de l'actualité qu'un mécanisme de la part du groupe dominant pour expliquer les conflits au sein de la collectivité. Il faut se rappeler que toute idéologie, comme tout système social, n'est qu'une illusion collective que la réalité a tendance à contredire. Les tensions psychologiques qui en résultent ne peuvent être résolues, à leur tour, que par des « mythes » sociaux, des fictions explicatives telle celle de la perversité fondamentale du deuxième sexe [224].

Que la résistance systématique des femmes à l'ordre établi ait été réelle ou fictive, les graveurs mythomanes ne firent guère la différence. C'est surtout la frayeur d'une culture dominante et d'un groupe masculin face à l' « autre », au groupe social féminin et la culture déviante qu'il représente qui inspire le discours gynophobe de l'estampe [225]. On a l'impression, en se penchant sur l'ensemble des représentations positives et négatives du deuxième sexe, que le XVIe siècle fut convaincu que le succès présent et futur de l'organisation sociale reposait — bon gré, mal gré — sur l'encadrement effectif de l'opposition féminine : d'où l'urgence, voir l'hystérie, de la propagande iconographique [226].

CONCLUSION

REPRÉSENTATION, IDÉOLOGIE ET MENTALITÉS

> « Globalisantes, déformantes, concurrentes, les idéologies s'avèrent également stabilisantes. C'est le cas, bien sûr, des systèmes de représentations qui visent à préserver les avantages acquis des couches sociales dominantes. »
>
> (G. Duby, « Histoire sociale et idéologies des sociétés », dans *Faire de l'Histoire,* Paris, 1974.)

L'inventaire des représentations positives et négatives de la femme dans l'estampe du XVIᵉ siècle français révèle, sous la loupe analytique, une cohérence structurale équilibrée au niveau des valeurs et des malheurs incarnés par sa figure. La répétition des thèmes et des motifs, la redondance des messages sociaux et la réitération des mêmes présupposés sur les vertus et les défauts du deuxième sexe permettent, à partir du corpus analysé, d'esquisser certaines variations chronologiques subies par l'image de la femme, d'observer les nuances sociales qui interviennent dans son portrait et d'affiner les systèmes conceptuels qui sous-tendent l'ensemble des représentations. Or, c'est ici, à la jonction d'un discours idéologique construit autour de la féminité et de l'univers mental dans lequel elle s'inscrit, que se découvrent les enjeux profonds de la politique iconographique.

● A la recherche des images mentales

Nous avons vu que la représentation de la femme dans l'estampe du XVIᵉ siècle était tributaire d'un ensemble d'idées, de mythes et d'*a priori* sociaux, c'est-à-dire d'un système de valeurs culturelles polyvalentes sur lesquelles se construit le « message » iconique, quel que soit son milieu d'origine ou son public-cible. Dans le cas du livre d'emblèmes, les buts et les discours des recueils humanistes sont bien différents des objectifs affichés par les recueils religieux, mais ils puisent tous la symbolique de leurs illustrations dans un même corpus d'images : le *corpus emblematicum*. Un seul système de références sert ainsi d'appui à deux idéologies différentes, et une même série de présuppositions sur la nature de la féminité alimentent les deux écoles emblématiques. De ce fait, sont toujours féminines les personnifications de l'Abondance (de la Nature ou de la Grâce divine), de la Fraude (une femme-serpent masquée ou une religieuse hypocrite), de la Vertu (une vierge guerrière ou une nonne), etc.

Quant à l'estampe sur feuille, l'expansion du marché de la gravure vers 1550-1560 et sa floraison en milieu urbain ont assuré à tous les milieux de production l'accès à un vaste lexique iconographique. Mais si les ornemanistes parisiens et les imagiers de la rue Montorgueil affectionnent des sujets forts différents — les uns des suites d'allégories et des histoires de l'Antiquité gréco-romaine, les autres des sujets bibliques, moraux et humoristiques —, leurs représentations du beau sexe véhiculent, avec des variations minimes, un seul canon de valeurs sociales. Ainsi, Minerve, vierge combattante de l'iconographie bellifontaine, incarne les mêmes qualités (chasteté, courage, sagesse et beauté) que Judith, sa contrepartie biblique, avec une seule réticence : l'imagerie urbaine montre une nette répugnance à mettre des armes dans les mains d'une femme.

En effet, bien que le catalogue des représentations féminines soit censuré, dans les détails, par les différentes aires de production graphique, et bien que l'éventail des sujets représentés soit soumis à un processus de sélection en fonction de l'érudition du public visé, le discours iconographique sur la féminité montre, du haut en bas des milieux de la production, une grande uniformité. Cette cohérence fondamentale a permis, à des étapes intermédiaires de cette étude, d'établir des tableaux syncrétiques démontrant les « structures profondes » de l'iconographie féminine et les images mentales dont elle est tributaire. Superposés ensuite, ces tableaux construisent une image globale valable pour tous les milieux de l'estampe. Nul doute que cette façon de penser la femme ne soit sujette à des variations sociales et chronologiques. Mais ce qui importe ici est le modèle de base, l'ensemble des mythes et des représentations qui coloraient toute évocation du deuxième sexe.

Située au confluent de l'imagerie urbaine, de la gravure d'illustration et de l'estampe savante, cette image synoptique témoigne d'une mentalité conservatrice qui n'évolue que lentement et avec une prudence extrême. Modèle passe-partout des graveurs du XVIᵉ siècle, le « portrait-robot » du sexe féminin est l'expression et la confirmation d'une pensée à la fois sociale et mythique diffusée à l'intention d'une partie importante de la population. Que ce modèle soit imposé d'en haut ou qu'il reprenne des idées courantes dans les étages inférieurs de l'édifice social n'influe guère sur sa validité. L'essentiel, c'est que l'estampe de la seconde moitié du siècle ait véhiculé, à tous les niveaux de l'expression plastique, une même image de la femme, une même idéologie sociale, une même doctrine cosmologique, autant de témoignages du rôle médiateur joué par l'instrument iconographique dans l'édification et/ou la consolidation — lente mais sûre — des mentalités [1].

● **Les « structures profondes » du discours iconographique**

Quels sont les traits du « portrait-robot » auquel se réfèrent — consciemment ou inconsciemment, le résultat est le même — les imagiers de l'époque ? On a vu que les défauts dont la femme est coupable constituent le revers de la médaille dorée de ses vertus, puisque à chaque qualité féminine correspond une faute, à chaque représentation positive une mise en accusation négative. Ainsi, à la promotion de la virginité correspond une dénonciation de l'impudicité, à la valorisation de la maternité une crainte des pouvoirs illimités de la fertilité, à la louange de la ménagère idéale une peur atavique de la virago violente. Cette polarisation de la personnalité féminine se prête assez bien, étant donné la simplicité de sa structure, à une visualisation schématique où les qualités positives attribuées aux femmes s'opposent aux vices qui leur sont reprochés :

TABLEAU XIX

REPRÉSENTATIONS POSITIVES	REPRÉSENTATIONS NÉGATIVES
Sept Vertus cardinales	*Sept Péchés capitaux*
Virginité, Chasteté & « Vertu »	*Luxure, Vanité & « Vice »*
— la vieille (et laide) religieuse	— la jeune (et belle) coquette
— la vierge guerrière (femme armée contre la sexualité = comportement défensif)	— la vaniteuse élégante (femme armée des artifices de la toilette afin de séduire = comportement agressif)
— femmes-anges & muses inspiratrices (conduisent l'homme vers Dieu)	— femmes-amorces, femmes serpents & « diablesses » (conduisent l'homme aux enfers)
Fertilité & fonctions biologiques	*Fertilité & fonctions biologiques*
— allégories de l'Abondance (= la nature « domestiquée »)	— allégories de la Nature sauvage (= rapports étroits entre la femme & les mondes animal/végétal/aquatique)
— accouchements « encadrés » par les structures familiales (= parturition comme acte social)	— accouchements « féminins », *i.e.* sans présence masculine (= parturition comme acte biologique)
Maternité	*Maternité*
— allégories de la Charité nourricière, dramatisations du Massacre des Innocents, etc. (promotion du sentiment maternel = renforcement de la cellule familiale)	— mauvaises mères * (mères autoritaires, infanticides, cannibales = destruction de la cellule familiale)
Vie domestique & sociale	*Vie domestique & sociale*
— travail domestique & agricole	— paresse & pauvreté
— épouses modèles (= femmes passives, « enfermées » dans la maison, dans leurs corps)	— ménagères violentes, vaniteuses, volubiles (= femmes actives, « ouvertes » vers le monde extérieur)
— concorde & harmonie familiale	— discorde & querelles de ménage

* Matériel peu traité dans cette étude. Les mauvaises mères le plus souvent montrées en exemple par l'estampe du XVIe siècle français sont Médée, mère infanticide, et Rebecca, mère autoritaire qui trompa son mari afin d'avancer les intérêts du fils cadet. L'image de la mauvaise mère sera discutée en détail dans mon prochain livre : *Mariage, sexualité, marginalité. Représentation de la femme et des rapports entre les sexes au XVIe siècle.*

Remarquons, d'ailleurs, à partir de ce tableau « condensé » des perfections et des défauts féminins, que chaque catégorie thématique qui s'y trouve représentée peut être identifiée à un échelon spécifique de la hiérarchie cosmologique. Ainsi, les Sept Vertus cardinales, personnifiées par des femmes diaphanes, anges de vertu et de beauté, sont associées au royaume divin, alors que les Sept Péchés capitaux relèvent des souterrains infernaux auxquels ils mènent. De même, les évocations du rôle domestique et maternel du deuxième sexe illustrent les formes de la vie sociale tandis que les allégories basées sur ses fonctions biologiques renvoient plutôt au monde de la nature :

TABLEAU XX

AIRE COSMOLOGIQUE	+	−
Monde divin	Sept Vertus cardinales Virginité, Chasteté & « Vertu » (Femme = Ange)	
Vie sociale	Maternité Vie domestique & sociale	Maternité Vie domestique & sociale
Monde de la Nature	Fertilité & fonctions biologiques	Fertilité & fonctions biologiques
Monde infernal		Sept Péchés capitaux Luxure, Vanité & « Vice » (Femme = agent du démon)

L'équilibre apparent des pôles positifs et négatifs est cependant illusoire. On a vu que la vaste majorité des femmes se délectaient dans la pratique du vice et qu'un pourcentage bien moindre faisaient exception par leur consécration à la vertu. Les femmes vertueuses sont, en outre, généralement associées à l'Antiquité classique ou à l'histoire sainte, alors que les mauvaises sont plus facilement vêtues à la façon du XVIᵉ siècle : les graveurs de l'époque sont bien pessimistes à l'égard de la bonté féminine, puisqu'ils l'éloignent systématiquement de leur propre monde.

En fait, l'estampe témoigne d'un sourd malaise à l'égard du second sexe, d'une méfiance insidieuse qui s'exprime autant dans les modèles de comportement promus par l'imagerie que dans les critiques de ses méfaits. Toutes les représentations positives de la féminité proclament la nécessité d'un contrôle rigoureux, et même les hauts lieux réservés à la femme exemplaire, dans la hiérarchie sociale et cosmologique, traduisent la certitude que sa bonté n'est assurée que si elle est subordonnée à une autorité masculine. C'est que le sexe « faible » a besoin d'une tutelle constante et rigoureuse afin de se maintenir sur le chemin de la vertu.

En fin de compte, le discours iconographique transmet la conviction que les femmes sont imparfaitement socialisées. Les défauts attribués à la part « mauvaise » de l'humanité nuisent d'abord et surtout à l'homme et à l'ordre social. Créature redoutable, la femme commence son œuvre destructrice en s'attaquant aux structures existantes. Elle la complète ensuite en manipulant l'homme, en se jouant de ses faiblesses et en le menant sur la voie des enfers. Elle subvertit la société masculine en faveur d'une contre-société « féminine » que la culture dirigeante peint en termes de Mal absolu : un monde tout à fait à l'envers où régneraient le désordre et le démon.

Censée être inférieure à l'homme, la femme est cependant puissante, contestataire, et de loin supérieure en « méchanceté ». Si elle est privée d'autorité dans la vie publique, elle compense son statut d'inférieure par une tyrannie domestique et des stratégies d'assujettissement qui passent par la violence physique, la séduction et le mensonge. Non seulement la gravure révèle que l'idéologie sociale établie en faveur des hommes est loin d'être incontestée, mais elle fournit au discours patriarcal une extension du champ de bataille. Plus l'iconographie chante les louanges d'une féminité « rangée » et soumise, plus les images accablent d'opprobre les (nombreuses) délinquantes, et plus la doctrine de la supériorité masculine est affaiblie par la contradiction entre l'idéal et la « réalité ». De cette façon, l'estampe alimente un sentiment d'angoisse qui se manifeste surtout dans l'attitude antagoniste d'un sexe supposé « fort » à l'égard d'un sexe supposé « faible », ce deuxième sexe dont la force effective repose dans les besoins et les faiblesses du premier.

Représentée en reine de la nature et déléguée spéciale du démon, la femme est surtout associée à la moitié inférieure de la hiérarchie cosmologique, contestant à l'homme l'organisation de la vie sociale et ne laissant à Dieu que la direction des cieux. Par ses rapports avec la nature et ses pouvoirs sur la société humaine, elle rivalise donc avec le Seigneur, Dieu masculin qui tâche de s'imposer à un univers perçu comme étant largement « féminin ». Dans cette perspective, dompter la femme apparaît comme une tâche équivalente à la récupération sociale et religieuse du cosmos [2]. Telle qu'elle apparaît dans l'estampe du XVIᵉ siècle français, l'image de la femme transmet une insécurité encore active face au monde de la nature et une attitude toujours défensive à l'égard d'un univers considéré comme hostile à l'homme — univers « féminin » qu'il fallait dévaloriser, domestiquer et même détruire afin d'assurer l'avenir céleste de l'humanité.

Cependant, même guindée, la femme s'impose [3]. Le malaise qui transparaît à travers son image dérive également d'une incompatibilité fondamentale entre l'idéologie viricentrale promue par la gravure et la reconnaissance d'une valeur réelle aux fonctions qu'elle remplit au centre de la vie sociale. Certaines images qui sembleraient la réduire à sa condition ménagère (tissage, filage, cuisine, soins aux malades) la magnifient pourtant — peut-être involontairement — en ce que ces activités de couture ou de cuisine consistent à créer, unir, joindre les parties, ramener à la vie, ordonner les choses et les êtres et donc garantir, symboliquement et concrètement, l'ordre et la prospérité du monde. La femme incarne ainsi, à son propre niveau, la civilisation même, pareillement que par la gestation et l'enfantement elle témoigne d'un ordre — non pas social mais naturel — dont l'avenir de l'humanité dépend. Placée ainsi à la charnière de la culture et de la nature, d'un monde « masculin » et d'un règne « féminin », la femme pose aux hommes du XVIᵉ siècle un problème de classification permanent et irrésolu. Le deuxième sexe est double, et cette dualité féminine structure leur monde autant qu'elle le met en cause.

NOTES

NOTES DE L'AVANT-PROPOS

L'image e(s)t l'histoire

1. En France, le musée national des Arts et Traditions Populaires et le musée du Louvre travaillent, chacun pour son propre compte, au traitement de l'image par l'informatique. Cette question a été également l'objet d'un colloque international organisé par la Scuola Normale Superiore de Pise (sept. 1979) et d'une étude publiée par le Centre de documentation française (Paris, 1978). Quant à la sémiologie, les œuvres de R. BARTHES, de J. BAUDRILLARD, de U. ECO et de A. MOLES, sont trop bien connues pour nécessiter un commentaire. Parmi les études « sociologiques » sur l'art, voir, entre autres : F. ANTAL, *Florentine Painting and its Social Background,* London, 1948 ; M. BAXANDALL, *Painting and Experience in 15th Century Italy,* London, 1972 : J. BERGER, *Voir le voir,* Paris, 1976 ; J. DUVIGNAUD, *Sociologie de l'art,* Paris, 1967 ; E.H. GOMBRICH, *Art History and the Social Sciences,* Oxford, 1975 : P. FRANCASTEL, *Etudes de sociologie de l'art. Création picturale et société,* Paris, 1970 ; N. HADJINICOLAOU, *Histoire de l'art et lutte des classes,* Paris, 1985 ; A. HAUSER, *The Social History of Art,* New York, 1967 ; L. MARIN, *Les Sciences humaines et l'œuvre d'art,* Bruxelles, 1969 ; E. PANOFSKY, *L'Œuvre d'art et ses significations. Essais sur les « arts visuels »,* Paris, 1969. — Voir également les Actes du colloque Pierre-Francastel, *La Sociologie de l'art et sa vocation interdisciplinaire,* Paris, 1976, ainsi que le volume (décevant d'ailleurs) de A. H. MAYOR, *Prints and People. A Social History of Printed Pictures,* New York, 1971. — Pour des réflexions sur les rapports entre l'art et l'histoire, voir également S. ALPERS, « Is Art History ? », *Daedalus,* Summer, 1977, p. 1-13 ; E. CASTELNUOVO « L'Histoire sociale de l'art. Un bilan provisoire », *Actes de la recherche en sciences sociales,* n° 6, 1976, p. 63-75 ; T. CROW, S. GREENBLATT, N.Z. DAVIS, M. BAXANDALL, « Art or Society : Must We Chose ? », *Representations,* 12, Fall 1985, p. 1-43 ; R. DAVERGNE, « L'Iconographie et l'étude des sentiments populaires », *Synthèse,* t. IX, n° 2, 1935 ; R. ROTBERG, T. RABB (dir.), *Art and History. Images and their Meaning*, Cambridge, 1988 ; H. ZERNER, « L'Art », J. LE GOFF & P. NORA (dir.), *Faire de l'histoire,* vol. 2, Paris, 1974, p. 183-202 ; « Que faire de l'histoire de l'art ? », numéro spécial de la revue *Histoire et critique des arts,* n° 9-10, 1979. Encore faut-il écrire, en complément à « L'histoire par les oreilles » de J.-P. PETER (*Le Temps de la réflexion,* I, 1980, p. 273-314) une « histoire par les yeux ».

ANGE OU DIABLESSE

2. Ce ne sont pas les essais qui manquent et de nombreuses études témoignent déjà des résultats heureux qui peuvent récompenser ce genre d'aventure méthodologique. A côté des œuvres magistrales de V.-L. TAPIÉ (avec J.-P. LE FLEU & A. PARDAILHE-GALABRUN, *Retables baroques de Bretagne et spiritualité au XVII*e *siècle*, Paris, 1972) et G. & M. VOVELLE (*Vision de la mort et de l'au-delà en Provence d'après les autels des âmes de purgatoire XV*e*-XX*e *siècle*, Paris, 1970), voir les Actes du colloque *Iconographie et histoire des mentalités* édités par M. VOVELLE (Paris, 1979) et un essai à partir des miniatures médiévales par D. ALEXANDRE-BIDON et M. CLOSSON, *L'Enfant à l'ombre des cathédrales* (Paris/Lyon, 1985). Une tentative intéressante dans le domaine de l'anthropologie a été menée par B. BUCHER, *La Sauvage aux seins pendants* (Paris, 1977), et M. FERRO a fait de nombreuses publications sur le rapport entre le cinéma et l'histoire. Pour une réflexion méthodologique sur les sources « différentes » et leur valeur pour l'histoire des cultures, voir M. VOVELLE, *Idéologies et mentalités,* Paris, 1982.

3. Ce livre se fonde sur un travail antérieur : *Mythes et iconographies de la femme dans l'estampe du XVI*e *siècle français. Images d'un univers mental* (thèse de doctorat de III*e* cycle), Paris, Ecole des Hautes Études en Sciences Sociales, 1982, 3 tomes, 184 ill. Cette publication sera suivie d'un second volume dont le titre provisoire est *Mariage, sexualité, marginalité. La représentation de la femme et des rapports entre les sexes au XVI*e *siècle.*

4. Grande époque de la « Querelle des femmes », de la réhabilitation néoplatonicienne de l'amour et de la chasse aux sorcières, le XVI*e* siècle a profondément réfléchi sur la nature féminine et sur la place qu'occupait la femme au cœur de la vie sociale. Notre XX*e* siècle accorde toujours autant d'importance à ces questions. Toute publication qui touche à la psychologie du sexe féminin, au féminisme ou aux conditions sociales du « deuxième sexe », est assurée de faire recette. On n'a qu'à parcourir les titres de quelques ouvrages destinés au grand public pour se rendre compte que la question est encore brûlante : B. ZENOPE *Le Mystère de la femme. Etude physiologique du caractère et de la sexualité* (Paris, 1942), F. VARENNE, *La Femme, cette inconnue de l'homme* (Avignon, 1957), J.H. PECK, *Comment vivre avec les femmes et survivre* (Paris, 1962), P. DACO, *Comprendre les femmes et leur psychologie profonde* (Paris, 1974). Quant au féminisme et l'histoire des femmes, voir le bilan publié sous la direction de M. PERROT, *Une histoire des femmes est-elle possible ?* (Paris, 1984), aussi bien que C. DAUPHIN, A. FARGE, G. FRAISSE et *alii,* « Culture et pouvoir des femmes : essai d'historiographie », *Annales E.S.C.,* 41, n° 2, 1986, p. 271-294 ; *Sulla storia delle donne. Dieci anni di miti ed esperienze,* numéro spécial de *Memoria. Rivista di Storia delle donne,* 9, n° 3, 1983 : *Percorsi del femminismo e storia delle donne* (Actes du congrès de Modena, 2-4 av. 1982), numéro spécial de *D.W.F. donnawomanfemme,* 1983. En dehors de quelques ouvrages collectifs tels : R. BRIDENTHAL, C. KOONZ, S. STUARD, *Becoming Visible. Women in European History*, Boston, 1987, et M. BOXER, J. QUATAERT, *Connecting Spheres. Women in the Western World, 1500 to the Present*, Oxford, 1987, il n'existe pas encore d'étude compréhensive sur l'histoire de la femme au XVI*e* siècle. Cette lacune sera partiellement comblée grâce à un projet collectif lancé par l'éditeur italien Giuseppe Laterza, une *Storia delle donne* en cinq volumes dont le troisième sera dédié à l'Ancien Régime (1991), et surtout par la publication de la thèse d'E. BERRIOT-SALVADORE, *Les femmes dans la société de la Renaissance*, Genève/Paris (1990). Dans l'entre-temps, le

lecteur peut toutefois consulter l'article de C. METTRA, « La Française au XVIᵉ siècle » dans P. GRIMAL (éd.), *Histoire mondiale de la femme,* Paris, 1966, t. II, p. 305-341, aussi bien que M. BARDECHE, *Histoire des femmes,* Paris, 1968 et H. SACHS, *La Femme de la Renaissance,* Leipzig, 1970.

5. L'image « féministe » de la Renaissance est, à l'origine, l'œuvre de J. BURKHARDT, *Die Kultur der Renaissance in Italien. Ein Versuch,* Bâle, 1860. Le premier relais important en France a été assuré par R.A.M. MAULDE DE LA CLAVIERE, *Vers le bonheur ! Les femmes de la Renaissance,* Paris, 1898.

6. J. ALBISTUR & D. ARMOGATHE, *Histoire du féminisme français du Moyen Age à nos jours,* Paris, 1977, p. 27.

7. Voir à ce propos J. KELLEY, « Did Women Have a Renaissance ? » dans *Women, History and Theory,* Chicago, 1984, p. 19-50 et N.Z. DAVIS, « Scoperta et rinnovamento nella storia delle donne », dans P. RENZI & B. VETTERE (éd.), *Profili di donne. Mito, immagine, realtà fra medioevo et età contemporanea,* Lecce, 1986, p. 303-322.

8. Voir, par exemple : J. DELUMEAU, *La Peur en Occident (XIVᵉ-XVIIIᵉ siècle),* t. I, *Une cité assiégée,* chap. IX, « Les agents de Satan : III. — la femme »,* Paris, 1978 ; M. LAZARD, *Images littéraires de la femme à la Renaissance,* Paris, 1985 ; I. MACLEAN, *The Renaissance Notion of Woman. A Study in the Fortunes of Scolasticism ⸱and Medical Science in European Intellectual Life,* Cambridge/London, 1980 ; M.W. FERGUSON & M. QUILLIGAN & N. VICKERS (éd.), *Rewriting the Renaissance. The Discourses of Sexual Difference in Early Modern Europe,* Chicago/London, 1986 ; S.F. MATTHEWS GRIECO, « Mito ed immagine della donna nelle incisioni del Cinquecento francese. Il discorso morale sulla sessualità », dans P. RENZI & B. VETTERE (dir.), *Profili di donne,* p. 195-222, 24 fig. ; R. MUCHEMBLED, *Sorcières, justice et société aux XVIᵉ et XVIIᵉ siècles,* Paris, 1987.

9. Voir à ce propos E. LEACH, *Culture and Communication. The Logic by which Symbols are Connected,* Cambridge, 1976 ; C. LEVI-STRAUSS, *Mythologiques. Le cru et le cuit,* Paris, 1964, « Ouverture », p. 9-40 ; G. CHARBONNIER, *Entretiens avec Lévi-Strauss,* Paris, 1961, *passim* ; *Pour une anthropologie de l'art,* numéro spécial de la revue *Ethnologie française,* VIII, 1978, n° 2-3 ; Sur l'art comme « système symbolique » et « structure structurante » voir P. BOURDIEU, Sur le pouvoir symbolique », *Annales E.S.C.,* 3, 1977, p. 405-411 et J. DUVIGNAUD, *Sociologie de l'art.*

10. Dans la mesure où les graveurs et les éditeurs d'estampes du XVIᵉ siècle sont tous des hommes, le discours iconographique sur la nature féminine est un discours « masculin ». Dans quelle proportion les femmes se reconnaissaient-elles dans la vision d'elles-mêmes qui leur était proposée ? Il est difficile d'en juger étant donné leur silence. A l'exception de quelques figures littéraires telles que Marguerite de Navarre ou Louise Labé, le sexe féminin vivait largement à l'ombre de l'imaginaire masculin, ayant tendance à reproduire les lieux communs de l'idéologie dominante. Il est fort probable que, tout comme aujourd'hui, la plupart des femmes ne se percevaient que dans le miroir que leur tendait le regard des hommes. Voir la discussion « ethnographique » de E. ARDNER sur le problème de la perception de soi et de l'autre selon le sexe de l'informant : « Belief and the Problem of Women », dans J.S. LA FONTAINE (éd.), *The Interpretation of Ritual. Essays in Honour of A.I. Richards,* London, 1972, p. 135-158, aussi bien que la réflexion de M.Z. ROSALDO sur cette même question : « The Use and Abuse of Anthropology : Reflexions on

Feminism and Cross Cultural Understanding », *Signs*, 5, 1980, 31, p. 389-417. Sur le discours « féminin » au XVIe siècle voir, entre autres : K.M. WILSON (ed.), *Women Writers of the Renaissance and Reformation*, Atlanta, 1988 ; T.A. SANCOVITCH, *French Women Writers and the Book*, Syracuse, 1988 ; P. LABALME (ed.), *Beyond their Sex. Learned Women of the European Past*, New York, 1988 ; C. JORDAN, *Renaissance Feminism. Literary Texts and Political Models*, Ithaca (1990).

11.   A.-M. THIBAULT-LAULAN, *Image et communication,* Paris, 1972, p. 22.

NOTES DE L'INTRODUCTION

L'image imprimée au XVIe siècle :
Naissance et affirmation d'un moyen de communication de masse

1. P.-L. DUCHARTE & R. SAULNIER, *L'Imagerie parisienne. L'Imagerie de la rue Saint-Jacques,* Paris, 1944, p. 1.

2. D. KUNZLE, *The Early Comic Strip. Narrative Strips and Picture Stories in the European Broadsheet from c. 1450 to 1825,* vol. 1, Berkeley/Los Angeles/London, 1973, p. 3 (la traduction est la mienne).

3. La bibliographie la plus complète sur le livre d'emblèmes est toujours celle de A. HENKEL & A. SCHONE, *Emblemata Handbuch zur Sinnbildkunst des XVI und XVII Jahrhunderts. Supplement der Erstausgabe,* Stuttgart, 1976.

4. « L'emblématique de François Ier et de Henri II au château de Villers-Cotterêts » dans *Fédération des sociétés d'histoire et d'archéologie de l'Aisne. Mémoires* (Laon), n° 15, 1969, p. 116-120. — Les exemples donnés de l'apport de l'emblématique à l'histoire sont cependant décevants car limités à des questions de datation ou d'attribution. Ce sont des études telles que celle de A. BOUREAU, *L'Aigle. Chronique politique d'un emblème* (Paris, 1985), qui exploitent le mieux les implications de l'emblème pour l'histoire. Quant aux historiens de l'art, l'emblématique n'a que rarement retenu leur attention. Fait exception au mépris général des iconologues l'incomparable E. PANOFSKY, « L'Allégorie de la Prudence. Un symbole religieux de l'Egypte hellénistique dans un tableau de Titien » dans *L'Œuvre d'art et ses significations. Essais sur les « arts visuels »,* Paris, 1969, p. 269-274, et (en collaboration avec sa femme) « The Iconography of the Galerie François-Ier at Fontainebleau », *Gazette des Beaux-Arts,* n° 6, 1958, p. 113-190.

5. Il existe deux ouvrages d'études spécifiques sur le livre d'emblèmes français : D.S. RUSSELL, *A Survey of French Emblem Literature (1536-1600),* Ph.D. Dissertation, New York University, 1968, et A. SAUNDERS, *The Sixteenth Century French Emblem Book. A Decorative and Useful Genre,* Genève/Paris, 1988. Pour une vue plus large du phénomène emblématique à cette époque voir M.J. JONES-DAVIES, *Emblèmes et devises au temps de la Renaissance,* Paris, 1981, et Y. GIRAUD (dir.), *L'Emblème à la Renaissance,* Paris, 1982.

6. « Some of the objects are real, i.e. they are to be found in the world of man or nature, others are imaginary, which itself does not imply that during the sixteenth and seventeenth centuries they were necessarily considered

402   ANGE OU DIABLESSE

fictitious or unreal. These objects are found in organic and inorganic combinations, or real or unreal combinations if you prefer, provided no judgement about the truth or value of the emblem is implied by the words "real" and "unreal". I am thinking of the inorganic combination of a heart set in a nest of thorns ; out of the heart grow ears of corn or lilies. » (P.M. DALY, « Trends and Problems in the Study of Emblematic Literature », *Mosaic,* Winnipeg (Minn.), n° 5, p. 54-68). — Du côté de l'image, toute définition de l'emblème est encore compliquée du fait que celui-ci incorpore, parallèlement aux sources littéraires, plusieurs traditions iconologiques importantes : le rébus, la devise, le signe héraldique, l'hiéroglyphe, le symbole naturel, l'allégorie antique et médiévale. Par ailleurs, divers genres de littérature illustrée qui ont fleuri à la fin du XVᵉ siècle ont contribué à la naissance de l'emblématique profane : la *Biblia Pauperum*, la *Danse macabre*, le *Livre d'Heures*, la célèbre *Nef des fous.*

7.   Pour une analyse historique des fondations idéologiques du mépris de l'image par rapport au texte voir W.J.J. MITCHELL, *Iconology. Image, Text, Ideology,* Chicago/London, 1986.

8.   *Discours des hieroglyphes aegyptiens, devises et armoiries, ensemble LIIII tableaux hieroglyphiques pour exprimer toutes conceptions, à la façon des aegyptiens, par figures, & images des choses, au lieu de lettres. Avecques plusieurs interpretations des songes & prodiges,* feuillet 5 r°/v°.

Bien que les connaissances des lecteurs puissent différer en matière iconologique, le processus de déchiffrage de l'image est censé être le même pour celui qui possède déjà un certain vocabulaire visuel et pour celui qui en est moins instruit. Pierre Joly Messin, traducteur des *Emblèmes latins* de Jean-Jacques Boissard (Metz, 1584), donne dans son introduction une description précieuse du processus de « lecture » de l'emblème, processus qui commence avec l'analyse de l'image et se termine par une consultation du texte au cas où le lecteur-spectateur n'aurait pas tout à fait deviné le message iconographique :

    « Je n'ignore pas toutesfois que partie de la delectation, qui se doit puiser en ce labeur, consiste en la recherche que l'on fait comme à taton de l'exacte, & vraie signification de la painture ; laquelle ayant tenu quelque temps l'esprit en suspens ; & venant finalement à se rencontrer le ravit en admiration, & contente d'autant plus, que soubs un voile aggreable il descouvre je ne sçai quoi de doctrine, & d'enseignement utile, & proffitable à la civile conversation, & commune société des hommes. Mais aussi me sera-il advoüé que le plaisir croistra, si ayant hésité quelque temps sur l'investigation du sens, on se met finalement hors de doute par la conference de si peu que j'en ai escrit, qui servira de guide, & afin que de die plus librement de fidele interprete des conceptions de l'auteur, de qui je tien la pluspart de l'esclarcissement de ses propres emblemes. »

La « lecture », ou déchiffrement de l'emblème, est donc censée remplir une fonction ludique. Le lecteur-spectateur doit se servir de sa culture iconographique générale ainsi que des techniques d'analyse du rébus et de la devinette avant de consulter l'explication redondante du texte. Malgré la préciosité de son langage, Messin apporte un témoignage important sur la façon de « lire » l'image au XVIᵉ siècle. Si l'on ne comprend pas le sens de la « painture » au premier coup d'œil, on procède « comme à taton » pour la déchiffrer, comme un jeu à secret. Ce qui est intéressant pour mon propos, c'est que l'on considère que l'image a nécessairement un sens, un message, et que ce sens n'est pas caché. La lecture de l'image peut être hésitante, mais elle n'est pas censée être difficile.

9. Pour une discussion plus large de cette façon de penser le monde voir M. FOUCAULT, *Les Mots et les Choses. Une archéologie des sciences humaines,* Paris, 1972, Préface et chap. II : « La prose du monde », et J.CEARD, *La Nature et les prodiges. L'insolite au XVIe siècle en France,* Genève/Paris, 1977, chap. VIII et *passim.*

10. *Studies in Seventeenth Century Imagery,* Roma, 1964, p. 12 (ma traduction).

11. *Emblematik und Drama im Zeitalter des Barock,* München, 1968, p. 48.

12. P.M. DALY, « Trends and Problems in the Study of Emblematic Literature », p. 56-57.

13. R. KLEIN, « La théorie de l'expression figurée dans les traités italiens sur les imprese (1555-1612) », dans *La Forme et l'Intelligible. Écrits sur la Renaissance et l'art moderne,* Paris, 1970, p. 125-146. Selon Klein, cette conception du monde correspond « moins à une théorie philosophique qu'à une forme archaïque et mystique de l'esprit » (p. 146). — Je suis tout à fait d'accord avec cet auteur quand il décrit une telle façon de concevoir le monde comme une « forme d'esprit », mais je ne partage pas son avis de cette manière archaïque de penser l'univers. La civilisation occidentale d'aujourd'hui est sillonnée d'un réseau de communications publicitaires dont le principe de signification iconologique est presque identique à celui de l'emblème. Voir à ce propos P.J. VINKEN, « The Modern Advertisement as an Emblem », *Gazette. International Journal of the Science of the Press* (Leiden), n° 5, p. 234-243, et A.M. THIBAULT-LAULAN, *Image et communication,* Paris, 1972, *passim.*

14. John Landwehr a recensé 789 œuvres emblématiques provenant de France, d'Italie, d'Espagne et du Portugal entre 1534 et 1827, 752 ouvrages allemands entre 1531 et 1888, et 661 publications aux Pays-Bas entre 1554 et 1949 : J. LANDWEHR, *French, Italian, Spanish and Portuguese Books of Devices and Emblems (1534-1827). A Bibliography,* Utrecht, 1976, *German Emblem Books (1531-1888). A Bibliography,* Utrecht/Leiden, 1972, et *Emblem Books in the Low Countries (1554-1949). A Bibliography,* Utrecht, 1970.

15. J. ADHEMAR, « Les livres d'emblèmes », *Le Portique,* n° 2, 1945, p. 107. Alciati s'est inspiré surtout de l'*Anthologie planudienne* et plusieurs de ses emblèmes sont tout simplement des traductions d'épigrammes grecques. A la suite d'Alciati, tous les auteurs de recueils emblématiques se situent volontiers dans une tradition anthologique d'épigrammes moralisantes qui date de l'Antiquité gréco-romaine. Ils nomment avec fierté les principaux auteurs classiques qui leur ont fourni leurs premières sources d'inspiration : Esope, Homère, Platon et Pythagore, Horace, Sénèque, Pline et Plutarque étant les pères spirituels le plus souvent revendiqués. A côté de cet héritage imposant, quelques ouvrages du Moyen Age et de la Renaissance sont également mentionnés comme précurseurs de la famille des *emblemata :* le *Roman de la Rose* avec ses allégories élaborées, Pétrarque et même Boccace figurent de façon éminente dans l'arbre généalogique de l'emblématique. Cependant, si les antécédents littéraires vantés par les emblématistes sont les sources considérées les plus nobles et les plus avouables, ils n'expliquent que partiellement la genèse du genre. Un autre ascendant important du livre d'emblèmes est le recueil de proverbes, ou sentences, dont la collection la plus célèbre à l'époque est l'*Ada-*

gia d'Erasme (publiés en 1500, les *Adages* ont connu 100 réimpressions avant 1600). En fait, le proverbe a considérablement nourri le genre emblématique dans la mesure où il figure souvent dans le rôle de l'*inscriptio,* ou sentence à illustrer. Voir à ce sujet P.J. MEERTENS, « Proverbs and Emblem Literature », *Proverbium* (Helsinki) n° 15, 1970, p. 82-83. Quant aux sources à la fois savantes et populaires du recueil de proverbes au XVI⁰ siècle, voir N.Z. DAVIS, « Proverbial Wisdom and Popular Error », dans *Society and Culture in Early Modern France,* Stanford (Calif.), 1975, p. 233-245. L'illustration de proverbes semble même avoir été une pratique courante dans les arts décoratifs. A. BLUM a trouvé trois recueils manuscrits de proverbes illustrés (destinés à une manufacture de tapisseries ?) datant du XVI⁰ siècle. Cf. son article « De l'esprit satirique dans un recueil de "dicts moraux" accompagnés de dessins du XVI⁰ siècle », dans *Mélanges offerts à M. Émile Picot,* Paris, 1913, p. 1-16.

16. La *Nef des fous* de Sebastian BRANT, considéré comme un livret emblématique par certains (cf. B. TIEMANN, « Sebastien Brant und das frühe Emblem in Frankreich », *Deutsche Vierteljahrschrift für Literatur Wissenschaft und Geistgeschichte* (Stuttgart), n° 47, 1973, p. 598-644, et H. HOMANN, « Emblematisches in Sebastien Brants Narrenschiff ? », *Modern Language Notes,* n° 81, 1966, p. 463-475), avait eu un énorme succès dans l'Allemagne de la fin du XV⁰ et du début du XVI⁰ siècle, succès dont les éditeurs tiraient leçon. A partir de ce modèle, Steyner avait eu lui-même un certain succès avec des livres illustrés et entretenait des relations régulières avec des graveurs sur bois tels Jörg Breu, Hans Burgkmair le Vieux et Hans Weidit, qui ont gravé pour lui certaines planches du *Regiment des Gesundheit* (1530), de *Ludovicus de Avila* (1531) et de la première version allemande de *Justinus* (1531).

17. H. GREEN, *Andrea Alciati and his Books of Emblems. A Biographical and Bibliographical Study,* London, 1872 (rééd. New York, 1964). Sur la genèse et l'influence de ce livre au XVI⁰ siècle, voir également G. DUPLESSIS, *Les Emblèmes d'Alciat,* Paris, 1884.

18. Sur les 94 éditions d'Alciati imprimées au XVI⁰ siècle, 64 sont sorties des presses françaises. Il semble que la France soit le pays qui a le plus apprécié cette œuvre, car plus de 65 % des 126 éditions d'Alciati connues aujourd'hui sont le produit des imprimeries de territoire français.

19. Denys Janot se spécialisait dans la publication d'ouvrages moins « savants » que les œuvres humanistes favorisées par Wechel. Le fait que Janot ait si vite adopté le livret emblématique, éditant deux ouvrages différents en l'espace de deux ans, fournit quelques indices du succès de la formule auprès d'un public plus ou moins lettré, mais pas nécessairement très cultivé. Pour la liste des publications en langue française par ce libraire, voir H. OMONT, *Catalogue des éditions françaises de Denys Janot, libraire parisien (1529-1545),* Nogent-le-Rotrou, 1899. Sur ces deux premiers livres d'emblèmes français, voir les préfaces de A. SAUNDERS aux éditions en fac-similé de *Guillaume de La Perrière, Le Théâtre des bons engins,* London, 1539, et *Gilles Corrozet, Hecatomgraphie, 1540,* London, 1974.

20. Leur dette envers Alciati est d'autant plus grande que des éditions partielles des *Bons engins* et de l'*Hecatomgraphie* avaient été publiées auparavant, sans illustrations, et sans grand succès auprès du public.

21. « Par privilège expres du Roi notre sire daté du septième de Mars l'an mil cinqcens cinquante trois... il a esté permis à Macé Bonhomme imprimeur de Lyon d'imprimer & faire imprimer de telz caracteres que bon lui semblera,

mettre en vente & debiter le présent livre, intitulé P. Costaly Pegma, cum narrationibus philosophicus, auquel livre ledit Bonhomme se seroit mis en frais et despence pour faire tailler figures et histoires respondantes à la varieté des epigrammes y compris : & aussi l'autrait fait traduire es langues vulgaires... » *(Le Pegme de Pierre Cousteau, mis en françois par Lanteaume de Romieu gentilhomme d'Arles,* Extrait du privilège).

22. « Because of the typographical nature of the woodcut, every printer gradually amassed a quantity of them in his stock and was in a position to lend other printers his decorated initials, headbands, tailpieces and even his illustrations. That one picture was made to do duty in a variety of possibly incongruous texts does not disturb either publisher or reader » (D.T. POTTINGER, *The French Book Trade in the « Ancien Régime » (1500-1791),* Cambridge (Mass.), 1958, p. 312-313).

23. *Imagination poetique, traduicte en vers français, des latins & grecz, par l'auteur mesme d'iceux. Horace en l'art. La Poësie est comme la pincture,* Lyon, 1552. La description donnée par Aneau de la genèse de cette œuvre est fort instructive. Le poète, partisan (naturellement) de la parole, considère que l'image seule, sans texte explicatif, ne sert à rien étant « muette et morte », un corps sans âme. Selon lui, c'est la poésie qui rend l'image « parlante » et « vivante ». Cependant, son texte trahit une contradiction de sa pensée. Il se plaint des restrictions que lui impose une imagerie toute faite, car il doit plier ses talents littéraires au service d'une imagerie fixe. Le poète ne peut donc parler que de ce dont « parle » l'image — et l'image ne dit pas n'importe quoi :

« J'ai privée familiarité à Macé Bonhomme imprimeur lyonnois, par laquelle estant un jour en sa maison, trouvai quelques petites figures pourtraictes, & taillées, demandant à quoi elles servoient : me respondit, a rien, pour n'avoir point dinscriptions propres à icelles, ou si aucunes en avoit euës, icelles estre perdues pour lui. Alors je estimant que sans cause n'avoient esté faictes, lui promis que de muetes, & mortes, je les rendroie parlantes, & vives : leur inspirant ame, par vive poësie. Ce que par moi de bon gré promis : fut par lui de meilleur gré receu. Parquoi soubdain fut l'œuvre commencé, poursuivi, & finalement achevé, tant en vers latins & grecz, que françois. Toutes fois à plus grand travail, & moindre estimation, que si j'eusse faice & divisé les pourtraictz à mon jugement, & plaisir... Et si à aucun desdaigneux semble que non assez proprement, ou heureusement : je veuil bien qu'il sache : qu'il est plus difficile, & fascheux suivre autrui par chemin incogneu, & estroit, arrestant ses piedz sur ses traces : que par libre & franche marche sens aller esbatant à son plaisir, par plain & large chemin descouvert... Cestadire appropriant non les images aux parolles (comme il falloit) mais les parolles aux figures (comme j'estoie contrainct) les plus convenables qu'il me a esté possible. Affin que les images ensevelies, & muetes, je ramenasse en lumière & vie, exerceasse mon esprit, satisfisse aux yeux, & aux espritz des lecteurs. Et finalement feisse plaisir au Bon homme, & bon ami. Vela la cause de l'œuvre » (« Préface de Cause »).

24. M. PRAZ, « Gli emblemi nell'arte decorativa », *Belfagor* (Firenze), n° 26, 1971, p. 214 (ma traduction).

25. Voir, à la fin de ce volume, la « Bibliographie chronologique des livres d'emblèmes, de devises et de hiéroglyphes, publiés en langue française au XIVᵉ siècle ».

26.   A partir des années 1550, Lyon est également responsable de la diffusion de la mode du recueil de devises illustré, imprimant maintes éditions en
diverses langues, destinées au public français aussi bien qu'à l'exportation
(surtout vers l'Italie, où la vogue de la devise ou *impresa* l'emporte sur celle de
l'emblème). Les recueils les plus réussis de l'époque sont les *Devises heroiques
et emblemes* de Claude Paradin (1551), le *Dialogo delle imprese militari e amo-
rose* de Paolo Giovio (1559), et *Les devises ou emblemes heroiques et morales* de
Gabriele Simeoni (1559). Comme le témoignent les titres de recueils, la devise
et l'emblème sont souvent confondus, sinon franchement identifiés dans ce
genre de livret illustré. En fait, et la devise et l'emblème relèvent du même
lexique iconographique : le *corpus emblematicum.* La différence essentielle
entre les deux repose dans leur message et dans l'accessibilité de leur symbolique. L'emblème est censé être un enseignement moral transparent tandis que
la devise est une composition d'origine aristocratique dont le sens doit être
plus caché. La devise est, de plus, composée pour un individu en particulier et
exprime « une règle de vie ou un programme personnel de son porteur. On
disait au XVIe siècle *devise,* dans le sens ancien de projet, dessin, "devis", qui
correspondait bien à *impresa,* "entreprise" » (R. KLEIN, « La théorie de l'expression figurée... », p. 125). — Un exemple de devise célèbre à l'époque est la
salamandre de François Ier.

27.   La date de 1571 pour la première édition des *Emblemes ou devises
chrestiennes* est généralement acceptée bien que le privilège date de 1566. Si
une édition antérieure de l'œuvre de Georgette de Montenay a été imprimée,
on n'en connaît aucun exemplaire aujourd'hui. Il se peut que les troubles religieux à Lyon, au cours des années 1560, aient contraint l'auteur ou l'éditeur à
différer la publication du recueil. Pour des informations plus précises sur son
auteur et une relation détaillée de la genèse de cet ouvrage, voir R.J. CLE-
MENTS & J. ZEZULA, « La troisième lyonnaise : Georgette de Montenay »,
L'Esprit créateur (Minn.), v, n° 2, 1965, p. 90-101 et R. REYNOLDS-CORNELL,
*Witnessing an Era : Georgette de Montenay and the « Emblemes ou devises
chrestiennes »,* Birmingham (U.S.A.), 1987.

28.   C'est Alciati qui fournit sa source d'inspiration principale :

> « Alciat feit des Emblèmes exquis,
> Lesquels voyant de plusieurs requis,
> Desir me prit de commencer les miens,
> Lesquels je croi estre premier chrestiens »
> (Dédicace à Jeanne d'Albret).

Plusieurs des « emblemes chrestiens » sont étoffés de références classiques ou
mythologiques (le miel de l'humanisme adoucit la doctrine religieuse), et certains emblèmes — concernant l'hypocrisie, l'avarice, l'orgueil — s'inspirent
directement des recueils humanistes précédents tout en offrant des variations
d'origine protestante (telle la représentation de l'hypocrisie par une religieuse,
voir fig. 84). Cependant, la majorité des emblèmes de Georgette de Montenay
se basent sur les enseignements de Calvin telles la théorie du péché originel
(emblème n° 2), la doctrine de la grâce (emblèmes n°s 5 et 36), et celle de la
prédestination (emblèmes n°s 43, 95, et 96).

29.   Le pape Grégoire le Grand avait dit expressément : « *Pictura in eccle-
siis adhibetur ut hi qui litteras nesciunt saltem in parietibus videndo legant
quae legere in codicibus non valent* » (La peinture est représentée dans les

églises pour que ceux qui ne savent pas leurs lettres lisent tout au moins en regardant sur les murs ce qu'ils ne sont pas capables de lire dans les livres), cité par J. MISTLER, F. BLAUDEZ, A. JACQUEMIN, *Epinal et l'imagerie populaire*, Paris, 1961, p. 17. En fait, à l'église le prêtre en chaire pouvait désigner, au cours de son sermon, la fresque, le vitrail, la statue ou le tableau qui illustrait son discours. Georgette de Montenay a simplement adapté une technique pédagogique traditionnelle dans l'église catholique à un but d'évangélisation protestante.

30. Au XVIIᵉ siècle les membres de la Compagnie de Jésus se spécialisent dans l'utilisation de l'image et de l'emblématique pour l'enseignement de la doctrine et la propagande religieuse. Grâce à sa nature didactique, le livre d'emblèmes devient une de leurs « armes » préférées. Les Jésuites font même de l'emblématique religieuse une science — l'*Iconomystica* — et célèbrent l'anniversaire du premier centenaire de l'ordre avec un livret « iconomystique » : *Annus secularis Societatis Iesu adumbratus*, Cologne, v. 1640. Cf. M. PRAZ, *Studies in Seventeenth Century Imagery*, p. 169-179, et F.-M. GAGNON, *La Conversion par l'image : un aspect de la mission des Jésuites auprès des indiens du Canada au XVIIᵉ siècle*, Montréal, 1975.

31. Voir, à la fin de ce volume, la « Bibliographie chronologique des livres d'emblèmes, de devises et de hiéroglyphes publiés en langue française au XVIᵉ siècle ». Jusqu'à la fin du XVIIᵉ siècle continuent à figurer sur les étagères des librairies des rééditions des « grands classiques » (Alciati, Paradin, de Montenay, etc.) à côté de nouveaux recueils tels les *Emblèmes nouveaux esquels le cours de ce monde est dépeinct* d'André Freidrich (Francfort, 1617), ou *L'Art des emblèmes, ou s'enseigne la morale par les figures de la fable, de l'histoire et de la nature*, de Claude-François Menestrier (Paris, 1684).

32. H. MARTIN, *Livre, pouvoirs et société à Paris au XVIIᵉ siècle (1598-1701)*, Genève, 1969, t. I, p. 47, et L. FEBVRE & H. MARTIN, *L'Apparition du livre*, Paris, 1971, p. 430-431.

33. Cf. J. LANDWEHR, *French, Italian... Books of Devices and Emblems, German Emblem Books, Emblem Books in the Low Countries*, et, de R. FREEMAN, *English Emblem Books*, London, 1967.

34. Sur l'éclipse de cette façon de penser le monde voir M. FOUCAULT, *Les Mots et les Choses*, chap. II, « La prose du monde », et C. GINZBURG, « L'alto e il basso. Il tema della conoscenza proibita nel Cinquecento e Seicento », dans *Miti, emblemi, spie. Morfologia e storia*, Torino, 1986.

35. Si, à la fin du XVIᵉ siècle, l'emblème perd à la fois sa nationalité française et la pluralité de ses préoccupations, il renonce également, à l'aube du XVIIᵉ siècle, à sa liberté d'expression. Grande époque de l'Académie française et de la prise en charge de la langue écrite, le XVIIᵉ siècle tente d'appliquer à l'image, langue visuelle, les mêmes procédures de codification et de purification (voir, par exemple, l'*Essai d'un dictionnaire, contenant la connaissance du monde, des sciences universelles; et particulièrement celle des médailles, des passions, des mœurs, des vertus et des vices... Représenté par des figures hiéroglyphiques, expliquées en prose et en vers* de Daniel de La Feuille, 1700). Le genre emblématique se complique désormais d'une élaboration théorique de plus en plus rigide, s'éloignant progressivement de son public originalement hétérogène en faveur d'un public spécialisé. Comme l'observe M. PRAZ : « ...the scaffolding of ideas that grew around it is somewhat fantastic, and would figure better in one of Swift's satires than in the actual history of culture » *(Studies in Seventeenth Century Imagery*, p. 58).

36.   Grâce à l'imprimerie, à la multiplication des textes et à la diversification du public lettré, le livre cesse, à l'aube du XVIᵉ siècle, d'apparaître comme
un objet précieux que l'on consulte dans une bibliothèque. Les grands volumes
in-folio pesant plusieurs kilos disparaissent lentement en faveur du format
« portatif », plus facilement maniable, qu'on peut emporter avec soi afin de le
consulter partout et à toute heure. Entre 1520 et 1540, cette nouvelle mode
gagne le milieu du livre illustré. Les livres d'heures parisiens, les recueils d'emblèmes, les Bibles « en images » et les ouvrages « classiques » traditionnelle-
ment illustrés, telles les *Métamorphoses* d'Ovide, paraissent dans des éditions
in-8° ou in-12°, destinées à un large public. Il n'y a guère que les textes scientifiques et les ouvrages savants pour conserver un format in-4° ou in-folio
(L. FEBVRE & H. MARTIN, *L'Apparition du livre*, p. 130-132). A ce sujet voir
également Y. JOHANNOT, *Quand le livre devient poche*, Paris, 1978.

37.   « On constate que l'artisanat reste la grande règle de l'imprimerie. A
Paris, au XVIIᵉ siècle, les ateliers comptant plus de quatre presses et d'une
dizaine d'ouvriers sont exceptionnels. Les grands libraires qui financent les
éditions préfèrent ce système qui leur épargne du travail et leur permet d'agir
avec plus de souplesse, puisqu'ils ne sont pas tenus d'alimenter régulièrement
un nombre de presses donné. » *Ibid.*, p. 188.

38.   A. PARENT, *Les Métiers du livre à Paris au XVIᵉ siècle (1535-1560)*,
Genève/Paris, 1974, p. 141.

39.   D.T. POTTINGER, *The French Book Trade*, p. 202. Même un des plus
riches et puissants imprimeurs-éditeurs de la seconde moitié du siècle, Christophe Plantin, tirait d'ordinaire entre 1 250 et 1 500 exemplaires, n'exécutant
que très rarement des tirages supérieurs : 2 500 pour des livres scolaires et
liturgiques, 2 600 ou 3 000 pour certains tomes de sa Bible hébraïque
(L. VOET, *The Golden Compasses. A History and Evaluation of the Printing and
Publishing Activities of the Officina Platiniana at Antwerp*, vol. 2, *The Manage-
ment of a Printing and Publishing House in Renaissance and Baroque*, Amster-
dam/London/New York, 1972). Pour une bibliographie sur l'histoire du livre
à cette époque, voir A. PARENT, *Les Métiers du livre...*, p. 256-284.

40.   Par exemple, l'*Éloge de la folie* d'Erasme, auteur à succès assuré, est
tiré à seulement 1 800 exemplaires et épuisé en un mois (R. MANDROU, *Histoire de la pensée européenne. Des humanistes aux hommes de science (XVIᵉ-XVIIᵉ
siècle)*, Paris, 1973, p. 50).

41.   L. FEBVRE & H. MARTIN, *L'Apparition du livre*, p. 382-383. Sans tenir
compte des éditions perdues ou des tirages exceptionnels, le livre d'emblèmes
est sans doute une des plus grandes réussites de l'édition française au XVIᵉ
siècle. Cependant, si on commence à s'interroger sur le nombre d'exemplaires,
d'éditions et de réimpressions, engloutis par le temps — autant de pertes irré-
parables empirées par le mépris des siècles suivants (le Cabinet des Estampes
de la Bibliothèque Nationale possède un exemplaire du *Théâtre des bons engins*
qui a servi de livre à colorier pour un enfant du XVIIᵉ ou du XVIIIᵉ siècle) —, les
chiffres se multiplient d'une façon étonnante. Les gravures sur bois usées de la
quatrième édition des *Emblèmes* d'Adrien Le Jeune (Anvers, 1570), indiquent
soit des tirages de beaucoup supérieurs à 1 000 ou à 1 500 exemplaires, soit la
disparition de plusieurs éditions intermédiaires, car une bonne planche de bois
ne s'épuise qu'après soixante ou quatre-vingt mille impressions (D.T. POT-
TINGER, *The French Book Trade*, p. 313).

42. Un grand imprimeur tel Christophe Plantin, installé à Anvers, diffuse ses livres par tous les moyens possibles, les envoyant par terre et par mer dans l'Europe entière, mais surtout à Francfort et à Paris où il maintient, selon ses possibilités, soit un dépôt, soit un représentant permanent. Quant aux foires internationales, elles sont les lieux d'un grand concours de peuple et de représentants de plusieurs publics du livre. Non seulement on y vend les belles éditions des libraires internationaux, mais on y débite également, et en grande quantité, almanachs et livrets « populaires », le plus souvent illustrés. Cf. L. VOET, *The Golden Compasses*, chap. XVI, « Sales »; D.T. POTTINGER, *The French Book Trade*, chap. X-1, « Development of bookselling and publishing », A. PARENT, *Les Métiers du livre,* chap. VI, « La diffusion du livre ».

43. A. PARENT, *ibid.,* p. 153.

44. C'est à la fin du XVe siècle qu'apparaît le colporteur de livres qui se charge d'écouler dans les bourgs (et parfois même dans les campagnes) des livrets et des almanachs. Quelques historiens de la littérature de colportage considèrent que le livre d'emblèmes aurait pu figurer parmi la littérature qui forme le fonds habituel du colporteur de livres, au moins en milieu urbain (cf. R. BARROUX, « Colportage (livres de) et littérature populaire » dans *Dictionnaire des Lettres françaises. Le XVIe siècle,* p. 195-197). — Pour avoir une idée des cris des colporteurs urbains et des sujets des livres colportés à l'époque, voir « La farce des trois commères et un vendeur de livres », reproduit dans E. MABILLE, *Choix de farces, sotties et moralités des XVe et XVIe siècles,* Genève, 1970, t. II, p. 189-205.

45. Des études telles celles de R. DOUCET, *Les Bibliothèques parisiennes au XVIe* siècle (Paris, 1956), et A.H. SCHUTZ, *Vernacular Books in Parisian Private Libraries of the Sixteenth Century* (Genève, 1955) apportent des informations précieuses sur cette question. — Voir également le compte rendu de H.J. MARTIN, « Ce qu'on lisait à Paris au XVIe siècle », *Bibliothèque d'humanisme et renaissance,* 21, 1959, p. 222-230, et la notice de N. BOURDEL, « Étude sur quelques bibliothèques de particuliers du XVIe siècle », dans *Positions de thèses de l'École des Chartes,* 1951, p. 21-27. — Quant au prix de vente du livre d'emblèmes, un examen détaillé du commerce des grands imprimeurs-libraires, tel Plantin, fournirait sans doute des indications précieuses. Je n'ai trouvé, pour le moment, que des informations incomplètes sur le prix de quelques titres dont le format et le succès d'édition constituent les seuls points de comparaison avec le livret emblématique. Ainsi une édition des *Colloques* d'Erasme (Anvers, 1567) se vend au libraire (sans reliure) pour 4,5 sous tournois, et un *Nouveau Testament,* in-16° (Anvers, 1567), se vend à 7 s.t. (L. VOET, *The Golden Compasses,* p. 389). Chez Julien Tremblay, libraire modeste situé à la porte du collège de Tréguier, rue Saint-Jean-de-Latran à Paris, les prix sont nécessairement fort abordables. En 1559, écoliers, étudiants et professeurs peuvent y trouver des ouvrages neufs ou d'occasion qui s'échelonnent de 3 à 25 s.t., les plus courants étant de 6 à 10 s.t. Et les sujets des livres? Cicéron, Virgile, Horace et Ovide partagent les étagères avec Budé, Froissart et Arioste (A. PARENT, *Les Métiers du livre, op. cit.,* p. 138). Pour une discussion des prix de quelques ouvrages plus « populaires » par rapport aux salaires de l'époque, voir N.Z. DAVIS, « Printing and the People », dans *Society and Culture in Early Modern France,* p. 332-333 et note 56.

46. L. FEBVRE & H. J. MARTIN, *L'Apparition du livre,* p. 441.

47. Par exemple des traductions françaises de la *Picta Poesis* de Barthélemy Aneau (Lyon, 1552) et du *Pegma* de Pierre Cousteau (Lyon, 1555) sont imprimées quelques jours après la publication de l'édition latine.

48. D.T. POTTINGER, *The French Book Trade*, p. 188 (sur un échantillon de six cents auteurs). Il y a également une nette prépondérance de la langue française dans l'édition du livre d'emblèmes au XVIᵉ siècle.

49. A. PARENT, *Les Métiers du livre*, p. 252.

50. L. FEBVRE & H.J. MARTIN, *L'Apparition du livre*, p. 257 et 369-370.

51. Voir à ce sujet J.-P. SEGUIN, *L'Information en France de Louis XII à Henri II*, Genève, 1961, et N.Z. DAVIS, « Printing and the People », *passim*.

52. Respectivement : G. CORROZET, *Hecatomgraphie*, épître dédicatoire, et S. BRANT, *La Grand Nef des folz du monde*, Lyon, 1529/1530, prologue du traducteur. Parfois considéré comme le premier emblématiste (cf. *supra*, note 16), Sébastian Brant est entièrement conscient du filtrage culturel auquel est destinée son œuvre lorsqu'il inclut des « auditeurs » et « ceux qui ne savent pas lire » parmi son public, en leur recommandant tout spécialement les images parce qu'ils « trouveront ici quand même leurs portraits ». — Sur le succès de la *Nef des fous* en territoire français voir D. O'CONNOR, « Sébastian Brant en France au XVIᵉ siècle », *Revue de littérature comparée*, VIII, 1928, p. 309-317.

53. « Faut-il rappeler que les hommes de ce temps s'instruisent beaucoup et souvent par l'oreille ? Qu'on leur lit plutôt qu'ils ne lisent ? » (L. FEBVRE, *Le Problème de l'incroyance au XVIᵉ siècle. La religion de Rabelais*, Paris, 1968, p. 398). Dans *La Galaxie Gutenberg face à l'ère électronique* (Paris, 1967), M. MACLUHAN réfléchit sur l'impact de l'imprimerie dans la civilisation « orale » des XVᵉ et XVIᵉ siècles par rapport à la mutation de la perception opérée par la technique audiovisuelle de notre époque. Il me paraît cependant plus qu'urgent d'inclure l'image dans ce genre d'étude, non pas en annexe mais comme phénomène d'une importance égale à celle de l'imprimerie. — Voir à ce propos quelques travaux pionniers dans ce domaine : R. CHARTIER (dir.), *Les Usages de l'imprimé (XVᵉ-XIXᵉ siècle)*, Paris, 1987 ; R. CHARTIER & H.J. MARTIN (dir.), *Histoire de l'édition française*, t. I, *Le Livre conquérant. Du Moyen Age au milieu du XVIIᵉ siècle*, Paris, 1982. Toujours sur l'impact de l'imprimerie au XVIᵉ siècle voir E. EISENSTEIN, *The Printing Press as an Agent of Change. Communications and Cultural Transformations in Early Modern Europe*, Cambridge, 1979.

54. G. CORROZET, *Hecatomgraphie*, épître dédicatoire.

55. Voir à ce propos M. PRAZ, « The Pleasing and the Useful » dans *Studies in Seventeenth Century Imagery*, p. 169-183. L'expression est courante dans les préfaces des livres emblématiques. G.P. VALERIANO BOLZANI s'exclame, dans sa préface aux *Commentaires hieroglyphiques ou images des choses...* (Lyon, 1576), « si je vouloi parler du plaisir & utilité que l'on peut recueillir ici, je n'auroi jamais faict » (ff° 8, v°). De même, l'édition des *Emblèmes* d'Alciati dédiée au « très illustre Prince Jaque Conte d'Aran en Escoce » (Lyon, 1549) comporte une préface de Barthélemy Aneau dans laquelle le poète-traducteur explique le but des « images & histoires figurées convenntes à la lettre », en termes de plaisir et de profit :

    « Esquelles regarder pourra voistre œil juvenil autant prendre de plaisir, comme de profict à la parolle et au sens desdictz emblemes. Premierement pour vous delecter, & passer temps à la plaisiante

bonnes sentences, & vertueux exemples. Et finalement pour vous exercer à la langue françoise par vous aimée & désirée. »

Guillaume Guéroult flatte le comte de Gruyere de façon semblable dans la dédicace de son *Premier livre des emblèmes* (Lyon, 1550), où il lui attribue toutes les vertus pour ensuite insister sur le but moral du livre :

> « Ce petit don qui vous est présenté
> Petit il est, mais il ha bien puissance
> De vous donner quelque resjouissance
> Quand vostre esprit de tout souci delivre
> Lire voudra quelque embleme en ce livre.
> Car son but est d'enseigner la vertu
> Dont vostre cœur heroique est vestu,
> Et d'estranger de soi totallement :
> Peché : qui met corps & ame en tourment. »

56. « Explication de quelques emblèmes difficiles » par le traducteur français, Jacques Grévin, dans A. LE JEUNE, *Les Emblèmes*, Anvers, 1567.

57. C. MIGNAULT, *Les Emblèmes de Andrea Alciati*, Paris, 1583, préface.

58. p. 7.

59. Ces tendances « populistes », pédagogiques et moralisantes du livre d'emblèmes apparaissent fréquemment dans les préfaces des éditeurs ou des traducteurs. Un bel exemple est fourni par le recueil de A. FRIEDRICH, *Emblèmes nouveaux : esquels le cours de ce monde est depeint et représenté par certaines figures, desquelles le sens est expliqué par rimes : dressés pour plus grande incitation aux gens de bien & honorables, d'ensuivre la piété & vertu, & pour sincere instruction & advertissement aux meschans & disolus de fuir le vice. Premièrement en allemand par André Friederic, & maintenant en françois, pour le bien de la jeunesse, & du simple peuple. Mis en lumière par Jacques de Zettre* (Francfort, 1617). Traduit donc « pour le bien de la jeunesse, & du simple peuple », le but de ce recueil est de « représenter aux simples & moins doctes, tant le mal que le bien ; celui-ci, pour l'ensuivre, & celui-là pour le fuir » (p. 3). Si l'emblème sert les buts didactiques et moralisants des emblématistes depuis l'époque d'Alciati, on finit par en parler, comme le fait Paradin, en termes de technique pédagogique. Dans une épître au lecteur, Pierre Joly Messin, traducteur des *Emblèmes* de J.-J. BOISSARD (Metz, 1584), va jusqu'à définir l'emblématique comme un « genre d'enseignement » et une source « d'enseignement utile », observations qui anticipent, de plusieurs siècles, les méthodes audiovisuelles d'aujourd'hui. Sur la « visée didactique » de l'emblématique, voir A. BOUREAU, « Le livre d'emblèmes sur la scène publique. Côté jardin et côté cour », dans R. CHARTIER (dir.), *Les Usages de l'imprimé*, chap. VIII, p. 343-380, et F. YATES, *L'Art de la mémoire*, Paris, 1975.

60. J. THIRION a conduit des travaux fort utiles au sujet du rapport entre l'estampe et la décoration des meubles à l'époque de la Renaissance. Voir « Les rapports entre la gravure internationale et le mobilier civil français de la Renaissance », dans *Positions de thèses... des élèves de l'école du Louvre (1953-1959)*, Paris, 1959, p. 69-71, et, du même auteur, « Bernard Salomon et le décor des meubles civils français à sujets bibliques et allégoriques », dans *Cinq études lyonnaises*, Genève/Paris, 1966, p. 55-65. Pour des exemples spécifiques de l'utilisation de l'emblème dans les arts décoratifs, voir également R. MESURET, « Les emblèmes livrés par les ateliers de peinture de Toulouse de 1566 à 1577 », *Bibliothèque d'humanisme et Renaissance*, n° 18, 1956, p. 123-127, et M. PRAZ, « Gli emblemi nell'arte decorativa », *passim*.

61. L'utilisation de l'emblème comme art décoratif doit sa naissance en partie aux arts appliqués de l'Antiquité classique et en partie à la coutume contemporaine de porter des petites plaquettes décoratives figurant une image ou une sentence. Pierre L'ANGLOIS attribue ainsi l'origine de l'emblème-applique à la Grèce antique :

> « Or est il qu'embleme, est un mot grec (à fin que celui qui ne le sçait l'entende) qui signifie tout ouvrage fait de marqueterie à ornemens & enrichissements, attachez à de petites vis, ou autrement, à vaisselles d'or, d'argent, ou autre besogne d'orfevrie, lesquelles s'ostoient de la piece, & se remetoient quand on vouloit, comme pourroit estre antiquitez, images, fleurettes, & choses semblables... Et par metaphore, on appelle embleme, les epigrammes qui interpretent ces gentilles & industrieuses peintures » *(Discours des hieroglyphes aegyptiens,* ff° 5 r°).

De même Alciati, inventeur « officiel » de l'emblématique contemporaine, décrit ses épigrammes comme une source de motifs décoratifs pour l'ornement de la personne :

> « Je viens de composer des emblèmes qui serviront aux peintres et aux orfèvres pour composer les plaquettes qu'on fixe au chapeau ou qu'on porte comme insigne, tel l'ancre d'Alde, la colombe de Froben, l'éléphant de Calvus, etc. » (cité de la correspondance de l'auteur par P.E. VIARD, *André Alciat,* Paris, 1926, p. 315).

Plusieurs portraits de la Renaissance montrent la façon dont on se servait de ces plaquettes pour l'ornementation de la personne. Voir, par exemple, le portrait d'un jeune courtisan de l'entourage de Francesco Gonzaga peint par Bartolomeo Veneto (Roma, Galleria Nazionale) dont une reproduction figure en frontispice au livre de M. PRAZ, *Studies in Seventeenth Century Imagery.* Le chapeau du jeune homme porte une applique (peinte ou émaillée) figurant une dame blonde enveloppée dans un manteau rouge et entourée de divers éléments emblématiques, dont un lion et un rosier.

62. Anvers, v. 1590, « Philippe Galle au lecteur ».

63. En fait la liste des artisans auxquels un recueil de modèles s'adresse est une tradition dans le livre de patrons. P. DE SAINTE-LUCIE, par exemple, précise dans la préface de ses *Patrons de diverses manières... duisans a brodeurs et lingières* (Lyon, v. 1530) que ces modèles, établis pour les passementiers, peuvent également servir à une quantité d'autres artisans : « A tous massons, menuisiers et verriers/Ferront proffit ces portraictz largement. » Cette tradition confirme l'association étroite, dans l'esprit des emblématistes eux-mêmes, entre le recueil de patrons et le livre d'emblèmes.

64. Plusieurs livres d'emblèmes ont été imprimés seulement au recto de chaque page de façon que des pages entières puissent être détachées pour décorer l'espace domestique ou pour servir de modèle à copier dans un atelier artisanal. Tel est le cas, par exemple, des *Tetrastiques* de Paolo Giovio et Gabriele Simeoni et de la *Prosopographia* de Cornelis Van Kiel.

65. La maison est le lieu d'élection d'une décoration personnalisée, d'une réduction de l'univers à l'échelle humaine. Appliquer des images signifiantes aux objets domestiques, c'est orner son espace personnel tout en définissant son sens profond. De ce fait, Alciati propose d'utiliser son recueil comme un promptuaire instructif, source d'idées pour une ornementation « parlante » de la maison :

> « ...tel est l'usaige, & utilité [des emblèmes] que toutes & quantefois que aulcun vouldra attribuer, ou pour le moins par fiction applicquer aux

choses vuides accomplissement, aux nues aornement, aux muetes parolle, aux brutes raison, il aura en ce petit livre (comme en ung cabinet tres bien garni) tout ce qu'il pourra, & vouldra inscripre, ou pindre aux murailles de la maison, aux verrieres, aux tapis, couvertures, tableaux, vaisseaulx, images, aneaulx, signetz, vestements, tables, lictz, armes, brief à toute piece & utensile, & en tous lieux : affin que l'essence des choses appartenantes au commun usage soit en tout, & par tout quasi vivement parlante, & au regard plaisante » (Lyon, 1549, préface).

L'aménagement de l'intérieur de l'habitation et les objets de la vie quotidienne a donc un sens, une « essence » que l'emblématique peut expliciter : même les choses inanimées peuvent « parler » à travers l'image commentée. Or, alors que la plupart des habitations du XVIᵉ siècle ont disparu avec leurs meubles et leurs décorations, il subsiste toujours des châteaux et des demeures princières qui fournissent des exemples, à une échelle évidemment somptueuse, de l'ornementation emblématique de l'époque (cf. R. VAN MARLE, « L'Iconographie et la décoration profane des demeures princières en France et en Italie aux XIVᵉ et XVᵉ siècles », *Gazette des Beaux-Arts,* oct.-déc. 1926, et, du même auteur, *L'Iconographie de l'art profane au Moyen Age et à la Renaissance et la décoration des demeures,* t. II, *Allégories et symboles,* La Haye, 1932). Ainsi le plafond de la loggia du château de Dampierre-sur-Boutonne (Charente inférieure) est décoré d'une centaine de caissons sculptés d'emblèmes et de devises datant des environs de 1550-1560 et provenant de recueils d'emblèmes parisiens et lyonnais (J.L.M. NOGUES & F. GEBELIN, « Dampierre-sur-Boutonne » dans *Châteaux de la Renaissance,* Paris, 1928, p. 87-88). Un autre exemple est fourni par la galerie de François-Iᵉʳ à Fontainebleau qui doit plusieurs de ses motifs iconographiques aux premiers livres d'emblèmes imprimés en France (D. & E. PANOFSKY, « The Iconography of the Galerie François-Iᵉʳ at Fontainebleau », *passim.*). A quoi sert cette décoration allégorique et princière ? A beaucoup plus qu'une simple ornementation. C'est un système de signes qui rappelle aux habitants du lieu leur devoir de classe, leur rang social, leurs obligations morales. Claude Paradin décrit ce phénomène dans l'épître dédicatoire de son traité sur les devises. Il insiste sur l'efficacité d'un schéma décoratif où la « peinture » montrerait aux membres de la cour les modèles sur lesquels ils devraient aligner leur conduite :

« ...les devises se sont continuez par nobles personnages, jusques au tems present, auquel evidemment se peut voir, tant par les superbes & sompteus edifices, que par les Cours manifiques de Rois & grans Princes, qui de telles devises sont toutes enrichies, & marquetees, que cette servente amour & memoire de vertu, n'y est en rien diminuee : mais bien augmentee, d'autant plus que les actes & indice d'icelle, y sont montrez tous apparens » *(Devises heroiques et emblemes,* dédicace à « Monsieur Theode de Marze Chevalier »).

D'ailleurs, la décoration de l'intérieur domestique d'aujourd'hui est-elle si différente ? Les objets dont nous nous entourons sont toujours autant de signes sociaux par lesquels nous désignons notre place dans la société et nous-mêmes (cf. J. BAUDRILLARD, *Le Système des objets,* Paris, 1968).

66. Quelques exemples de broderies emblématiques ont été recensés en Angleterre, voir M. JOURDAIN, « Sixteenth Century Embroidery with Emblems », *The Burlington Magazine for Conoisseurs,* nº 11, 1907, p. 326-328, et J.L. NEVINSON, *Catalogue of English Domestic Embroidery of the Sixteenth*

and Seventeenth Centuries, London, Victoria and Albert Museum, 1950. Une étude des broderies domestiques françaises donnerait sans doute des résultats comparables.

67.   R. MUCHEMBLED, au sujet de l'imagerie et la littérature populaire des XVIᵉ et XVIIᵉ siècles, dans *Culture populaire et culture des élites dans la France moderne (XVᵉ-XVIIIᵉ siècle),* Paris, 1978, p. 347-348.

68.   Ce sont : « Les belles figures et drolleries de la Ligue avec les peintures, placcars, et affiches injurieuses et diffamatoires contre la mémoire et honneur du feu Roi, que les oisons de la Ligue apeloient Henri de Valois ; Imprimées, criées, preschées et vendues publiquement à Paris, par tous les endroits et quarreffours de la ville, l'an 1589. Desquelles la garde (qui autrement n'est bonne que pour le feu) tesmoignera à la posterité la meschanceté, vanité, folie et imposture de ceste Ligue infernale. » Le recueil original de Pierre de l'Estoile est conservé à la Réserve du Département des Imprimés à la Bibliothèque Nationale. Une reproduction photographique des documents de la collection figure parmi les Usuels de la Réserve. Les textes des placards, affiches et feuilles volantes sont publiés dans : G. BRUNET, A. CHAMPOLLION, E. HALPEN *et alii, Les belles figures et drolleries de la Ligue (1589-1600) recueillies par Pierre de l'Estoile et publiées pour la première fois d'après les originaux,* Paris, 1887.

69.

« Quel est ce monstre ici et comment a-t-il nom ?
Des Grecs est dit Sirène et des Hebrieux Dragon,
Et ce siècle aujourd'hui Politique l'appelle.

. . . .

Pourquoi une bouteille est sa dextre tenant ?
Pour autant que le soing plus grand de maintenant
Et mesmes le premier est d'engraisser sa pance,
Se donner du bon temps et faire grand despence.
Mais dites-moi pourquoi dans sa senestre main
Une trompette il tient ? C'est que du Souverain
La souveraine voix est par lui mesprisée,
Et qu'après qu'il est saoul, il l'aplicque en risée.

. . . .

Pourquoi autour de lui ne voit-on que Turbans
Et qu'Idoles encor', et Dieux petits et grands ?
C'est que sa volonté, obséquieuse, est prompte
Croire ce qu'on voudra, sans, pourc ce, en avoir honte. »

70.   Cité par J. GRAND-CARTERET, *L'Histoire, la vie, les mœurs et la curiosité par l'image, le pamphlet et le document (1450-1900),* t. I, Paris, 1927/1928, p. 335. Bien que la gravure en question ne figure pas parmi les *Belles figures et drolleries de la Ligue,* un dessin en est conservé dans la collection Hennin au Cabinet des Estampes de la Bibliothèque Nationale. La raison pour laquelle ce placard a disparu de la collection de l'Estoile est probablement très simple. Dans ses *Mémoires,* Pierre de l'Estoile déclare avoir recueilli plus de trois cents caricatures et libelles injurieux à la royauté. Cependant, en 1594, le lieutenant civil d'Autry ordonna la destruction des placards et affiches des Ligueurs. Le recueil actuel des *Belles figures* ne

comportant qu'une centaine de pièces, il est à supposer que les plus diffamatoires furent détruites.

71. « Pour qu'il y ait communication visuelle, il faut que l'émetteur et le récepteur puisent ensemble dans le fonds culturel, qu'ils se réfèrent à une commune et active mémoire. Selon la plus ou moins grande zone d'interférence, la communication sera plus ou moins satisfaisante. » (A.M. THIBAULT-LAULAN, *Image et communication*, p. 41.)

72. Les exemples du vocabulaire emblématique couramment utilisé dans la gravure de propagande sont innombrables. Dans les feuilles volantes de la fin du XVIe siècle, la Ligue est assimilée aux représentations traditionnelles de la Fraude masquée (cf. fig. 82) ainsi qu'à la figure emblématique de la Pauvreté, une vieille femme en haillons (cf. « La pauvreté & lamentation de la Ligue » par Jean III Le Clerc, Paris, rue Saint-Jean-de-Latran, 1589, gravure sur bois Cabinet des Estampes cote Tf2 rés. ff° 100 v°). Ces images entassent des signes emblématiques — des épis de blé qui tombent du ciel, un lis mangé par un mouton, une couronne auréolée flottant dans le ciel, une ville en flammes — dont la signification, plus qu'évidente aux contemporains, renchérit sur le discours des textes qui les accompagnent. Une fois la paix revenue au royaume, c'est l'éloge de la royauté qui devient à son tour le sujet d'une prolifération de feuilles volantes commémorant, par des « emblèmes » idéalisants, les faits divers de la vie royale (cf. « Emblème sur le bien et désiré mariage de Monseigneur Henri prince de Lorraine » et la « Gratulation en forme d'emblème sur le retour de la reine Marguerite », gravures en taille-douce de Jean III Le Clerc datant de 1599 et 1605 respectivement, Cabinet des Estampes cotes Qb 1599 et Qb 1605). Sur la pénétration du langage emblématique dans l'image de propagande et son utilisation politique, voir C. JOUHAUD. « Lisibilité et persuasion. Les placards politiques » et A. BOUREAU, « Le livre d'emblèmes sur la scène publique », dans A. CHARTIER (dir.), *Les Usages de l'imprimé*, chap. VII et VIII, et A. BOUREAU, « État moderne et attribution symbolique. Emblèmes et devises dans l'Europe des XVIe et XVIIe siècles », dans *Culture et idéologie dans la genèse de l'État moderne,* Rome, 1985, p. 155-178.

73. Cabinet des Estampes, Ea 79 rés.

74. J'utilise le terme « estampe sur feuille » pour indiquer toute gravure destinée à circuler seule ou en série sans reliure et dont l'image a une importance supérieure au texte éventuel. Or, comme les termes « gravure » et « estampe » peuvent s'appliquer à toute image imprimée, qu'elle soit destinée à l'illustration du livre ou à l'ornementation d'une demeure, il me semble utile de faire la distinction entre une imagerie destinée au public du livre et celle qui, support d'une communication sociale non écrite, s'adresse à un public plus vaste. Quant à la feuille volante, elle associe l'image et l'écrit dans une forme d'expression particulière aux XVIe et XVIIe siècles européens. Tirée sur une seule feuille de papier et destinée à une vente rapide en milieu urbain, elle se distingue de l'estampe sur feuille par l'équilibre spatial et sémantique de la gravure et du texte.

75. Les collections qui présentent le plus grand intérêt sont les suivantes : *Les Belles Figures et drolleries de la Ligue* de Pierre de l'Estoile (142 placards, affiches et feuilles volantes publiés à Paris entre 1588 et 1600 (cf. *supra.* note 68). Il y a également la collection de l'abbé Marolles, amateur d'estampes du règne de Louis XIV, qui est entrée à la Bibliothèque royale en 1667. Cette

collection comporte plus de 123 000 pièces en 400 gros volumes in-folio et 120 volumes du format petit-in-folio (elle se trouve aujourd'hui à la Réserve du Cabinet des Estampes de la Bibliothèque Nationale). Une troisième collection importante est celle du chevalier Michel Hennin, parvenue au Cabinet des Estampes en 1863. Celle-ci comporte 14 807 pièces conservées dans leur classement original dans 169 volumes in-folio. Les volumes III à XII sont consacrés aux estampes du XVIe siècle. La grande valeur de cette collection de documents relatifs à l'histoire de France réside dans le fait qu'à partir du XVe siècle toutes les pièces sont contemporaines des événements qu'elles décrivent (voir le catalogue de G. DUPLESSIS, *Inventaire de la collection d'estampes relatives à l'Histoire de France (1481-1851),* 5 t., Paris, 1877-1884). Quant au fonds français du XVIe siècle, les documents sont conservés, pour la plupart, dans des volumes in-folio catalogués par auteur. Il existe en outre quelques recueils thématiques, telles les « Figures de la Bible », un gros volume de 272 « échantillons », compilé par un vendeur d'estampes aux alentours de 1575 et probablement destiné à servir de « catalogue » à partir duquel les marchands pouvaient passer leurs commandes (cote Ed 5g rés. ff°). Les « doubles » et les estampes anonymes sont généralement classés selon les sujets qu'ils représentent et regroupés dans des séries thématiques, tels les « Cris de Paris » (série Oa 135c), les Allégories (séries Tf et Td), et les « Caricatures » (série Tf). Voir le guide au Cabinet des Estampes de J. GUIBERT, *Le Cabinet des Estampes de la Bibliothèque nationale. Histoire des collections suivie d'un guide du chercheur,* Paris, 1926.

Le fonds français du Cabinet des Estampes possède au moins un exemplaire de la quasi-totalité des estampes sur feuille françaises du XVIe siècle connues aujourd'hui. Cette richesse est le fruit d'une politique double. D'une part, il y a la volonté centralisatrice qui a amené la Bibliothèque Nationale, en 1861, à recueillir les pièces gravées jusque-là éparpillées dans d'autres bibliothèques. D'autre part, il y a une politique d'acquisition visant à combler les lacunes du fonds en question — ceci petit à petit en raison des moyens limités dont dispose cette institution et de l'état du marché de la gravure ancienne. En raison de cette intention totalisante, l'*Inventaire du fonds français. Graveurs du XVIe siècle* — un catalogue en deux volumes rédigé par André LINZELER (t. I, Paris, 1932) et Jean ADHEMAR (t. II, Paris, 1939) — cite non seulement toutes les pièces conservées au Cabinet des Estampes, mais également toutes les œuvres connues, car la Bibliothèque espère bien les posséder un jour (5 531 pièces y sont répertoriées). J. ADHEMAR a depuis écrit un article élargissant son catalogue : « Compléments de l'Inventaire du fonds français du Cabinet des Estampes de Paris », *Bibliothèque d'humanisme et Renaissance,* XXI, 1959, p. 468-472. Il existe en plus, parmi les Usuels du Cabinet des Estampes, un *Supplément* dactylographié de l'*Inventaire...* L'ensemble de ces travaux permet de faire, avec un certain degré d'exactitude, l'analyse quantitative et chronologique des représentations de la femme et, en consultant des reproductions si l'original vient à manquer, l'analyse formelle de toute image où figure la forme féminine.

Malgré les grandes qualités de l'*Inventaire du fonds français,* il est évident que l'ensemble des images qui y sont rassemblées présente de notables lacunes par rapport à la production originale de l'époque. Néanmoins, les pertes subies par l'estampe française peuvent être partiellement remplacées par des apports de l'étranger ou d'un autre moment historique. En fait, le commerce international de l'estampe, les nombreux séjours des graveurs français à l'étranger et la présence, à Paris, d'une multitude de graveurs immigrés à partir des années 1570, ont tous donné lieu à une production importante d'images « polyglottes », c'est-à-dire de gravures où la légende est imprimée en plusieurs langues, dont le français. Le corpus français peut donc être élargi par la greffe de gravures d'importation destinées à un public francophone. D'où l'intérêt de « L'empeseur de fraises pour la toilette » (fig. 72), une caricature anversoise dont on connaît de nombreuses images analogues imprimées en Allemagne et aux Pays-Bas. De même, j'ai consulté la production iconographique de la fin du XVᵉ et du début du XVIIᵉ siècle, non seulement pour évaluer les innovations et les permanences du discours sur la femme au XVIᵉ siècle, mais également pour tenter de compléter, par analogie, des lacunes ou des fragments du corpus actuel. Par exemple, le « Tableau de la femme pecheresse... », estampe en taille-douce éditée à Paris par Ganière au début du XVIIᵉ siècle (fig. 8), permet d'interpréter une gravure sur bois abîmée du style Montorgueil.

76. J. ADHÉMAR & G. WILDENSTEIN, « Les images de Denis de Mathonière d'après son inventaire (1598) », *Arts et Traditions populaires*, VIII, n° 1-2-3-4, 1960, p. 150-157. Cet inventaire est conservé aux Archives nationales, minutier central, étude XII, n° 209. Jean Adhémar a travaillé également sur trois autres inventaires après décès de graveurs parisiens morts entre 1580 et 1590. J'attends avec impatience les résultats de cette étude qui apporteront des informations précieuses sur la production parisienne de la fin du XVIᵉ siècle.

77. *Les techniques de production de l'estampe* ne sont pas interchangeables et chacune a sa spécificité. Le choix du bois ou du métal comme support à graver se fait en fonction de l'usage auquel l'image est destinée, du public auquel elle s'adresse, du nombre d'estampes qui seront imprimées et du prix auquel elles seront vendues. Connaître les implications des techniques de la gravure permet donc de comprendre le rôle, l'influence et le rayonnement potentiels d'un document au moment de sa fabrication.

Au XVIᵉ siècle le bois dit « de fil » était le support principal de l'image gravée. Ainsi nommée parce que les planches étaient découpées dans le sens des fibres du bois, la planche en bois de fil était soigneusement séchée, aplanie et poncée avant d'être gravée. La technique de gravure sur bois est lente, mais relativement simple et bon marché. Un dessin, exécuté soit par un artiste, soit par le graveur lui-même (d'où la distinction entre « l'imagier » ou artiste-dessinateur et le simple tailleur d'images), est dessiné ou collé à même le bois. Avec un canif ou une gouge, le graveur contourne le dessin en creusant dans le bois les parties blanches de l'image et en « épargnant » les traits noirs, d'où le terme « taille d'épargne ». La planche terminée, le graveur passe un rouleau chargé d'encre sur la surface du bois de façon que l'encre n'imprègne que le dessin « épargné ». Ensuite, il applique une feuille de papier sur la surface encrée et, avec un « frotton » (tampon) ou une presse rudimentaire, il donne au papier la pression nécessaire pour y transférer le dessin. Le tirage ou « impression » est terminé.

Au XVᵉ siècle le métal était utilisé également pour la gravure en taille d'épargne. Travaillé surtout par des orfèvres, le métal taillé en relief présentait deux avantages : une finesse de détail supérieur au bois ainsi qu'une plus grande résistance à de nombreux tirages. Cette technique plus coûteuse et plus difficile que celle du bois fut bientôt abandonnée en faveur d'une nouvelle technique de gravure sur métal. Vers le milieu du siècle, le développement de la gravure en creux (la « taille-douce ») a résolu la plupart des difficultés présentées par la taille d'épargne. Utilisée d'abord en Italie, cette méthode n'a été adoptée en France que vers 1540.

La taille-douce (ainsi appelée à cause de la facilité avec laquelle le graveur travaille le métal) consiste à graver, au burin, un dessin en creux sur une planche de métal (généralement le cuivre). Le dessin terminé, la planche est enduite d'encre puis essuyée. Une feuille de papier est posée sur la planche et les deux sont passées à travers une presse à forte pression de façon que l'encre restée dans les entailles s'imprime sur le papier. Une deuxième technique de taille-douce, inventée, paraît-il, par Dürer, est la gravure « à l'eau-forte ». Ici c'est l'acide qui taille le métal au lieu du burin du graveur. La plaque de métal est recouverte d'un vernis sur lequel le graveur dessine à l'aide d'une pointe quelconque, découvrant le métal à l'endroit des traits de son dessin. La planche est ensuite plongée dans un bain d'acide qui mord les parties exposées, non protégées par le vernis. Le dessin est ainsi creusé dans le métal. La morsure terminée, la planche est rincée et dévernie à l'aide d'un solvant. Elle est maintenant prête pour le tirage. Malgré les avantages de la taille-douce — plus grande rapidité du travail et finesse du dessin — elle présentait néanmoins quelques difficultés qui étaient responsables de la lenteur de son développement en France. Nécessitant un équipement beaucoup plus spécialisé et plus coûteux que la taille d'épargne, la planche taillée en creux avait le désavantage de s'aplatir sous la pression de telle sorte que les entailles du dessin se comblaient lors de tirages élevés. On pouvait retoucher une planche abîmée (ce qui provoquait toutefois des inégalités entre les épreuves), mais elle ne pouvait rivaliser avec le bois en termes de longévité. Un second inconvénient se présentait lors de l'illustration du livre. La gravure sur bois pouvait être tirée en même temps que le texte tandis que la gravure en taille-douce nécessitait un tirage séparé.

Le nombre d'impressions qu'on pouvait tirer d'une seule planche gravée variait beaucoup, le matériel de la planche conditionnant — avant même des considérations commerciales ou artistiques — la quantité d'estampes qu'on pouvait en obtenir. Selon le *Dictionnaire technique de l'estampe* du graveur André Beguin (Bruxelles, 3 vol., 1977-1979), une planche en cuivre peut être tirée à environ 1 000 exemplaires, dont un maximum de 300 seront de bonne qualité et 700 usées. William Coupe estime que le tirage moyen d'une gravure en taille-douce destinée au grand public sous forme de feuille volante devait osciller, au XVIIe siècle, autour de 2 000 exemplaires *(The German Illustrated Broadsheet in the Seventeenth Century, Historical and Iconographical Studies*, Baden-Baden, 1966, t. I, p. 14-15). En fait, comme il n'y avait presque aucun système de privilège pour protéger les graveurs contre des imitateurs, les éditeurs avaient tendance à imprimer un maximum d'exemplaires au premier tirage, faisant retoucher la planche jusqu'à épuisement pour devancer les éditions pirates éventuelles. Le bois, en revanche, bien conservé et bien manipulé, pouvait permettre des milliers, voire des dizaines de milliers d'épreuves. J.M. PAPILLON, auteur du *Traité historique et pratique de la gravure sur bois* (Paris, 1766), essaya de relancer l'utilisation du bois pour l'illustration du livre et de la feuille volante, en soulignant le chiffre élevé d'impressions qu'il permettait. Il se vantait de tirages de 60 000 à 80 000 exemplaires, et même, à l'occasion, d'une édition d'un demi-million. La nature presque inépuisable du bois offrait l'avantage supplémentaire de servir plusieurs générations de graveurs et la vie utile d'une planche gravée à sujet religieux pouvait être d'une longévité étonnante à cause de la nature traditionnelle de son iconographie. Par ailleurs, il était habituel aux graveurs à la mode de revendre leurs planches démodées aux imagiers de province qui s'en servaient pendant longtemps encore. Papillon lui-même cite l'exemple d'une planche, gravée par son grand-père, qui avait vu, quasiment, un siècle de service :

> « En 1756, il y avait environ quatre-vingt-dix années que mon feu grand-père Jean Papillon avoit gravé rien qu'en poirier la grande planche représentant la Sainte Vierge dans une gloire, avec autour les S.S. Mystères de sa vie, pour les administrateurs de la Confrairie Royale de la Charité de Notre-Dame de Bonne Délivrance fondée en l'église de Saint-Etienne-des-Grès à Paris. Cette planche servoit encore en cette année-là, ayant toujours tiré chaque année cinq ou six mille exemplaires pour être distribués aux Confrères de cette Confrairie, ce qui fait en total plus de cinq cens mille exemplaires » (t. I, p. 423).

De cette reproduction massive d'une seule image gravée il ne subsiste aujourd'hui que deux ou trois exemplaires. Malgré la capacité du bois à assurer un nombre élevé d'impressions sur une longue période de temps, sa nature plus « populaire » et sa moindre valeur marchande lui promettait, dans la plupart des cas, une disparition totale. Néanmoins, l'estampe en taille-douce, agent de diffusion des formes de l'art savant et technique de prédilection pour la feuille volante, a été légèrement plus épargnée par le temps grâce aux collections constituées par des amateurs d'art ou par des curieux de la vie politique.

Les chances de survie de n'importe quelle estampe, en dépit des chiffres élevés de certains tirages, étaient presque inexistantes, surtout si celle-ci était épinglée au mur, comme les images de piété, les calendriers et les facéties (la coutume de mettre sous verre un dessin ou une estampe date du milieu du XVIIe siècle). Imprimée le plus souvent au bénéfice des humbles, la gravure partageait l'inconfort de leurs demeures. Jauni par le soleil, taché par les mouches et noirci par la fumée, le papier s'abîmait rapidement. Personne ne songeait à conserver une image fanée sans valeur marchande et la gravure d'hier cédait facilement la place à une estampe plus fraîche. N'oublions pas non plus la « nécessité journalière d'allumer le feu dans l'âtre, alors que les papiers d'emballage, les journaux étaient ignorés, sans parler de la confection à domicile de toutes sortes de cartonnages, de cornets, etc., que la vie moderne a fait disparaître » (J. BERSIER, *La Gravure. Les procédés, l'histoire,* Paris, 1963, p. 17). La rareté des estampes du passé s'explique essentiellement par le succès qu'elles connurent auprès du public, car tout objet ordinaire, d'usage courant, disparaît en premier. La plupart de celles qui sont parvenues jusqu'à nous ne doivent leur survie qu'à leur insertion dans des plats de reliure ou au fond de coffrets. Rares étaient les amateurs d'estampes avant le règne de Louis XIV, et encore plus rares les quelques collections d'images qui ont survécu. Des quatre volumes in-folio des *Belles figures et drolleries de la Ligue,* assemblés par Pierre de l'Estoile, il n'en reste plus qu'un, tandis que sa collection de placards sur les faits divers, souvent mentionnée dans son *Journal,* a entièrement disparu. Certains historiens de la gravure affirment la perte de 10 000 gravures pour une qui nous serait parvenue (J. MISTLER, F. BLAUDEZ,

A. JACQUEMIN, *Épinal et l'imagerie populaire*, p. 18). Les inventaires après décès des « imagiers en papier » et des graveurs sur bois confirment le triste bilan des pertes irrémédiables. Des 111 groupes ou séries de planches décrites dans l'inventaire après décès d'un des premiers imagiers de Paris, Denis de Mathonière (1958), ne sont connues aujourd'hui que trois suites de gravures sur bois. Ainsi moins de 3 % des sujets imprimés par Mathonière, soit seulement 19 estampes parmi les centaines de milliers éditées dans sa boutique pendant le dernier quart du XVIᵉ siècle, ont résisté aux ravages du temps (cf. J. ADHEMAR & G. WILDENSTEIN, « Les images de Denis de Mathonière... »). Les planches gravées qui servaient à imprimer ces images ont partagé le même sort. Objets d'une certaine valeur, on les prolongeait aussi longtemps que possible par des modifications de détails et par la coupure des parties détériorées. Une fois démodées, elles servaient à alimenter le feu ou étaient abandonnées dans une arrière-salle de l'atelier du graveur, où elles nourrissaient les vers. Le célèbre « Bois Protat », taillé à la fin du XVᵉ siècle, est la plus ancienne planche gravée connue en Europe. Destiné probablement à l'impression de tissus, il représente d'un côté un fragment de la Crucifixion et de l'autre une Annonciation. Cette planche n'a survécu que parce qu'elle servait, avec d'autres planches plus abîmées, à soutenir l'escalier de la maison de l'imprimeur Protat (à La Ferté-sur-Grosne, près de Dijon) et ne fut découverte que par hasard, lors de transformations en 1898. Quant aux planches de métal travaillées en taille-douce, elles coûtaient trop cher pour chômer. Dès qu'une plaque se trouvait usée au-delà de toute possibilité de retouche, elle était martelée, aplanie et repolie afin de servir à un autre dessin.

78.   L'histoire et l'évolution de la gravure française à l'époque de la Renaissance sont toujours mal connues. Art méprisé à son époque, l'estampe souffre encore de ses origines modestes. Traitée généralement en annexe de l'histoire de l'art ou en appendice de l'histoire du livre, l'étude de la gravure se réduit trop souvent à une énumération de noms de graveurs (dont on sait peu, sinon rien, des circonstances de leur vie) et à la comparaison d'une série d'œuvres exposées selon une logique d'évolution linéaire de techniques et d'écoles. Cherchant des réponses à des interrogations urgentes sur les conditions de production de l'estampe, sur les réseaux de diffusion et les prix des gravures, sur le public et les fonctions sociales de l'image imprimée, on se trouve trop souvent face à de sempiternels débats sur le mérite artistique de tel graveur par rapport à tel autre, sur la priorité irréfutable de tel pays sur tel autre, sur l'importance de telle école ou de telle œuvre dans l'ascension irrésistible d'un style. Rares sont les travaux qui posent la question des besoins satisfaits par l'estampe, des causes qu'elle a servies, des regards qu'elle a formés ou informés. Devant une telle carence d'informations utiles à mon propos s'impose donc une reconstitution — quoique partielle et imparfaite — des circonstances gouvernant la production et la circulation d'une nouvelle imagerie de « masse » au cœur d'une société où « l'image et la peinture, sert au simple de lecture » (G. MEURIER, *Thresor de sentences dorées et argentées. Proverbes et dictons communs,* Anvers, 1568, Citation prise de l'édition de Cologne, 1617, p. 108). Malgré les limites des connaissances actuelles sur le phénomène de la gravure au XVIᵉ siècle, quelques études ont permis une reconstitution, partielle et nécessairement superficielle, du monde de l'estampe à cette époque. Pour cela je me suis surtout servie des ouvrages suivants : J. ADHEMAR, J. CUISENIER *et alii, Cinq siècles d'imagerie française, catalogue*

de *l'Exposition du Musée des Arts et Traditions Populaires*, Paris, 1973 ;
J. ADHEMAR, M. HERBERT *et alii, Imagerie populaire française*, Milan, 1976 ;
J. BERSIER, *La Gravure. Les procédés, l'histoire ;* F. COURBOIN, *Histoire illustrée de la gravure en France, Première partie : Des origines à 1660*, Paris, 1923-
1929 ; A.M. HIND, *A History of Engraving and Etching from the 15th Century to
the Year 1914*, New York, 1963 ; J. LIEURE, *L'École française de gravure : des
origines à la fin du XVIᵉ siècle*, Paris, 1928 ; J. MISTLER *et alii, Épinal et l'imagerie populaire ;* E. ROUIR, *La Gravure, des origines au XVIᵉ siècle*, Paris, 1971,
ainsi que les articles et ouvrages cités dans les notes suivantes.

79.   En plus des ouvrages cités (*supra*, note 78), les sources pour cette description de l'école de gravure bellifontaine sont les suivantes : S. BEGUIN,
W. MCALLISTER JONHSON, J. THIRON, H. ZERNER *et alii, L'École de Fontainebleau*, catalogue de l'exposition au Grand Palais, Paris 1972 ; F. HERBERT,
« Les graveurs de l'école de Fontainebleau », *Annales de la Société Archéologi-
que du Gâtinais*, 5 fasc., 1896, 1897, 1899, 1901, 1902 ; H. ZERNER, *L'école de
Fontainebleau. Gravures*, Paris; 1969.

80.   Sur l'histoire de l'illustration du livre voir A. MARTIN, *Le Livre illustré
en France au XVᵉ siècle*, Paris, 1931 ; R. BRUN, *Le Livre français illustré de la
Renaissance. Étude suivie du catalogue des principaux livres à figures du XVIᵉ
siècle*, Paris, 1969 ; L. FEBVRE & H.J. MARTIN, *L'Apparition du livre*.

81.   Je ne connais pas de publication importante concernant ce moment
critique de la gravure française. Le Cabinet des Estampes possède toutefois un
exemplaire de l'excellent mémoire de J.-J. LAYDU, *Les Graveurs flamands à
Paris vers la fin du XVIᵉ siècle*, Mémoire de licence (Histoire d'Art et Archéologie), Université libre de Bruxelles, oct. 1960, 116 p. dactylogr. Voir également A.J.J. DELEN, *Histoire de la gravure dans les anciens Pays-Bas et dans les
provinces belges*, 3 vol., Paris, 1933-1935 ; F.W. H. HOLLSTEIN, *Dutch and
Flemish Etchings, Engravings and Woodcuts circa 1450-1700*, Amsterdam, s.d.

82.   Sur les débuts de la gravure xylographique en France, voir A. BLUM,
*Les Primitifs de la gravure sur bois. Étude historique et catalogue des incunables
xylographiques du musée du Louvre*, Paris, 1956 ; H. BOUCHOT, *Les deux cents
incunables xylographiques du Département des Estampes*, 2 vol., Paris, 1903 ;
P.L. DUCHARTRE & R. SAULNIER, *L'Imagerie populaire. Les Images de toutes
les provinces françaises du XVᵉ siècle au second Empire*, Paris, 1925 ;
A.M. HIND, *An Introduction to a History of Woodcut, with a Detailed Survey of
Work Done in the 15th Century*, New York/Boston/London, 1935 ; P.A. LE-
MOISNE, *Les Xylographies des XIVᵉ et XVᵉ siècles au Cabinet des Estampes de la
Bibliothèque Nationale*, 2 vol., Paris/Bruxelles, 1927-1930.

83.   Sur le développement et l'extension de cette paralittérature voir les
œuvres de J.P. SEGUIN : « L'Information à la fin du XVᵉ siècle en France.
Pièces d'actualité imprimées sous le règne de Charles VIII », *Arts et Traditions
Populaires*, 1956, p. 309-330 & 1957, p. 46-63 ; « L'Illustration des feuilles d'actualité non périodiques », *Gazette des Beaux-Arts*, t. LII, 1958, p. 35-50 ; *L'Information en France de Louis XII à Henri II*, Genève, 1961 ; *L'Information en
France avant le périodique. 517 canards imprimés entre 1529 et 1631*, Paris,
1964. Pour un exemple d'analyse de contenu, voir R. CHARTIER, « La pendue
miraculeusement sauvée. Étude d'un occasionnel », dans *Les Usages de l'imprimé*, chap. II, p. 83-128.

84.   ANONYME, Paris, v. 1495, sur bois (Cabinet des Estampes cote Ea 87
t. II).

85. Cabinet des Estampes cote Ed 130 rés. — Sur la découverte et l'identification de ce document, voir M. l'Abbé DESOBRY, « Le bois gravé d'Amiens », *Bulletin trimestriel de la Société des antiquaires de Picardie*, 1965, 2ᵉ trimestre, p. 25-26.

86. Plusieurs canards du XIXᵉ siècle sont illustrés par des bois datant du XVIᵉ siècle. Cf. J.-P. SEGUIN, « L'illustration des feuilles d'actualité non périodiques », fig. 19 et 20.

87. Cf. R.W. SCRIBNER, *For the Sake of Simple Folk. Popular Propaganda for the German Reformation*, Cambridge, 1981. Martin Luther attribuait une grande importance au rôle de l'image (et en particulier de la caricature) dans le combat contre Rome : « sur le premier bout de planche venu et jusque sur les cartes à jouer, on peut montrer les prêtres et les moines tels qu'ils sont » (cité sans référence par J. MISTLER *et alii, Épinal et l'imagerie populaire*, p. 34). Jamais placard n'eut autant de succès et ne fut aussi souvent reproduit que celui où figurait la caricature de Wenzel d'Olmütz intitulée « l'Asne-Pape » (1496). Luther et Mélanchton en publièrent une copie dans un pamphlet intitulé « Interprétation des deux monstrueuses figures d'un Asne-pape trouvé à Rome et d'un Veau-moine trouvé à Fribourg en Misnie » (Wittemberg, 1523, in-4°, 8 p.), où se trouve une longue analyse de la symbolique du « monstre ». Voir la traduction partielle du texte par J. MICHELET, cité par CHAMPFLEURY, *Histoire de la caricature sous la Réforme et la Ligue*, Paris, 1880, p. 60-68.

88. Th. Belot, « La carte et image représentant au vif la triomphante victoire du précieux corps de Dieu sur l'esprit malin Beelzebub par grand miracle obtenu à Laôn », Paris, rue St-Jacques, 1566, sur bois (Cabinet des Estampes cote Qb 1566).

89. J. ADHEMAR s'est particulièrement intéressé à l'imagerie de la rue Montorgueil, et c'est à lui que je dois la plupart de mes informations à ce sujet. Voir surtout son article : « La rue Montorgueil et la formation d'un groupe d'imagiers parisiens au XVIᵉ siècle », *Le Vieux Papier*, fasc. 167, avril 1954, p. 25-34.

90. Gilles Godet est une exception à cette règle. Protestant, il s'établit vers 1550 à Londres. Il édite de belles planches dans le style Montorgueil dessinées pour lui par le « peintre en histoire » parisien, François Gence (qui réside toujours rue Montorgueil et qui s'est marié avec Jeanne Hoyau). C'est d'ailleurs Godet qui est le premier à faire connaître au public anglais les formes du maniérisme bellifontain à travers les grands bois du style parisien.

91. L'imagerie produite par le petit groupe parisien a subi le sort de tout objet ordinaire qui passe de mode : elle a en grande partie disparu. On peut néanmoins avoir une bonne idée du genre d'images qui a fait le succès de la rue Montorgueil, car le Cabinet des Estampes conserve d'elles une vingtaine de pièces dans des recueils divers ainsi qu'un album d'échantillons provenant des différents ateliers (cotes Tf1 rés., Ea 79 rés., les « Vieux maîtres en bois » de la collection de l'abbé Marolles ; l'album d'échantillons est conservé sous la cote Ed 5g rés.). Les planches du recueil datent de 1570-1575. Elles sont toutes de grand format (environ H. 400 mm — L. 500 mm) et sont entourées, afin de les uniformiser, de bordures ornementales passe-partout. Au-dessus de l'image se trouve une courte inscription identifiant le sujet, au-dessous une légende en prose ou en vers explique les activités des personnages représentés. La plupart des planches forment des suites de quatre ou, le plus souvent, de six images,

signées sur la dernière planche. « Celui qui signe, et qui vend, est généralement le dessinateur des bois, « l'imagier en papier » ; parfois le graveur, « le graveur d'histoires » ajoute son nom, lorsqu'ils habitent ensemble, mais bien souvent il se borne à mettre ses initiales sur un des bois, avec modestie » (J. ADHEMAR, « La rue Montorgueil... », p. 28). Contrairement à la gravure en taille-douce, on n'y trouve aucune date, aucune mention de privilège.

92. Les gravures de l'album conservé au Cabinet des Estampes ne sont pas coloriées. Quelques images de la rue Montorgueil peintes au pochoir au XVIᵉ siècle figuraient dans la collection de Paul Prouté, collection qui fut dispersée après sa mort. On peut en voir quelques reproductions en couleur dans L'Imagerie parisienne au XVIᵉ-XIXᵉ siècle, catalogue de l'Exposition à la Bibliothèque Historique de la Ville de Paris, oct.-déc. 1977, planches I à V.

93. Ce n'est qu'au XVIIIᵉ siècle que les descendants de ces imagiers parisiens, devenus provinciaux, assureront, dans la tradition familiale, une renaissance de la technique du bois.

94. Sur la « Bibliothèque bleue » voir, entre autres : R. MANDROU, De la culture populaire au XVIIᵉ et au XVIIIᵉ siècle. La Bibliothèque bleue de Troyes, Paris, 1975 ; G. BOLLEME, La Bibliothèque bleue. La littérature populaire en France du XVIᵉ au XIXᵉ siècle, Paris, 1971, et, du même auteur, La Bible bleue. Anthologie d'une littérature « populaire », Paris, 1975 ; C. VELAY-VALLANTIN, « Le Miroir des contes. Perrault dans les Bibliothèques bleues », dans R. CHARTIER (dir.), Les Usages de l'imprimé, chap. III, p. 129-190.

95. Une liste des métiers « médiocres » (dont celui de l'imagier-graveur) figure sur un rôle du Conseil d'État de 1582 (cité par F. LAPADU-HARGUES & G.-H. RIVIERE, « Imagerie, cartes à jouer, toiles imprimées : problèmes d'évolution et d'interdépendance des centres de production et des styles », Arts et Traditions Populaires, XIII, n° 1, 1965, p. 220).

96. Les étapes de cet historique de la gravure sur bois passent sous silence le travail anonyme des cartiers, dominotiers, imprimeurs sur tissu et tailleurs d'images qui ont fourni une production ininterrompue de cartes à jouer, affiches, toiles peintes et images religieuses. Ces graveurs inconnus étaient cependant nombreux : Natalis Rondot cite au moins 67 noms de graveurs sur bois ayant travaillé à Lyon pendant la seconde moitié du siècle (Les Graveurs sur bois à Lyon au XVIᵉ siècle, Lyon, 1898), mais de leur production il ne subsiste pratiquement plus rien. Déjà dépassée en son temps par la vogue de l'estampe parisienne, l'œuvre perdue de ces artisans modestes ne peut plus témoigner de la persistance d'une imagerie traditionnelle parallèle à l'évolution, plus linéaire, de l'estampe savante et de l'imagerie à la mode. Nos connaissances actuelles sur l'image imprimée excluent donc cette « majorité silencieuse » de la gravure, n'éclairant que les principaux courants de l'estampe à l'époque.

97. Cf. F. BARDON, Le Portrait mythologique à la Cour de France sous Henri IV et Louis XIII, Paris, 1974. Témoin éloquent des nouvelles connaissances de l'homme de la rue en matière de mythologie antique, le « Persée françois » délivrant la France (Andromède) de la Ligue (le dragon) est un bon exemple du rôle joué par la gravure dans la vulgarisation de la culture savante (Cabinet des Estampes cote Qb 1598). D'ailleurs, la représentation de Henri IV en « Persée françois » aurait-elle surpris un public depuis longtemps familiarisé avec les représentations de saint Georges combattant le dragon ? Quant à la vulgarisation de l'œuvre des ornemanistes, une suite anonyme de style Montorgueil représentant les douze mois de l'année (Paris, vers 1580, Cabinet des

424   ANGE OU DIABLESSE

Estampes cote Ea 25a fol. rés.) s'inspire, à quelques détails près, d'une suite gravée par Étienne Delaune quelques années auparavant (Cabinet des Estampes cote Ed 4 pet. fol.). Une des différences notables entre les deux séries est le rejet du costume antique cher aux ornemanistes en faveur d'un habillement contemporain des personnages (voir surtout le mois de mai).

98.   P. FRANCASTEL, *Études de sociologie de l'Art,* Paris, 1970, p. 40-41 et J. MISTLER *et alii, Épinal et l'imagerie populaire*, p. 7. Pour une interprétation théorique de ce genre de phénomène culturel, voir A. MOLES, *Sociodynamique de la culture,* Paris, 1971.

99.   N.Z. DAVIS a très justement souligné la participation active du peuple urbain dans la vulgarisation de la culture savante apportée par le livre : « On the whole it seems to me that the first 125 years of printing in France, which brought little change in the countryside, strengthened rather than sapped the vitality of the culture of the menu peuple in the cities... This is because they were not passive recipients (neither passive beneficiaries nor passive victims) of a new type of communication. Rather they were active users and interpreters of the printed books they heard and read, and even helped give these books form » *(Society and Culture in Early Modern France,* Berkeley [Calif.], 1975, p. 225). Selon R. MUCHEMBLED, l'estampe, comme le livre, a contribué à combler le « vide idéologique » entre la culture savante et la culture populaire en milieu urbain (*Culture populaire et culture des élites,* p. 347-350).

100.   Il n'existe aucune étude détaillée sur cet aspect du phénomène de la gravure en France au XVIe siècle. Je tiens toutefois à signaler l'existence d'un livre qui s'occupe de l'époque suivante : M. GRIVEL, *Le Commerce de l'estampe à Paris au XVIIe siècle,* Paris/Genève, 1986, qui est un travail pionnier dans ce domaine négligé de l'histoire de la gravure.

101.   Des réseaux de colportage rural se développent en France à partir de 1540 environ. Se chargeant d'écouler dans les campagnes des livrets et des almanachs, le colporteur rural vend également des images, pour la plupart religieuses. On ne possède malheureusement pas de documents qui permettraient de saisir l'étendue des sujets iconographiques colportés à l'extérieur des villes au XVIe siècle. Pour cette raison, la population rurale ne peut être incluse dans mes considérations sur le public de l'estampe.

102.   Je dois les informations suivantes à J. ADHEMAR, « Les premiers éditeurs d'estampes », *Nouvelles de l'estampe,* année VI, n° 3-5, 1972, p. 3-5.

103.   Salamanca, éditeur espagnol établi à Rome dès 1537, vend aux étrangers des vues de la ville antique et des reproductions de Raphaël et Michel-Ange. Son successeur, le Français Antoine Lafréry, édite les estampes de ses compatriotes résidant à Rome (entre autres, Nicolas Beatrizet et Etienne Dupérac) et fait connaître en Italie la gravure de Fontainebleau. Au Nord, il y avait les éditeurs d'Anvers : Jérôme Cock et Christophe Plantin. Cock fait travailler des artistes de toutes les nationalités : Bruegel, Corneille Bos, Giorgio Ghisi exécutent pour lui des estampes dans tous les styles qu'il vend beaucoup à l'étranger, surtout en France. Plantin, célèbre imprimeur de livres, n'édite pas de gravures mais en achète pour les revendre. Ainsi envoie-t-il à Paris des images éditées par Cock — portraits, facéties, et images pieuses — et achète à Paris les gravures de l'école de Fontainebleau, ainsi que l'œuvre d'ornemanistes comme Delaune et Androuet Ducerceau. L'imagerie parisienne du style Montorgueil voyage également beaucoup. Sylvestre de Paris édite à Anvers les « histoires en images » de la rue Montorgueil tandis

que Gilles Godet imprime à Londres des planches gravées d'après des dessins d'imagiers parisiens. De son côté l'Espagne, quasiment dépourvue de graveurs, importe en grandes quantités les images religieuses de la rue Montorgueil. Enfin, Philippe Thomassin, graveur français établi à Rome, copie des œuvres des Anversois Wierix et Glotz comme celles des Italiens Zuccaro et Caprioli.

104. Il reste une grande lacune dans cette discussion du commerce de la gravure au XVIe siècle — c'est la question du prix des pièces. Pour le moment le problème du prix de vente des estampes est simple — on n'en sait rien ou, en tout cas, beaucoup moins que pour le livre. Aucun prix n'est indiqué sur les estampes, ni sur les feuilles volantes ou occasionnels. Étant donné le public-cible de la gravure (public évoqué dans les pages qui suivent) le coût d'une image ne pouvait cependant pas être très élevé, même s'il variait beaucoup selon la technique de fabrication de la planche et selon le réseau de vente auquel elle était destiné. Si la marchandise de l'éditeur d'estampes savantes pouvait se vendre à quelques florins, celle du colporteur ne valait que quelques sous (cf. J. ADHEMAR, « Le public de l'estampe », *Les Nouvelles de l'estampe,* n° 37, janv.-fév. 1978, p. 8). Ce n'est qu'au début du XVIIe siècle que se trouvent les premières mentions du coût des gravures communes (généralement pour l'illustration d'un livre) et des occasionnels en France. En 1608, 1609 et 1610, Pierre de l'Estoile paie « deux sols » pour les feuilles volantes et bulletins d'actualité qu'il achète pour sa collection de « bagatelles » (cité par J.-P. SEGUIN, *L'Information en France avant le périodique*, p. 15-16). Expression courante ou prix véritable, c'était en tout cas une somme dérisoire pour la bourse d'un bourgeois aisé. En 1609-1610 un inventaire évalue à 324 livres une série de 38 planches gravées en taille-douce par Théodore de Leu, Léonard Gaultier et Jaspar Isaac pour illustrer les *Images ou tableaux de plate peinture des deux Philostrates* de Blaise de Vigenère. Le même inventaire estime 13 gravures sur bois destinées à l'illustration d'un autre ouvrage à seulement 10 livres (D.T. POTTINGER, *The French Book Trade*, p. 321). La valeur de la planche sur bois, démodée, certes, mais capable de donner des tirages presque illimités, était moins de 10 % de celle de la planche en cuivre, dont on ne pouvait tirer qu'un nombre limité d'impressions. Cela dit beaucoup sur la différence de prix qui pouvait exister entre la gravure sur bois et la taille-douce, au moins à la fin du XVIe et au début du XVIIe siècle. Voir également à ce propos, M. GRIVEL, *Le Commerce de l'estampe à Paris au XVIIe siècle.*

105. L'article de J. ADHEMAR, « Le public de l'estampe », fait toujours autorité sur cette question.

106. L. FERRAND, « L'Imagerie populaire et la vie du passé », *La Science historique. Bulletin de l'Institut des Sciences Historiques*, fév.-août 1955, n° 5, p. 134. Les inventaires après décès des demeures des humbles font de temps en temps mention d'images de papier clouées au mur, ayant « peu de valeur ». Comme l'observe Natalie Zemon Davis, cette estimation notariale ne correspond point à la valeur dévotionnelle représentée par une telle image, sans doute précieuse pour son propriétaire. Cf. N.Z. DAVIS, « Le milieu social de Corneille de La Haye (Lyon, 1533-1575) », *Revue de l'art,* n° 4, 1980, p. 24 et note 27.

107. Ainsi, une Annonciation attribuée au maître de Flémalle (musée de Bruxelles) montre une image de saint Christophe, épinglée sur le manteau de la cheminée derrière la Vierge, et une estampe éditée par Jérômé Cock (d'après Bosch), à Anvers en 1567, représente un intérieur modeste avec une image de

pèlerinage (Cabinet des Estampes cote Cc 3a). Le « pèlerin » dans ce cas est un faucon ou un hibou estropié. Facétie, sans doute, dans l'esprit du reste de l'image. Serait-ce un jeu iconographique sur le nom du faucon dit le faucon pèlerin ? (je remercie Marie-Elisabeth DUCREUX pour cette observation ornithologique). Quoi qu'il en soit, ce qui me paraît important est le fait que cette image religieuse constitue une partie intégrale du jeu. Comme le comique ne peut opérer que sur des lieux communs, la présence de cette gravure dans une telle demeure confirme l'image pieuse comme un élément indissociable du décor des maisons des humbles.

108.   Voir, par exemple, le coffret reproduit par A.J.J. DELEN, *La Gravure dans les anciens Pays-Bas*, t. I, planche I, aussi bien que celui reproduit par A.H. MAYOR, *Prints and People. A Social History of Printed Pictures*, New York, 1971, plate 88.

109.   Cf. le bois représentant la messe de Saint-Grégoire devant lequel il fallait réciter, après s'être confessé, sept *Pater*, sept *Ave* et les sept oraisons de saint Grégoire pour obtenir 6 000 années de « vrai pardon ». Cité par E. MALE, *L'Art religieux de la fin du Moyen Age en France. Étude sur l'iconographie du Moyen Age et sur ses sources d'inspiration*, p. 98-100. Voir également l'Indulgence reproduit ci-dessus (fig. 63).

110.   Cf. J. THIRON, « Les rapports entre la gravure internationale et le mobilier civil français de la Renaissance » et, du même auteur, « Bernard Salomon et le décor des meubles civils français à sujet bibliques et allégoriques ». L'utilisation de la gravure comme source de modèles n'était point nouvelle à cette époque. Les peintures murales de La Ferté-Loupière et de Meslay-le-Grenet sont inspirées des *Danses Macabres* imprimées par Guy Marchant et par Coustiau et Ménard à la fin du XVᵉ siècle, tandis que les grandes verrières de la sainte chapelle de Vic-le-Comte sont copiées sur la *Bible des Pauvres* et le *Miroir de la salvation humaine* (L. FEBVRE & H.J. MARTIN, *L'Apparition du livre*, p. 142). Cette tradition d'emprunts continue tout le long du XVIᵉ siècle. On trouve à l'église de Saint-Étienne-du-Mont à Paris un vitrail représentant le « Pressoir de notre Sauveur Jésus-Christ ». Il est visiblement inspiré d'une gravure sur bois du même thème qui se trouve parmi les « Figures de la Bible » de la rue Montorgueil (Cabinet des Estampes, cote Ed 5g rés.).

111.   Encore conservée à l'Escorial, cette collection exceptionnelle contient environ 500 gravures de Marantonio Raimondi et des artistes de son école, près de 150 pièces de l'école de Fontainebleau, 132 estampes d'Etienne Delaune, 244 vues de Rome de Beatrizet et Lanfréry, 187 éditions de Cock, 110 gravures de Dürer, des Lucas de Leyde, etc. (J. ADHEMAR, « Le public de l'estampe », p. 8-9).

112.   Les premières représentations de chanteurs de carrefour datent du XVIIIᵉ siècle (voir, par exemple, la reproduction du « Chanteur de cantiques » gravé par C.N. Cochin le fils en 1778, reproduit dans P.-L. DUCHARTRE & R. SAULNIER, *L'Imagerie populaire. Les images de toutes les provinces françaises du XVᵉ siècle au second Empire*, Paris, 1925, p. 52). Il existe également quelques témoignages relativement récents sur la technique de vente de ces chanteurs d'images, voir FABRE & LACROIX, *La Tradition orale du conte occitan*, Paris 1974, t. II, p. 196.

113.   E. PANOFSKY, « Erasmus and the Visual Arts », *Journal of the Warburg and Courtauld Institutes*, n° 32, 1969, p. 209. Voir par exemple la mise en scène d'une taverne au début du XVIIᵉ siècle : « Dialogue de Dame Allson et de

Lubin son mari dans le cabaret » où se voient, parmi les graffiti muraux, une estampe représentant « La mort du Bon Crédit » et une image de « La Confrérie M. St-Nicolas » (Cabinet des Estampes cote Tf 2 rés. ff°.).

114. J. ADHEMAR (dir.), *La Gravure*, Paris, 1972, p. 42.

115. Voir à ce propos CHAMPFLEURY, *Histoire de la caricature sous la Réforme et la Ligue*, passim.

116. A. BLUM, *L'Estampe satirique au XVIᵉ siècle pendant les Guerres de Religion. Essai sur les origines de la caricature politique*, Paris, 1916, p. 141-165.

NOTES DU CHAPITRE I

La polarisation asymétrique de l'identité féminine

1. Sur l'évolution du discours misogyne en Occident et l'intensification de l'offensive contre la femme du XIVᵉ au XVIIᵉ siècle voir « Les agents de Satan III — La femme » dans J. DELUMEAU, *La Peur en Occident,* t. I, Paris, 1978, p. 305-345. Au sujeṭ de la querelle entre féministes et misogynes à la fin du Moyen Age voir, entre autres : M. ALBISTUR et D. ARMOGATHE, « Christine de Pisan et le féminisme au XVᵉ siècle » dans *Histoire du féminisme du Moyen Age à nos jours,* Paris, 1977, p. 53-67 ; F. DESONAY, « La littérature antiféministe au Moyen Age » dans *Dépaysements. Notes de critique et impressions,* Liège, s.d., p. 47-75 ; B.H. DOW, *The Varying Attitude toward Women in French Literature of the Fifteenth Century,* New York, 1936 ; T.L. NEFF, *La Satire des femmes dans la poésie lyrique française du Moyen Age,* Paris, 1900.
2. Sur la « Querelle des femmes » au XVIᵉ siècle voir M. ALBISTUR & D. ARMOGATHE, « La Querelle des femmes au XVIᵉ siècle » dans *Histoire du féminisme français,* p. 80-121 ; D. BORNSTEIN (ed.), *The Feminist Controversy of the Renaissance,* Delmar (N.Y.), 1980 ; C. JORDAN, *Renaissance Feminism,* Ithaca (N.Y.), 1990 ; J. KELLEY « Early Feminist Theory and the *Querelle des femmes* », *Signs,* vol. 8, 1, 1982, p. 4-28 ; M. LAZARD, « La querelle des femmes » dans *Images littéraires de la femme à la Renaissance,* Paris, 1985, p. 9-16 ; S.F. MATTHEWS GRIECO, « *Querelle des femmes* » or « *Guerre des sexes* ». *The Visual Representation of Women in Renaissance Europe,* Florence, 1989 ; E. TELLE, *L'Œuvre de Marguerite d'Angoulême, reine de Navarre, et la Querelle des femmes,* Genève, 1969 (réimpr. de l'éd. de Toulouse, 1937) ; M. SCREECH, « Some implications of Rabelais's attitude in the *Querelle des Femmes* » dans *The Rabelaisian Marriage,* London, 1958, p. 126-142, et du même auteur, « An interpretation of the *Querelle des Amyes* », *Bibliothèque d'Humanisme et Renaissance,* t. XXI, 1959, p. 103-130 ; O. TRINK-ROSETTI, « La Querelle des femmes en France » dans *Les Influences anciennes et italiennes sur la satire en France au XVIᵉ siècle,* Florence, 1958, p. 275-287.
3. Texte intégralement reproduit dans A. DE•MONTAIGLON, *Recueil des poésies françaises des XVᵉ et XVIᵉ siècles,* vol. 11, Paris, 1876, p. 176-191.
4. Il existe plusieurs anthologies où sont confrontés textes d'auteurs « féministes » et « misogynes ». Voir notamment : D. BORNSTEIN (éd.), *Distaves and Dames : Renaissance Treatises for and about Women,* Delmar (N.Y.),

1978 ; L. GUILLERM-CURUTCHET, J.-P. GUILLERM, L. HORDOIR-LOUPPE, M.-F. PIEJUS, *La Femme dans la littérature française et les traductions en français du XVIᵉ siècle*, Lille, 1971 ; J.-P. GUILLERM, L. GUILLERM, L. HORDOIR, M.-F. PIEJUS, *Le Miroir des femmes*, t. I, *Moralistes et polémistes au XVIᵉ siècle* et t. II, *Roman, conte, théâtre, poésie au XVIᵉ siècle*, Lille, 1984. — A. FARGE a fait une analyse descriptive de ce débat et de ses prolongements dans la littérature de la bibliothèque bleue : *Le Miroir des femmes*, Paris, 1982, p. 11-81.

5.   J. DELUMEAU, *La Peur en Occident*, t. I, p. 322.

6.   H. INSTITORIS (KRAEMER) et J. SPRENGER, *Le Marteau des sorcières (Malleus maleficarum)* traduit et présenté par A. DANET, Paris, 1973.

7.   Le IVᵉ concile du Latran (1215) a imposé l'impératif du manuel. Je remercie Jean Delumeau pour cette information.

8.   Voir à ce propos F. OLIVIER MARTIN, *Histoire du droit français des origines à la Révolution*, Paris, 1948, 757 p. ; J. DE OURLIAC et P. MALEFOSSE, *Histoire du droit privé*, vol. 3, *Le Droit familial*, Paris, 1968, 555 p. ; SOCIÉTÉ JEAN-BODIN, *Recueils de la société Jean-Bodin pour l'histoire comparative des institutions*, t. XII, *La Femme*, Bruxelles, 1962, 715 p. ; E. SULLEROT, *Histoire et sociologie du travail féminin*, Paris, 1968, 395 p. Sur la situation allemande, voir l'excellente étude de M. WIESNER, *Working Women in Renaissance Germany*, New Brunswick (N.J.), 1986.

9.   J. DELUMEAU, *La Peur en Occident*, chap. XI, « La grande répression de la sorcellerie » et la bibliographie, p. 462, note 1.

10.   La thèse de E. BERRIOT-SALVADORE donne un résumé du discours médical à l'époque : *Images de la femme dans la médecine du XVIᵉ et du début du XVIIᵉ siècle. Relations avec la pensée juridique, morale et théologique*, thèse de IIIᵉ cycle, université Paul-Valéry, Montpellier, 1979, XXXIX-302 p. ms. dactylogr.

11.   J'utilise ce mot dans le sens qui lui est donné par W. LEDELER, auteur de *Gynophobia ou la peur des femmes*, Paris, 1970.

12.   Pour un résumé des discours médicaux, légaux et ecclésiastiques courants au XVIᵉ siècle voir I. MACLEAN, *The Renaissance Notion of Woman. A Study in the Fortunes of Scolasticism and Medical Science in European Intellectual Life*, London/New York, 1980. Un prolongement chronologique plutôt anecdotique est donné par P. DARMON dans sa *Mythologie de la femme dans l'ancienne France XVIᵉ-XIXᵉ siècle*, Paris, 1983.

13.   L. JOUBERT, *La première et seconde partie des erreurs populaires touchant la médecine et le régime de santé*, Paris, 1587, Seconde partie, p. 30.

14.   G. BOUCHET, *Les Serées*, Poitiers, 1584, « Troisième serée : Des femmes et des filles » (de l'éd. de Paris, 1873, p. 125).

15.   Pamphlet de 6 ff. reproduit dans A. DE MONTAIGLON, *Recueil de poésies françaises*, t. I, Paris 1855, p. 1.

16.   Cabinet des Estampes cote Ed 3 f°. pièce n° 7.

17.   Un très bel exemple : une estampe en taille-douce d'Israël Van Meckenem (Bocholt, avant 1503). La Vierge y apparaît entourée d'anges. En bas de l'image se trouve Eve en sirène (elle a une queue serpentine), accompagnée de plusieurs diablotins, la pomme fatale à la main. La Vierge est représentée comme une divinité céleste : les pieds sur la lune, auréolée par les rayons du soleil, elle reçoit une couronne de la part des anges qui l'égaient de leur musique. La femme-serpent, en revanche, est une divinité infernale. Agent du diable, Eve anime le royaume des ténèbres d'où elle dirige, d'un geste dédaigneux, la lutte des démons contre les anges.

18. Voir par ex. la suite d'estampes gravées par Philippe Thomassin d'après les planches de Glotz (Rome, c. 1590). Jérôme Cock a également édité deux suites d'images d'après Bruegel (Anvers, 1558-1560) où la forme féminine personnifie tous les vices ainsi que toutes les vertus. Sur l'iconographie traditionnelle des vices et des vertus voir R. VAN MARLE, *Iconographie de l'art profane au Moyen Age et à la Renaissance et la décoration des demeures,* t. II, *Allégories et symboles,* La Haye, 1932, p. 9-75, et E. MALE, *L'Art religieux de la fin du Moyen Age en France,* Paris, 1931, p. 337 sq.

19. Un exemple parmi tant d'autres : une suite de quatre estampes en taille-douce gravées par Etienne Delaune (Strasbourg, 1575) représentant « *Pax* », « *Bellum* », « *Abondantia* », et « *Fames* » par des figures féminines.

20. Cf. *infra,* chap. III, « Paresse et pauvreté ».

21. G.P. VALERIANO BOLZANI, *Commentaires hiéroglyphiques ou images des choses,* Lyon, 1576, t. I, p. 278. Voir également J. BADE, *La Nef des folles,* Paris, 1500, ainsi que la réponse faite à ce volume par S. CHAMPIER, *La Nef des dames vertueuses,* Lyon, 1503.

22. Voir par ex. les planches gravées par Théodore Galle d'après Martin de Vos au Cabinet des Estampes de Paris (cote Ec 69d).

23. G. MEURIER, *Thresor de sentences dorées et argentées, proverbes et dictons communs,* Anvers, 1568 (citation prise de l'éd. de Cologne, non. pag., 1617). J. OLIVIER a interprété pour ses lecteurs le sens de ce proverbe dont il existait plusieurs variante :

« *La Femme appelée Dieu en l'Eglise, & pourquoi.* »

« ... une Femme est un Dieu dans les Eglises, parce que l'on la voit ordinairement en ces Saints Lieux feindre son naturel d'une aparente dévotion, & d'une pieté si contrefaite, que l'on la jugeroit pour la plus sainte, & pour la plus juste du monde.

« Elle sera quelquefois dans une Eglise deux & trois heures les genoux en terre en extase ou méditation, montant le blanc de ses yeux aux voûtes du Temple, sans remuer les sourcilles, & faire signe d'une ame toute remplie de devotion, & à dessein que le monde n'estime meilleure qu'elle n'est, & qu'elle ne fait paroître ailleurs, & en ses actions lubriques, & toutefois parmi toutes ces devotions hypocrites, elle couve au dedans un Escadion de desirs lâcifs, une Armée de mauvais desseins, & un bataillon de racunes, de vengeances, de folies, & de vanitez. »

« *La Femme estimée Ange dans les rues, & pourquoi.* »

« C'est... un Ange dans les ruës, car si vous y prenez garde, vous en verrez de si sages, & de si modestes, de si discrettes, de si honnêtes, de si respectueuses, et de si bien aprises en leurs gestes & comportemens, que le plus bel esprit du monde s'y laisseroit tromper. On les voit au dehors sages comme des Anges, & si prudentes que l'on les jugeroit n'avoir demeuré des pieds de Minerve ou de Pallas, Déesse de sagesse. »

« *La Femme apellée Diable en la maison, & pourquoi.* »

« ... c'est parce qu'étans sorties de l'Eglise, & aux jours mêmes qu'elles ont réçu la Sainte Communion, & entrans dans leur maison, c'est lors qu'elles font le diable à quatre, & leurs langues serpentines, animées d'impatience sonnent le toxin, & criant aux alarmes contre les Valets & les Servantes, pour n'avoir pas bien fait le lit, ou bien ballayé la place, rangé le ménage, ou n'avoir bien

couvert la marmite, ou pour la moindre chose du monde, avec tant de rage &
de furie, que si le pauvre Mari arrive la dessus, il faut qu'il... sorte du logis
pour mieux joüer son personnage. »

(*Alphabet de l'imperfection et malice des femmes,* Paris, 1617. Citation prise
de l'éd. de Rouen, 1683, p. 396-399 et 402-403).

24.   Des questions telles « la femme appartient-elle à la race humaine ? » ou
« a-t-elle ou non une âme semblable à celle des hommes ? » resurgissaient
périodiquement au cours du XVIe siècle. Présentées sous une forme tantôt facétieuse, tantôt plus que sérieuse, des brochures comme celle de V. ACIDALIUS,
Mulieres homines non esse (1595) continuaient à alimenter l'imagination et
entretenir le doute.

25.   J. OLIVIER, *Alphabet de l'imperfection et malice des femmes*, p. 42-43.

26.   ANONYME, XVe siècle (citation prise de la réédition parisienne de 1855,
p. 81).

27.   Cette estampe est reproduite dans J. ADHEMAR, M. SAKAMOTO,
I. YOSHIKAWA, *Gravure d'Occident des origines à nos jours,* t. III, Tokyo,
1972, p. 53.

28.   *De la bonté et mauvaisté des femmes,* Paris, 1563, f° 50 v°.

29.   PYTHAGORE, *Les Vers dorez,* Lyon, 1555, non. pag.

30.   *Les Œuvres de Pierre de Ronsard Gentilhomme Vandosmois Prince des
poètes françois. Reveues et augmentees,* t. II.

31.   G.P. VALERIANO BOLZANI, *Commentaires hiéroglyphiques*, t. I, p. 277.

32.   Voir J.M. AUBERT, *La Femme, Antiféminisme et christianisme,* Paris,
1975, p. 44.

33.   J.-L. VIVES, *Livre de l'institution de la femme chrestienne*, Paris, 1542,
p. 160.

34.   *De la démonomanie des sorciers,* Paris 1581, f° 65 v°.

35.   « Le paon assez cognu de nous autres ; est symbole de l'homme
orgueilleux, pour la superbe qui semble estre en cest oiseau, lors qu'il faint la
roüe & se mire dans son beau plumage... Les anciens s'en sont servis pour
remarquer les dames curieuses à se parer & par trop mondaines, lesquelles
n'ont rien de beau que le plumage extérieur & habits : tout le reste en demeu-
rant aussi laid & difforme que sont la chair & les pieds du paon... »
(P. DINET, *Cinq livres des hiéroglyphiques,* Paris, 1614, p. 444-445).

36.   Cf. D. & E. PANOFSKY, *Pandora's Box. The Changing Aspects of a
Mythical Symbol,* New York, 1956 (réed. 1962) 158 p.

37.   Le thème de la femme-vice et de l'homme-vertu est un lieu commun de
l'iconographie moralisante des XVIe et XVIIe siècles. Une fresque de Véronèse
dans la Villa Maser représente le Vice dompté par la Vertu sous la forme d'une
femme harnachée par un homme (reproduit dans : R. VAN MARLE, *Iconographie de l'art profane,* t. II, *Allégories et symboles.* fig. 7). Un autre exemple très
proche de l'estampe de Fornazeris est une feuille volante allemande du
XVIIe siècle qui figure un jeune homme hésitant entre un ange et une femme
assise sur un paon. A côté de l'ange une échelle monte au ciel alors que la
femme se trouve au sommet d'un escalier qui mène aux enfers (reproduit
dans : W.A. COUPE, *The German Illustrated Broadsheet in the Seventeenth Century,* Baden-Baden, 1967, vol. 2, fig. 108, n° 299).

38.   Estampe de grand format gravée sur bois et coloriée à la main, vendue
chez Paul Prouté (74, rue de Seine, Paris VIe) en 1978. Champfleury mentionne un panneau en bas relief du XVIe siècle (ornant une fenêtre du château
de Villeneuve, en Auvergne) qui offre quelque analogie avec cette estampe.

On y voit trois horribles démons forgeant une tête de femme pendant que trois anges à côté forgent une tête d'homme (*Histoire de la caricature au Moyen Age et sous la Renaissance,* Paris, 1867, p. 103).

39.   Ce thème est un précurseur du célèbre Lustucru, forgeron mythique dont les exploits ont régalé le public de l'estampe du XVIIᵉ jusqu'au XIXᵉ siècle. Sur ce personnage voir H. BRABANT, « Les traitements burlesques de la folie aux XVIᵉ et XVIIᵉ siècles », dans *Folie et déraison à la Renaissance,* Bruxelles, 1976, p. 75-97, et J. AVALON, « Lustucru, opérateur céphalique », *Les Nouvelles de l'estampe,* n° 3, 1968, p. 98-124.

40.   Lorsqu'une figure masculine apparaît dans une position inférieure à la femme, c'est soit un monstre ou un homme « animal » — tel le satyre piétiné par la Vertu (fig. 14) —, soit un individu infortuné, renversé par l'iniquité féminine — tel le pauvre malheureux qui se trouve sous les pieds de la Calomnie (fig. 85). Sur les origines de cette tradition de pensée « polarisée », voir G.E.R. LLOYD, *Polarity and Analogy : Two Types of Argumentation in Early Greek Thought,* Cambridge, 1971, et I. MACLEAN, *The Renaissance Notion of Woman*, chap. I. Sur la hiérarchie des contraires au XVIᵉ siècle, voir A. JOUANNA, *Ordre social. Mythes et hiérarchies dans la France du XVIᵉ siècle*, Paris, 1977.

41.   Ne seront cités ici que les résultats des analyses. Pour le détail voir ma thèse, *Mythes et iconographie de la femme dans l'estampe du XVIᵉ siècle français. Images d'un univers mental,* Paris, E.H.E.S.S., 1982, vol. 1, p. 255-266, vol. 2 tableau V et vol. 3 Appendices.

42.   Exception faite — évidemment — des exemplaires endommagés, mais il existe généralement plus d'une copie d'un livre donné et, en tout cas, les recueils les plus importants ont été réédités à plusieurs reprises.

43.   Ne pouvant consulter — et encore moins analyser — *tous* les livres d'emblèmes édités en France ou en langue française au cours du XVIᵉ siècle, j'ai établi une liste chronologique des recueils publiés en langue vulgaire pour ensuite étudier les œuvres les plus représentatives (voir, à la fin du volume, la « Bibliographie chronologique des livres d'emblèmes, de devises et d'hiéroglyphes publiés en langue française au XVIᵉ siècle »). Le critère de sélection a été d'abord linguistique : je me suis limitée aux ouvrages parus en français, en laissant de côté les textes édités en latin ou en langues étrangères afin de privilégier le rôle d'intermédiaire que le phénomène emblématique a joué en France entre la culture dominante et une population urbaine hétérogène (à remarquer, par ailleurs, que tout recueil d'emblèmes latins publié en France a connu au moins une édition en langue vulgaire). La chronologie des œuvres citées a été établie selon la première édition de chaque livre en langue française. La liste elle-même a été dressée d'après deux bibliographies importantes : A. HENKEL et A. SCHONE, *Emblemata Handbuch zur Sinnbildkunst des 16 und 17 Jahrhunderts. Supplement der Erstausgabe* (Stuttgart, 1976), et J. LANDWEHR, *French, Italian, Spanish and Portuguese Books of Devises and Emblems (1534-1827). A Bibliography* (Utrecht, 1976). Ont donc été retenus tous les recueils écrits ou traduits en langue française (ou en édition bilingue), qu'ils aient été imprimés en France ou à l'étranger. Sur les 32 ouvrages répertoriés, 8 (25 %) ont été analysés en profondeur. Cet échantillon a été sélectionné selon trois critères divers : le succès obtenu par le livre en question, son orientation morale ou religieuse, le lieu et la date de publication. Ainsi, je me suis penchée d'abord sur les livres les plus fréquemment réédités, tels les *Emblèmes* d'Alciati (22 éd.

en français entre 1536 et 1600) et le *Théâtre des bons engins* de Guillaume de
La Perrière (10 éd. entre 1539 et 1600). Ensuite, ont été repérés des ouvrages
qui fournissent — soit par leur originalité, soit par les circonstances particu-
lières de leur élaboration — une vision plus complète de l'emblématique francophone propre à l'époque. Ainsi figurent, parmi les recueils retenus pour une
analyse quantitative et qualitative, les documents déjà cités, à savoir le tout
premier livre d'emblèmes (Alciati) et le premier recueil français (La Perrière),
aussi bien qu'une suite d'*Emblemata* où, contrairement au procédé habituel,
l'image a précédé le texte (l'*Imagination poétique* de Barthélemy Aneau), la
première collection d'emblèmes imprimés en français à l'étranger (les
Emblesmes d'Adrien Le Jeune), le premier recueil d'inspiration religieuse (les
Emblemes ou devises chrestiennes de Georgette de Montenay, qui est également
l'unique collection composée par une femme). Enfin, la géographie et la chronologie ont joué un rôle important dans le processus de sélection des sources.
J'ai essayé, dans la mesure du possible, de consulter un ouvrage par décennie
et de suivre le déplacement des centres de production de l'emblématique — de
Paris à Lyon, à Anvers, à Metz.

Outre ces critères d'inclusion se sont imposés quelques critères d'exclusion
dépendant de mes propres préoccupations. Ainsi ont été mis de côté l'ensemble des traités de devises et de hiéroglyphes dans la mesure où ils ne représentent que fort rarement la figure humaine pour mettre plutôt en œuvre une
symbolique relative aux animaux, aux plantes et aux objets (la quatrième des
cinq conditions pour faire une « parfaite devise », selon Paolo Giovio, consiste,
en fait, à ce qu'elle « ne recherche aucune forme humaine », *Dialogue des
devises d'armes et d'amours,* Lyon, 1561). D'autres recueils ont été exclus parce
qu'ils offrent un matériel déséquilibré. Par exemple, les *Octonaires sur la vanité
et inconstance du monde,* d'Etienne Delaune (Strasbourg, 1580), ne fournissent
aucune image positive de la femme, ce qui empêche l'analyse comparative des
valeurs attribuées aux différentes représentations. De même, j'ai écarté certains
ouvrages en raison de la disproportion qu'ils présentent entre le texte et
l'image — telle la *Délie* de Maurice Scève (Lyon, 1544), où 50 gravures minus-
cules illustrent 204 pages de vers sans qu'il y ait aucun lien explicite entre les
images et le texte — et la *Prosopographia* de Cornelis Van Kiel (Anvers, vers
1590) qui constitue un livre d'iconographie plutôt qu'un recueil emblématique,
le texte accompagnant chaque planche étant très court (il ne dépasse jamais
deux ou trois lignes). Enfin, il faut admettre que malgré la volonté dé sélec-
tionner rationnellement un nombre maniable mais significatif de livres d'emblèmes, le hasard, le problème de la disponibilité des documents et ma propre
subjectivité ont eu, sans le moindre doute, leur part dans le choix des recueils
analysés.

Une dernière observation s'impose sur le choix des livres retenus pour l'analyse quantitative des représentations. Deux éditions des *Emblèmes* d'Alciati
ont été examinés en détail : la première édition française illustrée de 113 gravures sur bois (Paris, Chrétien Wechel, 1536) et une édition élargie comportant
165 planches, sortie des presses lyonnaises (Macé Bonhomme & Guillaume
Rouillé, 1549). La raison de cette redondance analytique ne repose que partiellement sur le succès des éditions de Wechel et de Rouillé. Encore plus important est le poids de l'œuvre d'Alciati dans la production emblématique en
France. Sur 105 éditions et rééditions de recueils d'emblèmes imprimés en
français au cours du XVIe siècle, non moins que 22 sont d'Alciati qui, d'ail-

leurs, ne cessa d'élargir son œuvre jusqu'à sa mort (son dernier recueil comporte 211 emblèmes). Ainsi, sur cinq livrets emblématiques diffusés sur le territoire français au cours du siècle, un était toujours de la main du jurisconsulte italien. Il m'a donc paru nécessaire de retenir plus d'une édition de l'œuvre d'Alciati, non seulement par souci de représentativité, mais également pour saisir les nuances, les permanences et les innovations dans le discours emblématique selon les différentes éditions d'un même livre (cf. *infra :* chap. II, « Pucelles passives et vierges combattantes »).

44. *Les Emblemes ou devises chrestiennes* (Lyon, 1571) de Georgette de Montenay, « féministe » parmi les emblématistes, est l'unique recueil de notre corpus qui fait pencher la balance en faveur des femmes (58 % de représentations positives par rapport à 42 % négatives), assignant aux hommes le rôle du sexe méchant (47 % de représentations négatives par rapport à 42 % positives). Exception qui confirme la règle, la voix solitaire de la poétesse réformée interprétée par le peintre-graveur lyonnais, Pierre Woeiriot, ne fait que consolider, par son opposition systématique aux autres emblématistes, l'ensemble des préjugés courants.

45. Les femmes « positives » vêtues à la mode du XVIᵉ siècle représentent, en général, les vertus attribuées aux épouses modèles, aux mères exemplaires, aux religieuses chastes et pieuses. Il existe même deux représentations de « reines » dans mon échantillon : Le 40ᵉ emblème de l'*Hecatomgraphie* de Gilles Corrozet (Paris, 1540) personnifie la « Vertu » par une petite reine debout sur un piédestal, un cœur et une couronne de laurier à la main, tandis que le premier *Embleme chrestien* de Georgette de Montenay (Lyon, 1571) représente « *Sapiens mulier aedificat domu* » par une reine (Jeanne d'Albret) érigeant les murs d'un temple protestant.

46. Voir à ce propos R. MUCHEMBLED, « Dévalorisation des femmes et des groupes de jeunesse » dans *Culture populaire et culture des élites dans la France moderne (XVᵉ-XVIIIᵉ siècle),* Paris, 1978, p. 202-208. Selon J.M. FERRANTE, *Woman as Image in Medieval Literature,* New York/London, 1975, la vision négative de la femme qui caractérise la littérature du Moyen Age serait symptomatique de la généralisation d'une attitude négative devant la vie qui s'accentue en Occident à partir du XIIIᵉ siècle.

47. Plusieurs inventaires inédits sont conservés aux Archives nationales et, fort probablement, d'autres sont à découvrir. Le nouvel *Inventaire du fonds français. Graveurs du XVIᵉ siècle* qui est en train d'être compilé portera mention des documents connus (cf. *infra* note 49).

48. J. ADHEMAR et G. WILDENSTEIN, « Les images de Denis de Mathonière d'après son inventaire (1598) », *Arts et Traditions Populaires,* année VIII, n° 1-2-3-4, janv.-déc. 1960, p. 152.

49. Malgré ce grand avantage, l'inventaire en question présente un inconvénient majeur pour tout essai d'analyse chiffrée, car les descriptions des documents inventoriés sont souvent assez superficielles. Une suite d'estampes telles les « Mascarades » de Robert Boissard (Strasbourg, 1597) ne devrait pas être réduite, par exemple, à « 24 planches de costumes théâtraux ». En y regardant de plus près, on découvre Circé en compagnie d'hommes « brutaux » (allégorie sur la nature « bestiale » de l'amour), le thème de la jeune fille et la Mort (réflexion sur la nature transitoire de la vie et la vanité des préoccupations mondaines), et maints autres sujets chers à la gravure moralisante. De même les 23 « Médaillons historiques » de Jacques Androuet Ducerceau

(Paris/Genève, 1550-1580), qui ne sont pas décrits par l'inventaire, représentent des sujets utiles pour mon propos, tel « *Amor vincit omnia* », ou Joseph et la femme de Putiphar. Au-delà des limites du catalogue actuel il y a les surprises réservées par la gravure d'ornementation : les cartouches bellifontains, les modèles de bijouterie et les panneaux de grotesques contiennent une multitude de personnages et de scènes secondaires qui ne sont point dépourvus de signification. Ces problèmes seront sans doute résolus par le nouvel *Inventaire du fonds français. Graveurs du XVIᵉ siècle* que Marianne GRIVEL, conservateur au cabinet des Estampes, est en train de compiler. Ce nouvel inventaire présentera l'avantage de l'illustration exhaustive des documents ainsi que le catalogue complet des livres à figures de la même époque qui se trouvent au département des imprimés de la Bibliothèque Nationale.

50. Cette impossibilité comporte également une dimension diachronique. Comment interpréter, par exemple, le fait qu'aucune personnification féminine de la Fraude ne puisse se trouver avant 1540, alors que les fabliaux, les farces et les recueils de contes et de nouvelles abondent en exemples montrant la fourberie du sexe féminin, et cela depuis au moins un siècle ? Or ce thème, qui avait fait fortune dans la littérature, n'a fait ses débuts dans l'estampe qu'avec la mode de l'imagerie allégorique mise en vogue par la Renaissance. De ce fait, l'absence de ce sujet iconographique dans la gravure du début du siècle ne permet pas de tirer des conclusions quant à la non-attribution de ce défaut aux femmes, encore que la date d'apparition d'un thème puisse nous apprendre quelque chose sur l'évolution de la gravure et sur les rapports que celle-ci entretient avec la littérature. Jointe aux difficultés présentées par le développement inégal de l'estampe au XVIᵉ siècle, l'analyse chronologique des représensations féminines est d'autant plus compliquée qu'on manque de beaucoup d'informations sur les documents. Si l'emblématique présente l'avantage d'une certaine homogénéité — chaque recueil constituant en soi-même un mini-corpus clos, daté et localisé —, l'estampe sur feuille a l'inconvénient d'être souvent anonyme, approximativement datée et difficilement repérable du point de vue géographique. Compte tenu de ces écueils, il a été impossible, dans les limites de cette étude, de faire l'inventaire chronologique et géographique de tous les sujets représentés. Cette interrogation a donc porté plutôt sur les représentations positives, négatives et « neutres » du sexe féminin afin d'établir l'évolution du « féminisme » de l'époque par rapport à une attitude misogyne qui s'avère prédominante.

51. Une ventilation thématique, quantitative, chronologique et géographique de l'ensemble des estampes figurant dans l'*Inventaire* se trouve dans la thèse dont ce livre a été tiré. Voir *Mythes et iconographie de la femme dans l'estampe du XVIᵉ siècle français*, vol. 3, Appendice. S'y trouvent une vingtaine de catégories thématiques, tels :

A. Nouveau Testament
B. Ancien Testament
C. Sujets pieux & images de dévotion
D. Antiquité classique (histoire, légendes, héros)
E. Mythologie gréco-romaine
F. Sujets érotiques (« pornographiques », comiques, moralisants)
G. Allégories et emblèmes
H. Vie quotidienne (scènes de genre, satires, critiques sociaux)
I. Evénements contemporains et sujets politiques

J.   Portraits
K.   La chasse
L.   La guerre (soldats et batailles)
M.   Paysages
etc.

52.   La méthode d'analyse que j'ai suivie pour l'identification sémantique des documents est fondée sur celles développées par E. PANOFSKY (« Problèmes de méthode » dans *L'Œuvre d'art et ses significations. Essais sur les arts « visuels »*, Paris, 1969, p. 25-52) et G. DE TERVARENT (« De la méthode iconologique », *Mémoires de l'Académie Royale de Belgique,* XII, 4, 1961). Je tiens d'ailleurs à souligner le fait que des considérations esthétiques n'ont pas été prises en considération pour les fins de cette analyse. En fait, à l'exception des préoccupations artistiques des deux écoles de Fontainebleau, le contenu et la fonction d'une gravure étaient toujours aussi (sinon plus) importants que le style ou la finesse du dessin. Pour ce qui concerne l'analyse de contenu, j'ai donc mis sur un même plan les planches sur bois gravées par les artisans urbains et les œuvres plus élitistes des grands artistes. De même, je n'ai pas cru utile de faire une distinction entre la gravure dite « originale », dont le dessin et la planche gravée sont de la main du même artiste, et la gravure dite de « reproduction », qui puisait ses modèles dans l'œuvre d'autrui. Lorsqu'une planche est identifiée comme étant un produit de la cour ou l'œuvre d'un imagier urbain, ce n'est donc pas pour juger de ses mérites artistiques mais plutôt pour saisir le trajet social de son « message » et comprendre les fonctions auxquelles cet objet était destiné.

53.   L'allusion allégorique à la forme féminine se fonde sur une tradition littéraire et iconographique de longue date. Voir à ce propos J.M. FERRANTE, *Woman as Image in Medieval Literature, passim.*

54.   Sont exclues de ce comptage des figures *mythologiques* telles Vénus, Diane et Minerve.

55.   L'histoire de l'estampe en France au XVIᵉ siècle ne suit pas une évolution linéaire. Les étapes de son développement se recoupent et des écoles différentes coexistent, à la même époque, dans les mêmes villes. De plus, ces frêles documents sont souvent anonymes, sans date ni lieu d'impression, et bien qu'ils puissent être « identifiés » et restitués dans leur contexte sociohistorique grâce à une typologie technique et stylistique, même les historiens de la gravure reculent devant les traquenards de la datation. Face à ces difficultés, il a été nécessaire de renoncer à l'espoir d'établir une chronologie exacte des représentations. Cependant, s'il n'est pas possible de suivre en détail les permanences et les innovations du discours iconographique, une répartition chronologique du XVIᵉ siècle peut être établie selon les étapes évolutives de la gravure. La grande majorité des documents peuvent ainsi être classés dans l'une des trois grandes périodes de production graphique :

1500 à 1540 : Sécularisation du livre illustré ; Permanence de l'imagerie religieuse ; Multiplication de l'estampe-affiche et du bulletin d'activité.

1540 à 1560 : Vogue du livre d'emblèmes (Paris et Lyon) ; École de Fontainebleau ; Développement du commerce international de l'estampe.

1560 à 1600 : Les centres de production du livre illustré se déplacent vers l'étranger ; Formation d'une école d'ornemanistes d'inspiration bellifontaine ; Arrivée de graveurs étrangers à Paris et vulgarisation de l'estampe en taille-douce ; Développement et floraison de l'imagerie urbaine (la rue Montorgueil et la rue Saint-Jacques).

Malgré la commodité de ce découpage, l'œuvre de certains graveurs échappe toujours au schéma diachronique. Que faire des nombreuses estampes sans date exécutées par une dizaine de graveurs dont l'activité s'étend sur plusieurs décades ? L'architecte-graveur Jacques Androuet Ducerceau travaille pendant plus de quarante ans, de 1540 à 1585, et l'œuvre de l'acquafortiste Étienne Dupérac s'étale entre 1543 et 1604. Ces quelques exceptions au tableau évolutif sont l'objet d'une tranche chronologique supplémentaire — 1540 à 1600 — ce qui complique inévitablement tout calcul quantitatif. Il est cependant préférable d'affronter les difficultés d'une périodisation malhabile plutôt que de prétendre résoudre des problèmes de chronologie devant lesquels reculent même les experts. Ainsi, d'après mon étude chronologique et quantitative des estampes volantes cataloguées dans l'*Inventaire du fonds français. Graveurs du XVIe siècle*, la production graphique de l'époque se distribue de la façon suivante :

Dates	Graveurs & Anonymes	Estampes
	N°	N°
1500-1540	17	133
1540-1560	43	693
1540-1600	9	1 826
1560-1600	185	2 879
TOTAL	254	5 531

56. R. BRIGGS, *Early Modern France (1560-1715)*, Oxford/New York/Toronto/Melbourne, 1979, p. 27.
57. J. DE MARCONVILLE, *De la bonté et mauvaisté des femmes*, fol. 76 r°.

NOTES DU CHAPITRE II

Femmes de vertu

1. J. DE MARCONVILLE, *De la bonté et mauvaisté des femmes,* Paris, 1563, fol. 29 r°.

2. J. BENEDICTI, *La Somme des pechez et les remèdes d'iceux,* Lyon, 1584 (citation prise de la réédition de Paris, 1601, table analytique). Voir également le chap. VII « Du stupre & defloration d'une pucelle, espece de luxure » : « O jeunes filles regardez ici à vostre honneur... vous portez ce beau thresor de virginité en vaisseaux de terre, c'est à dire, en vos corps fragiles, lesquels estant rompus & deflorez demeurent irreparables, ne plus ne moins, que le verre, ou le vaisseau de terre. »

3. N. Z. DAVIS, « Boundardies and the Sense of Self in 16th Century France », dans T.C. HELLER, M. SOSNA, D.E. WELLBERRY (éd.), *Reconstructing Individualism. Autonomy, Individuality and the Self in Western Thought,* Stamford (Calif.), 1986, p. 53-63 & 332-335.

4. J. DUVAL, décrit la valeur sociale accordée au pucelage et l'opprobre général qui attendait la fille assez imprudente d'avoir perdu sa virginité :

> « Cet Hymen ou hyménée, qui estant recognu en une fille au temps des nopces, rend le mari content et joyeux, d'avoir espousé une fille pudique, à raison dequoi la paix et la tranquillité est maintenue, tout le temps que dure la société nuptiale. Mais au contraire, quand il ne se trouve : le mari, qui ne se peut résoudre à l'amour d'une putain et vilaine, que se submettant impudiquement à la volonté d'autrui, aura laissé cueillir cette première fleur de sa virginité, et ne pouvant estre le mariage cassé et rompu, pour avoir esté solennellement contracté sous l'invocation de la puissance divine, et en la présence des parents et amis ; lors mille noises et contentions sont esmeues, avec une longue trainée d'injures. Et Dieu sçait si alors la femme est qualifiée vilaine, putain, ribaude, demeurant de bordeau, et chargée d'un nombre infini d'autres tels opprobes, qui font touver le Karesme bien long, qui suit les gras jours d'un si mal plaisant mariage, dont la pauvre garce n'est pas beaucoup resjouie » (*Des hermaphrodits, accouchemens des femmes, et traitement qui est requis pour les relever en santé, & bien elever leurs enfans,* Rouen, 1612 — citation prise de la réédition de Paris, 1880, chap. XIII, « De l'hymen », p. 85-86).

De même, P. de BRANTOME affirme que « ... le scandale d'une fille desbauchée est très-grand, et d'importance mille fois plus que d'une femme mariée ni d'une veuve ; car elle, ayant perdu ce beau tresor, en est escandalisée, vilipendée, monstrée au doigt de tout le monde, et perd de très-bons partis de mariage » (*Œuvres complètes,* II, *Des dames,* Paris, 1853, p. 327).

Pour un résumé des attitudes contemporaines à l'égard de la virginité voir P. DARMON, « L'hymen, mythe ou réalité ? » dans *Le Tribunal de l'impuissance,* Paris, 1979, p. 167-172 et M.-O. METRAL, *Le Mariage. Les hésitations de l'Occident,* Paris, 1977, Première partie, « Ecart et ambivalents », p. 23-112.

5.   Voir à ce propos L. JOUBERT, « S'il y a certaine cognoissance du pucelage d'une fille », dans *La première et seconde partie des erreurs populaires touchant la médecine & le régime de la santé,* Paris, 1587, Première partie, p. 198-216, et J. DUVAL, « Signes de pucelage resséant en la fille » dans *Des hermaphrodits,* p. 122-123, ainsi que le schéma dressé par M.-O. METRAL, « Mariage et virginité : un rapport non corrélatif » dans *Le Mariage,* p. 50-55.

6.   Cf. B. d'ASTORG, *Le Mythe de la dame à la licorne,* Paris, 1963.

7.   Pour une interprétation psychologique et ethnologique du rapport vierge-bête sauvage voir M.C. POUCHELLE, « Représentations du corps dans la *Légende dorée* », *Ethnologie française,* VI, 3-4, 1976, p. 298-303.

8.   Sur la signification de cette phrase énigmatique voir J. EVANS, « Note on Emblem I of the *Delie* », *Bibliothèque d'Humanisme et Renaissance,* XLI, 1979, p. 351-352.

9.   Les implications sexuelles de la légende sont tout aussi explicites dans certaines gravures pieuses du XVᵉ siècle où le thème de l'Annonciation prend la forme d'une chasse à la licorne. Ainsi le célèbre *Hortus conclusus* ou « Annonciation à la licorne » qui transforme l'archange Gabriel en chasseur et la Vierge Marie en pucelle-amorce assise au centre d'un jardin clos (gravure anonyme en taille-douce, Artois, c. 1445, reproduit dans H. BOUCHOT, *Les Deux Cents incunables xylographiques du Département des estampes,* Paris, 1903, II, pl. 79). La licorne s'est réfugiée parmi les jupes de la Sainte Vierge alors que des chiens de chasse courent autour de la palissade, enragés que leur proie leur ait échappé. Pendant que Gabriel sonne du cor à l'extérieur du jardin, la Vierge presse contre son ventre la corne de l'animal mythique. Le mystère de l'insémination virginale passe ici par le membre viril en symbole. Allégorie de la pureté, l'Annonciation à la licorne reconnaît la nature phallique de cette créature sans développer pour autant son potentiel érotique. Ce sera le XVIᵉ siècle qui transformera la licorne en symbole de l'érotisme refoulé.

10.   Cf. J. BERSIER, *Jean Duvet. Le maître à la licorne (1485-1570),* Paris, 1977.

11.   Cf. F. BARDON, *Diane de Poitiers et le mythe de Diane,* Paris, 1963. Le motif de Diane et le cerf, si cher à la Renaissance française, prend le relais, en quelque sorte, du mythe médiéval de la vierge à la licorne. C'est d'ailleurs dans l'allégorie que se manifeste plus la liaison entre l'espace mythique du Moyen Age et celui de la société nouvelle. Cf. P. FRANCASTEL, *Peinture et société,* Paris, 1965, p. 63.

12.   Sous cette forme le thème de la vierge à la licorne se rapproche de la doctrine néo-platonicienne de l'amour, doctrine qui finissait « par rejoindre, malgré le paravent de hautes justifications philosophiques, l'amour courtois médiéval qui ne pouvait s'épanouir qu'en dehors du mariage ». (J. DELUMEAU, *La Civilisation de la Renaissance,* Paris, 1968, p. 442.)

13. Après le Concile de Trente, ce thème représente plus spécifiquement l'Eglise extirpant l'hérésie. Cf. E. MALE, *L'Art religieux après le Concile de Trente,* Paris, 1932, chap. II, 3ᵉ partie.

14. Sur le symbolisme humain/animal au XVIᵉ siècle voir le « catalogue » de E. PERRET, *XXV Fables des animaux, vrai miroir exemplaire, par lequel toute personne raisonnable pourra voir et comprendre, avec plaisir et contentement d'esprit, la conformité et vrai similitude de la personne ignorante (vivante selon les sensualitez charnelles) aux animaux et bestes brutes,* Anvers, 1578.

15. Citation prise de l'édition de Paris, 1658, p. 255-256. C'est I. MacLean qui attribue ce livre à Alexis Trousset. Cf. I. MACLEAN, *Woman Triumphant. Feminism in French Literature 1610-1652,* Oxford, 1977, p. 31 note 25.

16. F. BILLON, dans *Le Fort inexpugnable de l'honneur du sexe féminin* (Paris, 1555), développe cette métaphore en décrivant l'honneur d'une femme comme une forteresse imprenable tandis que P. de BRANTOME, utilise des expressions « militaires » pour décrire des rencontres amoureuses (*Vies des dames illustres* et *Des dames galantes,* dans ses *Œuvres complètes* II, p. 157, 176, 222, 225, 237-238, 286, et *passim*).

17. L. FEBVRE, *Amour sacré, amour profane, autour de l'Heptaméron,* Paris, 1971, p. 276-277.

18. Cf. R. WITTKOWER, « Transformations of Minerva in Renaissance Imagery », *Journal of the Warburg Institute,* 1938/1939, p. 199-200.

19. Le thème de la *Psychomachie* (titre d'un poème de Prudence) connaît un succès durable au Moyen Age et à la Renaissance. A l'origine cette bataille mythique est incarnée par un personnage (homme ou femme), le pied sur un démon/dragon/serpent (cf. J. HOULET, *Le Combat des vertus et des vices. Les psychomachies dans l'art,* Paris, 1969). Vers la fin du XVᵉ siècle, L'iconographie des livres d'heures — et, notamment, le *Château de labour,* édité par Simon Vostre (1499) — témoigne d'une évolution dans la conception de ce combat ou plutôt d'un retour à la tradition virgilienne. Tant les vertus que les vices sont désormais personnifiés par des femmes, les premières montées sur des chevaux de guerre et les secondes sur des animaux divers (l'Orgueil sur un lion, l'Avarice sur un singe, la Luxure sur une chèvre, etc.). Sur la représentation féminine de la vertu et du vice voir également R. TUVE, *Allegorical Imagery. Some Medieval Books and their Posterity,* Princeton (N.J.), 1966, et J. SEZNEC, *La Survivance des dieux antiques. Essai sur le rôle de la tradition mythologique dans l'Humanisme et dans l'art de la Renaissance,* London, 1939.

20. « XIIII Tableau hiéroglyphique, du serpent en général », dans les *Discours des hiéroglyphes aegyptiens, emblèmes, devises et armoiries, ensemble LIIII tableaux hiéroglyphiques pour exprimer toutes conceptions à la façon des aegyptiens, par figures, & images des choses, au lieu de lettres,* Lyon, 1576, fol. XV r°.

21. T. I, p. 274-275.

22. Citation prise de l'édition de Paris, 1970, p. 167.

23. Cf. C. GAIGNEBET, « Véronique ou l'image vraie », *Anagrom,* n° 7-8, 1976, p. 45-70.

24. Sur la culpabilisation chrétienne et l'évolution du concept de l'ennemi « intérieur » voir J. DELUMEAU, *Le Péché et la Peur. La culpabilisation en Occident XIIIᵉ-XVIIIᵉ siècle,* Paris, 1983.

25. Selon Signor Gaspare, interlocuteur « misogyne » du *Courtisan* de B. CASTIGLIONE : « Il est certain qu'elles [les femmes mariées] ne sont retenues

d'autre bride que de celle qu'elles mesmes se sont baillée : et qui'il soit vrai la plus part de celles qui sont très estroittement gardées, ou qui sont battues de leurs maris ou pères, sont moins pudiques que celles qui ont quelque liberté » (éd.) en langue française publiée à Londres, 1588, cité par M. SCREECH, *The Rabelaisian Marriage*, p. 158). Natalie Zemon Davis a remarqué que cette même « liberté » caractérise certains ordres religieux de la Contre-Réforme où les membres, « vierges dans le monde », pouvaient circuler ou même vivre en dehors des murs du couvent.

26.   Cf. E. MALE, *L'Art religieux à la fin du Moyen Age en France*, p. 309-329 et fig. 168.

27.   J. DE MARCONVILLE, *De la bonté et mauvaisté des femmes*, fol. 39 r°.

28.   Dans le sillon d'une tradition de chroniques racontant la vie et (surtout) la mort de saintes martyres, Boccace, Castiglione, Marguerite de Navarre et Brantôme développèrent le thème littéraire de la victime morte pour sa chasteté, thème qui devint rapidement un topos de la littérature édifiante. Même les protestants ont connu grand nombre de « saintes » mortes avec honneur : voir J. CRESPIN, *Le Livre des martyrs depuis Jean Huss jusqu'à cette présente année,* Genève, 1544 (je remercie Jean Delumeau pour cette référence).

29.   Il n'existe qu'une ou deux représentations savantes de Britomarte, nymphe de la suite d'Artémis qui se jeta à la mer pour échapper aux empressements de Minos (voir par ex. l'estampe d'Etienne Delaune, Cabinet des Estampes, cote éd. 4 pet. fol.). C'est Lucrèce, et Lucrèce seule, qui a syncrétisé le mélange d'héroïsme, d'érotisme et de sadisme qui a tant plu aux graveurs et leur public.

30.   Sur le suicide féminin et l'histoire de Lucrèce voir S.R. SULEIMAN (éd.), *The Female Body in Western Culture,* Cambridge (Mass.), 1986, p. 68-83 et 209-222. Sur les valeurs attribuées à cet acte voir S.H. JEDD, *Chaste Thinking. The Rape of Lucretia and the Birth of Humanism*, Bloomington (Ind.), 1989.

31.   M. ROLAND-MICHEL, *L'Art et la sexualité,* Paris, 1973, p. 28. Au sujet du sadisme érotique de l'hagiographie voir également Ph. ARIES, *L'Homme devant la mort,* Paris, 1977, p. 363-367. Sur la tradition chrétienne d'automutilation consulter J.T. SCHULENBURG, « The Heroics of Virginity : Brides of Christ and Sacrificial Mutilation » dans M.B. ROSE, *Women in the Middle Ages and the Renaissance,* Syracuse (N.Y.), 1986.

32.   La littérature du XVIᵉ siècle associe souvent les chastes martyres de l'Antiquité aux saintes suppliciées de la chrétienté, citant de nombreux exemples de femmes — tant païennes que chrétiennes — qui ont fait preuve d'une vertu exemplaire. Cf. J. DE MARCONVILLE, *De la bonté et mauvaisté des femmes*, « De la chasteté d'aucunes femmes, première vertu requise en elles », fol. 29 r° et 35 r°, et J.-L. VIVES, *Livre de l'institution de la femme chrestienne*, « Des vertus des femmes et exemples quelles doivent ensuir », p. 80-86.

33.   Citations prises de l'édition de Paris, 1987, p. 18-21.

34.   Il y a divers personnages « historiques » de sexe masculin dont l'estampe loue la tempérance physique, tels Scipion, saint Joseph et saint Antoine. Il n'y a cependant aucune comparaison quantitative entre l'éloge de la continence masculine et l'exploitation du thème de la chasteté féminine. Pour deux représentations de Scipion, il y en a au moins une douzaine de Lucrèce, pour une de Joseph, on en trouve une vingtaine de la Sainte Vierge,

et pour deux ou trois emblèmes exhortant les hommes de lettres à fuir la femme luxurieuse, il en existe une cinquantaine célébrant la chasteté féminine. Il ne faut pas non plus oublier que chaque représentation positive du beau sexe fait une référence obligée à la pudeur (condition *sine qua non* de la bonté féminine), alors que les personnages positifs masculins ne sont point sujets à cette convention iconographique.

35.   p. 50-51.

36.   Je remercie Natalie Zemon Davis de m'avoir fait noter la référence vestimentaire au *veuvage*.

37.   Selon J.-L. VIVES, la pucelle doit avoir « les yeulx baissez non la teste eslevee... [être] attrempee en son parler, & de louable crainte & saincte vergogne... [Elle] couvrera sa face, & ne ouvrera l'œil que autant qu'il lui est necessaire pour voeir son chemin », *Livre de l'institution de la femme chrestienne*, p. 90.

38.   Les imagiers de la rue Montorgueil s'inspiraient largement de l'art savant mais ils prenaient souvent soin de transformer les costumes antiques en habits du XVIᵉ siècle. Ainsi, une suite représentant les mois de l'année gravée en taille-douce par Étienne Delaune a été copiée (sur bois) par un graveur anonyme de la rue Montorgueil qui a systématiquement modernisé les costumes sans altérer pour autant les autres détails (Ea 25a fol. rés.). Néanmoins, les personnalités saillantes de l'histoire gréco-romaine avaient généralement le privilège de garder un habillement antique.

39.   Le thème des Neuf Preuses fut élaboré par le poète Eustache Deschamps comme pendant aux Neuf Preux, parangons du paladin médiéval. La version féminine n'était cependant qu'un reflet logique du *topos* masculin et, de ce fait, ne constituait qu'un culte de pure forme. Véhicule de valeurs sociales réelles, le thème des chevaliers preux a connu un succès beaucoup plus grand que sa contrepartie féminine.

40.   La fréquence des éditions témoigne du succès de cette œuvre à l'époque : on en connaît 14 éditions entre 1480 et 1538. Rajeuni par Clément Marot, le *Roman de la Rose* eut une influence continue tout le long du XVIᵉ siècle. Les poètes de la Pléiade — Ronsard, du Bellay, Baïf — font souvent référence à l'œuvre de Guillaume de Lorris et de Jean de Meung tandis que les rhétoriqueurs et les historiens célèbrent le roman et ses allégories édifiantes comme le « Dante » français (GENTE [éd.], *Dictionnaire des lettres françaises. Le XVIᵉ siècle,* Paris, 1951, p. 606-608).

41.   Voir les nombreuses descriptions d'entrées royales publiées au XVIᵉ siècle telles R. DU PUYS, *La Triumphante et Solennelle Entree du tres hault... prince Monsieur Charles Prince de Hespaignes en sa ville de Bruges l'an mil V cens et XV,* Paris, s.d. ; *L'Entrée de la Royne en sa ville et cité de Paris...* Paris, 1531 ; ou encore *L'Entrée de Monseigneur le Daulphin faicte en l'antique et noble cité de Lyon, l'an mil cinqcens trente et trois...,* Lyon, 1533, ainsi que d'autres récits d'entrées cités par R. BRUN, *Le Livre français illustré de la Renaissance. Etude suivie du catalogue des principaux livres à figures du XVIᵉ siècle,* Paris, 1969, p. 190. Voir également l'étude de I.D. MACFARLANE, *The Entry of Henry II into Paris 1549,* Binghamton (N.Y.), 1981.

42.   « ... la vraie et parfaite beauté... reluise principalement en l'homme à raison de l'âme et esprit qui est en lui sans comparaison plus beau, plus grand, plus excellent, plus gentil, plus solide, et plus arreté qu'en la femme : si est-ce

que la beauté est plus requise, plus nécessaire, plus souhaitée et désirée ès femmes qu'ès hommes : tant pour couvrir aucunement leurs imperfections intérieurs et cacher les meurs, qui sont en d'aucune, impuissantes et indomptables : que pour les rendre plus aimables aux hommes, plus plaisantes et agréables à leurs maris. » J. LIEBAULT, *Embellissement du corps humain*, Paris, 1582, p. 7. Je remercie Jean-Louis FLANDRIN pour cette citation.

43.   A part les célèbres *Blasons anatomiques du corps féminin* (ANONYME, Paris, 1550) et les divers Blasons poétiques (du beau tétin, du ventre, de la cuisse), dont celui de Clément Marot est le plus célèbre, il existait aussi une tradition littéraire énumérant les « beautés » de la femme. Ainsi BRANTOME cite-t-il les trente beautés féminines qu'une dame espagnole lui raconta un jour à Tolède (Troisième discours *Des dames gallantes)* et un pamphlet anonyme du XVIe siècle intitulé *La Louenge et Beauté des dames* se termine par les soixante atouts que « Belle femme doit avoir ». (A. DE MONTAIGLON, *Recueil des poésies françaises des XVe et XVIe siècles,* Paris, 1869, t. VII, p. 287-301.)

44.   Voir par exemple les suites allégoriques de Jean Chartier, de Geoffroy Dumonstier et de Jacques Androuet Ducerceau, toutes gravées en taille-douce entre 1540 et 1580.

45.   Sur l'évolution de l'iconographie des Vertus cardinales du XIVe au XVIe siècle voir E. MALE, *L'Art religieux à la fin du Moyen Age,* p. 309-328.

46.   *Le Courtisan* de B. CASTIGLIONE, dont la première traduction française fut publiée en 1528, avait consacré en France le modèle de vertu masculine élaboré en Italie. Véritable manuel de comportement et de bonnes manières, cette œuvre eut un succès fulminant dans l'Europe du XVIe siècle.

47.   Voir les divers séries décrites par A. LINZELER et J. ADHEMAR dans l'*Inventaire du fonds français. Graveurs du XVIe siècle,* Paris, 1935/1939.

48.   Sur l'étendue et les limites du rôle « civilisateur » joué par les dames au centre des cours médiévaux voir, entre autres, E. POWER, *Les Femmes au Moyen Age,* Paris, 1971, chap. I, « La conception médiévale de la femme ». Pour le XVIe siècle voir surtout R. KELSO, *Doctrine for the Lady of the Renaissance,* Chicago, 1978.

49.   Dans la vie de cour du XVIe siècle « la femme éducatrice agit sur l'homme de fort bonne heure. Il était alors malséant pour les jeunes nobles de ne pas avoir "une maistresse" ; ils ne la choisissaient pas eux-mêmes, en suivant les impulsions de leur cœur, mais elle leur était donnée par des parents ou supérieurs à moins que la dame ne fît choix de celui par qui elle voulait être servie. C'est ainsi que le duc de Bouillon, âgé de treize ou quatorze ans, reçut du maréchal d'Anville, pour maîtresse, Mlle de Châteauneuf (Renée de Rieux). "J'estois soigneux de luy complaire (narre le duc en ses *Mémoires)* et de la faire servir, autant que mon gouverneur me le permettoit, de mes pages et laquais". Par elle, l'adolescent, dont les études s'étaient bornées à la lecture de quelques histoires et qui passait son temps à monter à cheval, tirer des armes, combattre à la barrière et danser, s'ouvrait aux sentiments délicats et se formait à la vie de cour. "Elle se rendit très soigneuse de moy (poursuit le duc de Bouillon) me reprenant de tout ce qui lui sembloit que je faisois de malséant, d'indiscret ou d'incivil." Ceux qui ne subissaient pas une influence féminine de cette sorte passaient pour des gens "mal appris et n'ayans l'esprit capable d'honneste conversation" » (M. POETE, *Une vie de cité. Paris de sa naissance à nos jours,* t. II, *La Cité de la Renaissance,* Paris, 1927, p. 72).

50.   P. BEMBO. *Epistolae,* cité par R.A.M. DE MAULDE LA CLAVIERE, *Vers le bonheur ! Les femmes de la Renaissance,* Paris, 1989, p. 135.

51. J. DE MARCONVILLE, *De la bonté et mauvaisté des femmes*, fol. 25 r°. A ce sujet voir également P. DE BRANTOME, *Vies des dames illustres*, p. 134-135, 173, 181 et *passim*.

52. Voir par exemple la liste des femmes instruites dressée par F. DE BILLON dans *Le Fort inexpugnable de l'honneur du sexe féminin* ou encore P. DE BRANTOME, *Vies des dames illustres*, aux chapitres sur « Marie Stuart, reine d'Escosse », « Marguerite, reine de France et de Navarre », « Madame Renée de France », etc.

53. J. DELUMEAU, *La Civilisation de la Renaissance,* p. 436-439.

54. Mode surtout littéraire. Voir à ce propos M. LAZARD, « La muse du poète : sois belle et tais-toi », dans *Images littéraires de la femme à la Renaissance,* Paris, 1985, chap. III.

55. Le XIXᵉ siècle a connu une recrudescence du courant satirique contre les femmes « de lettres », précieuses ridicules et bas-bleus. Cette campagne antiféministe, menée par une bourgeoisie jalouse de sa culture, accusait les femmes savantes de déroger à leur sexe. A force de penser et d'écrire elles devenaient « masculines », myopes et chauves, tout en semant le désordre dans les bibliothèques, temples de savoir normalement réservés aux hommes. Voir à ce sujet A. CIM, *La Femme et les livres,* Paris, 1919 et M. MELOT, *L'Œil qui rit. Le pouvoir comique des images,* Paris/Genève, 1975.

56. R. WITTKOWER, « Transformations of Minerva in Renaissance Imagery », p. 203-205.

57. Les estampes représentant des scènes ou des personnages inspirés de la mythologie classique n'attribuent pas systématiquement aux figures féminines des valeurs simples. Si Vénus est évoquée en compagnie de Mars, le graveur a autant tendance à exalter les douceurs de l'entretien amoureux qu'à censurer les rapports adultères. De même Diane chasseresse — vierge et pure — est « coupable » d'avoir stimulé le désir masculin : elle a été à l'origine de la mort d'Actéon et de l'immortalité céleste d'Orion. Seule l'emblématique et l'estampe allégorique, en tant que véhicules de préceptes moraux, polarisent les représentations mythologiques selon une interprétation binaire (positive ou négative) des exploits « historiques » de ces déesses antiques.

58. De 100 % des représentations féminines positives en 1500-1540 Judith tombe à seulement 36 % en 1540-1600.

59. Cf. I. MACLEAN, *Women Triumphant, passim.*

60. Sur l'exclusivité de l'attribut de l'épée dans l'art de la Renaissance voir E. PANOFSKY, *Essais d'iconologie,* Paris, 1967, p. 27.

61. Cabinet des Estampes Ed. 5c rés. pet. fol.

62. L'estampe bellifontaine fut particulièrement éprise de ce thème, d'autant plus qu'il servait souvent d'alibi pour évoquer les divertissements érotiques de la cour. Cf. H. ZERNER, *L'Ecole de Fontainebleau. Gravures,* Paris, 1969.

63. Les deux dernières planches de la série de Denis de Mathonière représentant respectivement le retour triomphant de Judith à Béthulie, où elle montre au prêtre et au peuple la tête de leur ennemi, et la bataille décisive qui met en déroute les troupes d'Holopherne.

64. Cf. chap. III, « Vice de femme est orgueil ».

65. Cabinet des Estampes AA 2 rés.

66. p. 219.

67. « De deux femmes lesquelles en habit d'homme ont obtenu lés deux plus grands estats du monde », « Des Amazones & autres femmes belli-

queuses... », « Des femmes qui ont esté cause de repurger le pays & republiques des Tyrans qui les infestoient & molestoient », « De Jeanne d'Arque, surnommée de Vaucouleur & appelée la Pucelle ».

68.   J. DE MARCONVILLE, *De la bonté et mauvaisté des femmes*, f°. 45 r°.

69.   B. CASTIGLIONE, *Le Courtisan*, livre III, et P. DE BRANTOME, *Des dames gallantes*, deuxième discours. Pour des autres exemples de femmes combattantes voir A. FRASER, *The Warrior Queens*, New York, 1988.

70.   M. BARDECHE, *Histoire des femmes*, t. II, Paris, 1968, p. 131.

71.   *De la bonté et mauvaisté des femmes*, f° 120 r°. Même les commères des célèbres *Caquets de l'accouchée* se plaignent du statut privilégié réservé aux « soldates » de l'Antiquité : « pour leur valeur et addresse aux armes, n'avons-nous point ceste genereuse guerrière en France, la Pucelle d'Orléans, qui s'est signalée en tant de combats, rencontres, en tant d'assauts et batailles, sans aller en Trace chercher les antiques Amazones ? » (Paris, éd. de 1889, p. 196).

72.   Cf. chap. III, « Violences féminines ».

73.   P. DE BRANTOME, *Des dames galantes*, troisième discours, p. 318.

74.   Il existait même certaines croyances selon lesquelles une femme ne devait pas toucher une arme pour que celle-ci garde sa puissance « virile » : « Quant un homme est prest pour monter à cheval, il ne doit prendre de la main de sa femme son espée ne autre pièce de harnas, car à son besoing ne s'en pourroit deffendre » (ANONYME, *Les Evangiles des quenouilles,* citation prise de l'édition de Paris, 1855, p. 54).

75.   M.-O. METRAL démontre clairement comment la rhétorique théologique fait du sexe « vierge » un sexe « neutre » : *Le Mariage*, p. 38, 44-45, 56. Quant au fantasme de la femme-homme, voir P. SAMUEL, *Amazones, guerrières et gaillardes. Mythes de la masculinité de la femme,* Bruxelles, 1975, et J. LIBIS, *Le Mythe de l'androgyne,* Paris, 1980.

76.   Cf. L. FEBVRE, *Le Problème de l'incroyance au XVIᵉ siècle. La religion de Rabelais,* Paris, 1968, p. 407-408. Voir également les nombreux pamphlets sur des « prodiges » météorologiques — comètes, tremblements de terre, etc. — catalogués par J.-P. SEGUIN, *L'Information en France avant le périodique, 517 canards imprimés entre 1529 et 1631,* Paris, 1964.

77.   Les demeures rurales de l'ancienne France étaient souvent divisées par une simple barrière en espace-habitable/espace-étable. La proximité du bétail assurait à la demeure une chaleur vitale tout au long de l'hiver tout en éliminant la possibilité de vol ou d'égarement. Noël DE FAIL a laissé une description de la maison d'un paysan breton du XVIᵉ siècle, dont la seule pièce d'habitation n'était séparée des étables que par « de belles gaules de coudre entrelacées par un subtil ouvrage » (*Les Baliverneries d'Entapel,* éd. de 1894, p. 45-48). De même, la collection d'études régionales intitulée *Architecture rurale française* fournit de nombreux exemples de maisons anciennes où hommes et bêtes partageaient le même toit, parfois la même chambre (collection publiée sous la direction du Musée National des Arts et Traditions Populaires, Paris, à partir de 1978).

78.   Selon R. MUCHEMBLED, la prolifération d'animaux dans les villes entraînait parfois des dangers pour la population urbaine. Les porcs « s'ébattent en liberté dans les immondices, croquant au passage un tout jeune enfant sans surveillance ». Il y avait également des « chiens truands » qui pouvaient propager la rage et des chats errants qui se multiplièrent jusqu'à ce que la ville ordonnât leur exécution, vu leur trop grand nombre (*Culture populaire et culture des élites dans la France moderne,* Paris, 1978, p. 148-149).

79.   Les œuvres d'Ambroise Paré, de Laurent Joubert, de Paracelse et de la plupart des médecins de l'époque abondent en métaphores de ce genre.

80.   J. DUVAL, *Des hermaphrodits*, p. 102.

81.   Cf. « Femme et terre : un mythe tenace » dans *Pénélope. Pour l'histoire des femmes,* numéro spécial sur « *Femme & Terre* », n° 7, automne 1982.

82.   « On tien Ceres avoir esté la première qui a enseigné à semer le bled, le cueillir, & le mouldre, & en faire du pain pour l'usage des hommes... [ce] qui occasionna qu'on fit sa statuë en forme de matrone, avec guirlandes, coronnes, ou chapelets d'espics de bled sur la teste, tenant un bouquet de pavot en sa main pour signe de fertilité... tout ce qu'on dict de cest Deesse tend seulement pour nous declarer la fertilité, de ce qui se peut manger : comme Bacchus demonstre l'abondance de ce qu'on boit » (P. DINET, *Cinq livres des hiérogly-phiques, ou sont contenus les plus rares secrets de la nature, & proprietez de toutes choses,* Paris, 1614, p. 624-625. Ouvrage écrit avant 1601, publication posthume).

83.   Cf. R. VAN MARLE, *Iconographie de l'art profane*, II, *Allégories et symboles,* fig. 203.

84.   N. BELMONT, *Mythes et croyances dans l'ancienne France,* Paris, 1973, p. 24-25.

85.   G. DURAND, *Les Structures anthropologiques de l'imaginaire,* Paris, 1969, p. 296. Pour un résumé des formes attribuées à cette divinité archaïque voir W. LEDELER, « La mère universelle », dans *Gynophobia*, chap. III.

86.   Voir par exemple L. JOUBERT, « Cinquième livre... touchant le laict & la nourriture des enfans » dans *La première et seconde partie des erreurs populaires*.

87.   Cf. G. BOUCHET, « Des nourrices », dans *Les Serées,* Poitiers, 1584, (XIVe serée) et J. BENEDICTI, « Maladies diverses proviennent aux enfans a cause du laict corrompu des nourrices », dans *La Somme des pechez*, p. 104.

88.   Les femmes assurent toujours ce rôle dans certaines communautés contemporaines : cf. Y. VERDIER, « La femme qui aide », dans *Façons de dire, façons de faire. La laveuse, la couturière, la cuisinière,* Paris, 1979, p. 83-107.

89.   *Œuvres complètes,* chap. LX «De la mole engendrée en la matrice, appelée des femmes mauvais germe », Paris, 1575 (citation prise de la rééd. de Paris, 1840-1841).

90.   13 p., fig. au titre. Canard n° 471 du catalogue de J.-P. SEGUIN, *L'In-formation en France avant le périodique*, p. 122.

91.   *Animaux, monstres et prodiges,* Paris, 1954, p. 99-100. Sur la morpholo-gie et les causes des monstres au XVIe siècle voir C. KAPPLER, *Monstres, démons et merveilles à la fin du Moyen Age,* Paris, 1980, p. 223-230 et *passim*.

92.   Cf. P. DARMON, « Peut-on procréer sans homme ? », dans *Le Mythe de la procréation à l'âge baroque,* Paris, 1977, p. 121-132.

93.   J.-P. PETER a constaté la persistance de cette vision de la fertilité fémi-nine jusqu'à la fin du XVIIIe siècle : « le corps des femmes se présente d'abord, dans le catalogue médical de ses manifestations spécifiques, comme éminem-ment susceptible de produire des objets. Parmi ceux-ci, les enfants ne sont que les plus ordinaires. Mais ces productions peuvent aussi bien ressortir aux ordres du minéral, du végétal ou de l'animal, et surtout les confondre ; c'est alors l'engendrement des monstres » (« Interrogation et réduction du corps par le savoir médical (1760-1860) », *Annuaire de l'E.H.E.S.S. 1976-1977,* p. 138). Voir également du même auteur : « Entre femmes et médecins. Violence et

singularités dans les discours du corps et sur le corps d'après les manuscrits médicaux de la fin du XVIIIᵉ siècle », dans *Ethnologie française,* VI, n° 3-4, 1976, p. 341-348.

94.   Cf. P. SEBILLOT, *Le Folklore de France,* t. III, *La Faune et la Flore,* Paris, 1906, p. 59.

95.   Cf. L. HERNANDEZ, *Les Procès de bestialité aux XVIᵉ et XVIIᵉ siècles. Documents judiciaires inédits publiés avec un avant-propos,* Paris, 1920. La thèse de Hernandez a été considérablement révisée par A. SOMAN.

96.   Au sujet des représentations « inquiétantes » ou « monstrueuses » de la nature voir J. CEARD, *La Nature et les Prodiges. L'insolite au XVIᵉ siècle en France,* Genève, 1977.

97.   Pour une analyse historique et anthropologique de cette tradition médicale voir M.C. POUCHELLE, *Corps et chirurgie à l'apogée du Moyen Age,* Paris, 1983.

98.   Il existe, bien sûr, des hommes « sauvages », tels Pan et les satyres, ou des hommes « aquatiques », tels les tritons, mais nulle représentation masculine n'identifie le sexe fort à plus d'une catégorie à la fois. Seule la femme appartient simultanément aux règnes végétal, animal et humain.

99.   Par exemple, la plupart des alphabets ornementaux représentant des figures humaines accordent à Adam et Eve la lettre « A » alors que de nombreuses paires de pendants ou de boucles d'oreilles juxtaposent l'Annonciation au péché originel.

100.   PARACELSE, *Œuvres complètes,* t. II, Paris, 1914, p. 151.

101.   Sur le rapport entre femme, nature et culture voir l'importante bibliographie anglo-saxonne dont : M.Z. ROSALDO, L. LAMPHERE (éd.), *Woman Culture and Society,* Stanford (Calif.), 1974 ; C. MACORMACK, M. STRATHERN (éd.), *Nature, Culture and Gender,* Cambridge, 1980 ; S. ORTNER, H. WHITEHEAD (éd.), *Sexual Meanings : The Cultural Construction of Gender and Sexuality,* Cambridge, 1981 ; C. MERCHANT, *The Death of Nature. Women, Ecology and the Scientific Revolution,* San Francisco/London, 1983.

102.   J.-L. VIVES, par exemple, divise son *Livre de l'institution de la femme chrestienne* en 3 parties : « De la pucelle », « Des femmes mariees », « Des vefves », avec une 4ᵉ partie qui concerne l'homme : « De l'office du mari ».

103.   F. RABELAIS, *Pantagruel,* chap. VIII (cité par M. SCREECH, *The Rabelaisian Marriage,* p. 16).

104.   E. LE ROY LADURIE dans E. SULLEROT, O. THIBAULT (éd.), *Le Fait féminin,* Paris, 1978, p. 426.

105.   N. Z. DAVIS, « City Women and Religious Change », dans *Society and Culture in Early Modern France,* Stanford (Calif.), 1975, p. 69.

106.   F. LEBRUN, *La Vie conjugale sous l'Ancien Régime,* Paris, 1975, p. 116-117. La majorité des études démographiques sur l'Ancien Régime s'occupent des XVIIᵉ et XVIIIᵉ siècles. Je me permets toutefois d'appliquer au XVIᵉ siècle les conclusions de ces travaux, dans la mesure où le savoir médical n'a fléchi le taux de mortalité des femmes en couches qu'au cours du siècle dernier. A ce propos voir également : A. ARMENGAUD, *La Famille et l'Enfant en France et en Angleterre du XVIᵉ au XVIIIᵉ siècle. Aspects démographiques,* Paris, 1975 ; A. BURGUIERE, C. KLAPISCH ZUBER, M. SEGALEN, F. ZONABEND (éd.), *Histoire de la famille,* Paris, 1986 ; J.-L. FLANDRIN, *Familles : parenté, maison, sexualité dans l'ancienne société,* Paris, 1976 ; E. SHORTER, *The Making of the Modern Family,* New York, 1975.

107.   Voir le résumé de la théorie médicale à l'égard de la femme dans E. BERRIOT-SALVADORE, *Images de la femme dans la médecine du XVI* et du début du XVII* siècle. Relations avec la pensée juridique, morale et théologique*, et I. MACLEAN, *The Renaissance Notion of Woman. A Study in the Fortunes of Scholasticism and Medical Science in European Intellectual Life*, Cambridge, 1980. Sur les croyances et pratiques autour de la génération, voir J. GELIS, *L'Arbre et le Fruit. La naissance dans l'Occident moderne XVI*-XVII* siècle*, Paris, 1964, et M. LAGET, *Naissances. L'Accouchement avant l'âge de la clinique*, Paris, 1982.

108.   Sur les techniques de conception suggérées par les médecins des XVI*, XVII* et XVIII* siècles voir P. DARMON, *Le Mythe de la procréation*, chap. VIII et IX.

109.   Voir, par exemple, J. DUVAL, « Comment les femmes se doivent comporter approchant le terme de l'accouchement », dans *Des hermaphrodits* (chap. XVIII), et L. JOUBERT, « De la Groisse », dans les *Erreurs populaires touchant la médecine* (livre III, chap. IV), et G. BOUCHET, « Des femmes grosses d'enfans » dans *Les Serées* (t. IV, XXII* serée).

110.   G. BOUCHET en donne un témoignage touchant dans sa XXIII* serée, « Des accouchées », p. 47-48.

111.   De nombreuses croyances attribuaient une signification précise aux divers signes à la naissance qui marquaient symboliquement l'enfant et donnaient une direction à sa vie ; ainsi les enfants nés « coiffés » d'un morceau de membrane amniotique devaient avoir une longue vie et une fortune considérable : « les sages femmes font semblant de presagir ce qui doit arriver à ces enfans coiffez, qui est communément un bon heur, & une grande richesse... encores aujourd'hui si on voir un homme riche, on dit, il est nay tout coiffé » (G. BOUCHET, *ibid.*). Pour l'éventail des croyances courantes dans l'ancienne France, voir N. BELMONT, *Les Signes de la naissance*, Paris, 1971. Dans l'Italie du Nord, les enfants mâles nés ainsi « coiffés » devenaient bons sorciers. Cf. C. GINZBURG, *I benandanti. Stregonerie e culti agrari tra Cinquecento e Seicento*, Torino, 1966.

112.   J. DUVAL donne une description, colorée mais tout à fait typique du discours médical, des effets néfastes du sang de l'accouchement : « Lequel a la vérité est fort corrompu, comme estant le superflu, excrémenteux, et rebut de ce que l'enfant enfermé dans le ventre de sa mère a refusé et délaissé comme inutile... Il acquiert une si mauvaise et vénémeuse qualité, que les femmes sont à juste cause rejettées du temple et bains communs, quand elles en sont infectées, les jeunes vignes et tendres germes en sont corrompus et sidérez ; mais aussi la femme encourt de très mauvaises, périlleuses et mortelles maladies, quand elle n'en est bien et deuement purgée [...] C'est l'occasion pour laquelle on retient une femme six semaines en la chambre, après qu'elle a produit enfant sur terre, à fin que tout à loisir... elle purge et vuide cette vitieuse superfluité » (*Des hermaphrodits*, p. 139-140). — Sur les origines et les raisons de cet interdit voir J.-L. FLANDRIN, *Un temps pour embrasser. Aux origines de la morale sexuelle occidentale (VI*-XI* siècle)*, Paris, 1983, p. 73-82.

113.   Voir à ce propos R. VAULTIER, *Le Folklore pendant la guerre de Cent Ans d'après les Lettres de rémission du trésor des Chartes (XIV*-XV* siècle)*, Paris, 1965, p. 5-7, et A. VAN GENNEP, *Manuel de folklore français*, t. I, *Du berceau à la tombe*, Paris, 1943, p. 114-123.

114.   Ph. ARIES, *L'Enfant et la Vie familiale sous l'Ancien Régime*, Paris, 1973, p. 58-59.

115. E. MALE, *L'Art religieux à la fin du Moyen Age*, p. 319-321.

116. La vision sentimentale de la maternité que transmettent les graveurs du XVIᵉ siècle est caractéristique du discours « officiel » sur les devoirs de la femme-mère. La littérature morale, médicale et religieuse abonde en évocations dithyrambiques du rapport affectif entre la mère et l'enfant en bas âge. Ecoutons L. JOUBERT lorsqu'il fait l'éloge de la petite enfance et de l'allaitement maternel : « Je vous prie que l'on estime un peu le plaisir que l'enfant donne, quand il veut rire, comment il serre à demi ses petits yeux : & quand il veut pleurer, comment il fait la petite lippe : quant il veut parler, comment il fait des gestes & signes de ses petits doigts : comment il begaye de bonne grace, & double en quelques mots, contrefaisant le language qu'il apprent : quant il veut cheminer, comment il chancelle de ses petits pieds. Mais y a-t-il passe-temps pareil à celui que donne un enfant, qui flate & mignarde sa nourrice en tettant ? quand d'une main il descouvre & manie l'autre tetin, de l'autre lui prend ses cheveux, ou son colet en s'y joüant : quand il rue coups de pieds à ceux qui le veulent destourner : & en un mesme instant jette de ses yeux gracieux mille petits vis & œillades à sa nourrice » (*La première et seconde partie des erreurs populaires...*, chap. I, « Exhortation à toutes mères de nourrir leurs enfants ».

117. Cabinet des Estampes, AA1 rés.

118. Cf. P. SOUQUET, *Les Ecrivains pédagogues du XVIᵉ siècle. Extraits des œuvres d'Erasme, Sadolet, Rabelais, Luther, Vives, Ramus, Montaigne, Charron*, Paris, 1880, et W.H. WOODWARD, *Studies in Education during the Age of the Renaissance (1400-1600)*, New York, 1965.

119. J.-L. VIVES, *Livre de l'institution de la femme chrestienne*, chap. X, « De la cure et soing quelle doit avoir envers ses enfans », p. 239.

120. Cabinet des Estampes, AA3 rés.

121. Cf. *infra*, note 175.

122. Sur le rapport entre mère et enfant à la fin du Moyen Age, voir D. ALEXANDRE-BIDON, M. CLOSSON, *L'Enfant à l'ombre des cathédrales*, Paris, 1985.

123. « La grand-mère, les servantes, la nourrice la remplacent parfois, appuyées par l'expérience et les conseils de la communauté féminine » (M. SEGALEN, *Mari et femme dans la France rurale traditionnelle*, Paris, 1973, p. 34).

124. Le 11 août 1552 le Parlement de Paris prit un arrêt condamnant les seigneurs hauts justiciers de la capitale à verser chaque année une somme déterminée aux « maîtres et gouverneurs de l'Hôtel-Dieu et de la Trinité pour être employés à la nourriture et entretenement des enfants trouvés et exposés en cette ville de Paris ». En 1556, l'ordonnance dè Moulins mit à la charge de chaque paroisse du royaume tous les pauvres ainsi que les enfants exposés en cas de défaillance du seigneur haut justicier, théoriquement responsable de tout enfant trouvé sur son fief. En 1556 également l'édit de Henri II sur le recel de grossesse marque une tentative pour obvier aux crimes d'avortement et d'infanticide. (F. LEBRUN. *La Vie conjugale sous l'Ancien Régime*, p. 153-154). Voir également à ce sujet M.C. PHAN, « Les déclarations de grossesse en France (XVIᵉ-XVIIIᵉ siècle) », *Revue d'histoire moderne et contemporaine*, t. XXII, janv.-mars 1975, p. 61-88.

125. C. KLAPISCH ZUBER suggère que l'importance de l'angelot, ou *putto*, dans l'art du Quattrocento italien est un indice d'une plus grande sensibilité à l'égard de la mortalité enfantine, « scandale démographique » qui trouverait

une autre expression encore dans le thème du Massacre des Innocents (*Women, Family and Ritual in Renaissance Italy,* Chicago/London, 1985, p. 114). J. HEERS mentionne de nombreuses représentations iconographiques et théâtrales du Massacre des Innocents dans *Fêtes des fous et carnavals,* Paris, 1983, p. 122-128.

126.   Les avis sont partagés quant à l'existence d'un « sentiment maternel » dans la France de l'Ancien Régime. — E. BADINTER affirme l'absence d'une affectivité maternelle (telle que nous l'entendons aujourd'hui) avant le XIXe siècle et souligne le rôle joué par l'idéologie masculine dominante dans la création de ce sentiment comme premier des devoirs féminins (*L'Amour en plus. Histoire de l'amour maternel (XVIIe-XXe siècle),* Paris, 1980). En revanche, Y. VERDIER et C. FOUQUET affirment la pérennité de ce lien affectif tout en reconnaissant que ce sentiment était vivement encouragé à partir des XVIe et XVIIe siècles et éventuellement érigé en système social (*L'Histoire des mères du Moyen Age à nos jours,* Lausanne, 1980). — Sans vouloir relancer ce débat, je voudrais quand même préciser que l'iconographie du « Massacre des Innocents » telle qu'elle apparaît ici date effectivement de la Renaissance ainsi que les valeurs « maternalistes » qui y sont affichées.

127.   Ph. ARIES, *L'Enfant et la Vie familiale,* p. 57-58. Sur le culte de la Vierge Marie et ses manifestations iconographiques, voir M. WARNER, *Alone of All Her Sex. The Myth and the Cult of the Virgin Mary,* New York, 1976.

128.   Cabinet des Estampes cote AA 1 rés.

129.   Voir à ce propos M.R. MILES, « The Virgin's One Bare Breast. Female Nudity and Religious Meaning in Tuscan Early Renaissance Culture », dans S.R. SULEIMAN (éd.), *The Female Body in Western Culture,* p. 193-209.

130.   *Ibid.,* p. 399.

131.   J. HUIZINGA, *The Waning of the Middle Ages,* Harmondsworth, 1968, p. 163-165.

132.   Cabinet des Estampes cote Ed 1 rés. fol.

133.   Cabinet des Estampes, cote Ed 3 fol.

134.   Au sommet de l'échelle culturelle, artistes et littéraires jouèrent sur les ressemblances entre les mythologies chrétienne et païenne : Sannazzaro, dans son poème « *De partu Virginis* », transforme Dieu le Père en « maître du tonnerre » et la Vierge en « déesse-mère », « reine des dieux » alors que Bembo décrit cette dernière comme une « nymphe rayonnante » (cf. J. DELUMEAU, *La Civilisation de la Renaissance*, chap. XIV « Renaissance et paganisme »). En bas de l'échelle culturelle, les paysans des campagnes françaises associaient la Vierge à une certaine notion de fertilité et de croissance des biens, lui attribuant les caractéristiques d'une déesse-mère païenne (cf. R. MUCHEMBLED, *Culture populaire et culture des élites*, p. 88). Voir également à ce propos M. WARNER, *Alone of All Her Sex.*

135.   Sur le refus des Français de suivre cet aspect du néo-platonisme italien, voir : V.L. SAULNIER, *Le Dessin de Rabelais,* Paris, 1957, p. 87.

136.   Tableau établi d'après A. LINZELER, J. ADHEMAR, *Inventaire du fonds français. Graveurs du XVIe siècle.*

137.   A. FARGE explique la logique qui sous-tend ce genre de contrôle social : « ... il est inévitable de contrôler le corps féminin dans sa reproduction, puisque ce bienfait de la nature peut à tout instant se convertir en menace. Toute société se voit donc obligée d'organiser un minimum de règles concernant la place des femmes et le statut de leur descendance. Le ventre féminin,

objet d'honneur et de suspicion, est au centre de cette organisation, ce qui conditionne bien entendu les rites du mariage, de la naissance et du veuvage. Stérile, il ampute le capital familial d'autant de forces vives ; fécond, il promet, surtout grâce à la descendance masculine, un accroissement des biens et des richesses familiales ; adultère, il trouble l'ordre des choses, mélange les sangs, amoindrit le capital » (*Le Miroir des femmes*, p. 30).

138.   *Images de la femme dans la médecine*, p. 143. A l'appui de cette observation, la théorie de la « femme-matrice » énoncée par Paracelse : « Sachez donc qu'il est généralement connu que ce vase qui conçoit, protège et enferme l'enfant, est communément désigné sous le nom de matrice, bien que la femme soit celle-ci tout entière... Car, c'est à cause de ce vase que la femme a été constituée, en non pour la nécessité d'aucun autre membre ou partie. » (*Œuvres complètes*, t. I, p. 201.) La conception de la femme comme un vase à remplir a son origine dans la théorie de la fécondation exposée par Aristote dans son œuvre sur la *Génération des animaux,* théorie qui était encore monnaie courante au XVIᵉ siècle.

139.   Pour une analyse anthropologique de ce malaise vis-à-vis de la femme voir E. ARDNER, « Belief and the Problem of Women » dans J.S. LA FONTAINE (éd.), *The Interpretation of Ritual. Essays in Honour of A.I. Richards,* London, 1972, p. 135-158.

140.   Quant aux éclaircissements que nous apportent ces représentations équivoques, ils seront explorés avec d'autres aspects « négatifs » du corps biologique féminin dans mon prochain livre : *Mariage, sexualité, marginalité. La représentation de la femme et des rapports entre les sexes au XVIᵉ siècle* (titre provisoire).

141.   Sur le rapport entre ordre social et ordre naturel dans la pensée du XVIᵉ siècle voir A. JOUANNA, *Ordre social. Mythes et hiérarchies dans la France du XVIᵉ siècle*, p. 89-138.

142.   Dès le XVᵉ siècle, l'Italie se fait le champion de la vie conjugale avec les œuvres de Francesco Barbaro, *De re uxoria* (1416), et de Leon Battista Alberti, *I libri della famiglia* (1437-1441). Au début du XVIᵉ siècle l'Europe du Nord prend le relais avec les écrits d'Erasme : *L'Eloge du mariage* (1518), les *Colloques* (1523) et *Le Mariage chrétien* (1526). Pour une vision d'ensemble des textes contemporains, voir M. LAZARD, *Images littéraires de la femme au XVIᵉ siècle*, chap. VII & VIII.

143.   Discours de Pantragruel dans le *Tiers Livre* de RABELAIS, chap. IX.

144.   J. DE MARCONVILLE, *De l'heur et malheur de mariage*, Paris, 1564, fol. 33 rᵒ. La beauté féminine sert à ce même but : « Ainsi certainement la femme, étant crée de Dieu pour servir et complaire à l'homme... ne peut moins faire que d'estre soigneuse de sa beauté naturelle... pour en donner honnestement plaisir à son mari : lequel prenant récréation de sa compaigne et accointance, en diminue et efface les fascheries receües de ses peines et labeur relachant doucement la tension de son esprit » (J. LIEBAULT, *Embellissement du corps humain*, p. 7).

145.   Jean-Louis VIVES, *Livre de l'institution de la femme chrestienne*, p. 150.

146.   « Sermon sur l'Epître aux Ephésiens » cité par A. BIELER, *L'Homme et la Femme dans la morale calviniste,* Genève, 1963, p. 47.

147.   L'équation entre la femme mariée et le chien est un lieu commun de l'époque : ils ont tous les deux le même maître. Le Mesnagier de Paris, par

exemple, compare « l'amour de la femme pour son époux à la fidélité du chien à son maître et déclare que tous ses ordres, justes et injustes, importants et futiles, raisonnables et déraisonnables, doivent être suivis » (E. POWER, *Les Femmes au Moyen Age*, Paris, 1979, p. 21).

148.   Cf. Ph. ARIES, *L'Enfant et la vie familiale*, p. 222 et J. DELUMEAU, *La Civilisation de la Renaissance*, p. 40.

149.   Cf. N.Z. DAVIS, « City Women and Religious Change », dans *Society and Culture*, p. 91, et M. ALBISTUR, D. ARMOGATHE, *Histoire du féminisme français du Moyen Age à nos jours*, p. 83-84.

150.   Voir à ce propos M.W. FERGUSON, M. QUILLIGAN, N. VICKERS, *Rewriting the Renaissance. The Discourse of Sexual Difference in Early Modern Europe*, Chicago/London, 1986, J.-L. FLANDRIN, *Familles*, et A. JOUANNA, *Ordre social*.

151.   Précepte de Calvin cité par A. BIELER, *L'Homme et la Femme dans la morale calviniste*, p. 52. Voir également S. OZMENT, *When Fathers Ruled. Family Life in Reformation Europe*, Cambridge (Mass.), 1983.

152.   Voir à ce propos J.B. ELSHTAIN, *Public Man, Private Woman : Woman in Social and Political Thought*, Princeton (N.J.), 1981 ; M. SEGALEN, *Mari et femme dans la société paysanne*, Paris, 1980 ; R. KELSO, *Doctrine for the Lady of the Renaissance*, Urbana (Ill.), 1956 ; N.Z. DAVIS, « Women in the *Arts méchaniques* in Sixteenth Century Lyon », dans *Lyon et l'Europe, hommes et sociétés. Mélanges d'histoire offerts à Richard Gascon*, Lyon, 1980, p. 139-167.

153.   Cf. par exemple J.-L. VIVES, *Livre de l'institution de la femme chrestienne* et J. DE MARCONVILLE, *De l'heur et malheur de mariage*.

154.   Pour la liste des recueils d'emblèmes consultés, voir la *Bibliographie chronologique des livres d'emblèmes, de devises et d'hiéroglyphes publiés en langue française au XVI⁰ siècle*, à la fin de ce volume.

155.   f°. 79 r°. P. DINET ajoute à l'interprétation traditionnelle de cette statue l'obligation de la chasteté (*Cinq livres des hiéroglyphiques*, p. 402-403).

156.   G. BOUCHET fait également référence à l'histoire de Caia Cecilia dans sa « Troisième serée. Des femmes & des filles », où il cite Plutarque à propos d'un temple « où estoient les patins de ceste Caia, & sa quenouille : les patins pour signifier qu'elle ne bougeoit de la maison : la quenouille pour monstrer la besogne qu'elle y faisoit » (*Les Serées*, C.I., p. 113).

157.   P. L'ANGLOIS, *Discours des hieroglyphes aegyptiens*, f° 97 v°.

158.   Voir la reproduction dans J. BALTRUSAITIS, *Réveils et prodiges. Le gothique fantastique*, Paris, 1960, p. 305. Sur la fermeture/ouverture du corps féminin au Moyen Age voir M.C. POUCHELLE, « Le corps féminin et ses paradoxes : L'imaginaire de l'intériorité dans les écrits médicaux et religieux », dans *La condicion de la mujer en la Edad Media*, Madrid, 1986, p. 315-331.

159.   Voir, du côté protestant, *Les Emblèmes latins* de J. BOISSARD, illustrés par Théodore de Bry (Metz, 1584) et, du côté catholique, la *Prosopographia* de C. VAN KIEL, illustrée par Philippe Galle (Anvers, v. 1590).

160.   J.-L. VIVES, *Livre de l'institution de la femme chrestienne*, p. 28.

161.   *Ibid.*, p. 30.

162.   *Vies des dames illustres*, p. 118.

163.   J.-L. VIVES, *Livre de l'institution de la femme chrestienne*, p. 29.

164.   M. SEGALEN, *Mari et femme dans la France rurale traditionnelle*, p. 36.

165.   J.-L. VIVES, *Livre de l'institution de la femme chrestienne*, p. 31.

166. Cf. la gravure sur bois anonyme intitulée « Le Malade indocile » dans S. BRANT, *La Grand Nef des folz du monde* (Lyon, 1529/1530), Antonio Fantuzzi « Les ventouses » (d'après Jules Romain, Fontainebleau, 1540-1548) et la fig. 63.

167. « *Sanitas* », gravure en taille-douce par Philippe Galle dans C. VAN KIEL, *Prosopographia*, pl. X.

168. Voir à ce propos E. BERRIOT-SALVADORE, « La femme soignante à la Renaissance : De la profession médicale à la vocation charitable », *Pénélope*, n° 5, 1981, p. 24-28 ; et K.C. MEAD, *A History of Women in Medicine*, Haddam (Conn.), 1938.

169. Cf. « La vie de saint Sébastien » et « La vie de Tobie », deux suites de la rue Montorgueil qui figurent des scènes de ce genre (Cabinet des Estampes cote Ed 5g rés. f°).

170. Comme l'a remarqué Y. VERDIER : « Par-delà un certain symbolisme chrétien de la purification, le lessivage offre donc l'image du passage de la vie à la mort, passage dont l'eau serait le véhicule, et l'image joue dans les deux sens : faire passer de vie à trépas, mais aussi faire venir au monde comme si l'enfant devait également passer par l'eau » (« La femme-qui-aide et la laveuse », *L'Homme*, n° 2-3, 1976, p. 180).

171. p. 29-30.

172. Voir à ce propos T.G. BENEDEK, « The Changing Relationship between Midwives and Physicians during the Renaissance », *Bulletin of the History of Medicine*, 51, 1977, p. 550-564 ; P. DARMON, « Obstétrique, sages-femmes, accoucheurs » dans *Le Mythe de la procréation à l'âge baroque*, chap. XI ; J. DONNISON, *Midwives and Medical Men : A History of Inter-Professional Rivalries and Women's Rights*, New York, 1977 ; B. EHRENREICH & D. ENGLISH, *Sorcières, sages-femmes et infirmières. Une histoire des femmes soignantes*, Paris, 1973 ; T.R. FORBES, *The Midwife and the Witch*, New Haven (Connect.), 1966 ; J. GELIS, *La Sage-femme ou le Médecin. Une nouvelle conception de la vie*, Paris, 1988. Les accusations des hommes médecins contre les sages-femmes constituent un prolongement « scientifique » d'une tradition, déjà ancienne, de méfiance masculine à l'égard du pouvoir que celles-ci détenaient sur la vie humaine. Depuis longtemps soupçonnées de donner aux enfants la mort plutôt que la vie, les sages-femmes étaient accusées, par légistes et théologiens, de pratiquer la sorcellerie et l'avortement. Même Brantôme prend parti à la querelle, accusant une « vieille sage-femme et grosse ivrognesse de Paris » d'avoir laissé mourir en couches Claude de France (*Vie des dames illustres*, p. 199).

173. Si une ménagère peut atteindre à la santé de sa famille, une autre sorte de femme soignante, la religieuse, peut nuire à la « santé » de tout un hôpital : voir N.Z. DAVIS, « Scandale à l'Hôtel-Dieu de Lyon (1537-1543), dans *La France d'Ancien Régime. Etudes réunies en l'honneur de Pierre Goubert*, Paris, 1986, p. 175-187.

174. Sur la dévaluation du travail féminin au début de l'ère moderne voir J. KELLEY (-GADOL), « The Social Relation of the Sexes. Methodological Implications of Women's History », *Signs*, vol. 1, n° 4, 1976, p. 809-823.

175. M. SEGALEN, *Mari et femme dans la France rurale traditionnelle*, p. 17-18. Mme Segalen explique plus loin la logique de cette distribution du travail agricole : « la répartition des rôles est déjà inscrite dans la répartition des tâches. La force physique, d'abord, distingue le supérieur de l'inférieur, le

dominant du subordonné. Par extension, l'homme se conduit comme le plus
fort dans bien des cas où la puissance du corps n'est pas nécessaire et il relègue
la femme au rôle d'auxiliaire (apporter le repas sur le lieu de travail, passer les
corbeilles lorsque l'homme pétrit, etc., alors que la situation inverse est rare).
En second lieu, chaque tâche, chaque objet est entouré d'un halo symbolique
qu'on pourrait interpréter en termes de psychanalyse : mener une charrue est
un acte d'éventration comparable à l'acte sexuel. Sans recourir à ces théories,
on connaît le langage des objets. Un fusil est par essence masculin, un rouet,
féminin » (p. 63). — Pour une description plus complète de la répartition des
tâches dans l'exploitation agricole voir, du même auteur, *Mari et femme dans
la société paysanne,* chap. III, « Le ménage au travail ».

176. Voir par exemple P. MANE, *Calendriers et techniques agricoles
(France-Italie, XIIe-XIIIe siècle)*, Paris, 1983, et E. DAL, P. SKARUP, *The Ages of
Man and the Months of the Year. Poetry, Prose and Pictures Outlining the
« Douze mois figurés »*, *Motif Mainly Found in Shepherd's Calendars and in
« Livres d'heures » (14th to 17th Century),* Copenhague, 1980.

177. Voir par exemple les deux séries d'allégories des douze mois gravées
par Etienne Delaune (Paris/Strasbourg, 1557-1580, cote Ed. 4 pet. f°) ainsi
qu'une suite anonyme de la rue Montorgueil inspirée de l'œuvre de Delaune
(Paris, v. 1580, cote Ea 25 f° rés.).

178. F. COURBOIN, *Histoire illustrée de la gravure en France, Planches,*
t. II, Paris, 1929, et Cabinet des Estampes cote Ea 17 rés. f° t. II.

179. On trouve cependant quelques rares représentations de femmes au
travail (tisserandes, boutiquières, lingères...) dans les marges ornementales des
Livres d'Heures et dans les vignettes illustrant des livres de patrons ou de
modèles pour broderie et dentelles.

180. A. LEFRANC, *La Vie quotidienne au temps de la Renaissance,* Paris,
1938, p. 232. Pour une évaluation du travail des femmes en milieu urbain et
rural, voir N.Z. DAVIS, « Women and the Crafts in Sixteenth Century Lyon »,
Feminist Studies, 8, n° 1, Spring 1982, p. 47-80 ; J. BRUHAT, M. CERRATI,
E. CHARLES-ROUX *et alii, Les Femmes et le Travail du Moyen Age à nos jours,*
Paris, 1975 ; B.A. HANAWALT (éd.), *Women and Work in Preindustrial
Europe,* Bloomington (Ind.), 1986 ; M. WIESNER, « Spinning Out Capital :
Women's Work in the Early Modern Economy » dans R. BRIDENTHAL,
C. KOONZ, S. STUARD, *Becoming Visible. Women in European History*, Boston,
1987, p. 221-250.

181. M. ALBISTUR et D. ARMOGATHE, *Histoire du féminisme français*,
p. 75-76.

182. Cf. P. PETOT, « La famille en France sous l'Ancien Régime », dans
Sociologie comparée de la famille contemporaine, Paris, 1955.

183. Les anthropologues ont depuis longtemps noté le fait que l'attitude des
sociétés à l'égard de la femme met l'accent sur ses fonctions biologiques qui lui
donnent un caractère différent de l'homme, « cultural notions of the female
often gravitate around natural or biological characteristics : fertility, mater-
nity, sex and menstrual blood. And women, as wives, mothers, witches, midwives, nuns, or whores, are defined almost exclusively in terms of their sexual
functions. A witch, in European tradition, is a woman who sleeps with the
devil ; and a nun is a woman who marries her god. Again, purity and pollution
are ideas that apply primarily to women, who must either deny their physical
bodies or circumscribe their dangerous sexuality ». M.Z. ROSALDO, L. LAM-
PHERE (éd.), *Women, Culture and Society*, p. 31.

184.   Voir à ce propos E. SULLEROT, « Confusion entre fonctions imposées et nature », dans *Histoire et sociologie du travail féminin*, p. 29-30.

185.   Chiffres établis d'après A. LINZELER et J. ADHEMAR, *Inventaire du fonds français. Graveurs du XVI⁰ siècle,* t. I et II, Paris, 1932/1939. Sans doute inférieurs au nombre de représentations qui résulteront d'une recherche plus approfondie, ces chiffres communiquent toutefois les grandes lignes du *corpus* iconographique.

186.   Chiffres établis d'après les huit livres d'emblèmes examinés. Voir, à la fin de ce volume : *Bibliographie chronologique des livres d'emblèmes, de devises et d'hiéroglyphes publiés en langue française au XVI⁰ siècle.*

187.   Sur la postérité de cette « dialectique de subordination, faite à la fois de "chosification" et d'exaltation de la femme » dans la publicité moderne, voir J.M. AUBERT, *La Femme. Antiféminisme et christianisme*, p. 6.

188.   M.O. METRAL fait la même observation au sujet des Pères de l'Eglise, qui confinent la femme dans un rôle domestique, esthétique ou angélique... et tuent la femme comme femme. Ils l'anéantissent » (*Le Mariage en Occident*, p. 33).

NOTES DU CHAPITRE III

Les multiples défauts du sexe faible

1.   Ont été exclus de cette étude les documents fournissant une image négative de la femme dans le cadre du mariage et de la maternité, ceux qui traitent
des périls de l'amour et de la sexualité, et ceux qui représentent les figures
« marginales » de la population féminine (la vieille femme, la sorcière, la
monstrueuse). L'abondance de ces documents nécessite un traitement à part :
un deuxième volume dont le titre provisoire est *Mariage, sexualité, marginalité.
La représentation de la femme et des rapports entre les sexes au XVI⁰ siècle.* Les
estampes, véhicules d'un discours négatif au sujet de la femme qui ont été
retenues ici sont cependant plus qu'éloquentes au sujet des défauts attribués au
deuxième sexe dont, évidemment, les malheurs du mariage, les dangers de la
sexualité, les pouvoirs néfastes des sorciers, des vieilles femmes et des monstresses. En fait, dans la mesure où la première série de documents est largement impliquée par la seconde, l'élimination temporaire d'une partie du corpus n'entame pas la représentativité des documents retenus.

2.   « ... elle pratique tous les sept pechez mortels, qui meritent chacun en
particulier, une peine sensiblement éternelle. » J. OLIVIER, *Alphabet de l'imperfection et malice des femmes,* Paris 1617 (citation prise de l'éd. de Rouen, 1683,
p. 419).

3.   Cf. *supra*, p. 97.

4.   Vienne, codex 370. Cité et reproduit par J. BALTRUSAITIS dans *Réveils
et prodiges. Le gothique fantastique,* Paris, 1960, p. 309 et fig. 2.

5.   La première édition de l'*Exercitum super pater noster* date de 1430 environ. Des gravures sur bois semblables à celle-ci ont illustré toutes les éditions
de cet ouvrage publiées en France et en Allemagne. Cf. le bois colorié d'une
édition allemande de 1440 environ reproduit dans E. ROUIR, *La Gravure des
origines au XVI⁰ siècle,* Paris, 1971, p. 61.

6.   Pour un résumé de l'histoire iconographique des Péchés Capitaux voir
J. DELUMEAU, *Le Péché et la Peur. La culpabilisation en Occident XIII⁰-
XVIII⁰ siècle,* Paris, 1983, p. 265-272. Pour une discussion littéraire et théologi-
que voir M. W. BLOOMFIELD, *The Seven Deadly Sins. An Introduction to the
History of a Religious Concept, with Special Reference to Medieval English Lite-
rature,* Ann Arbor (Mich.), 1952.

7.   Ne sont pas prises en considération les psychomachies ornant les manuscrits et les Livres d'Heures des XV⁰ et XVI⁰ siècles, ni les allégories des Sept

Vertus confrontées aux Sept Vices car ces thèmes iconographiques privilégient la forme féminine par convention artistique. La personnification symétrique des Vices et des Vertus adopte, dans l'art et dans la littérature, la femme comme symbole du meilleur et du pire. En revanche, de nombreuses représentations des Sept Péchés capitaux ne comportent pas de pendant positif. En ce cas, ces évocations des défauts de l'humanité accordent aux deux sexes les vices qui leur sont propres.

8.   L'identification de certains animaux aux Péchés capitaux reste monnaie courante dans le décor des églises et dans les sermons du XVIᵉ siècle. Ecoutons J. BENEDICTI : « Un Docteur compare ces sept pechez mortels qui viennent de telles passions humaines aux bestes farouches, c'est à sçavoir, l'*Avarice* au Herrisson : la *Luxure* au Pourceau : l'*Envie* au Chien : l'*Ire* au Loup : la *Gourmandise* à l'Ours : & la *Paresse* à l'Asne. » (*La Somme des pechez,* Lyon, 1584. Citation prise de l'édition de Rouen, 1602, p. 306). Sur l'interprétation morale du monde animal dans l'iconographie des XIVᵉ et XVᵉ siècles voir E. MALE, *L'Art religieux à la fin du Moyen Age en France. Etude sur l'iconographie du Moyen Age et sur ses sources d'inspiration*, Paris, 1931, p. 330-334.

9.   « Saincte Jean Evangeliste & Prophete nous represente en son Apocalypse ces pechez, sous la figure du dragon roux, appelé le serpent antique & Satanas, j'ai dict-il apperçeu un signe au ciel, *s'estoit un dragon grand, & roux, qui avois sept testes...* le dragon c'est le diable, les sept testes sont les sept pechez mortels... » (« Des sept pechez mortels », *ibid.,* livre III, p. 306-307).

10.   L'expression est de A. ALCIATI, *Emblemes d'Alciat de nouveau translatez en françois vers pour vers jouxte les latins. Ordonnez en lieux communs, avec briefves expositions, & figures nouvelles appropriées aux derniers emblemes,* Lyon : Guillaume Rouillé & Macé Bonhomme, 1549, p. 89. Pour une discussion plus approfondie de l'apparence féminine et des soins corporels, voir mon essai sur le corps, la sexualité et les apparences, dans G. DUBY & M. PERROT (éd.), *Storia delle donne,* Bari, 1990-91, t. III.

11.   « ... la beauté est plus requise, plus nécessaire, plus souhaitée et désirée ès femmes qu'ès hommes : tant pour couvirir aucunement leurs imperfections intérieures et cacher les meurs, qui sont en d'aucune, impuissantes et indomptables : que pour les rendre plus aimables aux hommes, plus plaisantes et agréables à leurs maris. » (J. LIEBAULT, *Embellissement du corps humain*, Paris, 1582.) Je remercie Jean-Louis FLANDRIN pour cette citation. Sur les mobiles gouvernant l'obligation sociale de l'apparence féminine, voir J. BAUDRILLARD, « La consommation ostentatoire » dans *Pour une critique de l'économie politique du signe,* Paris, 1976, p. 9-10.

12.   L'enluminure en question appartient à un manuscrit français du XVIᵉ siècle conservé à la Bibliothèque Nationale. Voir la description et la reproduction en fac-similé de cette image dans CHAMPFLEURY, *Histoire de la caricature au Moyen Age et sous la Renaissance,* Paris, 1867, p. 203-209 : « Une noble dame donne un dernier coup à ses atours, entourée de femmes de chambre, qui ne sont autres qu'une légion de petits diables accourus pour la servir ; l'un présente un miroir, l'autre peigne sa chevelure. Deux diablotins relèvent la traîne de sa robe ; d'autres, nichés dans l'ouverture des manches, soufflent dans des instruments de musique, en signe des plaisirs auxquels la femme est appelée. Cette miniature est la symbolisation des pompes du monde auxquelles Satan convie habituellement la femme. »

13.   D'après Martin de Vos. Cabinet des Estampes cote Te 5 f°.

14. Paris, s.d., 7 f. Canard n° 405 du catalogue de J.-P. SEGUIN, *L'Information en France avant le périodique. 517 canards imprimés entre 1529 et 1631*, Paris, 1964, p. 115. Il existe de ce canard encore deux variantes : Paris 1604, et Lyon 1616.

15. J. BENEDICTI, *La Somme des pechez*, p. 320.

16. Traduction de l'œuvre originale par M. HORST dans la réédition de Strasbourg, 1977, p. 360.

17. *Livre de l'institution de la femme chrestienne tant en son enfance que mariage et viduité aussi de l'office du mari*, Paris, Jacques Kerver, 1542, Premier livre, chap. IX, « Des aornemens », p. 70.

18. *Ibid.*, p. 71.

19. *Ibid.*, p. 62-63.

20. *Ibid.*, p. 61-62. Cet argument est un lieu commun de la littérature moralisante. Jacques OLIVIER, par exemple, accuse les consommatrices de cosmétiques de profaner l'œuvre de Dieu et de se faire disciples du Diable « non seulement elles corrigent, *tancent & reprennent Dieu*, d'avoir failli en les faisant telles qu'elles sont : mais *qu'elles empruntent cet artifice du Diable*, son ennemi juré, pour broüiller, parvenir & profaner son ouvrage [...] d'où ensuit que celles qui cherchent & s'appliquent un vermillion étranger, sont impudiques, débauchées & proprement *écolieres du Diable*, qui s'efforce en toute chose de contrefaire, & de gâter l'image de Dieu en l'homme & la femme » (*Alphabet de l'imperfection et malice des femmes*, édition de Rouen, 1683, p. 420-421).

21. Cabinet des Estampes cote Ob 93 pet. fol. Reproduit dans E. FUCHS, *Die Frau in der Karikatur*, Munich, 1906, pl. 249.

22. Vers la fin du XVIᵉ siècle l'Allemagne et les Pays-Bas ont produit un grand nombre d'estampes inspirées de ce même thème dont la plupart étaient destinées à l'exportation. Citons, par exemple, une gravure flamande anonyme qui met en scène une galante déclaration : un homme distingué s'adresse à une femme élégante, tous les deux étant habillés à la dernière mode. Entre les protagonistes, deux démons griffus et ricanants élèvent une fraise, identique à celles que portent les amoureux, mais garnie d'une tête de mort (estampe reproduite dans M. BRION & A JACQUIOT, *Quatre siècles de surréalisme. L'art fantastique dans la gravure*, Paris, 1973, pl. 83). De même une estampe en taille-douce attribuée à H. NUTZEL (Allemagne, 1590) montre un couple vêtu de façon extravagante qui entre chez la marchande de fraises. Trois démons les aident à choisir des collerettes de dimensions caricaturales pendant qu'un fou aux oreilles d'âne se moque de leur vanité (Cabinet des Estampes, collection Hennin, cote Qb 1590).

23. Sur la place de l'occultisme dans les traités sur la beauté du corps et du visage des XVᵉ, XVIᵉ et XVIIᵉ siècles voir E. BERRIOT-SALVADORE, *Images de la femme dans la médecine du XVIᵉ et du début du XVIIᵉ siècle. Relations avec la pensée juridique, morale et théologique*, Thèse de IIIᵉ cycle, Université de Montpellier, 1979, p. 124-134.

24. « La grant malice des femmes », pamphlet gothique in-8°, 8 f., v. 1500. Reproduit dans A. DE MONTAIGLON, *Recueil des poésies françaises des XVᵉ et XVIᵉ siècles*, Paris, 1855-1878, t. V, p. 316. Il existe de ce dicton plusieurs variantes contemporaines.

25. ANONYME, *La Louenge des femmes. Invention extraite du commentaire de Pantagruel, sur l'Androgyne de Platon*, Lyon, 1551, p. 11.

26. *Ibid.,* p. 12.

27. Afin de dégoûter les hommes et de mieux les armer contre les séductions de la beauté féminine, les prédicateurs du Moyen Age insistaient sur l'image du corps blanc et mignon de la femme comme une enveloppe décevante, cachant un amas de pourriture répugnante destinée à servir de repas aux vers de la terre. Odon, abbé de Cluny, écrivait au Xe siècle : « La beauté physique ne va pas au-delà de la peau. Si les hommes voyaient ce qui est sous la peau, la vue des femmes leur soulèverait le cœur. Quand nous ne pouvons toucher du bout du doigt un crachat ou de la crotte, comment pouvons-nous désirer ce sac de fiente ? » (cité par Y. LEFEBVRE, *Histoire mondiale de la femme,* t. II, Paris, 1966, p. 83). Ce genre d'image persévéra dans la littérature misogyne jusqu'au XVIIe siècle. J. OLIVIER, dans l'*Alphabet de l'imperfection et malice des femmes,* décrit les « Femmes mondaines » comme des masses de chair peintes et parées, destinées à la pourriture : « ... leur plus grand exercice est de parer des idoles, coiner des statues, peigner une masse de terre, chauffer, vêtir, coucher, & lever une piece de chair, & un repas pour les vermisseaux de la terre » (p. 428).

28. Paris, 1617 (citation prise de l'éd. de Rouen, 1658, p. 259-260):

29. Cabinet des Estampes cote Tf 1 rés. fol.

30. *Le Parnasse des plus excellens poëtes de ce temps,* Paris, 1597, vol. 2.

31. P. 5. Cité par A. FRANKLIN, *Paris et les Parisiens au XVIe siècle,* Paris, 1921, p. 317-318.

32. *La Somme des pechez,* p. 319.

33. Paris, 16503 (citation prise de l'éd. de Paris, 1662, p. 108).

34. J.-L. VIVES, *Livre de l'institution de la femme chrestienne,* p. 210 et 348.

35. G. MEURIER, *Thresor de sentences dorées et argentées,* Anvers, 1568 (citation prise de l'éd. de Cologne, 1617, p. 59). A.J.V. LE ROUX DE LINCY donne une variante de ce proverbe : « Fille qui trop se mire peu file » (proverbe du recueil de GRUTHER, cité dans *Le Livre des proverbes français... dans la littérature du Moyen Age et de la Renaissance,* Paris, 1859, t. I, section « Femme », p. 219-232).

36. « La quenouille » dans *Les Amours,* Paris, 1964.

37. La bibliographie sur le thème du « monde à l'envers » est fort longue. Citons, parmi les études les plus intéressantes, J. COCHIN, « Mondes à l'envers, mondes à l'endroit », *Arts et Traditions Populaires,* n° 3/4, 1969, p. 232-257 ; R. CHARTIER & D. JULIA, « Le monde à l'envers », *L'Arc,* n° 65, 1976, p. 43-53 ; J. LAFOND & A. REDONDO, *L'Image du monde renversé et ses représentations littéraires de la fin du XVIe siècle au milieu du XVIIe siècle* (Actes du colloque à l'université de Tours, 1977), Paris, 1979 ; M. LEVER & F. TRISTAN, *Le Monde à l'envers. La représentation du mythe,* Paris, 1980. Le monde à l'envers est cependant un monde pervers... Voir à ce propos J. DELUMEAU, *Le Péché et la Peur,* p. 143-152.

38. Comme l'affirme un passage de la *Farce joyeuse et récréative du pèlerin et de la pèlerine* de Claude MERMET (Lyon, v. 1557) :

> « De femme fardant son visage
> Qui pense ailleurs plus qu'au mesnage,
> Portant miroir cristalliné,
> Gardez vous d'y estre trompé »

(reproduit dans E. PICOT, *Recueil général des sotties,* Paris, 1912, t. III, p. 301-320.)

39.   « Le petit sénat ou l'assemblée des femmes », dans *Œuvres d'Erasme,* t. II, *Le Premier Livre des colloques,* Paris, 1935, p. 211 et 213.

40.   « Cette volonté de discrimination sociale est clairement et explicitement exprimée dans plusieurs ordonnances somptuaires... Le préambule d'un édit de Charles VII fait remarquer que "par le moyen de l'habit, on ne connaît l'état et vacation des gens, soit princes, nobles hommes, bourgeois ou gens de métier parce que l'on tolérait à un chacun de se vêtir et s'habiller à son plaisir, fût homme ou femme, soit de drap d'or ou d'argent, de soie ou de laine, sans avoir égard à son estat." (A. BIELER, *L'Homme et la Femme dans la morale calviniste,* Genève, 1963, p. 142). Sur le vêtement et la stabilité/mobilité sociale au XVIᵉ siècle, voir R. BRIGGS, *Early Modern France,* Oxford, 1977, p. 8-10 ; J. DELUMEAU, *La Civilisation de la Renaissance,* chap. IX, « Mobilité sociale, Riches et pauvres », Paris, 1967, p. 317-333 ; A. JOUANNA, *Ordre social. Mythes et hiérarchies dans la France du XVIᵉ siècle,* Paris, 1977, p. 89-138 ; D. OWEN HUGUES, « Sumptuary Law and Social Relations in Renaissance Italy » dans J. BOSSY (éd.), *Disputes and Settlements. Law and Human Relations in the West*, Cambridge, 1983 ; J.H.M. SALMON, *Society in Crisis. France in the Sixteenth Century,* London, 1975.

41.   Cité par A. FRANKLIN, *Paris et les Parisiens au XVIᵉ siècle*, p. 318-319.

42.   Cf. C. LEBER, « Notice supplémentaire sur les lois somptuaires » dans *Collection des meilleures dissertations... relatifs à l'Histoire de France,* t. 10, Paris, 1838, p. 466-480. A ce sujet voir également A. LEFRANC, *La Vie quotidienne au temps de la Renaissance,* Paris, 1938, p. 138-140.

43.   *Journal d'un bourgeois de Paris sous Henri III*, Paris, 1966, p. 161.

44.   *De la bonté et mauvaisté des femmes*, Paris, 1564, fol. 56 v° et 57 r°.

45.   *La Somme des pechez*, livre III, chap. VI, « Du péché d'orgueil et des pechez commis par icelui », p. 319-322.

46.   Cité par M. SCREECH dans « An interpretation of the *Querelle des Amyes* », *Bibliothèque d'humanisme et Renaissance,* 1959, t. XXI, p. 107.

47.   J. OLIVIER, *Alphabet de l'imperfection et malice des femmes*, p. 423.

48.   A. DE GUEVARA, *L'Orloge des Princes,* 1550, cité par L. GUILLERM-CURUTCHET, J.-P. GUILLERM, L. HORDOIR-LOUPPE, M.F. PIEJUS, *La Femme dans la littérature française et les traductions en français du XVIᵉ siècle,* Lille, 1971, p. 22-23. Les effets désastreux de l'élégance féminine sur l'économie du ménage fournissent d'ailleurs l'objet de la première des *XV joies de mariage* (édité par J. RYCHNER, Genève/Paris, 1967, p. 6-13).

49.   Deuxième planche d'une suite des Sept Péchés capitaux gravée par Carol De Mallery d'après les dessins de Martin de Vos. Cabinet des Estampes cote Te 5 fol.

50.   Paris : J. Dallier, f°. 69 v°.

51.   « Le bon menager, et la femme prodigue », t. I, p. 227. Voir également P. L'ANGLOIS sur « L'homme mesnager & femme despensière » dans les *Discours des hieroglyphes aegyptiens, emblemes, devises et armoiries*, Paris, 1583.

52.   *Alphabet de l'imperfection et malice des femmes*, p. 136-137.

53.   H. INSTITORIS & J. SPRENGER, *Le Marteau des sorcières,* traduit et édité par A. DAVENT, Paris, 1973, p. 202-203.

54.   *De la bonté et mauvaisté des femmes,* f°. 71 r°/v°.

55.   *La Somme des pechez* (éd. de Paris, 1601), p. 280-281.

56.   ANONYME, *La Louenge des femmes*, p. 11.

57. B. DES PERIERS, *Les Nouvelles Recréations et joyeux devis,* nouvelle VIII, dans P. JOURDA, (éd.), *Conteurs français du XVI° siècle,* Paris, 1971, p. 388.

58. Sur l'équivalence iconographique entre la fraude et l'adultère voir mon article « Mito ed immagine della donna nelle incisioni del Cinquecento francese. Il discorso morale sulla sessualità », dans B. VETTERE & P. RENZI (éd.), *Profili di donne. Mito, immagine, realtà fra medioevo ed età contemporanea,* Lecce, 1986, p. 195-222.

59. Tel le fabliau du « Chevalier à la robe vermeille » : « Par ce fabliau les maris sauront que c'est folie de croire ce qu'on a pu voir de ses yeux. Mais il est dans le droit chemin celui qui croit, sans contredit, tout que sa femme lui dit. » Ou encore l'histoire des Perdix : « Ce fabliau nous a montré que femme est faite pour tromper : mensonge devient verité et verité devient mensonge » (G. ROUGER éd., *Fabliaux,* Paris, 1978, p. 178 et 38).

60. Telles les 6° et 55° nouvelles de M. DE NAVARRE : « Comment la femme d'un vieux valet du duc d'Alençon put cacher son amant à son mari qui était borgne » et la « Ruse de la veuve d'un marchand de Saragosse qui vend un cheval et un chat pour respecter le testament de son mari ». Ou encore le 114° nouvelle de B. DES PERIERS : « D'une finesse dont usa une jeune femme d'Orléans pour attirer à sa cordelle un jeune escolier qui lui plaisoit ».

61. J.-P. SEGUIN, *L'Information en France avant le périodique,* occasionnel n° 57, p. 76. Une autre édition de cette même nouvelle fut imprimée en 1623 : « Récit veritable advenu en la ville de Narbonne, d'un gentilhomme qui a empoisonné son pere : et d'une Damoiselle, en laquelle on connoistra les ruses et cautelles de femmes à decevoir les hommes... » (Paris, S. Lescuyer, 16 p.). La formule, paraît-il, était toujours d'actualité au XIX° siècle, car une réimpression du premier pamphlet fut effectuée à Paris en 1865 !

62. J. OLIVIER, *Alphabet de l'imperfection et malice des femmes* (éd. de 1683), p. 59.

63. J.H.M. SALMON, *Society in Crisis. France in the Sixteenth Century,* p. 248.

64. Cf. P. DE BRANTOME, *Des dames galantes,* p. 274.

65. *Ibid.,* p. 292 : « ... et le masque cache tout, et ainsi [elles] trompent le monde. »

66. Cette figure dérive d'un des emblèmes préférés des emblématistes, celui du « flatteur ». Tous les recueils humanistes contiennent au moins une évocation du flatteur hypocrite, tel le soixante-treizième emblème du *Théâtre des bons engins* de Guillaume de La Perrière (Paris, 1539). Ici un courtisan élégant, l'épée à la ceinture, tient un plateau où se trouve une langue et, derrière son dos, un cœur. C'est l'image des « Flateurs de court » qui « A tous venantz feront des serviables... Langue devant & le cueur en arrière. »

67. *Ibid.,* p. 337.

68. J. BENEDICTI, *La Somme des pechez* (éd. de Paris, 1601), p. 566.

69. *Les Nouvelles Recréations et joyeux devis,* p. 390.

70. J. DE MARCONVILLE, *De la bonté et mauvaisté des femmes,* f° 72 v°.

71. Cf. *infra* note 181.

72. *Des dames illustres,* p. 175.

73. *Ibid.,* p. 179.

74. Voir à ce sujet M.-E. HANDMANN, *La Violence et la Ruse. Hommes et femmes dans un village grec,* Aix-en-Provence, 1983.

75.   Sur l'évolution du concept de la paresse et son rapport avec l'argent et la productivité voir J. DELUMEAU, *Le Péché et la Peur*, p. 255-264.

76.   La première édition française de l'œuvre de Brant date de 1497. Or, les planches de la *Nef des fous* ont joui, indépendamment du texte, d'une grande vogue en France. Leur succès était tel qu'en 1520 Galiot du Pré illustra la première traduction française de l'*Eloge de la folie* d'Erasme avec 23 planches de la *Nef des folz* dans l'espoir de mieux vendre cet ouvrage. Cf. D. O'CONNER, « Sebastian Brant en France au XVIᵉ siècle », *Revue de littérature comparée*, VIII, 1928, p. 315-316.

77.   G.P. VALERIANO BOLZANI, *Commentaires hieroglyphiques ou images des choses*, Lyon, 1576, t. I, p. 226.

78.   G. MEURIER, *Thresor de sentences dorées et argentées*, p. 54.

79.   « De l'office du mari », dans *Livre de l'institution de la femme chrestienne*, p. 342-344.

80.   G. DE MONTENAY, *Emblemes ou devises chrestiennes*, Lyon : Jean Marcorelle, 1571, Epître dédicatoire à Jeanne d'Albray (non. pag.).

81.   *Ibid.*, Le double souci d'évangélisation et de combat contre l'oisiveté n'est pas réservé aux *Emblemes ou devises chrestiennes* de Georgette de Montenay. A. FRIEDRICH, auteur des *Emblemes nouveaux, esquels le cours de ce monde est depeint et representé par certaines figures, desquelles le sens est expliqué par rimes : dressés pour plus grande incitation au gens de bien & honorables, d'ensuivre la pieté & vertu, & pour sincere instruction & advertissement aux meschans & dissolus de fuir le vice. Premierement en Allemand par André Friederic, & maintenant en François, pour le bien de la jeunesse, & du simple peuple* (imprimé à Francfort et vendu à Paris, 1617), consacre une partie importante de sa préface à l'explication du double but de son ouvrage :

    « Or, d'autant que la maudite oisiveté est souvent la cause des mauvaises pensées, & qu'à bon droit on dit, que fuir les occasions de pecher, c'est fuir les pechés mesmes : Il est convenable d'employer le temps, auquel on n'a rien à faire, aussi bien que celui auquel on est chargé d'affaires, en sorte qu'on en puisse rendre bon conte... Il ne faut pas moins pouvoir rendre raison du loisir, que des occupations, & affaires qu'on a. Car autrement, il ne peut sortir que mal d'un oisiveté inutile, selon le proverbe disant, que de l'oisiveté viennent les vices &, en ne faisant rien, on apprend à mal faire &c.

    Pour donc remedier à ce mal tant d'un costé que de l'autre, & le destourner autant que faire se peut, j'ai pour mon regard dressé ces emblemes, & declaré le sens caché & intelligence d'iceux par rimes y adjoustées. Et ai pris le subject de mes meditations pour la plus part de l'estat & cours du monde, loüé la vertu & ce qui est bon, & exhorté à l'ensuivre, & reprins le vice, & fidelement dissuädé d'icelui... Je n'ai cherché en tout ceci en façon quelconque ma gloire, mais par un zele chrestien, seulement le profit de mon prochain qui est Chrestien avec moi, & devant toutes choses l'honeur du Dieu tout-puissant... » (« Préface de l'Autheur au Lecteur »).

82.   J. DE MARCONVILLE, *De l'heur et malheur de mariage,* Paris, 1564, fᵒ 69 vᵒ.

83.   Voir à ce propos N.Z. DAVIS, « Women in the Arts Mécaniques in Sixteenth Century Lyon », dans *Lyon et l'Europe, hommes et sociétés. Mélanges d'Histoire offerts à Richard Gascon,* Lyon, 1980, p. 139-167, et, du même auteur, « Women and the Crafts in Sixteenth Century Lyon », *Feminist Studies*, 8, nᵒ 1, 1982, p. 47-80.

84.   *Recueil de différentes sortes de lettres missives,* p. 510, cité par E. BER-RIOT-SALVADORE, *Images de la femme dans la médecine du XVIe et du début du XVIIe siècle,* p. 137.

85.   G. MEURIER, *Thresor de sentences dorées et argentées,* p. 213.

86.   *La Somme des pechez* (éd. de Paris, 1601), p. 401.

87.   *Cinq livres des hieroglyphiques, ou sont contenus les plus rares secrets de la nature, & proprietez de toutes choses,* p. 637.

88.   Voir à ce sujet J. DELUMEAU, *La Peur en Occident, XIVe-XVIIIe siècle,* t. I, *Une cité assiégée,* Paris, 1978, chap. 3, 4, 5. Jean Delumeau cite un cahier de doléances des Etats de Normandie, daté de 1634, qui décrit une misère identique à celle qu'évoque cette image : « Sire, nous fremissons d'horreur à l'objet des misères du pauvre paysant ; nous en avons veu quelques uns, les années précé-dentes, se précipiter à la mort par désespoir des charges qu'ils ne pouvoient porter, les autres que la patience retenoit plutost en la vie que le plaisir ou les moyens de la conserver, couplez au joug de la charrue, comme les bestes de harnois, labourer la terre, paistre l'herbe et vivre de racines... Pour cela néan-moins, nos tailles n'ont point diminué, mais accreu jusques au poinct d'avoir tiré la chemise qui restait à couvrir la nudité des corps et empesché les femmes en plusieurs lieux, par la confusion de leur propre vergogne, de se trouver aux églises et parmi les chrestiens. De sorte que ce pauvre corps, espuisé de toute sa substance, la peau collée dessus les os et couvert seulement de sa honte, n'attent que la miséricorde de Vostre Majesté » (p. 169).

89.   J. BENEDICTI, *La Somme des pechez* (éd. de Rouen, 1602), p. 460.

90.   Cabinet des Estampes cote Te 5 f°.

91.   G. MEURIER, *Thresor de sentences dorées et argentées,* p. 142.

92.   J. OLIVIER, *Alphabet de l'imperfection et malice des femmes,* p. 76.

93.   *Ibid.,* p. 75.

94.   Titre cité dans « La farce des trois commères et un vendeur de livres » (farce du XVIe siècle) reproduite dans E. MABILLE, *Choix de farces, soties et moralités des XVe et XVIe siècles,* Genève, 1970, p. 195.

95.   A, DE MONTAIGLON cite trois éditions de cette facétie qui date en toute probabilité du début du XVIe siècle (*Recueil des poésies françaises des XVe et XVIe siècles,* t. 5, p. 71-89).

96.   Farce composée à Caen « par le nouveau general » en 1517 ou 1518. On y propose de guérir une femme trop bavarde en la menant faire un pèleri-nage aux reliques de sainte Caquette. (Pièce entièrement reproduite et com-mentée par E. DROZ & H. LEWICKA, *Le Recueil Trepperel,* t. II, *Les Farces,* Genève, 1961, p. 9, rt 81-96).

97.   J. DE MARCONVILLE, *De la bonté et mauvaisté des femmes,* f° 74 r°/v°. A ce sujet, voir également J. BENEDICTI, *La Somme des pechez,* p. 562-563. La littérature des XVe et XVIe siècles abonde également en descriptions du pouvoir tranchant de la langue féminine, telle celle d'une ménagère furibonde des *Cent nouvelles nouvelles :* « ... quand la langue d'elle eut pouvoir sur le cueur tres-fort chargé d'ire et de courroux, par semblant les parolles qu'elle descocha ne furent pas moins trenchans que rasoirs de Guingant bien affilez » (Genève, 1966, Première nouvelle, p. 28).

98.   *Commentaires sur le Nouveau Testament* (1561) cités par A. BIELER, *L'Homme et la Femme dans la morale calviniste,* p. 79.

99.   Voir les reproductions des œuvres de ces artisans dans R. VAN MARLE, *Iconographie de l'art profane au Moyen Age et à la Renaissance,* t. II, *Allégories et symboles,* La Haye, 1932, p. 106-108 et fig. 121 à 124.

100.   P. GROSNET, *Les Mots dorez de Cathon,* Paris, 1530/1531, feuillet f° III r°.

101.   *Culture populaire et culture des élites dans la France moderne (XVe- XVIIIe siècle),* Paris, 1978, p. 151-152.

102.   *Les Nouvelles Récréations et joyeux devis,* nouvelle LXIII, p. 495-497.

103.   Voir à ce propos R. MUCHEMBLED, *Culture populaire et culture des élites,* « La femme et le savoir populaire », p. 85-92 et « Dévalorisation des femmes et des groupes de jeunesse », p. 202-208.

104.   Cette interprétation comique d'un conflit à la fois sexuel et culturel donne autant de raison — ou de tort — aux deux participants. La harangère est une « savante » en termes de sa propre culture et, comme l'affirme H.C. AGRIPPA dans son éloge *De nobilitate atque praecellentia foemini sexus* (1603), « une petite vieille vaut souvent plus que les savants pour des prédic- tions et en sait plus qu'un médecin » (cité par J. WIRTH, « "Libertins" et "Epicuriens" : Aspects de l'irréligion au XVIe siècle », *Bibliothèque d'humanisme et Renaissance,* t. XXXIX, 1977, p. 610). Au village surtout, la responsabilité des femmes dans la transmission de la culture orale donne lieu à une valorisa- tion des femmes âgées. Cf. R. MUCHEMBLED, *Sorcières, justice et société aux XVIe et XVIIe siècles,* Paris, 1987, p. 61-64.

105.   Farce reproduite dans E. PICOT, *Recueil général des soties,* t. III, p. 321-322 et 338-339.

106.   Au premier étage de l'hôtel Jacques-Cœur à Bourges se trouve un buste de femme, la bouche fermée par un cadenas. A côté une banderole : « En bouche close n'entre mouche » (sculpture du XVe siècle).

107.   On disait à l'époque : « Fille qui a poignant langaige/Trouble souvent tout ung mesnaige » et « Fille qui parle sans raison/Fait mainte noise en la maison » (J. DIVRY, *Estrennes des filles de Paris,* Paris, v. 1500. Texte repro- duit dans A. DE MONTAIGLON, *Recueil des poésies françaises des XVe et XVIe siècles,* t. IV, p. 82-83).

108.   J. DE MARCONVILLE, *De la bonté et mauvaisté des femmes,* f°. 48 v°.

109.   J.-L. VIVES, *Livre de l'institution de la femme chrestienne,* p. 167.

110.   J. OLIVIER, *Alphabet de l'imperfection et malice des femmes,* p. 427- 428. Selon Epistemon, interlocuteur du *Tiers Livre* de Rabelais, l'unique remède à la volubilité féminine est la surdité. Il cite, pour soutenir son argu- ment, « la morale comedie de cellui qui avoit espousé une femme mute » : « Le bon mari volut qu'elle parlast. Elle parla, par l'art du medecin et du chirurgien qui lui coupperent un encyliglotte qu'elle avoit soubs la langue. La parolle recouverte, elle parla tant et tant que son mari retourna au medecin pour remede de la faire taire. Le medecin respondit en sont art bien avoir remedes propres pour faire parler les femmes, n'en avoir pour les faire taire ; remede unique... estre surdité du mari, contre cestui interminable parlement de femme. Le paillard devint sourd par ne sçai quelz charmes qu'ilz feirent. Sa femme, voyant qu'il estoit sourd devenu, qu'elle parloit en vain, de lui n'estoit entendue, devint enraigée » (Paris, 1970, p. 173-174).

111.   Voir à ce sujet Y. VERDIER, *Façons de dire, façons de faire,* Paris, 1979, p. 130-135 ; M. SEGALEN, *Mari et femme dans la société paysanne,* Paris, 1980, p. 94-104 et 149-166 ; J.-L. FLANDRIN, *Familles. Parenté, maison, sexua- lité dans l'ancienne société,* Paris, 1976, p. 104-109.

112.   G. MEURIER, *Thresor de sentences dorées et argentées,* p. 58. Lieu commun de la littérature satirique, le thème du caquet des femmes insiste sur le bruit excessif produit par la conversation féminine, celle des trois ménagères

des *Cent nouvelles nouvelles :* « Lesquelles, puis qu'elle furent entre elles, commencerent a deviser de cent mille propos. Et sembloit, pour trois qu'il en y avoit, de quoi on oyoit la noise qu'il souffiroit ouïr d'un quarteron » (30ᵉ nouvelle, p. 202).

113.   J. OLIVIER, *Alphabet de l'imperfection et malice des femmes* (éd. de Rouen, 1658), p. 214-215.

114.   Ces verbes, utilisés pour décrire la parole féminine, sont autant de « pechez de la langue » (J. BENEDICTI, *La Somme des pechez*, p. 555).

115.   C'est le célèbre « *taceat mulier in ecclesia* » de la première lettre aux Corinthiens, interdit qui apparaît de nouveau dans des épîtres pastorales plus tardives : « Que les femmes se taisent dans les assemblées, car il ne leur est pas permis de prendre la parole ; qu'elles se tiennent dans la soumission, ainsi que la Loi même le dit. Si elles veulent s'instruire sur quelque point, qu'elles interrogent leur mari à la maison ; car il est inconvenant pour une femme de parler dans une assemblée » (1 Cor. 14, 34-35). Voir à ce sujet J.-M. AUBERT, *La Femme. Antiféminisme et Christianisme,* Paris, 1975, p. 41.

116.   Adage français du XVIᵉ siècle cité par A.J.V. LE ROUX DE LINCY dans *Le Livre des proverbes français*, t. I, série « Femme ».

117.   P. GROSNET, *Les Motz dorez*, feuillet fv r°.

118.   Cf. CHAMPFLEURY, *Histoire de la caricature au Moyen Age et sous la Renaissance*, p. 99-100.

119.   *Les Motz dorez,* feuillet fi v°.

120.   Lyon, 1529/1530, feuillet XXXV r°.

121.   Cité par C. LAVENIR, dans « Quelques écrits satiriques contre les femmes aux quinzième et seizième siècles », *Revue lyonnaise,* n° 4, 1882, p. 293-294.

122.   Incident raconté par P. DE L'ESTOILE dans son *Journal :* « Le dimanche 9 octobre [1575], fête de Saint-Denis, le roi fit faire procession générale et solennelle à Paris, en laquelle il fit porter les saintes reliques de la Sainte-Chapelle ; et y assista tout du long, disant son chapelet en grande dévotion. Le corps de la cour, avec celui de la ville et toutes les autres compagnies, s'y trouvèrent ; aussi firent par le commandement de sa Majesté tous les princes, seigneurs, officiers et gentilshommes de sa maison, hormis les dames, que le roi ne voulut qu'elles s'y trouvassent, disant qu'il n'y avait point de dévotion là où elles étaient » (*Journal d'un bourgeois de Paris,* p. 51). Ce genre d'interdiction n'était guère exceptionnel à l'époque. A Arras, en 1609, on défend « aux femmes et fillettes de marcher derrière... [les] processions » du Vendredi saint (R. MUCHEMBLED, *Culture populaire et culture des élites*, p. 211-212).

123.   Même les religieuses sont accusées d'indiscipline verbale :

> « Qui veult hoster murmure de couvent
> Garder femme de parler en leglise
> Plus est facheux que labourer le vent
> Car la femme ne scet tenir sa guise. »
> (P. GROSNET, *Les Mots dorez,* feuillet fvi r°).

124.   Y. et R. MURPHY, *Women of the Forest,* New York/London, 1974, 236 p. Je remercie Susan ROGERS de m'avoir indiqué cet ouvrage.

125.   Pour une illustration de ce genre de comportement voir l'estampe de Jean Mignon (d'après Luca Penni) : « Saint Jean prêchant dans le désert », Fontainebleau, 1543-1545 (Cabinet des Estampes cote Ed 13 b f°). Ici les

auditeurs, séparés par sexe, causent et gesticulent entre eux. Le groupe de femmes et enfants assis par terre prête peu d'attention au sermon — une des membres bâille même d'ennui.

126.   *Alphabet de l'imperfection et malice des femmes* (éd. de Rouen, 1683), p. 111.

127.   « Gossip is not inherently malevolent or spiteful, though we commonly think of it as such. Much of female gossip consists of exchange of valuable information about people [marriage prospects, etc.]... One does not talk about people who have no significance, and gossip effectively defines the boundaries and integrity of the social group... Gossip does, however, become quite negative at times » (Y. & R. MURPHY, *Women of the Forest,* p. 133-134).

128.   *Façons de dire, façons de faire*, p. 134.

129.   *Ibid.*

130.   A. FRANKLIN, *Paris et les Parisiens au XVI° siècle*, p. 252.

131.   « La tierce joie », dans J. RYCHNER (éd.), *Les XV joies de mariage,* p. 18-26.

132.   Cf. *Le Folklore pendant la guerre de Cent Ans d'après les Lettres de rémission du Trésor des Chartes*, Paris, 1965, p. 5-7.

133.   E.M. FOURNIER (éd.), Paris, 1885, p. 15.

134.   F. LEBRUN, *La Vie conjugale sous l'Ancien Régime,* Paris, 1975, p. 83-84.

135.   Pour une discussion plus approfondie de ce genre de dynamique des groupes dans l'Europe d'Ancien Régime, voir J. KELLEY (-GADOL), « The Social Relation of the Sexes. Methodological Implications of Women's History », *Signs,* vol. 1, n° 4, 1976, p. 809-823.

136.   Cf. R. MUCHEMBLED, « La quête de la solidarité ; les relations humaines » dans *Culture populaire et culture des élites,* p. 44-54, et J.-L. FLANDRIN, « Parenté et voisinage en milieu populaire », dans *Familles, parenté, maison, sexualité dans l'anciene société,* Paris, 1976, p. 39-53.

137.   Cf. Y & R. MURPHY, *Women of the Forest*, p. 109-110.

138.   R. MUCHEMBLED a souligné cette identification entre l'homme et le savoir d'élite par rapport à la femme et la culture populaire : « ... au-delà de l'apprentissage rudimentaire de la lecture et de l'écriture, très inégal selon les régions, d'ailleurs, la femme n'accédait pas en général à l'instruction. Un fossé d'autant plus profond se creusa donc, entre le sexe masculin, dont une élite monopolisait la culture écrite, et le sexe féminin, confiné aux abécédaires et à la culture orale. Le mépris envers les femmes se renforça en milieu urbain... » (*Culture populaire et culture des élites*, p. 203).

139.   *Ibid.,* p. 204.

140.   J. DE MARCONVILLE, *De la bonté et mauvaisté des femmes*, f° 53 r°.

141.   P. DE BRANTOME, *Des dames galantes*, p. 349.

142.   *L'Information en France avant le périodique*, voir le catalogue de 517 canards imprimés entre 1529 et 1631, p. 65-125.

143.   *Ibid.,* p. 31, canard n° 77 (Lyon : G. Paris, 1625, 13 p.)

144.   Sur la violence potentielle des rapports conjugaux et son expression iconographique, voir mon article « Femmes insoumises et maris battus au XVI° siècle », *L'Histoire,* n° 4, sept. 1978, p. 70-73, aussi bien que J. LE GOFF & J.-C. SCHMITT (éd.), *Le Charivari* (Actes du colloque au Musée des Arts et Traditions Populaires, 1977), Paris, 1981.

145. J. OLIVIER, *Alphabet de l'imperfection et malice des femmes* (éd. de Rouen, 1683), p. 81.

146. F.P. SWEETSER (éd.), Genève/Paris, 1966, p. 524 et note 15.

147. *Culture populaire et culture des élites,* « L'insécurité au cœur de la ville », p. 147-158.

148. M. SEGALEN, « Le mariage et la femme dans les proverbes du sud de la France », *Annales du Midi,* t. 87, n° 123, 1975, p. 279-280. Le phénomène d'antagonisme entre les femmes d'une même maisonnée a été étudié par L. LAMPHERE : « ... ethnographic reports show that many kinds of domestic groups are ridden with conflict and competition between women. Accounts of jealousy between co-wives, of the dominance of mother-in-law over daughter-in-law, and of quarrels between sisters-in-law provide some of the most common examples ». Voir son article « Strategies, Cooperation and Conflict among Women in Domestic Groups », dans M.Z. ROSALDO & L. LAMPHERE, *Women, Culture and Society,* Stamford (Calif.), 1974, p. 97-112.

149. G. MEURIER, *Thresor de sentences dorées et argentées,* p. 52. Il existe de nombreuses variantes sur ce thème, telle celle rapportée par P. GROSNET, « Deux potz au feu notent la feste/Mais deux femmes font la tempeste » (*Les Motz dorez,* feuillet fvi v°).

150. *Journal d'un bourgeois de Paris sous Henri III,* p. 180-181.

151. H. INSTITORIS & J. SPRENGER, *Le Marteau des sorcières,* p. 204.

152. R. MUCHEMBLED, *Culture populaire et culture des élites,* p. 42.

153. Y.M. BERCE, *Histoire des croquants. Etude des soulèvements populaires dans le sud-ouest de la France,* Genève/Paris, 1972, 2 vol.

154. J. DELUMEAU, *La Peur en Occident,* p. 181.

155. Sur le rôle des femmes lors de la Grande Rebeine voir J. CHAMPIER, *Ci comence ung petit livre de lantiquité, origine et noblesse de la tresantique cite de Lyon : Ensemble la rebeine et conjuration ou rebellion du populaire de la dicte ville,* Lyon, 1529/1530, fol. XVIII r°.

156. J.H. SALMON, *Society in Crisis,* p. 121.

157. N.Z. DAVIS, « The Rites of Violence » dans *Society and Culture in Early Modern France,* Stamford (Calif.), 1975, p. 166-167.

158. *Ibid,* p. 182-183.

159. J. DELUMEAU, *La Peur en Occident,* p. 181.

160. « Le premier et le 2 août 1616, les femmes de Delft prirent leurs balais, bêches et quenouilles pour s'élever contre une hausse de l'impôt sur le grain. Elles s'en prirent d'abord aux fermiers puis s'attaquèrent — victorieusement — à la mairie. Deux jours plus tard les soldats appelés en renfort rétablissaient le calme, l'ordre et les impôts avec leur nouvelle hausse » (G. BOHMER, *Emancipation,* catalogue de l'Exposition du printemps 1980, au Goethe-Institut de Paris, Munich, 1980, p. 40-41).

161. Voir à ce sujet N.Z. DAVIS, « Men, Women and Violence. Some Reflexions on Equality », *Smith Alumnaie Quarterly,* av. 1977, p. 12-15, et, du même auteur, « Women on Top », dans *Society and Culture,* p. 124-151.

162. R. DELEVOY, *Breughel,* Genève, 1959, p. 77. Ce tableau est conservé au musée Mayen Van Den Bergh d'Anvers.

163. Cf. L. DE BRUYN, *Woman and the Devil in Sixteenth Century Literature,* Tisbury, 1979.

164. Voir l'esquisse de cette sculpture dans CHAMPFLEURY, *Histoire de la caricature,* p. 104.

165. Estampe anonyme en taille-douce. Voir la reproduction de cette gravure dans W. BRUCKNER, *Imagerie populaire allemande,* Milan, 1969, p. 75.

166. Voir la description et la reproduction de cette estampe dans A.M. HIND, *Early Italian Engraving. A Critical Catalogue with Complete Reproduction of All the Prints Described,* New York/London, 1938, vol. 1, p. 64-65 et planche 91.

167. Gravure reproduite dans le catalogue de G. BOHMER, *Emancipation,* p. 34 et dans W.A. COUPE, *The German Illustrated Broadsheet in the 17th Century. Historical and Iconographical Studies,* 2 vol., Baden-Baden, 1966-1967, pl. 25.

168. Cf. par exemple la 34e nouvelle des *Cent nouvelles nouvelles :* « Le pouvre mari ne savoit que dire, qui oyoit le diable sa femme ainsi tonner » (p. 244-245), ainsi que la 84e nouvelle « ... je suis seur qu'elle [l'épouse décédée] est en enfer, car oncques chose crée n'approucha plus a faire la maniere des deables qu'elle faisoit » (p. 490).

169. « ... les peintres voulans portraité les Furies Infernales, ils les representent avec des visages de Femmes, pour montrer qu'il n'y a rien qui représente mieux une tigresse cruauté qu'une méchante Femme, le diable même s'y sçauroit rien faire davantage » (J. OLIVIER, *Alphabet de l'imperfection et malice des femmes,* éd. de Rouen, 1683, p. 88).

170. *Ibid.,* p. 195.

171. *Des dames de renom,* 1561, chap. XVIII et XXX.

172. Cf. P. SAMUEL, *Amazones, guerrières et gaillardes. Mythes de la masculinité de la femme,* Bruxelles, 1975, chap. I : 1. « Les Amazones d'Amérique » et I : 2. « Amazones d'Afrique », p. 22-36, aussi bien que S. SHEPHERD, *Amazons and Warrior Women : Varieties of Feminism in Seventeenth Century Drama,* New York, 1981, et I. MACLEAN, *Woman Triumphant. Feminism in French Literature 1610-1652,* Oxford, 1977.

173. *Des dames galantes,* p. 348.

174. Sur le portrait littéraire de l'amazone, voir C.T. WRIGHT, « The Amazons in Elisabethan Literature », *Studies in Philology,* 37, 1940, p. 433-456 et A. KLEINBAUM, *The War Against the Amazon. The Amazon in Western Literature,* New York, 1983. L'article de W. SCHLEINER, « *Divina Virago :* Queen Elisabeth as an Amazon » (*Studies in Philology,* 75, 1978, p. 163-180) témoigne d'une application valorisante du mythe à une personnalité contemporaine. Pour l'image de la femme combattante en Italie, voir le livre de M. TOMALIN, *The Fortunes of the Warrior Heroine in Italian Literature : An Index of Emancipation,* Ravenna, 1982.

175. G. BOUCHET, *Les Serées,* Paris, 1873, Premier livre, IIIe serée, p. 94.

176. Cabinet des Estampes, cote Da 67 f°.

177. *Imagination poétique,* Lyon, 1552.

178. *De la bonté et mauvaisté des femmes,* f° 58 r°/v°.

179. Voir à ce propos R. MUCHEMBLED, « Les corps suppliciés » dans *Culture populaire et culture des élites,* p. 247-255, et M. FOUCAULT, *Surveiller et punir. Naissance de la prison,* Paris, 1975, p. 7-72.

180. R. BRIGGS, *Early Modern France,* p. 27.

181. Voir par exemple les accusations contenues dans le *Discours merveilleux de la vie, actions et déportemens de la reine Catherine de Médicis, déclarant tous les moyens qu'elle a tenus pour usurper le gouvernement du royaume de France et ruiner l'état d'icelui,* ouvrage attribué à divers auteurs,

dont Théodore de Bèze, Olivier de Serres, et Henri Estienne. Ce livre fut imprimé et répandu dans le public dès 1574, avec la date de 1575. Œuvre de Réformés qui craignaient que la reine-mère ne continuât à exercer sa pernicieuse influence sur Henri III comme elle l'avait fait pour Charles IX, ce libelle est composé d'un discours en trois parties :

     1° « L'histoire et la jeunesse de Catherine de Médicis » ;

     2° « Un récit des troubles depuis la paix d'Amboise jusqu'à la mort de Charles IX » ;

     3° « Une dissertation sur la loi salique et le pernicieux gouvernement des femmes en France ».

182. P. 637.

183. Voir, par exemple, les planches d'Etienne DELAUNE et de Léon DAVENT (Cabinet des Estampes cotes Ed 4 pet. f° et Da 67 f°).

184. Cabinet des Estampes cote de 5 f°.

185. Dans l'Italie de la Renaissance la déesse Bellone est associée à la puissance dévastatrice des nouveaux armements alors que Mars reste le maître des armes nobles : l'épée et le bouclier. Cf. J.R. HALE, « War and Public Opinion in Renaissance Italy », dans E.F. JACOB (éd.), *Italian Renaissance Studies*, London, 1960, p. 105-107.

186. Cf. Nicolas BEATRIZET, « Combat de la Raison contre les Passions » (Cabinet des Estampes cote Ed la f°) et Giovanni Battista FONTANA, « Les compagnons d'Enée combattant contre les domestiques du roi Latin » (voir la reproduction dans A. BARTSCH, *Le peintre-graveur (XVe-XVIIe siècle)*, Leipzig, 1876, p. 369).

187. G. MEURIER, *Thresor de sentences dorées et argentées*, p. 104.

188. P. GROSNET, *Les Mots dorez*, f° v°.

189. J.L. VIVES, *Livre de l'institution de la femme chrestienne*, second livre, chap. IV, « De la concorde des mariez », p. 182-183.

190. Gravure presque identique à l'allégorie de Robert BOISSARD (voir fig. 55) dont la contrepartie a échappé, jusqu'alors, à mes tentatives de reconnaissance.

191. Une opposition « active » à l'ordre établi est également attribuée aux sorcières. Voir à ce propos R. MUCHEMBLED, *Sorcières, justice et société, passim*.

192. Pour ne pas parler de la paillardise, ni de l'envie, deux péchés « féminins » par excellence qui seront traités en profondeur dans mon prochain livre : *Mariage, sexualité, marginalité*.

193. *Commentaires sur le Nouveau Testament* (1561), cité par A. BIELER, *L'Homme et la Femme dans la morale calviniste*, p. 79.

194. *La Somme des pechez* (éd. de Paris, 1601), p. 393. Benedicti prend ici le relais d'une tradition ancienne. Même la légende dorée associe le jeûne à la chasteté et la gloutonnerie à la luxure. Voir à ce sujet M.C. POUCHELLE, « Représentations du corps dans la légende dorée », *Ethnologie française*, 1976, VI, 3-4, p. 293-308.

195. J. OLIVIER, *Alphabet de l'imperfection et malice des femmes* (éd. de Rouen, 1683, p. 316-317). Même une femme « respectable » pouvait succomber aux effets du vin, faiblesse momentanée qui comportait un certain risque. Montaigne raconte l'histoire d'une « femme de village, veuve, de chaste réputation, [qui] sentant les premiers ombrages de grossesse, disait à ses voisines qu'elle penserait être enceinte si elle avait un mari. Mais, du jour à la journée

croissant l'occasion de ce soupçon et enfin jusques à l'évidence, elle en vint là de faire déclarer au prône de son église que, qui serait consent de ce fait, en l'avouant, elle promettait de le lui pardonner, et, s'il le trouvait bon, de l'épouser. Un sien jeune valet de labourage, enhardi de cette proclamation, déclara l'avoir trouvée, un jour de fête, ayant bien largement pris son vin, si profondément endormie près de son foyer, et si indécemment, qu'il s'en était pu servir sans l'éveiller. Ils vivent encore mariés ensemble » (M. DE MONTAIGNE, *Les Essais,* Paris, 1965, p. 411-412).

196.   G. MEURIER, *Thresor de sentences dorées et argentées*, p. 76.

197.   Cette figure s'inspire sans doute de la représentation traditionnelle du carnaval « gras ». Cf. C. GAIGNEBET, « Le Combat de Carnaval et de Carême de P. Bruegel (1559) », *Annales E.S.C.,* n° 2, 1972, p. 313-345.

198.   Chapitre XXXII, Paris, 1970, p. 166.

199.   Voir par exemple J. DE MARCONVILLE, « De la legerté volage des femmes » dans *De la bonté et mauvaisté des femmes,* chapitre XVI, fol. 52 r°-54 v°.

200.   C'est P. DE BRANTOME qui rapporte cette anecdote célèbre : « une fois n'estant allé pourmener à Chambord, un vieux concierge qui estoit ceans, et avoit esté valet de chambre du roi François, m'y reçut fort honnestement... et lui-mesme ne voulut monstrer tout ; en m'ayant mené à la chambre du roi, il me monstra un mot d'escrit au costé de la fenestre : "Tenez, dit-il, lisez cela, monsieur ; si vous n'avez veu de l'escriture du roi mon maistre, en voilà". Et, l'ayant leu en grandes lettres, il y avoit ce mot : "Toute femme varie". » (*Des dames galantes,* quatrième discours, p. 381).

201.   A.J.V. LE ROUX DE LINCY, *Le Livre des proverbes français,* t. I, série « Femme », p. 219-232.

202.   P. GROSNET, *Les Mots dorez,* f° fvi v°.

203.   *Ibid.,* « Adages et proverbes des femmes ».

204.   « Sainct Ambroise, par exemple de la Lune (la lumière de laquelle se peut à bon droict appeller incertaine, puis que se changeant mutuellement, tantost elle croist, tantost elle diminue) nous admoneste, que parmi les choses de ce monde, n'y a rien de ferme, asseuré, & permanent, & que toutes se deffont & destruisent par le temps ». (« La Lune symbole de l'inconstance », dans P. DINET, *Cinq livres des hieroglyphiques,* p. 558). « Par la variété de la Lune, on a remarqué la sottise & inconstance des hommes : mais le sage est constant comme le Soleil, dit Salomon » (P. L'ANGLOIS, *Discours des hieroglyphes aegyptiens,* f° 92 v°).

205.   E. HARDING, « La signification profonde du cycle lunaire » dans *Les Mystères de la femme,* Paris, 1976, p. 74-76.

206.   Telles la « Danse de dryades » de Pierre Milan d'après le Rosso (Fontainebleau, 1547-1557) ou les « Femmes dansant et satyres » de Jacques Androuet Ducerceau (Paris/Genève, 1540-1585). Cabinet des Estampes cotes Ed 3 f° et Ed 2d 2b pet. f° t. II.

207.   J. DE MARCONVILLE, *De la bonté et mauvaisté des femmes,* f° 73 r°.

208.   J. WEIR, *Cinq livres de l'imposture et tromperie des diables : des enchantements & sorcelleries,* Paris : Jacques du Puys, 1569, f° 126.

209.   M. PREAUD, « *De Melencolia D.* (la mélancolie diabolique) », *Cahiers de Fontenay,* n° 10/11, 1973, p. 129. Voir également du même auteur : *Mélancolies,* Paris, 1982 et « L'obscure clarté de la Mélancolie. Les figures de mélancolie selon l'*Iconologia* de Ceare Ripa », *Les Nouvelles de l'estampe,* n° 75, 1984, p. 3-19.

210. Sur l'importance de la mélancolie au début de l'ère moderne et ses manifestations artistiques, érotiques, et pathologiques, voir les traits de A. DE LAURENS, *Discours de la conservation de la veue, des maladies melancholiques, des catharres et de la vieillesse,* Paris, 1597 ; J. FERRAND, *De la maladie d'amour ou melancholie erotique. Discours curieux qui enseigne à cognoistre l'essence, les causes, les signes, et les remedes de ce mal fantastique,* Paris, 1623 (c'est une somme de toute la littérature médicale de la Renaissance sur la mélancolie érotique). A consulter également sur le sujet R. KLIBANSKY, E. PANOFSKY, & F. SAXL, *Saturn and Melancholy. Studies in the History of Natural Philosophy, Religion and Art,* Nendeln/Liechtenstein, 1979, et J. DELUMEAU, « La mélancolie » dans *Le Péché et la Peur,* p. 189-208.

211. A. PARE, *Animaux monstres et prodigues,* Paris, 1954, p. 16.

212. *Ibid.,* p. 20.

213. J. WEIR, *Cinq livres de l'imposture et tromperie des diables,* f° 127 v°.

214. A. PARE, *Animaux, monstres et prodigues,* p. 20.

215. Au sujet du suicide voir J.C. SCHMITT, « Le suicide au Moyen Age », *Annales E.S.C.* n° 1, 1976, p. 3-29 et M. HIGONNET, « Speaking Silences : Women's Suicide », dans R. SULEIMAN, *The Female Body in Western Culture,* Cambridge (Mass.), 1985, p. 68-83.

216. J. WEIR, *Cinq livres de l'imposture et tromperie des diables,* f° 126 v°.

217. Lyon, 1551, p. 40.

218. Voir par exemple l'emblème « Infortunes tousjours prochaines » du recueil de A. ALCIATI (Paris, 1536), « *Infortunum* » et « *Servitus* » de la suite de 42 allégories morales de Jacques Androuet Ducerceau (Paris/Genève, 1540-1585) et les planches représentant « *Inquietudo* » et « *Tribulatio* » dans la *Prosopographia.*

219. f° 73 v° — 74 v°.

220. L'*Alphabet* de Jacques OLIVIER fait partie d'une longue tradition d'alphabets analogues dont la Renaissance fut particulièrement friande. Il en existe de nombreuses versions — espagnoles, anglaises, flamandes — qui dérivent toutes de la tradition scolastique. Voir à ce sujet I. MACLEAN, *The Renaissance Notion of Woman. A Study in the Fortunes of Scholasticism and Medical Science in European Intellectual Life,* Cambridge, 1980, p. 16, et du même auteur, *Woman Triumphant : Feminism in French Literature, 1610-1652,* Oxford, 1977, p. 31.

221. Pour une analyse des rapports de force entre la culture dominante et la culture populaire et une description du rôle — tant passif qu'actif — attribué à la femme par les porte-parole des milieux dirigeants voir R. MUCHEMBLED, *Sorcières, justice et société, passim.*

222. Comme l'observe G. DUBY : « Naturellement, en effet, les représentations idéologiques procurent de la réalité de l'organisation sociale une image simplifiée, ignorant les nuances, les superpositions, les enchevêtrements, accusant au contraire les contrastes et mettant l'accent sur les hiérarchies et les antagonismes » (« Histoire sociale et idéologies des sociétés », dans J. LE GOFF & P. NORA (éd.), *Faire de l'Histoire,* Paris, 1974, t. 1., p. 162).

223. Sur la résistance féminine aux restrictions imposées par l'idéologie masculine voir M.E. WIESNER, « Women's Defense of their Public Role », dans M.B. ROSE (éd.), *Women in the Middle Ages and the Renaissance,* Syracuse (N.Y.), 1986, p. 1-28.

224.   La femme étant un « natural symbol ». Voir à ce propos l'étude pionnière de M. DOUGLAS, *Natural Symbols. Explorations in Cosmology,* Harmondsworth, 1973, ainsi que la discussion du rapport entre une idéologie masculine dominante et un comportement féminin « déviant » dans Y. & R. MUR-
PHY, *Women of the Forest* : « Women are indeed inferior in the ideology of
Mundurucù men, but they are also threatening. Male status is not secure and
immutable, fixed in nature and beyond challenge, for women once held power
and can regain it if male vigilance is relaxed. Women are governed by men,
but they are still regarded as unpredictable and difficult to manage. They are
denied formal authority, but it is conceded that they have potential power.
Men are dominant in sex and reproduction, but it is women who bear and
nurture the children. The dogma of male dominance is thus pervaded with
doubt and contradiction. It must be regarded less as a statement of what
things are really like than as the posing of a riddle, the expression of a
dilemma, and an ideological device for its resolution. » (p. 111-112).
225.   Sur le discours patriarcal, la désignation de la femme comme « l'autre » et les conséquences d'une politique de différenciation sexuelle voir
M.W. FERGUSON, M. QUILLIGAN & N.J. VICKERS (éd.), *Rewriting the
Renaissance. The Discourses of Sexual Difference in Early Modern Europe,* Chicago (Ill.), 1986. Je remercie Eric Nicholson de m'avoir donné ce livre.
226.   Sur les fonctions idéologiques des moyens de communication culturels
et leur utilisation par la culture dominante, voir P. BOURDIEU, « Le pouvoir
symbolique », *Annales E.S.C.,* n° 3, 1977, p. 405-411.

NOTES DE LA CONCLUSION

Représentation, idéologie et mentalités

1. Selon R. MUCHEMBLED, l'imagerie vulgarisait auprès des masses les idéaux des élites, comblant ainsi un vide idéologique entre la pure culture savante et les restes de la culture populaire en milieu urbain. Tout en se présentant sous une forme « populaire », elle constituait un véritable discours sur la validité du système dominant (*Culture populaire et culture des élites dans la France moderne. XVe-XVIIIe siècle,* Paris, 1978, p. 347). Je suis tout à fait d'accord sur le fait que l'estampe se prêtait admirablement bien aux volontés éducatives de l'Église et de l'État, mais je ne suis pas d'accord sur le totalitarisme idéologique de l'imagerie, qui s'inspirait aussi facilement de l'art savant que des traditions populaires. Sur les formes « folkloriques » de l'art voir C. GAIGNEBET & J.D. LAJOUX, *Art profane et religion populaire au Moyen Age,* Paris, 1985.

2. C. MERCHANT a remarqué cette même attitude à l'égard de la nature : *The Death of Nature. Women, Ecology and the Scientific Revolution,* San Francisco/New York, 1933.

3. Je résume ici des observations faites par Jean-Pierre PETER.

BIBLIOGRAPHIE CHRONOLOGIQUE
DES LIVRES D'EMBLÈMES, DE DEVISES ET D'HIÉROGLYPHES
PUBLIÉS EN LANGUE FRANÇAISE AU XVIᵉ SIÈCLE *

Date et lieu de la première édition en langue française avant 1600	Auteur et titre	Nombre d'éditions connues en langue française avant 1600
1. 1536, Paris	§ ALCIATI, Andrea *Livret des emblèmes*	22
2. 1539, Paris	§ LA PERRIERE, Guillaume de *Le Théâtre des bons engins*	10
3. 1539, Paris	CORROZET, Gilles *Les Blasons domestiques con tenantz la decoration d'une maison honneste*	1
4. 1540, Paris	§ CORROZET, Gilles *Hecatomgraphie*	5
5. 1543, Paris	CEBES DE THEBES *Le Tableau de Cebes de Thebes, ancien philosophe et disciple de Socrates*	1
6. 1543, Paris	HORAPOLLO *De la signification des notes hieroglyphiques des aegyptiens*	5
7. 1544, Lyon	SCEVE, Maurice *Délie, object de plus haulte vertu*	2
8. 1550, Lyon	GUEROULT, Guillaume *Le Premier Livre des emblèmes*	1
9. 1551. Lyon	PARADIN, Claude *Devises heroïques et emblèmes*	11
10. 1552, Lyon	§ ANEAU, Barthélemy *Imagination poétique*	2

---

* Le symbole § indique les recueils analysés pour l'étude chiffrée des représentations. Cette liste a été dressée d'après deux bibliographies compréhensives du phénomène emblématique : A. HENKEL & A. SCHONE, *Emblemata Handbuch zur Sinnbildkunst des 16 und 17 Jahrhunderts. Supplement der Erstausgabe*, Stuttgart, 1976, et J. LANDWEHR, *French, Italian, Spanish and Portuguese Books of Devises and Emblems (1534-1827). A Bibliography*, Utrecht, 1976. N'ont été retenus ici que les « *short titles* » d'ouvrages emblématiques écrits ou traduits en langue française (ou en édition polyglotte), publiés en France ou à l'étranger au cours du XVIᵉ siècle.

11.	1553, Lyon	LA PERRIERE, Guillaume de *La Morosophie*	2
12.	1555, Lyon	COUSTAU, Pierre *Le Pegme*	3
13.	1559, Lyon	SIMEONI, Gabriele *Les devises ou emblèmes heroïques et morales*	9
14.	1560, Lyon	GIOVIO, Paolo et SIMEONI, Gabriele *Tertastiques*	1
15.	1560, Lyon	GUEROULT, Guillaume *Les Hymnes du temps et de ses parties*	1
16.	1561, Lyon	GIOVO, Paolo *Dialogue des devises d'armes et d'amours*	1
17.	1564, Paris	GOURMONT, Jean de *Moresques*	1
18.	1564, Paris	NESTOR, Jean *Histoire des hommes illustres*	2
19.	1567, Anvers	§ LE JEUNE, Adrien *Les Emblesmes*	4
20.	1567, Anvers	SAMBUC, Jean *Les Emblèmes*	1
21.	1568, Paris	COUSIN, Jean (fils) *Emblèmes sur la fortune*	1
22.	1571, Lyon	§ de MONTENAY, Georgette *Emblemes ou devises chrestiennes*	2
23.	1572, Paris	TABOUROT, Etienne *Les Rebus de Picardie*	5
24.	1576, Lyon	VALERIANO BOLZANI, Giovanni Piero *Commentaires hieroglyphiques ou images des choses*	1
25.	1578, Anvers	PERRET, Estienne *XXV Fables des animaux*	1
26.	1578/79, Anvers	HEYNS, Pierre *Ebastement moral, des animaux*	1
27.	1580, Strasbourg	DELAUNE, Etienne *Octonaires sur la vanité et inconstance de ce monde*	1
28.	1581, Genève	BEZE, Théodore de *Les Vrais Pourtraits des hommes illustres*	2
29.	1583, Paris	L'ANGLOIS, Pierre de *Discours des hieroglyphes aegyptiens, emblemes, devises et armoiries*	1
30.	1584, Metz	§ BOISSARD, Jean-Jacques *Emblèmes latins*	2
31.	v. 1590, Anvers	VAN KIEL, Cornelis *Prosopographia*	1
32.	1596, Francfort- sur-le-Main	BRY, Théodore de *Emblemata saecularia*	2

TOTAL :   105

TABLE DES FIGURES *

---

* Sauf indication contraire, les cotes ici citées renvoient soit aux fonds du Cabinet des Estampes de la Bibliothèque Nationale de Paris, soit aux livres conservés au Département des Imprimés de cette même bibliothèque. Les dimensions des gravures sont en millimètres.
N.B. : Toutes ces gravures, sauf la gravure 97, sont des clichés de la Bibliothèque Nationale.

Fig. 29 : Etienne DELAUNE, « Le Roi écoute les conseils de Minerve » (allégorie
           en l'honneur de Henri II), Paris, v. 1557.
           (Ed 4a rés. fol., diam. 36, taille-douce)

Fig. 30 : Bernard SALOMON (?), « De Charles d'Austriche Empereur V » dans
           Barthélemy ANEAU, *Imagination poétique,* Lyon, 1552.
           (Rés. p Ye 1658 in-8°, H 37 — L 50, s/bois)

Fig. 31 : René BOYVIN, « Judith », d'après le Rosso, Paris, 1550-1580.
           (Ed 3 fol., H 180 — L 131, taille-douce)

Fig. 32 : Denis DE MATHONIERE, « Judith faict reverance à Holoferne qui
           espris de sa beauté veut apres avoir bien soupé coucher avec elle »,
           Paris, rue Montorgueil, v. 1575.
           (Ed 5g rés. fol., H 360 — L 488, s/bois)

Fig. 33 : Denis DE MATHONIERE, « Judith trancha la teste à Holoferne, & la
           porte aux citoyens de Bethulie », Paris, rue Montorgueil, v. 1575.
           (Ed 5g rés. fol., H 360 — L 488, s/bois)

Fig. 34 : Etienne DELAUNE, « *Abondantia* », Strasbourg, 1575.
           (Ed 4a rés. fol., H 49 — L 68, taille-douce)

Fig. 35 : Etienne DELAUNE, « *Pax* », Strasbourg, v. 1575.
           (Ed 4a rés. fol., H 49 — L 69, taille-douce)

Fig. 36 : Philippe GALLE, « *Gratia Dei* », dans Cornelis VAN KIEL, *Prosopogra-
           phia,* Anvers, v. 1590.
           (Td 1 in-4°, H 150 — L 90, taille-douce)

Fig. 37 : Jacques ANDROUET DUCERCEAU, « *Natura* », d'après Aeneas Vico,
           Paris/Genève, 1540-1585.
           (Ed 2b t. 1 rés. fol., H 95 — L 75, taille-douce)

Fig. 38 : Philippe GALLE, « *Natura* », dans Cornelis VAN KIEL, *Prosopographia,*
           Anvers, v. 1590.
           (Td 1 in-4°, H 150 — L 90, taille-douce)

Fig. 39 : René BOYVIN, « *Ops mater* » (détail), Paris, 1550-1580.
           (Ed 3 fol., H 104 — L 100, taille-douce)

Fig. 40 : René BOYVIN, détail de la pl. IX du *Livre de la conqueste de la Toison
           d'or par le prince Jason de Tessalie,* d'après Léonard Thiry, Paris, 1563.
           (Cb 8b, H 155 — L 226, taille-douce)

Fig. 41 : René BOYVIN, « Modeles d'orfevrerie : deux salières », Paris, 1550-1580.
           (Ed 3 fol., H 140 — L 180, taille-douce)

Fig. 42 : Etienne DELAUNE, « La naissance de saint Jean-Baptiste », d'après
           Jules Romain, Paris/Strasbourg, 1557-1580.
           (Ed 4a Rés. in fol., H 425 — L 282, taille-douce)

Fig. 43 : Jean GRAFFART, « Naissance d'Esaü & Jacob, filz gémeaux d'Isaac
           & Rebecca », Paris, rue Montorgueil, v. 1575.
           (Ed 5g rés. fol., H 370 — L 490, s/bois)

Fig. 44 : Pierre WOEIRIOT, « *Non est fastidiosa* », dans Georgette DE MONTE-
           NAY, *Emblemes ou devises chrestiennes,* Lyon, 1571.
           (Rés. Z 906 in-4°, H 90 — L 100, taille-douce)

Fig. 45 : Marin BONNEMER, « Lors commençant de peché les malheurs... »,
           Paris, rue Montorgueil, v. 1575.
           (Ed 5g rés. fol., H 340 — L 490, s/bois)

Fig. 46 : Guillaume LE BE, « Comme s'appaisent les petits enfans », Paris,
           1587.
           (Ea 79 rés. fol., H 150 — L 170, s/bois)

Fig. 66 : ANONYME, « Allégorie de la tentation » dans l'*Exercitum super pater noster,* France ? v. 1450.
(Xylo 31 et 32, H 182 — L 188, s/bois)

Fig. 67 : Jacques de FORNAZERIS, frontispice de Ioanne BUSAEO,
Panarion Lyon, 1612.
(AA 4 fol., H 173 — L 105, taille-douce)

Fig. 68 : Léon DAVENT, « La Justice », frontispice d'une suite d'estampes illustrant les Sept Péchés capitaux, d'après Luca Penni, Fontainebleau, 1547.
(Da 67 rés. fol., H. 310 — L 420, taille-douce)

Fig. 69 : Jean BOUSSY, « Chrestiens, regardez d'éviter & fuir les sept pechez mortels, par lesquels au jugement de Dieu serez envoyez au feu eternel », Paris, rue Montorgueil, v. 1575.
(Ed 5g rés. fol., H 410 — L 490, s/bois)

Fig. 70 : ANONYME, « De la grant ostentation dorgueil » dans Sebastian BRANT, *La Grand Nef des folz,* Lyon, 1529-1530.
(Rés p Y2 281, H 105 — L 76, s/bois)

Fig. 71 : Léon DAVENT, « *Superbia* », d'après Luca Penni, Fontainebleau, 1547.
(Da 67 rés. fol., H 300 — L 460, taille-douce)

Fig. 72 : ANONYME, « L'empeseur de fraises pour la toilette », Anvers ? v. 1600.
(Qb 1600, Col. Hennin, t. XIII, n° 24, H 202 — L 286, taille-douce)

Fig. 73 : Jacques ANDROUET DUCERCEAU, « *Vanitas* », d'après Aeneas Vico, Paris/Genève, 1540-1585.
(Ed 2b t1 rés. fol., H 95 — L 75, taille-douce)

Fig. 74 : ANONYME, Emblème LXXVIII de Guillaume DE LA PERRIERE,
Théâtre des bons engins, Paris, 1539.
(Rés Z 2556, H 51 — L 50, s/bois)

Fig. 75 : Jacques PICART (?), « Pendant qu'à se parer pour paraistre jolie... »,
Paris, v. 1610.
(Oa 22 fol., H 170 — L 132, taille-douce, Col. Hennin, t. XLVIII, n° 4421)

Fig. 76 : Jacques ANDROUET DUCERCEAU, « *Divitie* », d'après Aeneas Vico, Paris/Genève, 1540-1585.
(Ed 2b t.1 fol., H 95 — L 75, taille-douce)

Fig. 77 : Léon DAVENT, « *Avaritia* », d'après Luca Penni, Fontainebleau, 1547.
(Da 67 rés. fol., H 300 — L 460, taille-douce)

Fig. 78 : Philippe GALLE, « *Diffidentia Dei* », dans Cornelis VAN KIEL, *Prosopographia,* Anvers, v. 1590.
(Te 5 in-4°, H 150 — L 90, taille-douce)

Fig. 79 : Jacques ANDROUET DUCERCEAU, « *Fraus* », d'après Aeneas Vico, Paris/Genève, 1540-1585.
(Ed 2b t. 1 rés. fol., H 95 — L 75, taille-douce)

Fig. 80 : Jean III LE CLERC, « Foy legere de la [f]emme », Paris, rue Saint-Jacques, v. 1580.
(Ea 79 rés. fol., H 210 — L 110, s/bois)

Fig. 81 : Philippe GALLE, « *Fraus* », dans Cornelis VAN KIEL, *Prosopographia,* Anvers, v. 1590.
(Td 1 in-4°, H 150 — L 90, taille-douce)

Fig. 82 : Jean III LE CLERC, « Les entre-paroles du Manant de-ligué & du Maheutre » (détail), Paris, rue Saint-Jean-de-Latran, 1594.
(Tf 2 rés. fol., H 185 — L 310, s/bois)

Fig. 99 : Jean COUSIN (?), « Comme les Amazones traitent ceux qu'ils (*sic*) prennent en guerre », dans André THEVET, *Les singularitez de la France antartique autrement nommée Amérique,* Paris, 1558.
(Rés 4° LK12 1 fol. 126 v°, H 86 — L 108, s/bois)

Fig. 100 : Bernard SALOMON (?), « Charité empeschant vengeance », dans Barthélemy ANEAU, *Imagination poétique,* Lyon, 1552.
(Rés. p Ye 1658 in-8°, H 37 — L 52, s/bois)

Fig. 101 : René BOYVIN, pl. XV du *Livre de la conqueste de la Toison d'or par le prince Jason de Tessalie,* d'après Léonard THIRY, Paris, 1563.
(Cb 8b, H 155 — L 227, taille-douce)

Fig. 102 : René BOYVIN, pl. XXIII du *Livre de la conqueste de la Toison d'or par le prince Jason de Tessalie,* d'après Léonard THIRY, Paris, 1563.
(Ed 3 fol., H 155 — L 225, taille-douce)

Fig. 103 : Bernard SALOMON (?), « Contr'amour », dans Barthélemy ANEAU, *Imagination poétique,* Lyon, 1552.
(Rés Ye 1658 in-8°, H 38 — L 55, s/bois)

Fig. 104 : Jean BOUSSY, « Naboth refuse sa vigne à Achab. Achab irrité se couche. Jezabel sa femme le reconforte, conspirant la mort de Naboth, dont la vengeance est faicte par Iehu », Paris, rue Montorgueil, v. 1575.
(Ed 5g rés. fol., H 340 — L 490, s/bois)

Fig. 105 : Jean BOUSSY, « Iehu fait jetter Jezabel par les fenestres, elle est mangée des chiens », Paris, rue Montorgueil, v. 1575.
(Ed 5g rés. fol., H 340 — L 490, s/bois)

Fig. 106 : Bernard SALOMON, « Ichu voyant Jezabel la cruelle... », dans Claude PARADIN, *Quadrins historiques de la Bible,* Lyon, 1553.
(Rés. A 17894 in-8°, H 55 — L 80, s/bois)

Fig. 107 : Etienne DELAUNE, « *Bellum* », Strasbourg, v. 1575.
(Ed 4 pet. fol., H 49 — L 68, taille-douce)

Fig. 108 : ANONYME, « La discorde mortelle », dans Adrien LE JEUNE, *Emblemes,* Anvers, 1567.
(Z 17435 in 12°, H 55 — L 55, s/bois)

Fig. 109 : Crispin VAN de PASSE, « *Discordia* », d'après Martin de Vos, Anvers, 1589.
(Qb 1589, H 222 — L 235 , taille-douce, Col. Hennin, t. X, n° 964.)

Fig. 110 : Léon DAVENT, « *Gula* » (détails), d'après Luca Penni, Fontainebleau, 1547.
(Da 67 rés. fol., H 300 — L 460, taille-douce)

Fig. 111 : ANONYME, « Gourmandise, Bacchus le dieu des ivrognes, le plaisant chasseur », Paris, v. 1565.
(Qb 1550, H 380 — L 520, s/bois)

Fig. 112 : ANONYME, Emblème XIV de Guillaume de LA PERRIERE, *Théâtre des bons engins,* Paris, 1539.
(Rés Z 2556, H 52 — L 51, s/bois)

Fig. 113 : Etienne DELAUNE, « Il n'y a rien de constant en ce monde que l'inconstance », Strasbourg ? v. 1580.
(Ed 4 pet. fol., H 57 — L 96, taille-douce)

Fig. 114 : ANONYME, « L'Influance de la lune sur la teste des femmes », Paris, première moitié du XVIIᵉ siècle.
(Tf 2 rés. fol., H 312 — L 387 , taille-douce)

INDEX

TABLE DES MATIÈRES

CHAPITRE I
La polarisation asymétrique de l'identité féminine

CHAPITRE II
Femmes de vertu

CHAPITRE III
Les multiples défauts du sexe faible

CONCLUSION
Représentation, idéologie et mentalités

Achevé d'imprimer en janvier 1991
sur les presses de l'Offset Bretolienne
27160 Breteuil-sur-Iton

N° d'édition : 13 001
N° d'impression : 318
Dépôt légal : février 1991